普通高等院校船舶与海洋工程"十三五"规划教材
黑龙江省精品工程专项资金资助出版

U0645237

# 船舶与海洋工程结构物强度

主　编　孙丽萍　闫发锁
副主编　马　刚　李　辉

哈尔滨工程大学出版社
Harbin Engineering University Press

## 内 容 简 介

本书主要围绕船舶和浮式海洋平台强度的内容进行了论述,内容分为船体强度和海洋平台强度两部分。第1部分为船体强度,共6章,分别介绍了船舶的外载荷、船体梁的总纵强度、局部强度、扭转强度、上层建筑和应力集中;第2部分为浮式平台强度,共5章,分别介绍了平台的海洋环境载荷、锚泊定位系统、几种典型的深水浮式平台(如半潜式平台、立柱式平台和张力腿平台)。

本书可作为船舶与海洋工程专业学生的教材和参考书,也可供船舶和海洋平台设计分析人员参考。

**图书在版编目(CIP)数据**

船舶与海洋工程结构物强度/孙丽萍,闫发锁主编. —哈尔滨:哈尔滨工程大学出版社,2017.5(2022.7 重印)
ISBN 978 – 7 – 5661 – 1529 – 4

Ⅰ.①船⋯　Ⅱ.①孙⋯ ②闫⋯　Ⅲ.①船体强度
Ⅳ.①U661.43

中国版本图书馆 CIP 数据核字(2017)第 118881 号

选题策划　张淑娜　史大伟
责任编辑　王洪菲　唐欢欢
封面设计　刘长友

出版发行　哈尔滨工程大学出版社
社　　址　哈尔滨市南岗区南通大街 145 号
邮政编码　150001
发行电话　0451 – 82519328
传　　真　0451 – 82519699
经　　销　新华书店
印　　刷　北京中石油彩色印刷有限责任公司
开　　本　787 mm ×1 092 mm　1/16
印　　张　21
字　　数　521 千字
版　　次　2017 年 5 月第 1 版
印　　次　2022 年 7 月第 3 次印刷
定　　价　48.00 元
http://www.hrbeupress.com
E-mail:heupress@ hrbeu.edu.cn

# 前　　言

　　船舶与海洋工程结构物强度是船舶与海洋工程专业一门重要的核心课程。本书包括船体强度和海洋平台强度两部分内容,第1部分为船体强度,共6章,其中第1章和第2章由李辉、闫发锁编写,第3至6章由孙丽萍、闫发锁编写;第2部分为海洋平台强度,共5章,其中第7章由闫发锁编写,第8至11章由孙丽萍、马刚编写。

　　本书在编写中力求既保留经典的船体梁理论,同时又引进了最先进的深海浮式平台的概念和相关技术。本书力求保证全书内容的系统性和完整性。为便于教学,配有作者多年教学积累的思考题和习题。本书除了参考经典的图书及文献,还参考了海洋浮式平台的国际规范和研究论文。

　　本书不仅可作为船舶与海洋工程专业的教材,也可作为从事船舶与海洋平台设计分析的工程技术人员参考书籍。

　　由于编者知识和水平有限,难免存在不足之处,敬请广大读者批评指正。

编　者
2017 年 1 月

# 目　　录

## 第 1 部分　船体强度

# 第 2 部分　浮式平台强度

# 第 1 部分　船 体 强 度

# 第1章 船体总纵强度计算外力的确定

## 1.1 船舶在静水中的剪力和弯矩

### 1.1.1 概述

本章讨论舰船纵向总强度的外力计算。为了便于理解波浪中航行状态的外力计算,首先讲述静水漂浮状态(静力问题)的外力计算。

船舶在静水中处于平衡状态(浮态)时,对于整个船体来讲,重力和浮力是相互平衡的;但对于船体某一段长度来讲,则不一定相互平衡,因此将产生垂向的静水弯矩和剪力。静水弯矩与剪力是使船体发生总纵弯曲的重要载荷成分,通常按照以下方法进行计算。

1. 计算模型

自由梁(边界条件:两端处剪力、弯矩为零)承受横向载荷。选取坐标系如图1.1.1所示。

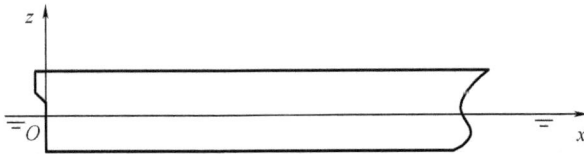

**图1.1.1**

2. 静水载荷

$$q(x) = w(x) - b(x)$$

式中　$w(x)$——船体单位长度的重力;

　　　$b(x)$——作用在船体的单位长度上的浮力;

　　　$q(x)$——静水载荷集度,约定向下为正。

3. 静水剪力和弯矩

静水剪力和弯矩的符号规定如图1.1.2所示。通常,根据自由梁的内力与载荷的关系及边界条件,可以采用以下两种方法计算静水弯矩和剪力(设 $x$ 轴原点取在船尾)。

(1)积分法

$$\begin{cases} N(x) = \displaystyle\int_0^x q(x)\,\mathrm{d}x \\ M(x) = \displaystyle\int_0^x N(x)\,\mathrm{d}x = \int_0^x\int_0^x q(x)\,\mathrm{d}x\mathrm{d}x \end{cases} \tag{1.1.1}$$

当载荷分段解析时,相应的积分也需要分段进行,式中的积分亦可由相应曲线下的面积表示。

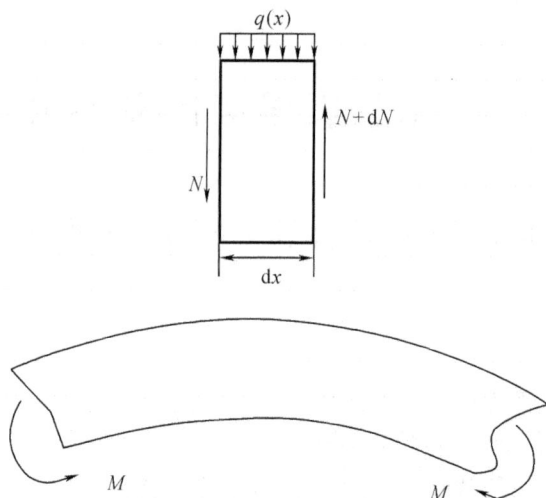

**图 1.1.2　船体梁弯曲的载荷、剪力及弯矩的符号规定**

（2）截面法

取艉端至指定截面的一段船体为"隔离体"，如图 1.1.3 所示，根据平衡条件确定截面的剪力和弯矩。

$$M(x) = \int_0^x q(\xi)(x - \xi)\mathrm{d}\xi \qquad (1.1.2)$$

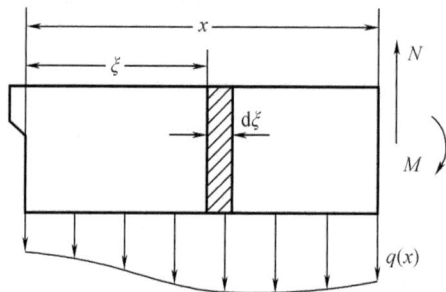

**图 1.1.3**

通过以上分析可知，在计算静水剪力 $N(x)$ 和静水弯矩 $M(x)$ 之前，必须先确定重量曲线 $w(x)$ 和浮力曲线 $b(x)$。

### 1.1.2　重量曲线

船舶在某一装载状态下，全船的重量沿船长分布的曲线称为重量曲线。在绘制重量曲线前，必须有船体各项重量、重心位置及分布范围的相应资料。若根据这些资料，对每一项重量进行精确详细的分布，将使作重量曲线的工作十分烦琐。因此，实际上通常将船舶重量按 20 个理论站距分布（民船理论站号从船尾至船首，军船则是从船首至船尾），用每段理论站距间的重量做出阶梯形曲线来代替重量曲线，如图 1.1.4 所示。作阶梯形重量曲线时，应遵守的分配原则如下：

（1）每一项重量的大小不变；

（2）每一项重量的重心沿船长方向的位置不变；

（3）重量分布范围与实际分布情形大体一致。

在每一理论站内的重量分布则看作是均匀分布的,在其分布范围内,曲线下的面积应等于其重量。

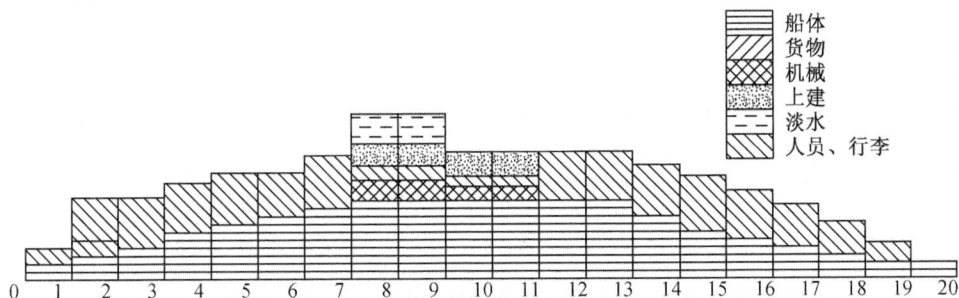

图 1.1.4

虽然按照这样的分布方法与实际情况是有出入的,但其对静水弯矩和剪力所引起的误差却是很小的。

在绘制船体重量曲线时,通常将船体重量分为全船性重量和局部性重量分别进行处理。

（1）全船性重量

大体沿船体梁全长分布的重量,包括船舶主体结构、油漆、索具等各项重量。

（2）局部性重量

沿船长的局部范围内分布的重量,包括货物、机械、设备、弹药、燃料、淡水、船员及供应品等各项重量。

绘制重量曲线的步骤:

（1）依据重量的分配原则,将每一项重量分别在各站距内均布;

（2）将同一站距内的各项重量相叠加。

1. 全船性重量的处理方法

船体的重量通常是由空船重量和货物重量共同组成的,可以用空船重量曲线和货物重量曲线组成各种给定装载状态下的船体重量曲线。空船重量是最基本的全船性重量,一般有以下几种处理方法。

（1）梯形法

因为大多数船舶往往是中间肥、两端尖瘦,所以可以把船体和舾装重量近似地用图1.1.5 所示的梯形曲线来表示。

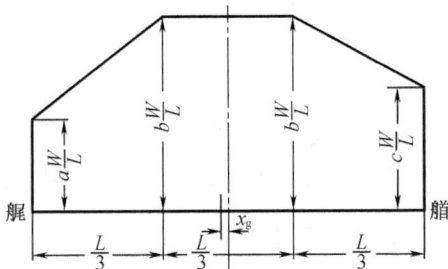

图 1.1.5

根据梯形面积等于船体及舾装的重量,面积形心的纵向坐标与重心的纵向坐标一致的条件,可求得梯形形状参数 $a$、$b$、$c$。各参数之间具有下列关系:

$$\left.\begin{array}{l} 4b + a + c = 6 \\ a - c = \dfrac{108}{7} \cdot \dfrac{x_g}{L} \end{array}\right\} \tag{1.1.3}$$

式中  $x_g$——船体重心距船舯的距离(舯后为正),m;

　　　$L$——船长,m。

根据统计资料,对于瘦型船舶 $b = 1.195$,于是由式(1.1.3)可求得

$$\left.\begin{array}{l} a = 0.61 + \dfrac{54}{7} \cdot \dfrac{x_g}{L} \\ c = 0.61 - \dfrac{54}{7} \cdot \dfrac{x_g}{L} \end{array}\right\} \tag{1.1.4}$$

对于肥型船舶 $b = 1.174$,则

$$\left.\begin{array}{l} a = 0.652 + \dfrac{54}{7} \cdot \dfrac{x_g}{L} \\ c = 0.652 - \dfrac{54}{7} \cdot \dfrac{x_g}{L} \end{array}\right\} \tag{1.1.5}$$

（2）围长法

假设船体结构单位长度重量与该剖面围长成比例。这种方法适用于船主体结构重量的分布。如船体结构中的纵向连续构件——甲板板、外板、内地板、龙骨、纵桁,以及横向的肋骨、肋板、横梁等的总重量,可以按与剖面围长(包括甲板)成比例地分布。设距舯垂线 $x$ 剖面处的单位长度的重量为 $w(x)$,则

$$w(x) = \frac{W_h \cdot l(x)}{A} \tag{1.1.6}$$

式中  $W_h$——船舶主体结构重量的总和,tf;

　　　$l(x)$——$x$ 剖面处围长,m;

　　　$A$——船体全表面积,$m^2$。

（3）抛物线法

假定船体和舾装品构成的重量曲线可用抛物线和矩形之和来表示,如图 1.1.6 所示。这种分布曲线对于无平行中体的船型比较适合。作重量曲线时,把船体和舾装总重量的一半作为均匀分布;另一半按抛物线分布,则距船舯 $x$ 处的单位长度的重量按下式计算

$$w(x) = \frac{w}{2l}\left\{0.5 + 0.75\left[1 - \left(\frac{x}{l}\right)^2\right]\right\} \tag{1.1.7}$$

式中  $W$——船体和舾装重量总和,tf;

　　　$l$——船长之半,m。

由式(1.1.7)求得的重量曲线知,舯艉是对称的。但一般船体重心并不在船舯,所以必须对上述重量曲线进行修正。修正方法如图 1.1.6 所示,假定船体重心在舯后 $x_g$ 处,取 $OA = \dfrac{2}{5}W_0\left(W_0 = \dfrac{3}{8} \cdot \dfrac{W}{l}\right)$,将 $A$ 点沿水平方向移动到 $B$ 点,令 $AB = 2x_g$,从抛物线顶点 $D$ 沿水平方向作直线,并与 $OB$ 延长线交于 $D'$ 点,则 $D'$ 点即为修正后的重量曲线的顶点。由 $PP'$ 线上其他各点作 $OB$ 的平行线,并与由抛物线上相应的顶点所作的水平线相交,则由各交点

连成的曲线即为修正后的重量曲线。因为新的抛物线下的面积形心在舯后 $2x_g$ 处，所以整个图形的形心在舯后 $x_g$ 处。

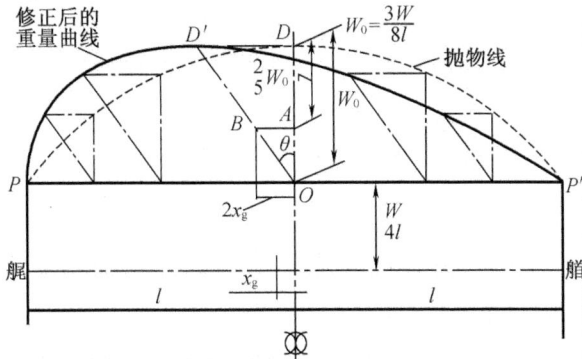

图 1.1.6

**2. 局部性重量的处理方法**

（1）分布在两个理论站距内的重量

局部性重量 $P$，其重心距第 $i$ 站的距离为 $a$，如图 1.1.7 所示。在处理这种重量分布时，可将重量 $P$ 化成在两个理论站内的重量 $P_1$ 和 $P_2$。$P_1$ 和 $P_2$ 应满足以下条件

$$
\left.
\begin{aligned}
P_1 + P_2 &= P \\
\frac{1}{2}(P_1 - P_2) \cdot \Delta L &= P \cdot a
\end{aligned}
\right\}
\tag{1.1.8}
$$

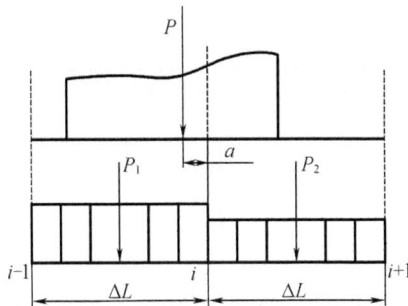

图 1.1.7

由此可得

$$
\left.
\begin{aligned}
P_1 &= P\left(0.5 + \frac{a}{\Delta L}\right) \\
P_2 &= P\left(0.5 - \frac{a}{\Delta L}\right)
\end{aligned}
\right\}
\tag{1.1.9}
$$

将 $P_1$ 和 $P_2$ 除以站距 $\Delta L$，即可得到将该重量分配到两个站距内的重量集度。

（2）分布在三个站距内的重量

根据静力等效原则，只能列出两个平衡方程，无法求解出所需的三个未知数，所以在此情况下，一般是按照图 1.1.8 所示的两种情形进行分配。

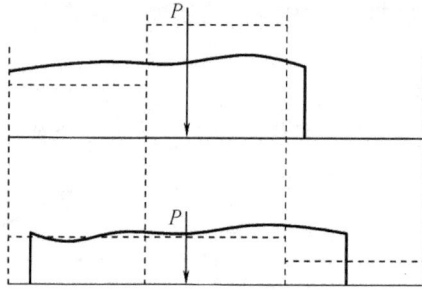

图 1.1.8

（3）艏艉理论站外的重量

有些船舶在艏艉垂线之外，有相当长的延伸部分，且该部分的重量可能超过空船重量的 1%。对于这一类重量，应按图 1.1.9 所示的方法进行处理。把艏艉垂线之外的重量移到相邻的两个理论分段内，但不改变船舶重心的纵向坐标，故不致引起船舯部弯矩的变化。根据平衡条件得

$$
\left.
\begin{aligned}
P_1 &= P\left(1.5 + \frac{a}{\Delta L}\right) \\
P_2 &= P\left(0.5 - \frac{a}{\Delta L}\right)
\end{aligned}
\right\}
\tag{1.1.10}
$$

式中 $a$——重心距端点站的距离。

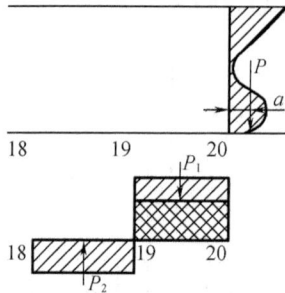

图 1.1.9

随着船舶设计方法和设计工具的改进，目前很多船舶设计软件在完成船舶的设计之后，能够直接按照肋距给出船体的重量曲线，计算结果较为准确。但在船舶初步设计阶段，本书所介绍的几种方法仍然适用，为了使结果更加精确，应对上述方法进行修正。

### 1.1.3 浮力曲线

船舶在某一装载状态下，浮力沿船长分布状况的曲线称为浮力曲线。浮力曲线下的面积等于作用在船体上的浮力；面积的形心纵向坐标即为浮心纵向位置。图 1.1.10 表示水线为 $WL$ 和 $W'L'$ 时，根据邦戎曲线求浮力曲线的方法。

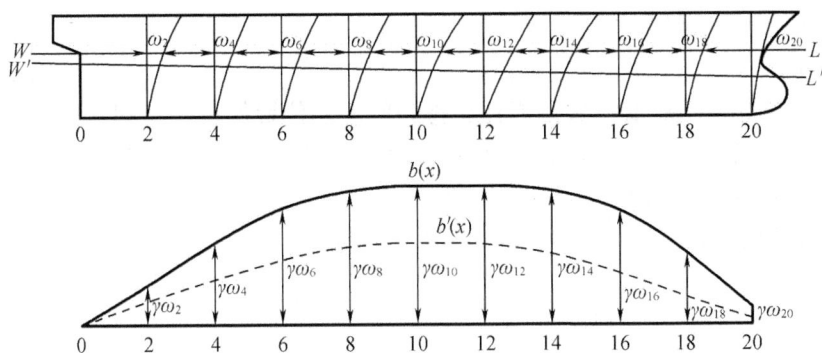

图 1.1.10

**1. 确定平衡水线位置的原理和方法**

在利用邦戎曲线求船舶在某一浮态下的浮力曲线时,关键问题是确定当时船舶的实际平衡位置。通常可根据浮力与重力相平衡的条件(2 个平衡方程),采用逐步近似法调整"倾差"来确定船舶在静水中的平衡位置。

采用逐步近似法的理论依据是等容倾斜原理,如图 1.1.11 所示,图中稳心 $M$、漂心 $F$、重心 $G$、平衡水线 $WL$ 及浮心 $B$ 的位置变化 $B'$。船体绕漂心 $F$(水线面之形心)旋转任意角 $\psi\left(\psi \approx \tan \psi \approx \dfrac{x_{\mathrm{g}}-x_{\mathrm{b}}}{R}\right)$,其排水体积保持不变。

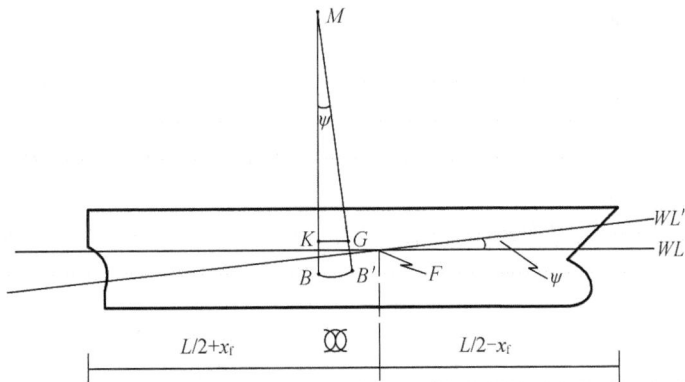

图 1.1.11　等容倾斜原理图

**2. 确定平衡水线位置的步骤**

(1)初值可取　　　　　　　　$d_{\mathrm{f}}=d_{\mathrm{a}}=d_{\mathrm{m}}$(正浮)

确定了艏、艉吃水后,利用邦戎曲线求出对应于该水线下的浮力曲线,于是可计算出排水体积 $V_1$ 和浮心纵向坐标 $x_{\mathrm{b1}}$ 的数值。

(2)平衡水线位置($d_{\mathrm{f}},d_{\mathrm{a}}$)的迭代格式:

$$\left.\begin{array}{l}d'_{\mathrm{f}}=d_{\mathrm{f}}+\dfrac{V_0-V}{A_0}+\left(\dfrac{L}{2}-x_{\mathrm{f}}\right)\cdot\dfrac{x_{\mathrm{g}}-x_{\mathrm{b1}}}{R}\\[4mm]d'_{\mathrm{a}}=d_{\mathrm{a}}+\dfrac{V_0-V}{A_0}-\left(\dfrac{L}{2}+x_{\mathrm{f}}\right)\cdot\dfrac{x_{\mathrm{g}}-x_{\mathrm{b1}}}{R}\end{array}\right\}\qquad(1.1.11)$$

式中　$A_0,V_0$——船体正浮(吃水为 $d_{\mathrm{m}}$)时的水线面面积和排水体积;

$V$ 和 $x_b$——艏、艉吃水；

$d_f$ 和 $d_a$——排水体积和浮心坐标。

上式的意义相当于对前一次近似计算得到的船舶位置做进一步的修正。由于排水体积不同，故在进行新的调整时船舶将上浮后下沉某个值。另外，由于浮心与重心纵向坐标不一致，也将通过调整船舶纵倾来进行处理。

（3）迭代精度控制

$$\left.\begin{array}{l} \left|\dfrac{V_0 - V}{V_0}\right| \leqslant \varepsilon_1 \ (= 0.005) \\[3mm] \left|\dfrac{x_g - x_b}{L}\right| \leqslant \varepsilon_2 \ (= 0.001) \end{array}\right\} \tag{1.1.12}$$

一般情况下，若算得的排水量与给定的船舶重量之差不超过排水量的 0.5%，浮心与重心纵向坐标之差不超过船长的 0.1%，则认为达到了计算精度，而由此产生的弯矩最大误差不超过 $5\% M_{max}$。

### 1.1.4　载荷曲线和静水剪力、弯矩曲线

1. 载荷曲线

重量曲线 $w(x)$ 与浮力曲线 $b(x)$ 之差 $q(x)$ 称为载荷曲线。当 $w(x) > b(x)$ 时，$q(x)$ 为正。载荷曲线与轴线之间所包含的面积之和为零；面积对纵轴上任一点的静矩亦为零，即

$$\left.\begin{array}{l} \displaystyle\int_0^L q(x)\,dx = \int_0^L w(x)\,dx - \int_0^L b(x)\,dx = W - B = 0 \\[3mm] \displaystyle\int_0^L xq(x)\,dx = \int_0^L xw(x)\,dx - \int_0^L xb(x)\,dx = W \cdot x_g - B \cdot x_b = 0 \end{array}\right\} \tag{1.1.13}$$

载荷曲线的上述性质，表明了静浮状态下作用在船体上的外力是平衡的。

2. 静水剪力、弯矩曲线

若采用积分法，作用在船体梁任意剖面上的静水剪力和弯矩可以表示如下：

$$\left.\begin{array}{l} N(x) = \displaystyle\int_0^x q(x)\,dx \\[3mm] M(x) = \displaystyle\int_0^x N(x)\,dx = \int_0^x\!\!\int_0^x q(x)\,dx\,dx \end{array}\right\} \tag{1.1.14}$$

因此，载荷曲线的一次积分曲线就是静水剪力曲线；两次积分曲线就是静水弯矩曲线。由于船体两端是自由端，因此，艏艉端点处的静水剪力和弯矩为零，亦即静水剪力和弯矩曲线在艏艉端点是封闭的。

3. 静水剪力弯矩不封闭值的产生和校正方法

由于计算上的误差，很难满足端点处静水剪力和弯矩值为零的条件。因此，实际上如果：

$$\frac{N(L)}{N_{max}} \leqslant 0.05; \ \frac{M(L)}{M_{max}} \leqslant 0.05 \tag{1.1.15}$$

那么我们就认为已经达到计算精度要求了，对于军用舰船取不大于 0.01 为宜。

式中　$M_{max}$——总纵弯矩的最大值（绝对值）；

$N_{max}$——剪力的最大值（绝对值）。

此时只需按照图 1.1.12 所示的方法，用一根直线把剪力曲线和弯矩曲线封闭起来，并

对每个理论站的剪力和弯矩予以修正就可以了。

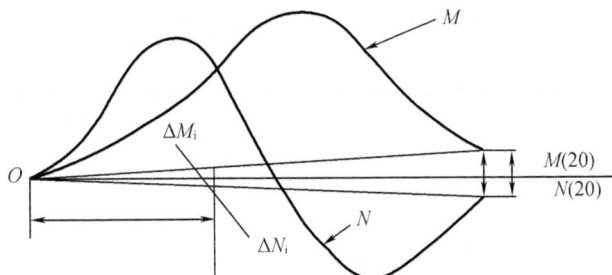

**图 1.1.12 剪力弯矩修正方法**

如果上述条件不能满足,则表示在计算过程中发生了较大的误差,由于浮力与重力相差过大,或者浮心与重心坐标相差过大,必须进行复查或重新计算。

## 1.2 船舶静置于波浪中的剪力和弯矩——静置法

### 1.2.1 概述

船舶在波浪中航行时,在外力的作用下将产生 6 个自由度的摇荡运动:纵荡($x_G$)、横荡($y_G$)、升沉($z_G$)、横摇($\theta_x$)、纵摇($\theta_y$)和艏摇($\theta_z$)。此时船体受到的外力主要有重力和流体载荷,流体载荷包括动浮力、阻尼力和附加惯性力等,其特点是以动力的形式作用于船体。船体的运动与受力都具有随机性。

如何准确地计算船舶在波浪中的受力,一直是船舶结构强度评估的关键问题。最初,船舶设计部门采用的是一种假定性静力计算方法——静置法。静置法是建立在一系列假定的基础上的,虽然无法准确地反映船舶在波浪中运动与受力的特点,但却比较方便易行,因此在船舶的设计和强度评估中还有应用,如我国的《舰船通用规范》。目前,较为通用的船舶波浪载荷计算方法是基于势流理论的切片法和三维方法,并结合概率统计理论来确定舰船的设计载荷。与静置法相比,切片法和三维方法的理论更为完善,计算结果也更为准确,但计算的工作量较大。

为了便于理解,本节将主要介绍静置法,切片法和三维方法将在后续的章节中进行介绍。

### 1.2.2 静置法的提出

静置法是在两个假定的基础上提出来的,即(1)假定船、波同向同速前进;(2)动浮力按静水压计算。

通过以上假定,则相当于使船静止于波浪上,如图 1.2.1 所示。从根本上讲,静置法是采用了"设计波"的思想。在风暴时,海面上出现的波浪虽然大大小小,很不规则,但其中某几个波浪往往具有更强烈显著的性质,因此计算船舶在海面上的外力时,就需要考虑哪些波会对船舶产生最不利的总弯曲,即应该取怎样的波浪参数作为设计波。

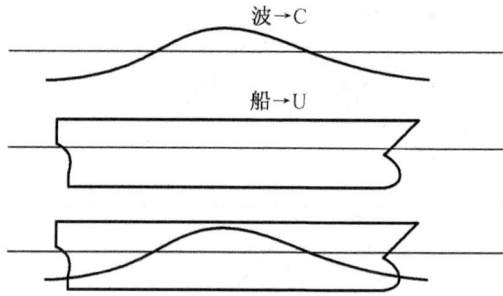

**图 1.2.1　静置法示意图**

### 1.2.3　计算波浪参数的选取

选取的计算波浪状态要与静水漂浮工况(浮力分布)有尽可能大的差别,这样更易于校核船体结构在不同状态下的强度。

1. 波形的选取

在静置法中,通常以二维坦谷波作为标准波形。如图 1.2.2 所示,坦谷波波峰较陡,波谷较为平坦,故谓之坦谷。

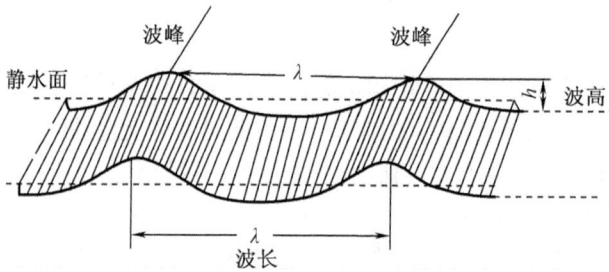

**图 1.2.2**

半径为 $R$ 的圆盘,沿直线 $AB$ 滚动时,圆盘面上距圆心为 $r$ 的 $P$ 点所描出的轨迹,即为一坦谷曲线。坦谷波的绘制方法如图 1.2.3 所示。通常把波长 $\lambda$ 分成 8 等份,分别以各等分点 $O_0$、$O_1$、$\cdots$、$O_8$ 为中心,取半波高 $r$ 为半径,数次旋转 45°,记下 $P_0$、$P_1$、$\cdots$、$P_8$ 各点的位置,用光滑曲线连接各点即得到一坦谷波曲线。

如果取波长为 $\lambda$,波高为 $h$,则 $R$ 与 $r$ 应按下式决定

$$\left.\begin{array}{l} R = \dfrac{\lambda}{2\pi} \\[2mm] r = O_0 P_0 = \dfrac{h}{2} \end{array}\right\} \tag{1.2.1}$$

船体强度计算中,通常是根据坦谷波的波面方程所求得的理论站号上的波高相对值来绘制坦谷波曲线。如果取图中的坐标系,则坦谷波的波面方程是

$$\left.\begin{array}{l} x = R\theta + r\sin\theta = \dfrac{\lambda}{2\pi}\theta + \dfrac{h}{2}\sin\theta \\[2mm] y = 0 - r\cos\theta = -\dfrac{h}{2}\cos\theta \end{array}\right\} \tag{1.2.2}$$

式中　$\theta$——圆盘滚动时的转角;

$y$——波面距波轴线的垂向坐标；

$x$——与 $\theta$ 或 $y$ 对应的纵向坐标。

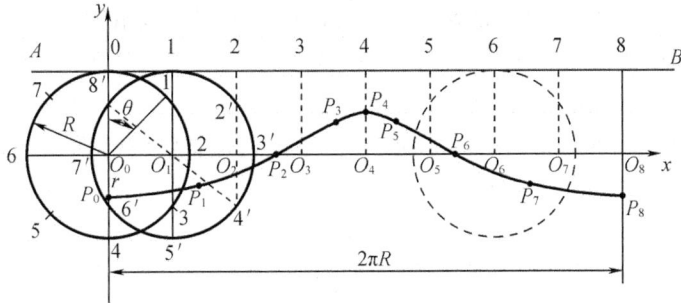

图 1.2.3

**2. 波长的选取**

将船静置在波浪上，若波长远远大于船长，则在船长范围内的波浪表面就比较平坦，浮力相应比较均匀；若波长远远小于船长，由于波浪高度较小，并且在船长范围内有好几个波，浮力分布同样比较均匀；当波长接近船长时，浮力的分布将更具集中性，沿船长变化更大，而在中拱和中垂状态下，船舶受到最不利的浮力支持，以致船舯产生最大弯矩，因此在静置法中取波长 $\lambda = L$。

**3. 波高的选取**

以往在造船界中，通常取波高为波长的函数，例如（GJB 64.1A—1997）《舰船船体规范水面舰艇》中规定：

$$h = \begin{cases} \dfrac{1}{20}\lambda + 1 & 0 < \lambda \leqslant 60 \text{ m} \\[2mm] \dfrac{1}{30}\lambda + 2 & 60 \text{ m} < \lambda \leqslant 120 \text{ m} \\[2mm] \dfrac{1}{20}\lambda & \lambda > 120 \text{ m} \end{cases} \tag{1.2.3}$$

式中　$h$——波高，m；

　　　$\lambda$——波长，m。

按照式（1.2.3）算得的波高与通过实际观测获得的结果比较吻合。但为了能够将静置法与现有的理论体系（如切片法）结合成更为完善的计算方法，人们首先采用切片法对一系列船舶的波浪弯矩进行了计算，用以确定为获得相同计算结果时，静置法所需选取的波高，并将获得的波高数据进行了数学回归。如我国目前的《舰船通用规范》（GJB 4000 – 2000）中的计算波高计算式（1.2.4）就是这样得到的，取波长等于舰艇设计水线长 $L$。

$$h = 1.75 + 3.94\left(\dfrac{L}{100}\right) - 0.30\left(\dfrac{L}{100}\right)^2 \tag{1.2.4}$$

式中　$L$——舰艇设计水线长，m。

**1.2.4　船舶静置于波浪上的平衡位置确定**

为了计算船舶静置于波浪上的附加波浪剪力、弯矩，必须首先确定船舶在波浪上的平衡位置。当船长 $L$ 给定时，按静置法的规定，计算波浪的波长和波高也随之确定，由此可得到中拱或中垂状态下波形相对波轴的坐标。

船在波浪中的平衡位置(中拱或中垂)仍按照重力与浮力相平衡的条件($D = \gamma V$, $x_g = x_b$)确定,故在波浪中调整倾差就是要求出船在波中平衡时,波轴的位置。如同静水中调整倾差的方法,波浪中亦常采用逐步近似法。其本质是:迭代格式的确定,即由第 $n$ 次近似的波轴位置→第 $n+1$ 次近似的波轴位置;初值的选取,即波轴位置的第一次近似。

若 $d_f$、$d_a$ 分别表示静水平衡时的艏艉吃水,考虑到坦谷波的特性及船体艏艉尖瘦的特点,波轴位置的第一次近似可取作

$$\left. \begin{aligned} d_{f_1} = d_f + \varepsilon \\ d_{a_1} = d_a + \varepsilon \end{aligned} \right\}$$

其中

$$\varepsilon = \begin{cases} r\left[\dfrac{\pi r}{\lambda} - 1.26(1 - \alpha)\right], \text{中拱} \\ r\left[\dfrac{\pi r}{\lambda} + 1.26(1 - \alpha)\right], \text{中垂} \end{cases} \qquad (1.2.5)$$

式中　$r$——半波高,m;

　　　$\alpha$——水线面系数。

逐步近似的过程如框图 1.2.4 所示。

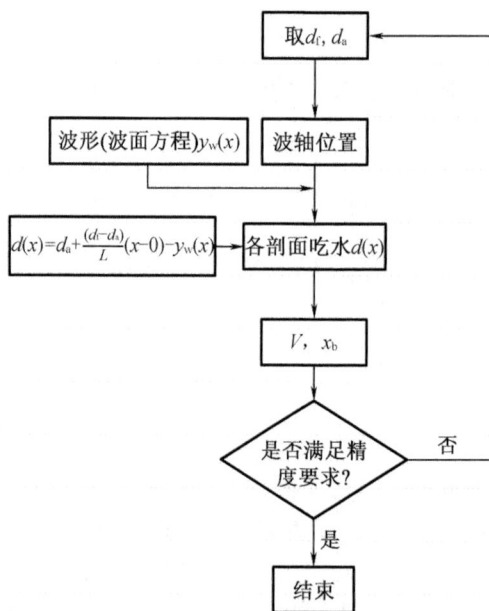

图 1.2.4

需要注意的是,按照上面的方法来确定船舶在波浪中的平衡位置时,对应的坐标系原点取在船舯。

### 1.2.5　波浪剪力和弯矩的计算

当船舶在波浪中的平衡位置确定后,便可计算波浪剪力和弯矩。可以不对静水和波浪中的载荷成分进行区分,直接计算

$$\left.\begin{aligned}
\text{载荷}: q_{\mathrm{w}}(x) &= w(x) - b_{\mathrm{w}}(x) \\
\text{剪力}: N_{\mathrm{w}}(x) &= \int_0^x q_{\mathrm{w}}(x)\,\mathrm{d}x \\
\text{弯矩}: M_{\mathrm{w}}(x) &= \int_0^x\int_0^x q_{\mathrm{w}}(x)\,\mathrm{d}x\,\mathrm{d}x
\end{aligned}\right\}
\qquad(1.2.6)$$

将波浪中的浮力 $b_{\mathrm{w}}(x)$ 分成静水浮力 $b_{\mathrm{s}}(x)$ 与附加浮力 $\Delta b(x)$ 两部分之和,即

$$b_{\mathrm{w}}(x) = b_{\mathrm{s}}(x) + \Delta b(x) \qquad(1.2.7)$$

于是载荷 $q_{\mathrm{w}}(x)$ 可表示为

$$q_{\mathrm{w}}(x) = \left[ w(x) - b_{\mathrm{s}}(x) \right] + \left[ -\Delta b(x) \right] = q_{\mathrm{s}}(x) + \Delta q(x) \qquad(1.2.8)$$

而

$$\left.\begin{aligned}
N_{\mathrm{s}}(x) &= \int_0^L \left[ w(x) - b_{\mathrm{s}}(x) \right]\mathrm{d}x \\
M_{\mathrm{s}}(x) &= \int_0^L\int_0^L \left[ w(x) - b_{\mathrm{s}}(x) \right]\mathrm{d}x\,\mathrm{d}x
\end{aligned}\right\}
\qquad(1.2.9)$$

分别为静水剪力、弯矩。

若令

$$\left.\begin{aligned}
N_{\mathrm{w}}(x) &= N_{\mathrm{s}}(x) + \Delta N(x) \\
M_{\mathrm{w}}(x) &= M_{\mathrm{s}}(x) + \Delta M(x)
\end{aligned}\right\}
\qquad(1.2.10)$$

则

$$\left.\begin{aligned}
\Delta N(x) &= \int_0^L - \Delta b(x)\,\mathrm{d}x \\
\Delta M(x) &= \int_0^L\int_0^L - \Delta b(x)\,\mathrm{d}x\,\mathrm{d}x
\end{aligned}\right\}
\qquad(1.2.11)$$

分别称 $\Delta N(x)$、$\Delta M(x)$ 为附加剪力、弯矩。显然,在静置法中附加剪力、弯矩只取决于船体的型线、船舶的重量及重心位置,而与重量如何分布无关。求得附加剪力、弯矩后,再与静水剪力、弯矩($N_{\mathrm{s}}$、$M_{\mathrm{s}}$)相叠加便得到波浪剪力、弯矩($N_{\mathrm{w}}$、$M_{\mathrm{w}}$)。

在计算波浪剪力和弯矩时,对于中拱和中垂状态要分别计算;剪力和弯矩不封闭值的修正方法与静水剪力、弯矩计算相同。通常情况下,波浪剪力的最大值出现在距艉艉四分之一船长处,而波浪弯矩的最大值在船舯附近。

由于实际的海浪是随机的、不规则的,并且由于波浪运动和船体的摇摆,作用于船体的水压力是动压力,因此静置法是一种假定性的方法。由于此方法简便,且一般来说结果偏于安全,过去一直使用它。但由于静置法不能准确地反映真实情况,用这种方法所算得的外力去校核船体强度,自然也不是真实的强度。尽管如此,如果都采用这种方法去计算船舶强度(相当于采用同一把尺子),那么所得的强度仍然具有相互比较的实际意义,故称这种强度为比较强度。例如按静置法校核船体强度的结果是 B 船裕量高于 A 船,且实践表明 A 船足够安全,那么 B 船也应是安全的。

# 1.3 切 片 法

## 1.3.1 概述

切片法实际上就是把船体沿船长方向分成若干切片,求出船体作摇荡运动时作用在各切片上的流体动力,然后沿船长积分,即可求得作用在整个船体上的流体动力 $F$ 和力矩 $M$,如图 1.3.1 所示。当将船体分成若干切片时,认为船体摇荡运动时周围流体只有沿切片平面内的流动,与切片垂直方向没有流动,因此切片理论就是将船体周围流动的空间问题转化为平面问题,也就是采用了平面流动假设。

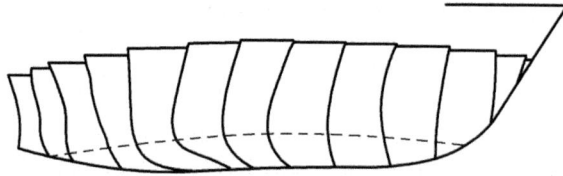

图 1.3.1

## 1.3.2 基本假定

1. 坐标系与浪向角(图 1.3.2)

(1)空间固定坐标系(大地坐标系)$O - XYZ$,原点 $O$ 位于平均水表面上,$OX$ 轴正向与入射波的传播方向相反。

(2)随船平动坐标系 $o - xyz$,原点 $o$ 取在静水中的船舶水线面上,且初始时与重心 $G$ 位于同一铅垂线上,$ox$ 轴方向与航向一致。

(3)固连船体坐标系 $G - x_b y_b z_b$,坐标原点取在重心 $G$ 处,$Gx_b$ 轴与船体基线平行,指向船首。

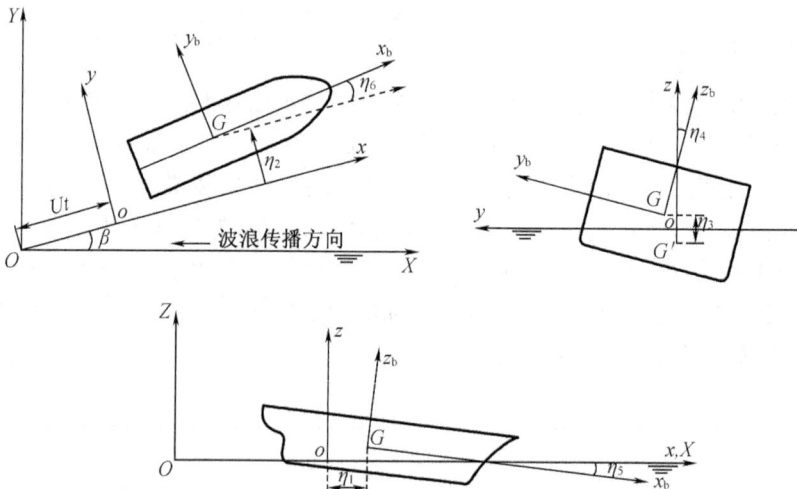

图 1.3.2

设船舶航速为 $U$,浪向角($ox$ 轴与 $OX_O$ 轴的夹角)为 $\beta$,$\beta = 0$ 表示迎浪状态,则坐标转换关系为

$$\left. \begin{array}{l} X = (x + Ut)\cos\beta - y\sin\beta \\ Y = (x + Ut)\sin\beta + y\cos\beta \\ Z = z \end{array} \right\} \quad \left. \begin{array}{l} x \approx x_b \\ y \approx y_b \\ z \approx z_b - \overline{OG} \end{array} \right\} \tag{1.3.1}$$

式中　$\overline{OG}$——船舶重心 $G$ 至水线面的距离,$G$ 点位于水线面下方时为正。

**2. 入射波的波面方程与遭遇频率**

采用复数表示,设入射波的波幅为 $\zeta_a$,波频为 $\omega$,深水波数为 $k$,则有波面方程

$$\zeta(X, Y, Z, t) = \zeta_a e^{i(\omega t + kX_0)}$$

将它转换至随船平动坐标系:

$$\zeta(x, y, z, t) = \zeta_a e^{ik(x\cos\beta - y\sin\beta)} e^{i\omega_e t} \tag{1.3.2}$$

式中　$\omega_e$——遭遇频率

$$\omega_e = \omega + kU\cos\beta \quad \left(k = \frac{\omega^2}{g}\right) \tag{1.3.3}$$

这里为了与大多数文献符号相一致,采用波频为 $\omega$、深水波数为 $k$(不带下标 0),而遭遇频率为 $\omega_e$(带下标 e)的表示方法。

**3. 船舶摇荡运动及其分组**

由于船体通常具有一纵对称剖面,基于线性势流理论建立的船舶刚体 6 自由度运动方程可以分成两组互不耦合的运动——纵向运动与横向运动。纵向运动即纵中平面内的运动,包括纵荡 $x_G(t)$、垂荡 $z_G(t)$ 和纵摇 $\theta_y(t)$(下面分析中将略去纵荡)。横向运动即纵中平面之外的运动,包括横荡 $y_G(t)$、横摇 $\theta_x(t)$ 和艏摇 $\theta_z(t)$。

设船舶质量为 $M$,假定 $Gx_b$、$Gy_b$ 和 $Gz_b$ 为其惯性主轴(如果船舶质量分布关于纵舯剖面对称,则显然 $Gy_b$ 为其惯性主轴之一),相应的惯性矩记作 $J_{GX}$、$J_{GY}$、$J_{GZ}$。又设作用在单位长度船体上的流体力(扣除与船舶重力相平衡的静浮力)$f(x,t)$ 的水平和垂直分量为 $f_Y(x,t)$、$f_Z(x,t)$,对 $Gx$ 轴之矩 $m_G(x,t)$。根据刚体动力学,列出船舶的纵向运动与横向运动方程如下:

(1)纵向运动

$$\left. \begin{array}{l} M\ddot{z}_G(t) = \displaystyle\int_L f_Z(x,t)\,\mathrm{d}x \\[3mm] J_{GY}\ddot{\theta}_y(t) = -\displaystyle\int_L x f_Z(x,t)\,\mathrm{d}x \end{array} \right\} \tag{1.3.4}$$

(2)横向运动

$$\left. \begin{array}{l} M\ddot{y}_G(t) = \displaystyle\int_L f_Y(x,t)\,\mathrm{d}x \\[3mm] J_{GX}\ddot{\theta}_x(t) = \displaystyle\int_L m_G(x,t)\,\mathrm{d}x \\[3mm] J_{GZ}\ddot{\theta}_z(t) = \displaystyle\int_L x f_Y(x,t)\,\mathrm{d}x \end{array} \right\} \tag{1.3.5}$$

伴随船舶摇荡运动的同时,船体横剖面内将产生相应的波浪诱导的垂向和水平剪力、弯矩和扭矩。

船舶运动及波浪载荷的稳态响应,都是以遭遇频率 $\omega_e$ 为变化频率的简谐量。例如垂

荡位移可以表示为 $z_G(t) = z_{Ga}\cos(\omega_e t + \varepsilon_{zG}) = \text{Re}\{z_{Ga}e^{i(\omega_e t + \varepsilon_{zG})}\}$。

### 1.3.3 船体切片的运动及流体载荷分析

1. 切片的平面运动分析

考察至船舶重心 $G$ 纵向距离为 $x$ 的切片,由于实际船舶的纵摇和艏摇角很小,可以近似认为切片作平面运动。选取切片与 $ox$ 轴的交点 $o$ 为基点,记该点的水平($y$ 向)和垂向($z$ 向)位移分别为 $v(t)$、$w(t)$,切片绕基点 $o$ 的转动角位移为 $\theta(x)$,则由刚体运动学可知,切片平面运动的位移和速度为

$$\left.\begin{aligned} v &= y_G + (x\theta_z - \overline{OG}\theta_x) \\ w &= z_G - x\theta_y \\ \theta &= \theta_x \end{aligned}\right\} \tag{1.3.6}$$

$$\left.\begin{aligned} \dot{v} &= \frac{\mathrm{d}}{\mathrm{d}t}v = \dot{y}_G + (x\dot{\theta}_z - \overline{OG}\dot{\theta}_x) - U\theta_z \\ \dot{w} &= \frac{\mathrm{d}}{\mathrm{d}t}w = \dot{z}_G - x\dot{\theta}_y + U\theta_y \\ \dot{\theta} &= \dot{\theta}_x \end{aligned}\right\} \tag{1.3.7}$$

2. 流体载荷的分解

船体周围流场的速度势 $\Phi(x,y,z,t)$ 可分解为定常与非定常两部分

$$\Phi(x,y,z,t) = [-Ux + \Phi_S(x,y,z)] + \Phi_T(x,y,z,t) \tag{1.3.8}$$

式中　$\Phi_S(x,y,z)$——定常扰动势(通常可忽略不计);

　　　$\Phi_T(x,y,z,t)$——非定常势,它包括已知的入射波势 $\Phi_W$ 及未知的辐射势 $\Phi_R$ 和绕射势 $\Phi_D$。

$$\begin{aligned} \Phi_T(x,y,z,t) &= \Phi_R(x,y,z,t) + \Phi_W(x,y,z,t) + \Phi_D(x,y,z,t) \\ &= [\varphi_R(x,y,z) + \varphi_W(x,y,z) + \varphi_D(x,y,z)]e^{i\omega_e t} \end{aligned} \tag{1.3.9}$$

根据伯努利方程,船体表面一点的脉动压力 $p(x,y,z,t)$ 为

$$\begin{aligned} p &= -\rho gz - \rho\frac{\mathrm{d}}{\mathrm{d}t}(\Phi_R + \Phi_W + \Phi_D) \\ &= p_S + p_R + p_W + p_D \end{aligned} \tag{1.3.10}$$

式中　$p_S$——由于船体运动而引起的流体静压力的变化,$p_S = -\rho gz$;

　　　$p_R$——由于船体运动而引起的辐射压力,$p_R = -\rho\frac{\mathrm{d}}{\mathrm{d}t}\Phi_R$;

　　　$p_W$——入射波所引起的波浪压力,$p_W = -\rho\frac{\mathrm{d}}{\mathrm{d}t}\Phi_W$;

　　　$p_D$——由于船体存在对入射波浪的限制而引起的绕射波压力,$p_D = -\rho\frac{\mathrm{d}}{\mathrm{d}t}\Phi_D$。

微分算子 $\frac{\mathrm{d}}{\mathrm{d}t} = \frac{\partial}{\partial t} - U\frac{\partial}{\partial x}$。

将脉动压力 $p$ 沿船体横剖面的水下周界 $C$ 积分,便可得到作用于船体单位长度的水平和垂向流体力 $f_Y$、$f_z$ 及对 $ox$ 轴之矩 $m_o$ 或对 $Gx$ 轴之矩 $m_G$:

$$
\left.\begin{aligned}
f_Y &= \int_C p \frac{\partial y}{\partial n} \mathrm{d}l = -\int_C p \mathrm{d}z \\
f_Z &= \int_C p \frac{\partial z}{\partial n} \mathrm{d}l = \int_C p \mathrm{d}y \\
m_O &= \int_C p \left( y \frac{\partial z}{\partial n} - z \frac{\partial y}{\partial n} \right) \mathrm{d}l = \int_C p(y \mathrm{d}y + z \mathrm{d}z) \\
\text{或 } m_G &= \int_C p \left[ y \frac{\partial z}{\partial n} - (z + \overline{OG}) \frac{\partial y}{\partial n} \right] \mathrm{d}l = \int_C p \left[ y \mathrm{d}y + (z + \overline{OG}) \mathrm{d}z \right]
\end{aligned}\right\}
\quad (1.3.11)
$$

式中对 $ox$ 轴之矩 $m_O$ 与对 $Gx$ 轴之矩 $m_G$ 二者之间的关系是

$$
m_G = m_O - \overline{OG} \cdot f_Y \quad (1.3.12)
$$

同压力 $p$ 相对应,流体力 $f_Y$、$f_Z$、$m_O$(或 $m_G$)也可分解为四部分,即静水回复力、辐射力、波浪主干扰力和绕射力。

设船体横剖面的静吃水 $T$、水线宽度 $B$、浸湿面积及其对 $Gx$ 轴静矩分别为 $A$ 和 $S_G$,二维水动力系数 $m_z$、$n_z$(垂荡的附加质量和阻尼系数),$m_y$、$n_y$、$m_\theta$、$n_\theta$、$l_m$、$l_n$(横荡及横摇的附加质量、阻尼系数及它们的耦合力臂)。作用于船体各切片的静水回复力、辐射力、波浪主干扰力和绕射力的表达式如下所述。

3. 静水回复力 $f_S$

当切片发生垂向位移 $w$ 或转动角位移 $\theta$ 时,便会形成静水回复力或矩。

$$
f_S : \begin{cases}
f_{SY} = 0 \\
f_{SZ} = \int_C (-\rho g w) \mathrm{d}y = -\rho g B \cdot (z_G - x\theta_y) \\
m_{SG} = \int_C (-\rho g y \theta) \left[ y \mathrm{d}y + (z + \overline{OG}) \mathrm{d}z \right] = -\rho g \left( \frac{1}{12} B^3 + S_G \right) \cdot \theta_x
\end{cases}
\quad (1.3.13)
$$

4. 辐射力 $f_R$

利用具有单位复速度的二维辐射势与二维水动力系数的关系,可以将切片的辐射力用切片复速度与二维水动力系数表示为

$$
f_R : \begin{cases}
f_{RY} = -\dfrac{\mathrm{d}}{\mathrm{d}t} \left[ \left( m_y + \dfrac{n_y}{\mathrm{i}\omega_e} \right) \dot{v} + \left( m_y l_m + \dfrac{n_y l_n}{\mathrm{i}\omega_e} \right) \dot{\theta}_x \right] \\[2mm]
f_{RZ} = -\dfrac{\mathrm{d}}{\mathrm{d}t} \left[ \left( m_z + \dfrac{n_z}{\mathrm{i}\omega_e} \right) \dot{w} \right] \\[2mm]
m_{RO} = -\dfrac{\mathrm{d}}{\mathrm{d}t} \left[ \left( m_y l_m + \dfrac{n_y l_n}{\mathrm{i}\omega_e} \right) \dot{v} + \left( m_\theta + \dfrac{n_\theta}{\mathrm{i}\omega_e} \right) \dot{\theta}_x \right] \\[2mm]
m_{RG} = m_{RO} - \overline{OG} \cdot f_{RY}
\end{cases}
\quad (1.3.14)
$$

5. 波浪主干扰力 $f_W$

根据无限水深的线性波浪理论,入射波势

$$
\Phi_W(x, y, z, t) = \mathrm{i} \frac{g}{\omega} \zeta_a \mathrm{e}^{kz} \mathrm{e}^{\mathrm{i}(\omega_e t + kx\cos\beta - ky\sin\beta)} \quad (1.3.15)
$$

入射波压力

$$
p_W = \rho g \zeta \mathrm{e}^{kz} = \rho g \zeta_a \mathrm{e}^{kz} \mathrm{e}^{\mathrm{i}(\omega_e t + kx\cos\beta - ky\sin\beta)} \quad (1.3.16)
$$

波浪主干扰力得自剖面周界上入射波压力的合成,即

$$f_W : \begin{cases} f_{WY} = -\displaystyle\int_C p_W \mathrm{d}z \\[2mm] f_{WZ} = \displaystyle\int_C p_W \mathrm{d}y \\[2mm] m_{WG} = \displaystyle\int_C p_W [ y\mathrm{d}y + (z + \overline{OG})\mathrm{d}z ] \end{cases} \tag{1.3.17}$$

如果将入射波压力 $p_W$ 分解成对称和反对称的两部分之和,即令

$$\left. \begin{array}{l} p_W = p_{W1} + p_{W2} \\[2mm] p_{W1} \equiv \rho g \zeta_a \mathrm{e}^{kz} \cos(ky\sin\beta) \cdot \cos(\omega_e t + kx\cos\beta) \\[2mm] p_{W2} \equiv \rho g \zeta_a \mathrm{e}^{kz} \sin(ky\sin\beta) \cdot \sin(\omega_e t + kx\cos\beta) \end{array} \right\} \tag{1.3.18}$$

考虑到船体横剖面是对称的,于是波浪主干扰力可进一步简化为

$$f_W : \begin{cases} f_{WY} = -\displaystyle\int_C p_{W2} \mathrm{d}z \\[2mm] f_{WZ} = \displaystyle\int_C p_{W1} \mathrm{d}y \\[2mm] m_{WG} = \displaystyle\int_C p_{W2} [ y\mathrm{d}y + (z + \overline{OG})\mathrm{d}z ] \end{cases} \tag{1.3.19}$$

6. 绕射力 $f_D$

根据"相对运动"假设,取适当的波浪代表点 $(x, 0, -\overline{T})$,设该点水平和垂向复速度为 $\overline{u}_y$、$\overline{u}_z$,则绕射力可近似由"等效"的辐射力表示,即

$$f_D : \begin{cases} f_{DY} = +\dfrac{\mathrm{d}}{\mathrm{d}t} \left[ \left( m_y + \dfrac{n_y}{\mathrm{i}\omega_e} \right) \overline{u}_y \right] \\[3mm] f_{DZ} = +\dfrac{\mathrm{d}}{\mathrm{d}t} \left[ \left( m_z + \dfrac{n_z}{\mathrm{i}\omega_e} \right) \overline{u}_z \right] \\[3mm] m_{DO} = +\dfrac{\mathrm{d}}{\mathrm{d}t} \left[ \left( m_y l_m + \dfrac{n_y l_n}{\mathrm{i}\omega_e} \right) \overline{u}_y \right] \\[3mm] m_{DG} = m_{DO} - \overline{OG} \cdot f_{DY} \end{cases} \tag{1.3.20}$$

这里按照 NSM 的惯例,计算垂向复速度 $\overline{u}_z$ 时取 $\overline{T} \equiv T^*$,计算水平复速度 $\overline{u}_y$ 时取 $\overline{T} \equiv \dfrac{T}{2}$,于是有

$$\left. \begin{array}{ll} \overline{u}_z = \omega\zeta_a \sin\beta \cdot \mathrm{e}^{-k\overline{T}} \cdot \mathrm{e}^{\mathrm{i}(\omega_e t + kx\cos\beta)} & \overline{T} \equiv T^* \\[2mm] \overline{u}_y = \mathrm{i}\omega\zeta_a \cdot \mathrm{e}^{-k\overline{T}} \cdot \mathrm{e}^{\mathrm{i}(\omega_e t + kx\cos\beta)} & \overline{T} \equiv \dfrac{T}{2} \end{array} \right\} \tag{1.3.21}$$

### 1.3.4 船舶的纵向及横向运动方程

将上面导出的切片流体力表达式代入式(1.3.4)和式(1.3.5),经整理便可得到船舶纵向及横向运动微分方程的标准形式,这里方程系数的表达式从略。

1. 纵向运动微分方程

$$\left. \begin{array}{l} (M + a_{33})\ddot{z}_G + b_{33}\dot{z}_G + c_{33}z_G + a_{35}\ddot{\theta}_y + b_{35}\dot{\theta}_y + c_{35}\theta_y = F_{3C}\cos\omega_e t + F_{3S}\sin\omega_e t \\[2mm] a_{53}\ddot{z}_G + b_{53}\dot{z}_G + c_{53}z_G + (J_{GY} + a_{55})\ddot{\theta}_y + b_{55}\dot{\theta}_y + c_{55}\theta_y = F_{5C}\cos\omega_e t + F_{5S}\sin\omega_e t \end{array} \right\} \tag{1.3.22}$$

2. 横向运动微分方程

$$
\left.
\begin{array}{l}
(M + a_{22})\ddot{y}_G + b_{22}\dot{y}_G + c_{22}y_G + a_{24}\ddot{\theta}_x + b_{24}\dot{\theta}_x + c_{24}\theta_x + a_{26}\ddot{\theta}_z + b_{26}\dot{\theta}_z + c_{26}\theta_z \\
\qquad = F_{2C}\cos\omega_e t + F_{2S}\sin\omega_e t \\
a_{42}\ddot{y}_G + b_{42}\dot{y}_G + c_{42}y_G + (J_{GX} + a_{44})\ddot{\theta}_x + b_{44}\dot{\theta}_x + c_{44}\theta_x + a_{46}\ddot{\theta}_z + b_{46}\dot{\theta}_z + c_{46}\theta_z \\
\qquad = F_{4C}\cos\omega_e t + F_{4S}\sin\omega_e t \\
a_{62}\ddot{y}_G + b_{62}\dot{y}_G + c_{62}y_G + a_{64}\ddot{\theta}_x + b_{64}\dot{\theta}_x + c_{64}\theta_x + (J_{GZ} + a_{66})\ddot{\theta}_z + b_{66}\dot{\theta}_z + c_{66}\theta_z \\
\qquad = F_{6C}\cos\omega_e t + F_{6S}\sin\omega_e t
\end{array}
\right\}
\tag{1.3.23}
$$

### 1.3.5　波浪诱导的剖面载荷

1. 由波浪引起的船体横剖面的内力素及其符号规定

船舶在斜浪规则波中航行时,由于波浪的作用及船体的摇荡运动,船体横剖面内将产生相应的波浪诱导的垂向剪力、弯矩,以及水平剪力、弯矩和扭矩(通常轴力很小,可忽略不计)。其中垂向剪力、弯矩($N_{WZ}$、$M_{WY}$)对应于船舶的纵向运动,水平剪力、弯矩($N_{WY}$、$M_{WZ}$)和扭矩($M_{WX}$)对应于船舶的纵向运动。

约定上述剖面波浪载荷(剖面面对船艉方向)与坐标轴同向为正。

2. 切片的刚体惯性力

考察船体任一位置具有单位长度的切片,设切片质量为$\mu(x)$,切片质心$c$与船舶重心$G$的垂向距离为$h$($c$点位于$G$点上方时,$h > 0$),切片对$cx$轴的惯性矩为$j_{cx}$,则切片对$Gx$轴的惯性矩为$j_{Gx} = j_{cx} + \mu h^2$。如果忽略各切片对$cy$和$cz$的惯性矩,则全船惯性特征量可由各切片的惯性特征量表示如下:

$$
\left.
\begin{array}{l}
M = \displaystyle\int_L \mu \mathrm{d}x \\[2mm]
Q_X = \displaystyle\int_L x\mu \mathrm{d}x = 0 \quad Q_Z = \displaystyle\int_L h\mu \mathrm{d}x = 0 \\[2mm]
J_{GX} = \displaystyle\int_L j_{Gx}\mathrm{d}x \quad J_{GY} = J_{GZ} = \displaystyle\int_L x^2 \mu \mathrm{d}x \quad J_{GXZ} = \displaystyle\int_L xh\mu \mathrm{d}x \approx 0
\end{array}
\right\}
\tag{1.3.24}
$$

应用达朗贝尔原理,记单位长度的刚体惯性力$f_I$

$$
f_I : 
\begin{cases}
f_{IY} = -\mu(\ddot{y}_G - h\ddot{\theta}_x + x\ddot{\theta}_z) \\
f_{IZ} = -\mu(\ddot{z}_G - x\ddot{\theta}_y) \\
m_{IC} = -j_{Cx}\ddot{\theta}_x \quad m_{IG} = -j_{Gx}\ddot{\theta}_x + \mu h(\ddot{y}_G + x\ddot{\theta}_z)
\end{cases}
\tag{1.3.25}
$$

3. 船体横剖面内波浪诱导的剪力、弯矩及扭矩

设船舶重心$G$至船首和船尾的距离分别为$l_f$和$l_a$,则$l_a + l_f = L$。波浪诱导的垂向剪力、弯矩,以及水平剪力、弯矩和扭矩如下:

(1)波浪诱导的垂向剪力、弯矩:

$$
\left.
\begin{array}{l}
N_{WZ} = -\displaystyle\int_{-l_a}^{x}(f_Z + f_{IZ})\mathrm{d}x \\[2mm]
M_{WY} = xN_{WZ} + \displaystyle\int_{-l_a}^{x} x(f_Z + f_{IZ})\mathrm{d}x
\end{array}
\right\}
\tag{1.3.26}
$$

(2)波浪诱导的水平剪力、弯矩和扭矩:

$$\left.\begin{aligned} N_{WY} &= -\int_{-l_a}^{x} (f_Y + f_{IY}) \, dx \\ M_{WZ} &= -x N_{WY} - \int_{-l_a}^{x} x (f_Y + f_{IY}) \, dx \\ M_{WX} &= -\int_{-l_a}^{x} (m_G + m_{IG}) \, dx \end{aligned}\right\} \qquad (1.3.27)$$

### 1.3.6 船体表面的脉动压力

式(1.3.10)表示了船体表面任意一点的脉动压力 $p(x,y,z,t)$，它可分解为四部分之和：静水压力变化 $p_S$、辐射压力 $p_R$、入射波压力 $p_W$ 和绕射压力 $p_D$。其中 $p_W$ 是已知的，$p_S$ 可由船舶运动引起的船体表面一点垂向位移确定，$p_R$ 和 $p_D$ 则需借助船体切片的二维辐射势和绕射势来计算。

1. 静水压力变化 $p_S$

由于船舶运动所引起的船体表面一点垂向位置的变化为 $z = z_G - x\theta_y + y\theta_x$，故

$$p_S = -\rho g (z_G - x\theta_y + y\theta_x) \qquad (1.3.28)$$

2. 辐射压力 $p_R$

设剖面 $x$ 的具有单位复速度的二维辐射势为 $\varphi_{xj}(y,z)$（$j = 2,3,4$）分别表示横荡、垂荡和横摇，其定解条件中的物面条件

$$[S]: \frac{\partial}{\partial n}\varphi_{xj} = \begin{cases} \dfrac{\partial y}{\partial n} \equiv n_2 & j = 2 \\[2mm] \dfrac{\partial z}{\partial n} \equiv n_3 & j = 3 \quad \text{在横剖面周界 } C_x \text{ 上} \\[2mm] y\dfrac{\partial z}{\partial n} - z\dfrac{\partial y}{\partial n} \equiv n_4 & j = 4 \end{cases} \qquad (1.3.29)$$

三维辐射势 $\Phi_R(x,y,z,t)$ 由船体各横剖面的二维辐射势近似，即

$$\begin{aligned} \Phi_R(x,y,z,t) &= \dot{v} \cdot \varphi_{x2}(y,z) + \dot{w} \cdot \varphi_{x3}(y,z) + \dot{\theta} \cdot \varphi_{x4}(y,z) \\ &= [\dot{y}_G + (x\dot{\theta}_z - \overline{OG}\dot{\theta}_x) - U\theta_z] \cdot \varphi_{x2}(y,z) + [\dot{z}_G - x\dot{\theta}_y + U\theta_y] \cdot \\ &\quad \varphi_{x3}(y,z) + \dot{\theta}_x \cdot \varphi_{x4}(y,z) \end{aligned} \qquad (1.3.30)$$

而

$$p_R = -\rho \frac{d}{dt} \Phi_R(x,y,z,t) \qquad (1.3.31)$$

3. 入射波压力 $p_W$

$p_W$ 的表达式即前述式(1.3.16)。

4. 绕射压力 $p_D$

将入射波速度势改写为

$$\Phi_W(x,y,z,t) = \varphi_W(y,z) \cdot e^{i(\omega_e t + kx\cos\beta)} \qquad (1.3.32)$$

其中

$$\varphi_W(y,z) = i\frac{g}{\omega}\zeta_a e^{k(z - iy\sin\beta)}$$

并令三维绕射势

$$\Phi_D(x,y,z,t) = \varphi_{Dx}(y,z) \cdot e^{i(\omega_e t + kx\cos\beta)} \qquad (1.3.33)$$

定义 $\varphi_{Dx}(y,z)$ 为对应于 $x$ 剖面的二维绕射势，其物面条件如下：

$$[S]:\frac{\partial}{\partial n}\varphi_{Dx} = -\frac{\partial}{\partial n}\varphi_W \quad 在横剖面周界 C_x 上 \tag{1.3.34}$$

作为定解问题,二维绕射势可以类似辐射势那样求解。最后绕射压力

$$p_D = -\rho\frac{\mathrm{d}}{\mathrm{d}t}\Phi_D(x,y,z,t) = -\rho\mathrm{e}^{\mathrm{i}(\omega_e t + kx\cos\beta)} \cdot \left(\mathrm{i}\omega - U\frac{\partial}{\partial x}\right)\varphi_{Dx}(y,z) \tag{1.3.35}$$

## 1.4　基于势流理论的三维线性频域方法

三维频域波浪载荷计算方法是目前发展较为成熟的载荷预报方法。虽然三维水动力理论提出较早,但由于受到计算工具的制约而发展缓慢。近年来,随着计算机技术的快速发展,这一问题已得到解决,因此对于三维波浪载荷预报方法的研究工作已经广泛开展。

### 1.4.1　非定常扰动势定解条件的建立和求解

三维波浪载荷预报方法是基于三维线性势流理论的基础上建立起来的,该方法中通常假定浮体处于均匀、不可压缩、无黏和无旋的理想流体之中,因而可以应用势流理论求解浮体水动力问题。流场中的速度势除应满足拉普拉斯方程外,还应满足非线性自由表面条件、底部条件、瞬时物面条件、初始条件和辐射条件。但直接按照上述条件求解流场速度势是十分困难的。为了将问题简化,要引入以下假设:

(1)入射波为规则的平面进行波,波幅 $\zeta_a$ 与船舶运动响应 $\eta_j(j=1,2,\cdots,6)$ 是同阶小量,且船舶运动已达到稳态(采用频域分析方法);

(2)波浪频率 $\omega_0$ 不太低,船速 $U$ 不太高;

(3)不计定常兴波势 $\Phi_S$ 的影响。

除了以上假设之外,同时认为船舶在静水中是稳定平衡的,即船舶的重力与静水浮力平衡,并且这种平衡是静稳定的;船舶在静水中航行时的定常阻力与推进装置产生的推力相互平衡,并且忽略推进装置对周围流场的扰动;船舶摇荡运动和操纵运动是可以分离的,互相没有干扰,并且认为船舶做等速直线运动。基于以上假设,可以采用源汇分布法求解流场速度势。

1.非定常扰动势的定解条件

(1)坐标系选取与入射波描述

这里引入三个坐标系用来描述入射波、浮体运动和流场速度势及浮体剖面载荷:①大地坐标系 $O-XYZ$,原点 $O$ 位于未扰动的水平面上,$Z$ 轴竖直向上;②随船平动坐标系 $o-xyz$,原点 $o$ 位于未扰动的水平面上,$z$ 轴竖直向上;③连体坐标系 $G-x_b y_b z_b$,原点 $G$ 为浮体的重心,$x_b$ 轴平行浮体基线指向艏端。

设浮体以航速 $U$ 沿 $x$ 轴正方向航行,入射波沿 $X$ 轴负方向传播,浪向角为 $\beta$(迎浪时 $\beta = 0°$)。浮体重心 $G$ 在坐标系2中的坐标为 $z_G$。

三个坐标系之间有如下的转换关系

$$\begin{Bmatrix} x \\ y \\ z \end{Bmatrix} = \begin{bmatrix} \cos\beta & \sin\beta & 0 \\ -\sin\beta & \cos\beta & 0 \\ 0 & 0 & 1 \end{bmatrix} \cdot \begin{Bmatrix} X - Ut\cos\beta \\ Y - Ut\sin\beta \\ Z \end{Bmatrix} \approx \begin{Bmatrix} x_b \\ y_b \\ z_b + z_G \end{Bmatrix} \tag{1.4.1}$$

入射波浪取为 Airy 波,波幅为 $\zeta_a$,波浪圆频率为 $\omega_0$,波数为 $k_0$。根据波浪理论,入射波浪的速度势可以表示为

$$\Phi_{\mathrm{I}}(X,Z,t) = -\frac{g\zeta_a}{\omega_0} \cdot \frac{\mathrm{ch}[k_0(Z+h)]}{\mathrm{ch}(k_0 h)}\sin(k_0 X + \omega_0 t) \quad \text{有限水深}$$

$$\Phi_{\mathrm{I}}(X,Z,t) = -\frac{g\zeta_a}{\omega_0} \cdot e^{k_0 Z}\sin(k_0 X + \omega_0 t) \quad \text{无限水深} \tag{1.4.2}$$

相应的色散关系为

$$\begin{cases} k_0 \cdot \mathrm{th}(k_0 h) = v_0 = \omega_0^2/g & \text{有限水深} \\ k_0 = \omega_0^2/g & \text{无限水深} \end{cases} \tag{1.4.3}$$

利用坐标转换关系式(1.4.1),并采用复数形式表示,则入射波的速度势可写为

$$\Phi_{\mathrm{I}}(x,y,z,t) = \mathrm{Re}\{\varphi_{\mathrm{I}}(x,y,z) \cdot e^{i\omega t}\} \tag{1.4.4}$$

$$= \mathrm{Re}\{\zeta_a \cdot \varphi_0(x,y,z) \cdot e^{i\omega t}\} \tag{1.4.5}$$

其中

$$\varphi_0(x,y,z) = \frac{ig}{\omega_0} \cdot \frac{\mathrm{ch}[k_0(z+h)]}{\mathrm{ch}(k_0 h)} \cdot e^{ik_0(x\cos\beta - y\sin\beta)} \quad \text{有限水深}$$

$$\varphi_0(x,y,z) = \frac{ig}{\omega_0} \cdot e^{k_0 z} \cdot e^{ik_0(x\cos\beta - y\sin\beta)} \quad \text{无限水深} \tag{1.4.6}$$

$\omega$ 为遭遇频率

$$\omega = \omega_0 + k_0 U\cos\beta \tag{1.4.7}$$

入射波在大地坐标系(坐标系 1)中的波面升高为

$$\zeta(X,t) = \zeta_a\cos(k_0 X + \omega_0 t) \tag{1.4.8}$$

根据前面的假设,入射波势 $\Phi_{\mathrm{I}}$ 满足线性自由面条件(坐标系 1 中)

$$\frac{\partial^2\Phi_{\mathrm{I}}}{\partial t^2} + g\frac{\partial\Phi_{\mathrm{I}}}{\partial Z} = 0 \quad (Z = 0) \tag{1.4.9}$$

(2)流场速度势的分解及其定解条件

浮体在规则波中以一定的航速和航向行驶,由于入射波的扰动而产生摇荡运动。根据前面的假设可知,在随船平动坐标系(坐标系 2)中,浮体将在稳定状态下做如下随时间简谐变化的 6 自由度刚体运动

$$\{\eta(t)\} = \{\eta\}e^{i\omega t} = (\eta_1\eta_2\eta_3\eta_4\eta_5\eta_6)^{\mathrm{T}}e^{i\omega t} \tag{1.4.10}$$

式中 $\eta_j(j = 1,2,\cdots,6)$ 为复数振幅,分别表示浮体的纵荡、横荡、垂荡、横摇、纵摇和艏摇运动。

对于在上述波浪中运动的浮体,按照线性势流理论,在坐标系 2 中浮体周围的流场总速度势 $\Phi(x,y,z,t)$ 可做如下分解

$$\Phi(x,y,z,t) = [-Ux + \Phi_{\mathrm{S}}(x,y,z)] + \mathrm{Re}\{\varphi_{\mathrm{T}}(x,y,z)e^{i\omega t}\} \tag{1.4.11}$$

式中 $[-Ux + \Phi_{\mathrm{S}}(x,y,z)]$ 为由坐标变换引起的定常势和定常兴波势的叠加;$\mathrm{Re}\{\varphi_{\mathrm{T}}(x,y,z)e^{i\omega t}\}$ 为非定常势,其空间部分可进一步分解为入射波势、绕射势和辐射势

$$\phi_{\mathrm{T}}(x,y,z) = \phi_{\mathrm{I}}(x,y,z) + \phi_{\mathrm{D}}(x,y,z) + \phi_{\mathrm{R}}(x,y,z) \tag{1.4.12}$$

其中

$$\phi_{\mathrm{I}}(x,y,z) = \zeta_a\phi_0(x,y,z) \tag{1.4.13}$$

$$\phi_{\mathrm{D}}(x,y,z) = \zeta_a\phi_7(x,y,z) \tag{1.4.14}$$

$$\phi_R(x,y,z) = \sum_{j=1}^{6} [i\omega\eta_j \cdot \phi_j(x,y,z)] \qquad (1.4.15)$$

入射波势 $\phi_0$(式(1.4.6))为已知，单位波幅的绕射势 $\phi_7$ 和 $j$ 模式运动单位复速度的辐射势 $\phi_j$ 满足下列定解条件。

域内条件[L]

$$\nabla^2\phi_j = 0 \quad (j = 1,2,\cdots,7)$$

线性自由面条件[F]

$$\left[\left(i\omega - U\frac{\partial}{\partial x}\right)^2 + g\frac{\partial}{\partial z}\right]\phi_j = 0 \quad (z = 0, j = 1,2,\cdots,7)$$

物面条件[S]

$$\left.\begin{aligned} \frac{\partial}{\partial n}\phi_7 &= -\frac{\partial}{\partial n}\phi_0 \\ \frac{\partial}{\partial n}\phi_j &= n_j + \frac{U}{i\omega}m_j \quad (j = 1,2,\cdots,6) \end{aligned}\right\}(S \text{ 上})$$

底部条件[B]

$$\left.\begin{aligned} \frac{\partial}{\partial z}\phi_j &= 0 \quad (z = -h, j = 1,2,\cdots,7) \qquad \text{有限水深} \\ \nabla\phi_j &\rightarrow 0 \quad (z \rightarrow -\infty, j = 1,2,\cdots,7) \qquad \text{无限水深} \end{aligned}\right\}$$

远方条件[R]（相应的远方辐射条件）

其中
$$(n_1, n_2, n_3) = \boldsymbol{n}$$
$$(n_4, n_5, n_6) = \boldsymbol{r} \times \boldsymbol{n}$$
$$(m_1, m_2, m_3) = -\frac{1}{U}(\boldsymbol{n} \cdot \nabla)\boldsymbol{w}$$
$$(m_4, m_5, m_6) = -\frac{1}{U}(\boldsymbol{n} \cdot \nabla)(\boldsymbol{r} \times \boldsymbol{w})$$

式中　$\boldsymbol{n}$——浮体表面指向内部的单位法线向量；

　　　$\boldsymbol{r}$——从固连于浮体坐标系（坐标系 3）原点出发的位置向量；

　　　$\boldsymbol{w}$——定常速度，其表达式为

$$\boldsymbol{w} = \nabla(-Ux + \Phi_s) \qquad (1.4.16)$$

根据物面条件，$\phi_j$ 可进一步分解为 $\phi_j^0$ 与 $\phi_j^u$ 之和

$$\phi_j = \phi_j^0 + \frac{U}{i\omega}\phi_j^u \qquad (1.4.17)$$

上面已构造了频域内有航速浮体运动流场速度势所满足的完整的定解条件。目前，对于上述定解问题的求解还未完善，可以采用一定假设对该定解问题做简化。

当略去 $\Phi_s$ 的影响后有

$$(m_1, m_2, m_3) = (0,0,0) \qquad (1.4.18)$$
$$(m_4, m_5, m_6) = (0, n_3, -n_2) \qquad (1.4.19)$$

此时

$$\left.\begin{aligned} \phi_j^u &= 0 \quad (j = 1,2,3,4) \\ \phi_5^u &= \phi_3^0 \\ \phi_6^u &= -\phi_2^0 \end{aligned}\right\} \qquad (1.4.20)$$

由于有航速问题的复杂性,在低航速情况下认为

$$\omega \gg U \frac{\partial}{\partial x} \tag{1.4.21}$$

式(1.4.21)即为高频低速假设,所以

$$\left( i\omega - U \frac{\partial}{\partial x} \right)^2 \approx -\omega^2 \tag{1.4.22}$$

因此,$\phi_j^0$满足如下定解条件。

域内条件[L]

$$\nabla^2 \phi_j^0 = 0 \quad (j = 1, 2, \cdots, 7)$$

线性自由面条件[F]

$$\frac{\partial \phi_j^0}{\partial z} - \nu \phi_j^0 = 0 \quad (z = 0, j = 1, 2, \cdots, 7)$$

物面条件[S]

$$\left. \begin{array}{l} \dfrac{\partial}{\partial n} \phi_7^0 = -\dfrac{\partial}{\partial n} \phi_0 \\[3mm] \dfrac{\partial}{\partial n} \phi_j^0 = n_j \quad (j = 1, 2, \cdots, 6) \end{array} \right\} \quad (S\ 上)$$

底部条件[B]

$$\left. \begin{array}{ll} \dfrac{\partial}{\partial z} \phi_j^0 = 0 \quad (z = -h, j = 1, 2, \cdots, 7) & \text{有限水深} \\[3mm] \nabla \phi_j^0 \to 0 \quad (z \to -\infty, j = 1, 2, \cdots, 7) & \text{无限水深} \end{array} \right\}$$

远方条件[R]

$$\lim_{R \to \infty} \sqrt{R} \left( \frac{\partial \phi_j^0}{\partial R} - i k_0 \phi_j^0 \right) = 0 \quad (j = 1, 2, \cdots, 7)$$

从以上定解条件可以看出,在低航速情况下,定解条件与无航速浮体运动流场速度势的定解条件具有相同的形式,只是自由面条件中需用遭遇频率 $\omega$ 代替自然频率 $\omega_0$。以上结果主要是在高频低速假设条件下获得的。原则上讲,当航速不为零时,该理论只适合波浪频率较高的情况,然而在低频情况下,静水恢复力和入射波力是主要的,辐射力与绕射力的计算精度对最终计算结果的影响并不严重。

2. 非定常扰动势求解的源汇分布法

(1)分布源积分方程的建立与求解

对于满足上述定解条件的 $\phi_j^0$,采用源汇分布法进行求解。将速度势 $\phi_j^0$ 表示成物面上的分布源形式

$$\phi_j^0(p) = \iint\limits_S \sigma^{(j)}(q) G(p, q) \mathrm{d} S_q \tag{1.4.23}$$

式中 $\sigma^{(j)}(q)$ 为分布源强;$G(p, q)$ 为满足前述定解条件中除物面条件以外所有条件的 Green 函数。

根据速度势 $\phi_j^0$ 的物面条件,分布源强 $\sigma^{(j)}(q)$ 满足下面的积分方程

$$2\pi \sigma^{(j)}(p) + \iint\limits_S \sigma^{(j)}(q) \frac{\partial}{\partial n_p} G(p, q) \mathrm{d} S_q = \begin{cases} -\dfrac{\partial}{\partial n^{(p)}} \varphi_0 & (p \in S) \\[3mm] n_j^{(p)} \end{cases} \tag{1.4.24}$$

引入三维无航速有限水深或无限水深频域 Green 函数,采用面元法即可将上述积分方程转化成线性代数方程组进行求解。

(2)面元法

面元法即赫斯 – 史密斯方法,是求解分布源积分方程(1.4.24)的一种常用数值方法。它是通过对连续物面 $S$(浮体平均湿表面)的离散,将上述分布源积分方程转换成线性代数方程组来求解的一种常用数值方法。

将浮体湿表面 $S$ 离散成 $N$ 个网格单元

$$S = \sum_{k=1}^{N} \Delta S_k \qquad (1.4.25)$$

用平面四边形或三角形 $\Delta Q_k$ 来近似代替曲面网格 $\Delta S_k$:取第 $k$ 个网格的四个顶点坐标之算术平均值,得到中心点 $p_k$ 的坐标;然后计算对角线向量的向量积(指向船体内部),用 $\boldsymbol{n}_k$ 表示该方向上的单位向量,从而形成以 $\boldsymbol{n}_k$ 为法线且通过中心点 $p_k$ 的平面;把四个顶点向该平面作投影,形成以四个投影点为顶点的平面四边形(或三角形)$\Delta Q_k$,称 $\Delta Q_k$ 为面元。

上面是几何上的近似和替换,下面讨论物理上的简化。令面元 $\Delta Q_k$ 上的分布源强 $\sigma_k^{(j)}(q)$ 为常数,记作 $\sigma_k^{(j)} = \sigma_{kC}^{(j)} + \mathrm{i}\sigma_{kS}^{(j)}$,从而可以将物面 $S$ 上的积分用 $N$ 个平面四边形上的积分之和来近似。令适合场点 $p$ 的积分方程(1.4.24)在 $N$ 个面元的中心点 $p_k$($k = 1,2,\cdots,N$)处(称之为控制点)成立,于是关于分布源强 $\sigma_k^{(j)}(q)$ 的积分方程便转化为关于 $N$ 对离散量 $\sigma_k^{(j)} = \sigma_{kC}^{(j)} + \mathrm{i}\sigma_{kS}^{(j)}$($k = 1,2,\cdots,N$)的线性代数方程组:

$$\sum_{k=1}^{N} a_{ik}\sigma_k^{(j)} = b_i^{(j)} \quad (i = 1,2,\cdots,N) \qquad (1.4.26)$$

式中

$$a_{ik} = \iint_{\Delta Q_k} \frac{\partial}{\partial n_{p_i}} G(p,q)\,\mathrm{d}S_q \quad (i \neq k)$$

$$a_{ik} = 2\pi + \iint_{\Delta Q_k} \frac{\partial}{\partial n_{p_i}} G'(p,q)\,\mathrm{d}S_q \quad (i = k)$$

$$b_i^{(j)} = n_j^{(p_i)} \quad (j = 1,2,\cdots,6)$$

$$b_i^{(7)} = -\frac{\partial}{\partial n^{(p_i)}}\phi_0$$

其中　$G'(p,q)$——不包括基本源的 Green 函数。

对于上述线性代数方程组,可以用列选主元的高斯消去法求解。

3. 三维水动力系数和绕射势的求解

求解线性代数方程组(1.4.26),得到每个面元 $\Delta Q_k$($k = 1,2,\cdots,N$)上的分布源强 $\sigma_k^{(j)}(q)$($j = 1,2,\cdots,7$),再由式(1.4.23)求出速度势 $\phi_j^0$($j = 1,2,\cdots,7$),进而利用式(1.4.17)和式(1.4.20)求出速度势 $\phi_j$($j = 1,2,\cdots,7$)。

三维水动力系数可以表示为

$$A_{ij} + \frac{B_{ij}}{\mathrm{i}\omega} = \rho\iint_S \left[\phi_j(x,y,z) - \frac{U}{\mathrm{i}\omega}\cdot\frac{\partial\phi_j(x,y,z)}{\partial x}\right]n_i\,\mathrm{d}S \quad (i,j = 1,2,\cdots,6) \quad (1.4.27)$$

式中　$\rho$——海水密度。

绕射势 $\phi_{\mathrm{D}}$ 可由式(1.4.14)求出。

**1.4.2　扩展的边界积分法处理不规则频率问题**

应用源汇分布法处理浮体与波浪相互作用的辐射和绕射问题时,对于某些离散的特殊频率失效,在这些频率及其邻近的狭窄频带中不能得到可靠的数值解,这些频率通常被称为不规则频率。

目前已有许多消除不规则频率的办法,如多级展开法、特征函数法、空场法、在内域原点布置点源或点偶方法及扩展的边界积分法等。其中扩展的边界积分法可在原有的源汇分布法基础上进行,它相当于不要求内域势满足自由面条件,此时需要在内域静水面上布置源汇。

此时,式(1.4.23)修改为

$$\phi_j^0(p) = \iint\limits_{S+F} \sigma^{(j)}(q) G(p,q) \mathrm{d}S_q \tag{1.4.28}$$

式中　$F$——浮体内部静水面。

则分布源强 $\sigma^{(j)}(q)$ 满足的积分方程(1.4.24)调整为

$$2\pi\sigma^{(j)}(p) + \iint\limits_{S+F} \sigma^{(j)}(q) \frac{\partial}{\partial n_p} G(p,q) \mathrm{d}S_q = \begin{cases} -\dfrac{\partial}{\partial n^{(p)}}\phi_0 & (p \in S) \\ n_j^{(p)} \end{cases} \tag{1.4.29}$$

$$-4\pi\sigma^{(j)}(p) + \iint\limits_{S+F} \sigma^{(j)}(q) \frac{\partial}{\partial n_p} G(p,q) \mathrm{d}S_q = 0 \quad (p \in F) \tag{1.4.30}$$

### 1.4.3　运动方程的建立和求解

1. 浮体在规则波中的运动方程

根据刚体动力学原理,以重心 $G$ 为矩心的浮体运动方程可表示为

$$\boldsymbol{M}\ddot{\boldsymbol{\eta}}(t) = \boldsymbol{F}(t) = \boldsymbol{F}\mathrm{e}^{\mathrm{i}\omega t} \tag{1.4.31}$$

式中　$\boldsymbol{M}$——浮体广义质量矩阵;

$\boldsymbol{F}(t)$——流体载荷列向量(不包括与重力平衡的静水浮力)

浮体广义质量矩阵 $\boldsymbol{M}$ 的具体表达为

$$\boldsymbol{M} = \begin{bmatrix} m & 0 & 0 & 0 & 0 & 0 \\ 0 & m & 0 & 0 & 0 & 0 \\ 0 & 0 & m & 0 & 0 & 0 \\ 0 & 0 & 0 & I_{11} & I_{12} & I_{13} \\ 0 & 0 & 0 & I_{21} & I_{22} & I_{23} \\ 0 & 0 & 0 & I_{31} & I_{32} & I_{33} \end{bmatrix} \tag{1.4.32}$$

其中　　　　$I_{ij} = \iiint\limits_{v_\mathrm{b}} \rho_\mathrm{b} \left[ (x^2 + y^2 + z^2)\delta_{ij} - x_i x_j \right] \mathrm{d}v \quad (i,j = 1,2,3)$

式中　$m$——船舶质量;

$\rho_\mathrm{b}$——船体密度。

由浮体对称性,可知

$$I_{12} = I_{21} = I_{23} = I_{32} = 0$$

作用在浮体上的流体载荷 $\boldsymbol{F}(t)$ 可分为因浮体偏离平衡位置而产生的流体静力载荷 $\boldsymbol{F}^\mathrm{S}(t)$、依赖于波浪与浮体运动的流体动力载荷 $\boldsymbol{F}^\mathrm{D}(t)$,即

$$\boldsymbol{F}(t) = \boldsymbol{F}^\mathrm{S}(t) + \boldsymbol{F}^\mathrm{D}(t) \tag{1.4.33}$$

流体静力载荷可以由流体静力学给出

$$\boldsymbol{F}^\mathrm{S}(t) = -\boldsymbol{C}\boldsymbol{\eta}(t) \tag{1.4.34}$$

流体动力载荷可以分解成与入射波压力 $\boldsymbol{F}_{\mathrm{I}}(t)$、绕射压力 $\boldsymbol{F}_{\mathrm{D}}(t)$ 和辐射压力 $\boldsymbol{F}_{\mathrm{R}}(t)$ 相对应的三部分

$$\boldsymbol{F}^{\mathrm{D}}(t) = \boldsymbol{F}_{\mathrm{I}}(t) + \boldsymbol{F}_{\mathrm{D}}(t) + \boldsymbol{F}_{\mathrm{R}}(t) \tag{1.4.35}$$

波浪主干扰力和波浪绕射力可合并为波浪干扰力

$$\boldsymbol{f}(t) = \boldsymbol{F}_{\mathrm{I}}(t) + \boldsymbol{F}_{\mathrm{D}}(t) \tag{1.4.36}$$

辐射力可表示为

$$\boldsymbol{F}_{\mathrm{R}}(t) = -\boldsymbol{A}\ddot{\boldsymbol{\eta}}(t) - \boldsymbol{B}\dot{\boldsymbol{\eta}}(t) \tag{1.4.37}$$

式中 $\boldsymbol{A}$、$\boldsymbol{B}$ 为三维水动力系数,其表达式见式(1.4.27)。

于是,规则波中浮体运动微分方程可整理成

$$(\boldsymbol{M}+\boldsymbol{A})\ddot{\boldsymbol{\eta}}(t) + \boldsymbol{B}\dot{\boldsymbol{\eta}}(t) + \boldsymbol{C}\boldsymbol{\eta}(t) = \boldsymbol{f}(t) = \boldsymbol{f}\mathrm{e}^{\mathrm{i}\omega t} \tag{1.4.38}$$

式中 $\boldsymbol{\eta}(t)$ 为式(1.4.10)所示的随时间简谐变化的浮体 6 自由度刚体运动。

**2.流体静力载荷与流体静力系数**

浮体相对静水平衡位置变化而引起的流体静力载荷可以由静水压力变化沿浮体湿表面积分(在坐标系 3 中)得出。由于浮体运动引起的静水压力变化为

$$p_{\mathrm{S}}(x,y,z,t) = p_{\mathrm{S}}(x,y,z) \cdot \mathrm{e}^{\mathrm{i}\omega t} = -\rho g(\eta_3 + y\eta_4 - x\eta_5) \cdot \mathrm{e}^{\mathrm{i}\omega t} \tag{1.4.39}$$

因此流体静力载荷为

$$F^{\mathrm{S}}(t) = \iint\limits_{S} p_{\mathrm{S}}(x,y,z) n_j \mathrm{d}s \cdot \mathrm{e}^{\mathrm{i}\omega t} \tag{1.4.40}$$

结合式(1.4.34)及式(1.4.40)可得流体静力系数

$$\boldsymbol{C} = \begin{bmatrix} 0 & 0 & 0 & 0 & 0 & 0 \\ 0 & 0 & 0 & 0 & 0 & 0 \\ 0 & 0 & \rho g A_{\mathrm{wp}} & 0 & -\rho g S_y & 0 \\ 0 & 0 & 0 & \rho g \nabla h_x & 0 & 0 \\ 0 & 0 & -\rho g S_y & 0 & \rho g \nabla h_y & 0 \\ 0 & 0 & 0 & 0 & 0 & 0 \end{bmatrix} \tag{1.4.41}$$

式中　$A_{\mathrm{wp}}$——水线面面积;

$S_y$——水线面对 $y$ 轴静矩,即 $S_y = \iint\limits_{\mathrm{wp}} x \mathrm{d}s$;

$\nabla$——浮体排水体积;

$h_x$、$h_y$——分别为浮体横稳心高和纵稳心高,即

$$h_x = z_B - z_G + \frac{1}{\nabla}\iint\limits_{\mathrm{wp}} y^2 \mathrm{d}s, h_y = z_B - z_G + \frac{1}{\nabla}\iint\limits_{\mathrm{wp}} x^2 \mathrm{d}s$$

**3.流体动力载荷**

流体动力载荷包括如式(1.4.35)所示的波浪主干扰力、绕射力和辐射力三部分,它们分别由入射波压力、绕射压力和辐射压力沿船体湿表面积分而得。

**(1)辐射力**

将由辐射势所表达的辐射压力沿船体湿表面积分,即得辐射力的表达式

$$\begin{aligned} \boldsymbol{F}_{\mathrm{R}}(t) &= -\rho \iint\limits_{S} \left(\mathrm{i}\omega - U\frac{\partial}{\partial x}\right)\phi_{\mathrm{R}}(x,y,z)\boldsymbol{n}_i \mathrm{d}S \cdot \mathrm{e}^{\mathrm{i}\omega t} \\ &= -\mathrm{i}\omega\rho \sum_{j=1}^{6} \eta_j \left[\iint\limits_{S}\left(\mathrm{i}\omega - U\frac{\partial}{\partial x}\right)\varphi_j(x,y,z) n_i \mathrm{d}S\right] \cdot \mathrm{e}^{\mathrm{i}\omega t} \end{aligned}$$

$$= -A\ddot{\boldsymbol{\eta}}(t) - B\dot{\boldsymbol{\eta}}(t) \tag{1.4.42}$$

辐射力在浮体运动方程(1.4.38)中是以三维水动力系数 $A$、$B$ 体现的,因此在求解浮体运动时,通常先由式(1.4.27)求出三维水动力系数,然后再代入运动方程(1.4.38)求解。

(2)波浪主干扰力和绕射力

波浪主干扰力又称傅汝德-克雷洛夫力,是只考虑入射波对浮体诱导的干扰力,而不考虑浮体的存在和运动对流场的影响。在通常的波浪频率范围内,波浪主干扰力在波浪干扰力中占主要成分。

入射波的速度势是已知,因此由伯努利方程,波浪主干扰力可表示为

$$F_{\mathrm{I}}(t) = \iint_S p_{\mathrm{I}}(x,y,z) n_j \mathrm{d}s \cdot \mathrm{e}^{\mathrm{i}\omega t} \tag{1.4.43}$$

式中 $p_{\mathrm{I}}(x,y,z) = -\rho\zeta_{\mathrm{a}}\left(\mathrm{i}\omega - U\dfrac{\partial}{\partial x}\right)\phi_0$。

当 $\phi_0$ 分别取有限水深速度势和无限水深速度势时

$$p_{\mathrm{I}}(x,y,z) = \begin{cases} \rho g\zeta_{\mathrm{a}} \cdot \dfrac{\mathrm{ch}[k_0(z+h)]}{\mathrm{ch}(k_0 h)} \cdot \exp[\mathrm{i}k_0(x\cos\beta - y\sin\beta)] & \text{有限水深} \\[3mm] \rho g\zeta_{\mathrm{a}} \cdot \mathrm{e}^{k_0 z} \cdot \exp[\mathrm{i}k_0(x\cos\beta - y\sin\beta)] & \text{无限水深} \end{cases}$$

波浪绕射力可表示成绕射压力沿浮体湿表面积分的形式

$$\boldsymbol{F}^D(t) = \iint_S p_{\mathrm{D}}(x,y,z)\{\boldsymbol{n}_j\}\mathrm{d}s \cdot \mathrm{e}^{\mathrm{i}\omega t} \tag{1.4.44}$$

式中 $p_{\mathrm{D}}(x,y,z) = -\rho\zeta_{\mathrm{a}}\left(\mathrm{i}\omega - U\dfrac{\partial}{\partial x}\right)\phi_7$。

另外,绕射力还可以通过 Haskind 关系来计算,即通过辐射势间接求解

$$\boldsymbol{F}_j^D(t) = \left[\mathrm{i}\omega\rho\zeta_a \iint_S \left(\phi_j^0 - \frac{U}{\mathrm{i}\omega}\phi_j^u\right)\frac{\partial\phi_0}{\partial n}\mathrm{d}s + \rho\zeta_a U\int_c \phi_j^0 \frac{\partial\phi_0}{\partial n}\mathrm{d}l\right] \cdot \mathrm{e}^{\mathrm{i}\omega t} \tag{1.4.45}$$

式中在有航速时水线积分项略掉。

4. 浮体运动响应的稳态解

将式(1.4.10)代入浮体的运动微分方程(1.4.38)可得线性方程组

$$(\boldsymbol{C} + \boldsymbol{D} - \omega^2\boldsymbol{A} + \mathrm{i}\omega\boldsymbol{B})\boldsymbol{\eta} = \boldsymbol{f} \tag{1.4.46}$$

此方程可由高斯消去法进行求解,这样就得到船舶6自由度运动 $\boldsymbol{\eta}$ 的实部和虚部

$$\eta_j = \eta_{jC} + \mathrm{i}\eta_{jS} \quad (j = 1,2,\cdots,6) \tag{1.4.47}$$

进而得到浮体运动响应的幅值和相位

$$\left. \begin{array}{l} \eta_{ja} = \sqrt{\eta_{jC}^2 + \eta_{jS}^2} \\[2mm] \varepsilon_j = \arg(\eta_{jC}, \eta_{jS}) \end{array} \quad (j = 1,2,\cdots,6) \right\} \tag{1.4.48}$$

另外,由于黏性和涡流等因素的影响,实际上细长类浮体如船舶横摇阻尼力矩具有明显的非线性,而按线性势流理论所计算的横摇兴波阻尼力矩只是其中的一小部分,因此在求解船舶横向运动时,为了使计算合理,需要计及横摇阻尼力矩的非线性特性,并做相应的等价线性化处理。

### 1.4.4  脉动压力与剖面载荷响应

1. 浮体湿表面的脉动压力

在求解了速度势 $\phi_j(j=1,2,\cdots,7)$，并获得规则波中浮体运动响应的稳态解 $\eta_j(j=1,2,\cdots,6)$ 之后，非定常扰动势 $\phi_D$ 和 $\phi_R$ 便可由式（1.4.18）和式（1.4.19）确定。于是，根据线性化的伯努利方程，并计入静水压力变化部分的贡献，即得总的脉动压力：

$$\left.\begin{array}{l} P(x,y,z,t)=\mathrm{Re}(p(x,y,z)\mathrm{e}^{\mathrm{i}\omega t}) \\[2mm] p(x,y,z)=p_S(x,y,z)-\rho\left(\mathrm{i}\omega-U\dfrac{\partial}{\partial x}\right)\left[\varphi_I(x,y,z)+\varphi_D(x,y,z)+\varphi_R(x,y,z)\right] \end{array}\right\} \quad (1.4.49)$$

式中 $p_S(x,y,z)=-\rho g(\eta_3+y\eta_4-x\eta_5)$。

这样，就可以得到各个面元控制点上的压力载荷，从而获得浮体湿表面的脉动压力载荷分布。

2. 浮体剖面载荷响应

在得到了规则波中浮体运动响应和脉动压力载荷后，就可以应用达朗伯原理计算浮体剖面内的波浪诱导力和力矩，包括垂向与水平的剪力和弯矩，以及轴力和扭矩。

（1）部分长度浮体上的刚体惯性力载荷

取单位长度的浮体，设其质量为 $\mu(x)$，质心坐标为 $(x,y_x,z_x)$（坐标系 3 中），该质量关于坐标轴 $o'x_b$ 的惯性矩为 $\lambda_x$，关于坐标轴 $o'y_b$ 和 $o'z_b$ 的惯性矩（积）分别为 $\lambda_y$、$\lambda_z$、$\lambda_{yz}$（其中 $o'$ 为 $Gx_b$ 轴与该船体横剖面的交点）。该质量的刚体惯性力载荷可记作

$$\bar{f}_I^{(x)}=-\overline{m}\ddot{\boldsymbol{\eta}} \quad (1.4.50)$$

根据刚体动力学可知

$$\overline{m}=\begin{bmatrix} \mu & 0 & 0 & 0 & \mu z_x & -\mu y_x \\ 0 & \mu & 0 & -\mu z_x & 0 & \mu x \\ 0 & 0 & \mu & \mu y_x & -\mu x & 0 \\ 0 & -\mu z_x & \mu y_x & \lambda_x & -\mu x y_x & -\mu x z_x \\ \mu z_x & 0 & -\mu x & -\mu x y_x & \lambda_y+\mu x^2 & -\lambda_{yz} \\ -\mu y_x & \mu x & 0 & -\mu x z_x & -\lambda_{yz} & \lambda_z+\mu x^2 \end{bmatrix} \quad (1.4.51)$$

考察自浮体尾部（$x=x_a$）起至任意剖面 $x$ 处止的部分长度浮体，其刚体惯性力载荷为

$$\bar{f}_I=\int_{x_a}^{x}\bar{f}_I^{(x)}\mathrm{d}x=-\overline{M}\ddot{\boldsymbol{\eta}} \quad (1.4.52)$$

则

$$\overline{M}=\int_{x_a}^{x}\overline{m}\mathrm{d}x \quad (1.4.53)$$

质量矩阵 $\overline{M}$ 与式（1.4.36）所示的浮体质量矩阵 $M$ 的含义相类似，不同之处仅在于前者是部分长度浮体，而后者是整个浮体。显然，浮体首部（$x=x_f$）所对应的 $\overline{M}$ 便是 $M$。

实际计算时，可近似取 $y_x=z_x=0$ 及 $\lambda_{yz}=0$。

（2）浮体剖面内的力和矩

仍考察自浮体尾部（$x=x_a$）起至任意剖面 $x$ 处止的部分长度浮体，记浮体横剖面 $x$ 内的

力和矩为 $\overline{\boldsymbol{Q}}\mathrm{e}^{i\omega t}$，包括轴力、水平和垂向剪力、扭矩、水平和垂向弯矩 6 个分量，并约定其指向与坐标轴同向时为正。

根据达朗伯原理，作用于部分长度浮体上的真实流体载荷与刚体惯性力载荷相平衡。于是

$$\overline{\boldsymbol{Q}}' = \left\{ \begin{array}{c} N' \\ SF'_Y \\ SF'_Z \\ TM' \\ BM'_Y \\ BM'_Z \end{array} \right\} = - \iint\limits_{S_x} p(x,y,z)\,\boldsymbol{n}_j\mathrm{d}s - \omega^2 \overline{\boldsymbol{M}}\boldsymbol{\eta} \qquad (1.4.54)$$

式(1.4.54)中的轴力和水平剪力需去除由于浮体摇荡运动引起的浮体重力在动坐标系(坐标系 3)中的分量,扭矩需转移到浮体剖面剪切中心上,垂向和水平弯矩需去除垂向和水平剪力引起的弯矩分量,因此最终剖面载荷为

$$\overline{\boldsymbol{Q}} = \left\{ \begin{array}{c} N \\ SF_Y \\ SF_Z \\ TM \\ BM_Y \\ BM_Z \end{array} \right\} = \left\{ \begin{array}{c} N' \\ SF'_Y \\ SF'_Z \\ TM' \\ BM'_Y \\ BM'_Z \end{array} \right\} + \left\{ \begin{array}{c} -\overline{\mu}\eta_5 \\ \overline{\mu}\eta_4 \\ 0 \\ z_x^{(sh)}SF' \\ xSF'_Z \\ -xSF'_Y \end{array} \right\} \qquad (1.4.55)$$

式中　$N$——轴向力；

　　　$SF_Y$——水平剪力；

　　　$SF_Z$——垂向剪力；

　　　$TM$——扭矩；

　　　$BM_Y$——垂向弯矩；

　　　$BM_Z$——水平弯矩；

　　　$S_x$——部分长度船体的湿表面；

　　　$p$——总的脉动压力；

　　　$z_x^{(sh)}$——剖面剪为切中心垂向坐标。

可以验证,浮体横剖面内的力和矩满足封闭条件(在浮体首部值为零),即在浮体首部式(1.4.52)、式(1.4.53)与浮体运动方程(1.4.42)等价。

## 1.5　线性波浪载荷的长短期预报与剖面载荷的设计值

### 1.5.1　线性波浪载荷的短期预报与长期预报

若船体对波浪作用的响应是线性关系,则在得到各规则子波中的幅频响应后,可采用谱分析的方法得到不规则波中船舶运动或波浪载荷的响应谱

$$S_y(\omega) = |H_y(\omega)|^2 S_w(\omega) \qquad (1.5.1)$$

式中　$|H(\omega)|^2$——幅频特性的平方,又称响应幅算子;

　　　$S_y(\omega)$——船舶运动或波浪载荷的响应谱。

因为实际频率为遭遇频率 $\omega$,所以输入波浪谱 $S_w(\omega_0)$ 应变换为 $S_w(\omega)$,即

$$S_w(\omega) = S_w(\omega_0)\frac{\mathrm{d}\omega_0}{\mathrm{d}\omega} = \frac{S_w(\omega_0)}{1 + \dfrac{2\omega_0 U\cos\beta}{g}} \tag{1.5.2}$$

式中　$U$——船舶航速;

　　　$\beta$——浪向角。

根据统计时间的长短,对系统响应的极值预报可以分为短期预报和长期预报。

大量的实践表明,船舶运动与波浪载荷幅值的短期响应服从 Rayleigh 分布。该分布只有方差 $\sigma^2$ 一个参数,可由响应谱 $S_y(\omega)$ 得到,即

$$\sigma^2 = m_0 = \int_0^\infty S_y(\omega)\,\mathrm{d}\omega = \int_0^\infty |H_y(\omega)|^2 S_w(\omega_0)\,\mathrm{d}\omega_0 \tag{1.5.3}$$

进而可得到船舶运动与波浪载荷短期预报的各种统计值,包括均值和有义值等。其中均值 $\bar{y}$ 为

$$\bar{y} = 1.25\sqrt{m_0} \tag{1.5.4}$$

有义值 $y_{1/3}$ 为

$$y_{1/3} = 2.00\sqrt{m_0} \tag{1.5.5}$$

此外,可进一步求得短期响应的最大值。短期响应最大值与有义值的关系为

$$y_{\max} = \frac{\sqrt{2\ln n}}{2}y_{1/3} \tag{1.5.6}$$

式中　$n$——该变量的短期循环次数。

由于本计算所取为 3 h 极值,因而其表达式为

$$n = \frac{1}{2\pi}\sqrt{\frac{m_2}{m_0}}\times 3\,600\times 3 \tag{1.5.7}$$

式中　$m_0$、$m_2$——响应谱的零阶矩和二阶矩。

通常,长期预报可以作为一系列短期平稳随机过程的组合来处理。长期预报的概率密度函数可由很多短期的概率密度函数以其出现概率为权系数求和得到。每一短期的概率函数是条件概率,是在特定的航向、航速、海况等条件下的概率函数。

在服役期间内,认为船舶的装载状态变化不大,可选用一种或几种特定状态分别进行分析,但应考虑船舶可能以随机变化的航向和航速遭遇各种海况的影响,因此船舶运动或波浪载荷幅值 $Y$ 的长期概率密度 $f(y)$ 和分布函数 $F(y)$ 应是对应的短期概率密度 $f_0(y)$ 和分布函数 $F_0(y)$ 计及上述因素的加权组合:

$$f(y) = \frac{\sum\limits_i \sum\limits_j \sum\limits_k n_0 p_i(H_{1/3}, T_2)p_j(\beta)p_k(U)f_0(y)}{\sum\limits_i \sum\limits_j \sum\limits_k n_0 p_i(H_{1/3}, T_2)p_j(\beta)p_k(U)} \tag{1.5.8}$$

$$F(y) = \frac{\sum\limits_i \sum\limits_j \sum\limits_k n_0 p_i(H_{1/3}, T_2)p_j(\beta)p_k(U)F_0(y)}{\sum\limits_i \sum\limits_j \sum\limits_k n_0 p_i(H_{1/3}, T_2)p_j(\beta)p_k(U)} \tag{1.5.9}$$

式中　$p_i(H_{1/3}, T_2)$——用有义波高 $H_{1/3}$ 和平均周期 $T_2$ 表示的海况出现的概率;

$p_j(\beta)$——航向角出现的概率;

$p_k(U)$——航速出现的概率;

$n_0$——各短期工况中单位时间内船舶运动或波浪载荷响应的平均循环次数。

由前述可知,概率密度$f_0(y)$和分布函数$F_0(y)$服从 Rayleigh 分布,进而由上式可以得到船舶运动与波浪载荷响应的长期概率密度$f(y)$和分布函数$F(y)$。此时,即可算得满足给定概率水平的船体运动、压力和剖面载荷值。

### 1.5.2 剖面波浪载荷的设计值

这里所说的剖面波浪载荷,是指那些由波浪诱导而又仅与剖面的纵向位置有关的低频载荷分量。具体包括垂向波浪剪力与弯矩,水平波浪剪力与弯矩,以及扭矩。

由于波浪的随机特性,剖面波浪载荷属于随机过程,其幅值则为随机变量。众所周知,随机变量的分布规律,可以完整地描述该变量的统计规律性,因此要想获得使用期中危险的剖面波浪载荷,必须从其概率分布着手。

记$X$表示剖面波浪载荷幅值;$f_X(x)$为在整个使用期中,考虑了可能出现的各种海况、各种装载、各种航行角及各种航速后,所求得的$X$的长期概率密度;$n$是使用期中剖面波浪载荷的循环次数,则$n$次循环中的最大值$X_{max}$可从下式定义的超越概率中解得

$$\rho\{X \geqslant X_{max}\} = \int_{X_{max}}^{\infty} f_X(x)\,\mathrm{d}x = \frac{1}{n} \tag{1.5.9}$$

此$X_{max}$通常称为特征最大值或 Gumbel 值。

国际船级社协会(IACS)就是依据上述原理来计算剖面波浪载荷的设计值。1992 年 IACS 曾推荐,在进行直接计算时,应采用 NO.34 给出的海浪统计资料。后在 1998 年对该方法做了进一步修改。修改之后的直接计算法规定:

(1)建议重现期至少为 20 年,对应的超越概率约为$10^{-8}$。

(2)采用修正之后的北大西洋海浪长期统计资料 NA – 1C。

(3)航速取为船舶的操舵航速(约 5 kn)。

(4)波谱采用 JONSWAP 谱与 Pierson – Moskowitz 谱,扩散函数为

$$f_s(\theta) = k\cos^2\theta \tag{1.5.10}$$

因子$k$满足条件

$$\sum_{\theta-90°}^{\theta+90°} f_s(\theta) = 1 \tag{1.5.11}$$

式中 $\theta$——成分波与波浪主方向的夹角。

(5)认为波向角(0~360°)是等概率发生的。

(6)当计算垂向波浪弯矩时,为考虑非线性效应,应采用适当的办法得到中拱与中垂分量(所得结果不应与 UR – S11 的规定产生矛盾)。

UR – S11 是 IACS 在 1991 年对船舶总纵强度的统一要求。其中规定船舯垂向波浪弯矩设计值应按下述公式求出

$$\begin{cases} \text{中垂 } M_S = 0.11CL^2B(C_b + 0.7) \\ \text{中拱 } M_H = 0.19CL^2BC_b \end{cases} \tag{1.5.12}$$

式中 $L$、$B$、$C_b$ 分别为船长、船宽及方形系数,系数 $C$ 由下式决定

$$C = \begin{cases} 10.75 - \left(\dfrac{300-L}{100}\right)^{\frac{3}{2}}, & 90\text{ m} < L \leqslant 300\text{ m} \\ 10.75, & 300\text{ m} < L \leqslant 350\text{ m} \\ 10.75 - \left(\dfrac{L-300}{150}\right)^{\frac{3}{2}}, & L > 350\text{ m} \end{cases} \qquad (1.5.13)$$

式(1.5.12)给出的是相当于大量船舶的统计平均值。即使对于常规船舶,为了能更好地反映设计船舶的具体特点,如果条件允许,最好还是通过直接计算来确定剖面波浪载荷设计值。

波浪载荷直接计算法的真正用场,还是对那些超出式(1.5.12)使用范围的非常规船舶的情况(如 $L \geqslant 500$ m, $L/B \leqslant 5$, $B/D \geqslant 2.5$, $C_b < 0.6$,具有甲板大开口、艏部大外飘及具有重货加强标志的船舶,$D$ 为船舶型深)。

对上述规定的波浪载荷设计值,下面做一些说明。

第一点要说明的是,按式(1.5.9)求得的 $X_{max}$,是 $n$ 次载荷循环中统计意义上的最大值。如果具体到某一次试验,在 $n$ 次循环中 $X \geqslant X_{max}$ 的情况可能不止出现一次,也可能根本不会出现。但对多次试验而言,$X \geqslant X_{max}$ 的情况平均可能出现一次。这就是说,在试验中将会出现比 $X_{max}$ 还要大的值。

在序列统计学分析中,一般把 $n$ 次载荷循环中出现的最大值(极值)记为随机变量 $X_n$。利用原始概率密度 $f_X(x)$,可以导得关于 $X_n$ 的极值概率密度 $g_{X_n}(x)$(图 1.5.1)

$$g_{X_n}(x) = nf_X(x)\left[F_X(x)\right]^{n-1} \qquad (1.5.14)$$

式中 $F_X(x)$——随机变量 $X$ 的分布函数。

数学上可以证明,当循环数 $n$ 足够大时,特征最大值 $X_{max}$ 接近于图中所示的最可能极值 $\overline{X}_n$。这个值在试验中是最可能出现的最大值,但在多次试验的最大值中,超过这个值的概率还是相当大的(当 $f_X(x)$ 服从 Rayleigh 概率分布时,这个概率为 63.2%)。为此,Ochi 按下式定义了所谓的设计极值 $\hat{X}_n(\alpha)$($\alpha$ 是人为取定的小量):

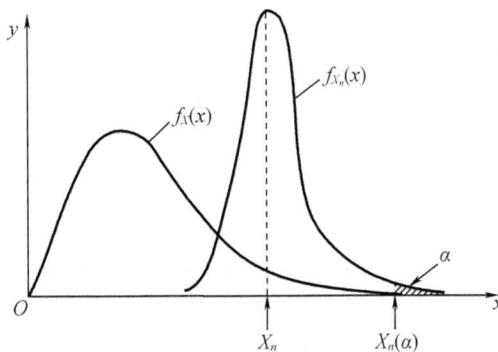

**图 1.5.1**

$$\int_{\hat{X}_n(\alpha)}^{\infty} g_{X_n}(x)\,\mathrm{d}x = \alpha \qquad (1.5.15)$$

认为应当采用 $\hat{X}_n(\alpha)$ 作为设计值来进行强度分析。

其实,无论是最可能极值(特征最大值),还是设计极值,均比较客观地反映了在使用期中可能出现的危险载荷的量级,根据合理性原则,它们都可以作为设计载荷。只是要注意,如果是采用前者,那么在制定相应的强度标准时,应留有稍大一些的安全性储备。

第二点要说明的是,在按直接计算法确定波浪载荷设计值时,仅仅指明概率水平还是不够的。由式(1.5.9)可看出,波浪载荷设计值不仅依赖于所取的概率水平,而且与计算长期概率分布时所采用的海浪谱形式、海浪长期统计资料及计算航速等也有关系。1992年国际船级社协会(IACS)曾经推荐按 NO.34 给出的海浪长期统计资料进行波浪载荷的直接计算。为避免直接计算与 UR – S11 规定之间的不统一,IACS 于 1998 年建议,在进行计算时应改用前述经修正后的北大西洋海浪长期统计资料 NA – 1C 及有关规定。

第三点要说明的是关于中拱与中垂分量的处理。按照线性理论,算得的中拱与中垂时的波浪载荷总是相同的。如果总载荷中非线性部分所占成分较大,需要将二者区分开来,可以采用两种办法:一是严格的办法,从一开始便采用非线性波浪载荷理论,每个短期分析时的航速,取为该工况下实际可能达到的最大航速(非线性载荷响应对航速极为敏感,此时不能再对所有工况取相同的航速),通过时域计算和取样、拟合,分别求出中拱及中垂时的长期概率分布,进而得到中拱及中垂时的设计值;另一是近似的办法,先采用线性理论,在取定的设计航速下,利用谱分析方法求得中拱与中垂的平均设计值,再根据不同航向角下算得的最大幅频响应,将问题转化为在响应最大的航向角(例如对于垂向波浪剪力与弯矩来说,就是迎浪)内的一个相当规则波,最后对此规则波按非线性理论进行计算,从而把中拱与中垂分离。

以上讨论的确定剖面波浪载荷设计值的方法,适用于在无限海区航行的船舶。对于在固定海区作业的船舶,剖面波浪载荷设计值可按短期分析方法来决定,即 $f_x(x)$ 此时表示船舶在该海区极端工况下波浪载荷幅值的概率密度,计算时的概率水平$(1/n)$应视该船舶的具体使用情况而取定。

# 第2章　总纵强度计算

## 2.1　概　　述

### 2.1.1　总纵强度计算内容

在确定船舶总纵强度校核所需的外力后,即可进行船体结构的总纵强度校核。通常情况下,总纵强度的校核包括以下三个部分。

(1)总合正应力校核:$\sigma_{总合max} \leqslant [\sigma_{总合}]$;

(2)弯曲剪应力校核:$\tau \leqslant [\tau]$;

(3)极限弯矩校核:$M_j \geqslant n \cdot M_{计}$。

式中　$[\sigma_{总合}]$和$[\tau]$——总合正应力和弯曲剪应力的许用值;

　　　　$M_{计}$——标准计算状态的计算弯矩;

　　　　$n$——过载系数。

进行总合正应力和弯曲剪应力的校核,是为了保证船体结构在正常使用时的强度;极限强度的校核则是为了使船体结构具有足够的强度储备。

如果按照板格长边的方向来划分船体的构架形式,板格长边方向垂直于船长的为横式构架,板格长边方向平行于船长的为纵式构架。总纵强度计算是对于纵式构架的船体结构进行的。

### 2.1.2　船体构件的分类及载荷传递

船体结构是由许多构件组成的,平行船长方向布置的构件,如外板、甲板板、纵桁、纵骨、纵舱壁,承受总纵弯曲,称为纵向构件;而垂直船长方向布置的构件,如横舱壁、肋骨、横梁,虽不承受总纵弯曲,但起到了保证船体刚度的作用,称为横向构件。

船体构件各自承担着一定的作用。其中一些是直接承受外力的构件,另外一些构件承受别的构件所传来的力。现在以两种典型结构形式的船底板架为例,进行船体结构的受力和传递过程的分析。

为了讨论方便,假定在船底板架上只作用着水压力。直接承受水压力的构件是外底板。外底板将水压力传给骨架(纵骨、肋板和船底纵桁等),然后再传到板架的支撑周界(横舱壁和舷侧)上去,载荷的传递过程如图2.1.1所示。同样,甲板上的荷重也传给舱壁和舷侧。横舱壁在这些力及与舷侧相交处的剪力作用下取得平衡,在舷侧上作用着的这些力及与舱壁相交处的剪力,构成舷侧板架所受的不平衡力,这个力以剪力的形式传给相邻的板架,它就是总纵弯曲时作用在船体剖面中的剪力。

由于构件相互连接,其作用力是很复杂的。以纵骨架式船底板架为例,外板本身承受水压力时将产生弯曲变形,与纵骨连接的外板部分又将随纵骨弯曲产生弯曲剪力。以此类推,外板中的弯曲应力将包含有板的弯曲应力、纵骨弯曲应力、板架弯曲应力和总纵弯曲应力等四种应力成分。这就是船体构件承受多种作用、产生多种应力的工作特点。其变形特征如图2.1.2所示。

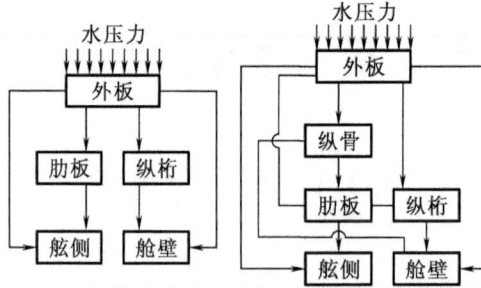

**图2.1.1   船体外载荷的传递过程**

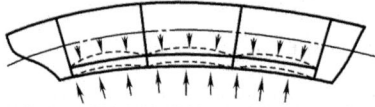

**图2.1.2   船体弯曲变形**

根据上述分析,纵向构件按照在船体弯曲变形过程中所产生的应力种类分为四类:

(1)只承受总纵弯曲正应力 $\sigma_1$ 的纵向构件称为第一类构件,如不计甲板荷重的上甲板;

(2)同时承受总纵弯曲正应力 $\sigma_1$ 和板架弯曲正应力 $\sigma_2$ 的纵向构件称为第二类构件,如船底纵桁;

(3)同时承受总纵弯曲正应力 $\sigma_1$、板架弯曲正应力 $\sigma_2$ 和纵骨弯曲正应力 $\sigma_3$ 的纵向构件称为第三类构件,如外底纵骨;

(4)同时承受总纵弯曲正应力 $\sigma_1$、板架弯曲正应力 $\sigma_2$、纵骨弯曲正应力 $\sigma_3$ 和板的弯曲正应力 $\sigma_4$ 的纵向构件称为第四类构件,如纵骨架式中的船底外板。

以上各种弯曲正应力,除总纵弯曲正应力外均称为局部弯曲正应力。在计算总纵弯曲应力时,通常将实际船体结构视作一根具有与原结构相当抗弯刚度的实心直梁来处理,称为等值梁假设。采用等值梁假设来校核船体结构的总纵强度可以使问题得到相当大的简化,但必须同时考虑船体结构的工作特点:应力的多重作用,即总纵弯曲应力和局部弯曲应力同时存在;局部结构的稳定性,即船体板和骨架可能因刚度不足而失稳。

在强度计算中,考虑到船体构件这种多重作用的特征,曾经根据上述应力分类法,按照弯曲应力的代数和来校核船体强度。很明显,这样的应力合成方法,仅仅是一种假定性的,并不能确切地反映出船体构件的真实受力情况。尽管如此,上述船体结构工作特征,即结构稳定性和应力的多重作用,仍旧是船体强度计算中必须考虑的两个主要问题。

## 2.2　总纵弯曲正应力的第一近似计算

### 2.2.1　概述

根据等值梁假设,船体构件的总纵弯曲正应力可以按照梁的弯曲理论公式进行计算,即

$$\sigma = \frac{M}{I} Z \tag{2.2.1}$$

式中　$M$——剖面的总纵弯矩;

$I$——剖面对水平中和轴的惯性矩;

$Z$——应力点至中和轴的距离。

由式(2.2.1)可知,船体剖面上的应力呈线性分布。一般的船舶,中和轴离船底比较近些,因此上甲板是离中和轴最远的构件,其弯曲正应力最大。在船舶强度计算中通常把式(2.2.1)化成下列形式

$$\sigma = \frac{M}{I} Z = \frac{M}{W} \tag{2.2.2}$$

式中　$W$——船体剖面模数,$W = \dfrac{I}{Z}$。

它是表征船体结构抵抗弯曲变形能力的一种几何特性,也是衡量船体强度的一个重要标志。显然,弯矩值一定时,最小剖面模数越大,则最大应力越小。

从式(2.2.2)可以看出,在已知外载荷的情况下,要算出总纵弯曲正应力,还需确定计算剖面的位置及对应位置的剖面模数。

### 2.2.2　计算剖面的选择

在求得船体的总纵弯曲力矩和剪力之后,就可计算船体总纵弯曲应力和剪应力,以便进行强度校核,因此首先要确定对哪些剖面进行应力计算。一般沿船长选取3~5个危险剖面,其中包括弯矩最大的剖面(船舯附近),剪力最大的剖面(距艏艉 1/4 船长处)和剖面最弱的位置(甲板有大开口)。

### 2.2.3　剖面惯性矩的计算

计算船体剖面模数时,首先要确定哪些构件能够有效地参加抵抗总纵弯曲变形,亦即哪些构件可以计入计算剖面。通常,纵向连续并能有效地传递总纵弯曲应力的构件均应计入,但有些纵向构件由于形状和构造的关系,不能有效地传递总纵弯曲应力,则不能计入。船舯部 0.4~0.5 船长区域内的纵向连续构件,如上甲板、外板、内底板、纵桁、纵骨及符合上述要求的其他构件,计算剖面模数时均应计入,我们称这些构件为纵向强力构件。此外,舯部区域只占部分船长的非连续构件(或称为间断构件),例如上层建筑甲板和侧壁等,它们参加抵抗总纵弯曲的程度取决于它们本身的构造和长度。根据上层建筑强度理论,一般规定,凡长度超过船长的15%且不小于本身高度6倍的上层建筑,以及同时受到不少于3个横舱壁或类似结构支持的长甲板室,可认为其舯部是完全有效地参加抵抗总纵弯曲。可是

这些构件的端部由于抵抗总纵弯曲的程度较小，故应按图2.2.1(a)扣除斜线部分的构件剖面积。相邻舱口之间的甲板，同样可视为间断构件，因此若计算剖面选在图2.2.1(b)的斜线区域内，则斜线部分的甲板剖面积应扣除。强度计算中规定，凡甲板开口宽度超过甲板宽度的20%者均应扣除。纵桁腹板上的开口，如大于腹板高度的20%，则应扣除开口部分。至于纵向连续构件上的个别开口，如人孔、舷窗等，计算剖面模数时则不必扣除。

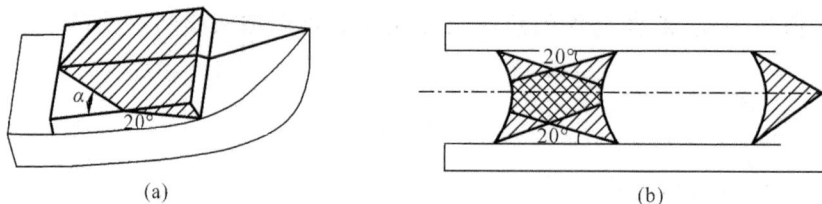

**图2.2.1  部分参与总强度的构件剖面面积计算**
(a)上层建筑端部有效的构件；(b)甲板板的有效部分

图2.2.3(a)中的 $\alpha$ 角按下式计算

$$\alpha = \arctan \sqrt{\frac{2t_m + 1.5t_d}{1.5t}}$$

式中　$t_m$——上层建筑侧壁厚度，cm；

　　　$t_d$——上层建筑纵舱壁厚度，cm；

　　　$t$——上层建筑甲板厚度，cm；

　　　$\alpha$——角度，(°)。

### 2.2.4　异种材料的处理

若参加抵抗总纵弯曲变形的构件中，有些构件采用不同材料，则应先将其换算成相当于基本材料的断面积后，再进行剖面要素计算。若被换算构件的剖面积为 $a_i$，应力为 $\sigma_i$，弹性模数为 $E$，则根据变形相等，承受同样的力 $P$ 可得

$$\varepsilon = \frac{\sigma_i}{E_i} = \frac{\sigma}{E} \text{或} \varepsilon = \frac{P}{a_i E_i} = \frac{P}{aE}$$

故

$$a = a_i \frac{E_i}{E}, \sigma_i = \sigma \frac{E_i}{E}$$

因此计算剖面积时，只要把被换算构件的剖面积乘以两种材料的弹性模数之比即可。显然，这些构件中的实际应力亦应乘以 $E_i/E$。如果有垂直板，其高度为 $h_i$，厚度为 $t_i$，剖面积亦应乘以 $E_i/E$，板的自身惯性矩则为

$$i_0 = \frac{\left(a_i \dfrac{E_i}{E}\right)h_i^2}{12}$$

如果船体结构的是对称的，可以只对半个剖面进行计算。为了简化计算，可把距中和轴尺寸相同的构件划为一组，并进行编号，然后用表2.2.1计算剖面几何要素。

**表 2.2.1　第一次近似计算**

| 1 | 2 | 3 | 4 | 5 | 6 | 7 | 8 | 9 | 弯曲应力 | | 12 |
|---|---|---|---|---|---|---|---|---|---|---|---|
| 构件编号 | 构件名称 | 构件尺寸 /mm | 剖面积 $A_i$ /cm² | 距参考轴距离 $Z_i$/m | 静力矩 $A_i \cdot Z_i$ /cm²·m | 惯性矩 $A_i \cdot Z_i^2$ /cm²·m | 自身惯性矩 $i_0$ /cm²·m | 距中和轴距离 $Z_i$/m | 中拱 /(kgf[①]/cm²) (N/mm²) | 中垂 /(kgf/cm²) (N/mm²) | 欧拉应力 /(kgf/cm²) (N/mm²) |
| 1 | | | | | | | | | | | |
| 2 | | | | | | | | | | | |
| 3 | | | | | | | | | | | |
| … | | | | | | | | | | | |
| $\sum$ | | | $A$ | | $B$ | $C$ | | | | | |

① 1 kgf = 9.8 N。

计算步骤如下:

取参考轴 $O'O'$,该轴可选在离基线 $e = (0.45 \sim 0.5)$ 型深处,分别求出各组构件的剖面积 $A_i$、距离参考轴的距离 $Z_i$、静力矩 $A_i \cdot Z_i$ 和惯性矩 $A_i \cdot Z_i^2$,对于高度较大的垂向构件,如船侧板等,还要计算其自身惯性矩 $i_0$。令

$$\sum A_i = A, \quad \sum A_i Z_i = B, \quad \sum A_i Z_i^2 + i_0 = C$$

由此剖面中和轴距参考轴的距离为

$$\varepsilon = \frac{B}{A} \tag{2.2.3}$$

剖面对水平中和轴的惯性矩为

$$I = 2(C - \varepsilon^2 A) = 2\left(C - \frac{B^2}{A}\right) \tag{2.2.4}$$

任意构件至中和轴的距离为

$$Z_i' = Z_i - \varepsilon \tag{2.2.5}$$

构件中的总纵弯曲应力为

$$\sigma_i = \frac{M}{I} Z_i' \tag{2.2.6a}$$

或

$$\sigma_i = \frac{M}{I} Z_i' \tag{2.2.6b}$$

式中弯矩 $M$ 中拱时为正,中垂时为负。按式(2.2.6a)或式(2.2.6b)求得的应力 $\sigma_i$ 称为总纵弯曲应力第一次近似计算值。将这样得到的各构件的应力值填入表 2.2.1 第 10 栏和第 11 栏内。

若甲板和船底距中和轴最远的距离分别 $Z_j$ 和 $Z_d$,则甲板和船底的剖面模数分别为

$$W_j = \frac{I}{Z_j}, \quad W_d = \frac{I}{Z_d}$$

通常,甲板的剖面模数比船底的剖面模数要小,所以有时也称甲板剖面模数为船体剖面的最小剖面模数。我国《钢质海船入级与建造规范》规定以该模数作为对船体结构总强

度的要求。

# 2.3 总纵弯曲正应力的高次近似计算

## 2.3.1 概述

1874年,内河船 Mary 号横渡大西洋时折成两段。当时遭遇的波浪 $\lambda \approx L = 64$ m, $h = 1.5 \sim 1.8$ m。后来威廉·约翰(W. John)按静置法(取 $\lambda = 64$ m, $h = 1.8$ m)计算了破坏断面(舯前 7.3 m)处的应力,结果见表 2.3.1。从计算结果看,中垂时甲板应力稍高,但不足以折断。后发现折断的剖面上甲板有皱折现象,实际上甲板板承受不了这么大的应力便已失稳了,失稳后,其承载能力下降,将一部分载荷转嫁于骨架梁,从而实际的总弯曲应力远高于上述计算值。这就是该船折断的原因。

表 2.3.1 Mary 号总纵弯曲应力计算结果

| | 静水状态 | | | 中拱状态 | | | 中垂状态 | | |
|---|---|---|---|---|---|---|---|---|---|
| | 弯矩 | 应力 | | 弯矩 | 应力 | | 弯矩 | 应力 | |
| | (tf·m)或 (kN·m) | (kgf/cm²)或 (N/mm²) | | (tf·m)或 (kN·m) | (kgf/cm²)或 (N/mm²) | | (tf·m)或 (kN·m) | (kgf/cm²)或 (N/mm²) | |
| 破坏断面 | 215 (2150) | 底部 | 甲板 | 700 (7000) | 底部 | 甲板 | 1 270 12 700 | 底部 | 甲板 |
| | | 190 (19.0) | −236 (−23.6) | | −520 (−52) | 900 (90) | | 1 025 (102.5) | −1 420 (−142) |

所以在较大外力作用下,不考虑构件失稳无条件的运用梁的弯曲理论求 $\sigma_1$ 是不对的,如此求得的 $\sigma_1$ 偏于危险(即实际应力大于此值),故前面不计构件失稳所算得的 $\sigma_1$ 称为第一次近似。在求得 $\sigma_1$ 的第一次近似后,需检查纵向构件是否失稳,并做相应的处理,以求出真正的 $\sigma_1$。

## 2.3.2 纵向构件的稳定性

在总纵强度计算中,对纵向构件的稳定性有如下要求:骨材(纵桁、纵骨)不允许失稳;重要部位的板(平板龙骨、甲板边板、舷顶列板)不允许失稳,其余部位的板允许失稳,但需对失稳板进行减缩。

1. 杆件的稳定性及临界应力计算

在研究纵向骨材的稳定性时,通常可以参照"结构力学"中单跨压杆、多跨压杆和平面简单板架的稳定性计算。

(1)两端铰支的单跨压杆(图 2.3.1)的欧拉应力 $\sigma_E$ 和临界应力 $\sigma_{cr}$

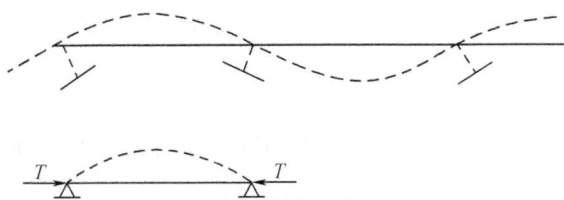

**图 2.3.1　单跨压杆稳定性示意图**

欧拉应力可以理解为压杆在弹性范围内($\sigma_E \leqslant \sigma_p$(材料比例极限))的临界应力,即

$$\sigma_{cr} = \sigma_E = \frac{\pi^2 E i}{l^2 A} = \frac{\pi^2 E}{\lambda^2} \quad (\text{柔度 } \lambda \equiv \sqrt{\frac{i}{A}})$$

式中　$i$——包括带板的骨材剖面惯性矩;

　　　$l$——骨材的跨距;

　　　$A$——骨材本身的剖面积;

　　　$E$——材料弹性模量。

事实上,压杆在失稳时材料可能已超过弹性范围,并且实践表明超过弹性范围时的应力远小于欧拉应力,为此有必要研究压杆的非弹性稳定问题。在造船界中,通常把杆件在弹性范围外失稳的应力叫作临界应力,以区别于在弹性范围内失稳的欧拉应力。

非弹性稳定性的理论分析方法有多种,其中最简单的是切线模量理论。采用这个理论处理非弹性稳定的问题时,仅需将弹性范围公式中的弹性模量 $E$ 用非弹性阶段应力 - 应变曲线的切线斜率 $E_\tau = \dfrac{\mathrm{d}\sigma}{\mathrm{d}\varepsilon}$ 来代替,此 $E_\tau$ 称为材料的切线模量。

压杆非弹性稳定性问题除了可以用理论方法解决外,还可以通过试验方法来处理。试验方法就是通过不同材料和尺寸的压杆稳定性试验得出一条失稳压应力与杆件尺度间的关系曲线。在一般工程结构中,这种曲线常用柔度 $\lambda$ 为横坐标,失稳的应力为纵坐标,称为柱子曲线(column curve)。

柱子曲线可分为两部分:当 $\lambda$ 较大时,杆件细而长,这时失稳的压力不会超过弹性范围,因此曲线与欧拉公式应该是一致的;当 $\lambda$ 较小时,杆件短而粗,失稳时材料已超过弹性范围。当 $\lambda$ 相当小时,压杆不会因失稳而破坏,而是强度破坏,故相应的破坏应力为屈服极限 $\sigma_s$。对于一般屈服应力为 235 MPa 的钢材,区别弹性与非弹性失稳的柔度 $\lambda_p = 100$,对应的应力为材料的比例极限 $\sigma_p$。

通常柱子曲线可用二次抛物线拟合,根据结构力学的相关知识可得

$$\sigma_{cr} = \sigma_s - \frac{\sigma_p(\sigma_s - \sigma_p)}{\sigma_E} \tag{2.3.1}$$

在实际材料中,$\sigma_s$ 与 $\sigma_p$ 的数值往往在一定范围内变化,因此上式中应选取 $\sigma_s$ 和 $\sigma_p$ 数值出现频率所求得的可能最小值。目前船舶工程领域通常取 $\sigma_p = \sigma_s / 2$,代入式(2.3.1)后可得

$$\sigma_{cr} = \sigma_s \left(1 - \frac{\sigma_s}{4\sigma_E}\right) \tag{2.3.2}$$

为了方便起见,采用无因次量 $x \equiv \dfrac{\sigma_E}{\sigma_s}$,$y \equiv \dfrac{\sigma_{cr}}{\sigma_s}$,则柱子曲线的拟合公式可以表示为

$$y = f(x) = \begin{cases} x & x \leqslant 0.5 \\ 1 - \dfrac{1}{4x} & x > 0.5 \end{cases} \tag{2.3.3}$$

以上方法是利用试验拟合公式来对杆件的临界应力进行非弹性修正。当然还可以直接利用试验曲线来达到这一目的。在我国的《钢质海船通用规范》中,给出了如图2.3.2所示的修正曲线。根据按线弹性理论算得的欧拉应力与屈服极限的比值 $\dfrac{\sigma_E}{\sigma_s}$ 即可从该图中查得对应的临界应力与屈服极限的比值 $\dfrac{\sigma_{cr}}{\sigma_s}$,进而可以得到临界应力 $\sigma_{cr}$。

(2)等间距多跨压杆的稳定性(失稳的模式—半波数 $j$ 与结构尺寸及支座刚度有关)

在船体结构中的多跨压杆可分为两种:一种中间支座是刚性的;另一种中间支座是弹性的。如果多跨压杆的每个跨度是等间距的,则多跨压杆可分为多个情况完全相同的两端自由支持的单跨压杆,显然其欧拉应力就等于 $\pi^2 EI/l^2 A$。根据《船舶结构力学》中的相关理论,中间是弹性支座的多跨压杆,其稳定性可用下式来表示。

$$\varphi \chi_j(\lambda) = \frac{l^3 K}{\pi^4 Ei} \tag{2.3.4}$$

式中　　$\varphi = \dfrac{E_t}{E} = \dfrac{\sigma_{cr}}{\sigma_E} = f(\sigma_{cr})$ ——非弹性修正因子;

$\lambda \equiv \dfrac{\sigma_E}{\sigma_0} \leqslant 1$ ——无因次的欧拉应力(按刚支座计算的纵骨欧拉应力 $\sigma_0 = \dfrac{\pi^2 Ei}{l^2 A}$);

$\chi_j(\lambda)$ ——弹性支座的刚性系数,可查《船舶结构力学》的相关图表获得,失稳半波数 $j = 1, 2, \cdots$

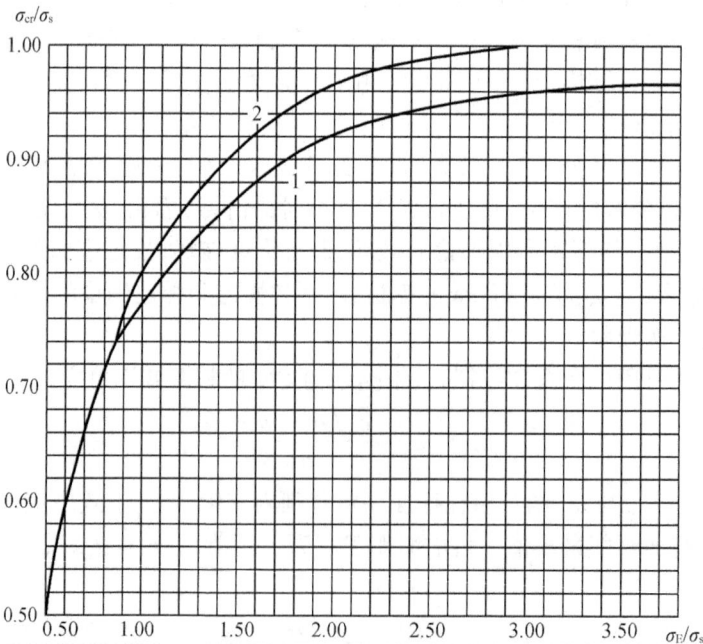

图2.3.2　欧拉应力修正曲线

当弹性支座刚度系数 $K \geqslant K_{cr} = \dfrac{\pi^4 Ei}{l^3} \cdot \varphi\chi_j(\lambda)\Big|_{\lambda=1}$ 时,等间距多跨压杆的稳定性可简化为单跨压杆的稳定性。

(3)平面简单板架的稳定性

平面简单板架如图 2.3.3 所示,根据

$$\left.\begin{array}{l}\varphi\chi_j(\lambda) = \dfrac{l^3 K}{\pi^4 Ei}\\[3mm] K = \dfrac{\mu^4 EIb}{B^4}\end{array}\right\} \Rightarrow \varphi\chi_j(\lambda) = \left(\dfrac{\mu}{\pi}\right)^4 \left(\dfrac{l}{B}\right)^3 \cdot \dfrac{b}{B} \cdot \dfrac{I}{i} \qquad (2.3.5)$$

其中 $\mu$ 取决于横梁的边界条件,横梁两端铰支时 $\mu = \pi$。

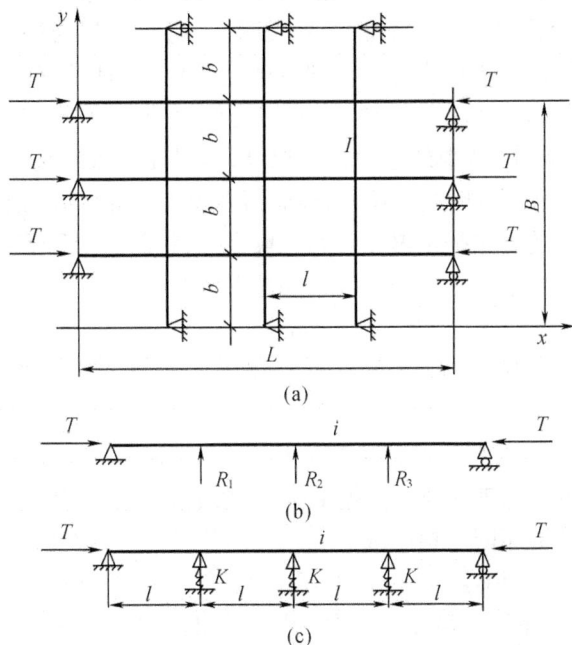

图 2.3.3　平面简单板架

(a)具有三根纵骨的甲板板架(横向为纵骨,纵向为横梁);(b)横梁作为支反力;(c)横梁作为弹性支座

当横梁惯性矩 $I \geqslant I_{cr} = \left(\dfrac{\pi}{\mu}\right)^4 \left(\dfrac{B}{l}\right)^3 \cdot \dfrac{B}{b} \cdot i \cdot \varphi\chi_j(\lambda)\Big|_{\lambda=1}$ 时,简单板架的稳定性可简化为单跨简单压杆的稳定性。

关于板架的稳定性的两种典型计算:

$$\begin{cases} \text{已知横梁 } I_{实际} \to \text{纵骨 } \sigma_{cr}\text{(需求解超越方程)}\\ \text{指定 } \sigma_{cr} \to \text{横梁 } I_{必需}\text{(可直接按公式计算)} \end{cases}$$

注:稳定性公式中的 $\varphi$ 和 $\lambda$ 均与 $\sigma_{cr}$ 或 $\sigma_E$ 有关。

(4)杆件的稳定性检查

①船体底部和舷侧 $\begin{cases} \text{纵桁(龙骨、龙筋)稳定性有保证,无须检查}\\ \text{纵骨可按两端铰支的单跨压杆计算 } \sigma_{cr} \end{cases}$

注:根据多跨压杆的失稳波形特性,可以认为单跨压杆两端近似于铰支(且偏于安全)。

②甲板上的纵桁和纵骨通常需按板架的稳定性来计算 $\sigma_{cr}$。

③关于纵骨欧拉应力公式的使用说明:

$$\sigma_E = \frac{\pi^2 Ei}{l^2 A} \begin{cases} \text{计算 } i \text{ 的剖简图} \quad (b_e\text{——带板宽度}) \\ \text{计算 } A \text{ 的两种做法} \quad A = f + b_e t \text{ 或 } A = f + bt \end{cases}$$

$$\text{带板(有效)宽度} \begin{cases} \text{弯曲问题} \quad b_e = \min(b, \frac{l}{6}) \\ \text{稳定问题} \quad b_e = \min\left(\frac{b}{2}, \frac{l}{6}\right) \end{cases}$$

许多实船试验表明,船体结构中的总纵弯曲应力分布与梁的弯曲理论是一致的,这说明用梁的弯曲理论计算船体结构中的总纵弯曲应力是可行的。但随着船舶尺寸和航速的增大,人们逐渐认识到梁的弯曲理论还不能充分反映船体是薄壁空心梁结构的特点。船舶航行中的结构损坏经验及实船强度试验结果表明,当船体受到的外载荷增大到一定程度时,参加抵抗总纵弯曲的构件并非都能全部有效地工作,特别是有些柔性构件(主要是板材),在受到压缩作用时发生皱折现象,从而使构件中的应力分布发生变化,使得与之相连接的刚性构件(主要是骨架)中的应力大大提高,有可能导致结构的损坏。在 19 世纪后叶,内河船 Mary 号横渡大西洋时折成两段,经分析发现无条件地运用梁的弯曲理论,求出计算应力来衡量船体强度的方法是不够完善的。换言之,将剖面中所有纵向强力构件的剖面积都作为完全有效地抵抗总纵弯曲变形的看法是不正确的。

Mary 号的主要尺度为 $L \cdot B \cdot D \cdot d = 64 \text{ m} \times 7.62 \text{ m} \times 2.59 \text{ m} \times 1.47 \text{ m}$,折断时遇到的波浪长度约与船长相等,波高为 $1.5 \sim 1.8 \text{ m}$。在距船中之前 7.3 m 处下折断前甲板曾产生了显著的皱折。

威廉·约翰(W. John)曾将该船静置在波长 64 m、波高 1.8 m 的波浪上进行了计算,结果如表 2.3.1 所示。单纯从表中所列数据来看,虽然中垂状态时甲板上的应力比较高,但还不能说明船体很快折断的原因。根据威廉·约翰的分析,船体破坏是由于所有受压之甲板板列,除了与其他刚性构件相连的一部分完全有效外,其余部分不能承受大于板之极限载荷的压力,因此他利用了下述系数 $\varphi$ 对部分受压板的剖面积进行修正,该系数为

$$\varphi = \frac{\text{板的欧拉应力}}{\text{该构件的总纵弯曲应力}}$$

修正之后,在中垂状态时,甲板舷边处的应力大大超过了第一次计算所得的应力。这就是说,考虑了某些纵向构件参加抵抗总纵弯曲的有效程度之后,船体上实际受到的应力是很大的,这就是船体折断的真正原因。

由此可见,按第一次近似计算总纵弯曲应力校核船体强度存在的问题之一,在于不能如实地反映船体构件的工作效能,因而也就不能确切地估价船体的强度。所以对船体结构的要求是既要保证必要的强度,又要保证必要的稳定性。其次,在第一次近似计算中,只考虑了船体的总弯曲,而忽略了船体所处的复杂受力状态。为了说明这个问题,我们来进行下述分析。

在强度计算中,纵向骨材的理论欧拉应力,按两端自由支持的单跨压杆的欧拉公式计算。

$$\sigma_E = \frac{\pi^2 E_i}{a^2 (f + b_e t)} \tag{2.3.6}$$

式中　$i$——包括带板的骨材剖面惯性矩;

　　$a$——骨材的跨距；

　　$f$——骨材本身的剖面积；

　　$b_e$——带板有效宽度；

　　$t$——带板厚度；

　　$E$——材料弹性模数。

　　按上式求得的欧拉应力 $\sigma_E$ 若超过材料的比例极限，材料将不再服从虎克定律，这时应对理论欧拉应力值按图 2.3.2 曲线予以修正，或按下式

当 $\sigma_E \leqslant \dfrac{1}{2}\sigma_s$ 时，　　　　　　　　　　$\sigma_E = \sigma_{cr}$

当 $\sigma_E \geqslant \dfrac{1}{2}\sigma_s$ 时，　　　　　　　$\sigma_{cr} = \left(1 - \dfrac{\sigma_s}{4\sigma_E}\right)\sigma_s$

求出骨材的临界应力 $\sigma_{cr}$。如果在设计中要求骨材的临界应力达到材料的屈服极限 $\sigma_s$，则理论欧拉应力 $\sigma_E$ 至少要达到 2.5 倍 $\sigma_s$。

　　计算纵骨的欧拉应力时，先要确定纵骨的带板宽度 $b_e$，并以数值计算纵骨的剖面惯性矩，然后按式（2.3.6）计算其理论欧拉应力。全部计算过程按表 2.3.2 和表 2.3.3 进行。

表 2.3.2　纵骨带板宽度计算

| 构件号 | | 纵骨间距 $b$ /cm | 板的欧拉应力 $\sigma_E$ /(kgf/cm²) 或(N/mm²) | 总纵弯曲应力 $\sigma_i$ /(kgf/cm²) 或(N/mm²) | 折减系数 $\varphi = \dfrac{\sigma_E}{\sigma_i}$ | $1+\varphi$ | $b/2$ /cm² | 带板宽度 $b_e = \dfrac{b}{2}(1+\varphi)$ /cm |
|---|---|---|---|---|---|---|---|---|
| 纵骨 | 板 | | | | | | | |
| | | | | | | | | |
| | | | | | | | | |
| | | | | | | | | |
| | | | | | | | | |
| | | | | | | | | |
| | | | | | | | | |

表 2.3.3　纵骨欧拉应力计算

| 剖面模数 | 构件号 | 尺寸 /mm | 构件截面积 $f_i$ /cm² | 至参考轴距离 $z$ /cm | 静力矩 $f_i Z_i^2$ /(cm²·cm) | 惯性矩 $f_i Z_i^2$ /(cm²·cm²) | 自身惯性矩 $i_0$ /(cm²·cm²) | 对中和轴惯性矩 $i = c - \dfrac{B^2}{A}$ /(cm²·cm²) | $i/A$ | 纵骨跨距 $a$ /cm | $\dfrac{\pi^2 E}{a^2}$ /(kgf/cm²) (N/mm²) | 欧拉应力 $\sigma_E$ /(kgf/cm²) (N/mm²) | 临界应力 $\sigma_{cr}$ /(kgf/cm²) (N/mm²) |
|---|---|---|---|---|---|---|---|---|---|---|---|---|---|
| | | | | | | | | | | | | | |
| | $\sum$ | | $A$ | | $B$ | $C$ | | | | | | | |

2. 板的稳定性计算

纵骨架式的甲板、内底板或外底板，如果在初步计算中不考虑初挠度及横荷重等因素的影响，板的欧拉应力可按下式进行计算。

$$\sigma_E = 800\left(\frac{100t}{b}\right)^2 \quad \text{kgf/cm}^2 \tag{2.3.7a}$$

或

$$\sigma_E = 80\left(\frac{100t}{b}\right)^2 \quad \text{N/mm}^2 \tag{2.3.7b}$$

式中　$b$——纵骨间距；

　　　$t$——板厚。

横骨架式的内底板或外底板，如果在初步计算中不考虑初挠度及横荷重等因素的影响，板的欧拉应力可按下式计算。

$$\sigma_E = K200\left(\frac{100t}{a}\right)^2\left(1+\frac{a^2}{b^2}\right)^2 \quad \text{kgf/cm}^2 \tag{2.3.8a}$$

或

$$\sigma_E = K20\left(\frac{100t}{a}\right)^2\left(1+\frac{a^2}{b^2}\right)^2 \quad \text{N/mm}^2 \tag{2.3.8b}$$

式中　$a$——肋距；

　　　$b$——底纵桁间距；

　　　$K$——考虑肋板对外板固定程度的影响系数。

当每挡肋距装实肋板时，$K=1.5$；

当每两挡肋距装实肋板时，$K=1.25$；

当每三挡肋距装实肋板时，$K=1$。

甲板板按下式计算：

$$\sigma_E = 200\left(\frac{100t}{a}\right)^2\left(1+\frac{a^2}{b^2}\right)^2 \tag{2.3.9c}$$

式中　$b$——甲板纵桁间距。

横骨架式的甲板边板和舷侧顶列板，由于其厚度可能比相邻板列厚许多，故可按三边自由支持、第四边完全自由的情况计算。

$$\sigma_E = 200\left(\frac{100t}{a}\right)^2\left[1+0.426\left(\frac{a}{b_s}\right)^2-0.143\frac{a}{b_s\left(4+\frac{a^2}{b_s^2}\right)}\right] \quad \text{kgf/cm}^2 \tag{2.3.10a}$$

或

$$\sigma_E = 20\left(\frac{100t}{a}\right)^2\left[1+0.426\left(\frac{a}{b_s}\right)^2-0.143\frac{a}{b_s\left(4+\frac{a^2}{b_s^2}\right)}\right] \quad \text{N/mm}^2 \tag{2.3.10b}$$

式中　$b_s$——甲板边板宽度。

四边自由支持，受剪力作用的板的欧拉应力按下式计算：

$$\tau_B = 1\,070\left(\frac{100t}{b}\right)^2 \quad \text{kgf/cm}^2 \tag{2.3.11a}$$

或

$$\tau_B = 107\left(\frac{100t}{b}\right)^2 \quad \text{N/mm}^2 \tag{2.3.11b}$$

在船的强度计算中,按表 2.3.4 形式计算板的欧拉应力。

**表 2.3.4　板的欧拉应力计算**

| 构件编号 | 构件名称 | 长边 $a$ /cm | 短边 $b$ /cm | 板厚 $t$ /cm | $a/b$ | $\left(\dfrac{100a^2}{b}\right)$ | $\sigma_{\mathrm{g}}$ /(kgf/cm² ) 或 (N/mm² ) |
|---|---|---|---|---|---|---|---|
|  |  |  |  |  |  |  |  |

第一次近似计算求出总纵弯曲应力轴,对所有柔性构件,均应以其欧拉应力值与总纵弯曲压力值进行比较,若压应力超过欧拉应力,则应当进行折减计算。下面先就折减的意义作简要说明。

当板中的压应力超过其欧拉应力时,板开始失稳,应力沿板宽不再保持均匀分布,而是自行重新分布。即把与刚性构件直接相连的、在刚性构件每一侧宽度等于该板格短边长度的 0.25 倍部分当作刚性构件,承受与刚性构件同样高的应力,不必折减;其余部分则只能承受等于其欧拉应力的压应力。显然,用上述方法计算时,必须保持原来剖面上压力值不变。因此把待折减部分的剖面面积折减成刚性构件的时候,应保持下列关系

$$\sigma_{\mathrm{E}} \cdot \frac{b}{2} t = \sigma_i \cdot b_{\mathrm{e}} \cdot t$$

或

$$\upsilon_{\mathrm{E}} \cdot A = \sigma_i \cdot A'$$

式中　$A$——受折减部分的实际剖面积;

　　$b_{\mathrm{e}}$、$A'$——受折减部分的剖面面积折减成刚性构件剖面积的相当宽度和相当面积。

受折减构件的相当面积与实际剖面积之比称为折减系数,记为

$$\varphi = \frac{A'}{A} = \frac{\sigma_{\mathrm{E}}}{\sigma_i}$$

所以在船体强度计算中,是用板的欧拉应力与该板收到的总纵弯曲压应力之比来确定其折减系数。折减系数的变化范围是 $0 < \varphi \le 1$,当 $\varphi > 1$ 时,取 $\varphi = 1$。

应当注意,板的承压能力与周界的固定条件、板格形式、初始挠度和横荷重等都有密切关系。在纵骨甲式中,板的初挠度和横荷重作用下引起的挠度,主要是沿短边方向,这种变形提高了板的抵抗纵向压缩的能力,因此计算纵骨架式板的折减系数时不考虑这些因素是偏于安全的。在横骨架式中,上述各种因素对板的承受纵向压缩的能力都是不利的,因此计算折减系数时,应当予以考虑,但在本教材中不予讨论。

3. 板的折减系数计算

**纵骨架式**

对只参加抵抗总纵弯曲的构件(如上甲板)

$$\varphi = \frac{\sigma_{\mathrm{E}}}{\sigma_1} \tag{2.3.12}$$

式中　$\sigma_{\mathrm{E}}$——纵骨架式板的欧拉应力;

　　$\sigma_1$——与计算折减系数的板统一水平线上的刚性构件中的总纵弯曲压应力。

对于同时参加抵抗总纵弯曲及板的弯曲的构件(如外底板、内底板)

$$\varphi = \frac{\sigma_E + \sigma_2}{\sigma_1} \tag{2.3.13}$$

式中　$\sigma_2$——板的弯曲应力。

计算中可能出现以下两种情况：

（1）若 $\sigma_2 > 0$，表示 $\sigma_2$ 为拉应力，该板非但不会因板架弯曲应力而失稳，反而提高了它抵抗总纵弯曲压应力的能力。此时使板丧失稳定性的压应力为 $\sigma_E + \sigma_2$，故第二次近似计算时，该板的折减系数为

$$\varphi = \frac{\sigma_E + \sigma_2}{\sigma_1}$$

（2）若 $\sigma_2 < 0$，表示 $\sigma_2$ 为压应力。如果该值超过了板所能承受的最大压应力，则该板在板架弯曲压应力作用下就要进行折减，所以不能再承受总纵弯曲压应力 $\sigma_1$，故在第二次近似计算时，该构件的折减系数 $\varphi = 0$。如果 $\sigma_2$ 为压应力，但没有超过板的欧拉应力值，则板因承受板架弯曲应力而降低了抵抗总纵弯曲压应力的能力，故第二次近似计算中其折减系数为

$$\varphi = \frac{\sigma_E - \sigma_2}{\sigma_1}$$

这样计算是认为同时承受两种应力的构件，先承受板架弯曲应力，剩余的能力再承受总纵弯曲应力。这只是为了简化计算而采用的一种近似处理问题的方法。

对于承受经常载荷的下甲板或水面以下的舷侧板，本来也是有总纵弯曲应力和局部弯曲应力同时作用着，但因其离中和轴较近，且不如双层底结构在保证总纵强度中的重要性大，因此在第二次近似计算中只按承受总纵弯曲压应力看待，亦即按式（2.3.12）计算折减系数。

**横骨架式**

若计算中不考虑初挠度及横荷重的影响，板的折减系数按下式计算

$$\varphi = \frac{\sigma_E}{\sigma_1} \tag{2.3.14}$$

式中　$\sigma_E$——横骨架式板的欧拉应力；

　　　$\sigma_1$——总纵弯曲应力。

对于横骨架式的舷侧板和纵舱壁板，总纵弯曲应力是呈线性分布的，为了方便计算，可将其分成若干块，在每块板内用其相应的平均应力值作为该板的压应力值。

应当指出，在横骨架式中，由于初挠度和横荷重的存在，一般来说板的折减系数降低，因此不考虑它们的影响是偏于危险的。

从折减系数的计算中可以看到，该值的大小与总纵弯曲应力有关，而计算总纵弯曲应力值时又假定折减系数为已知，因此总纵弯曲应力的计算必定是个逐步近似的过程。当然，若总纵弯曲压应力均未超过板的欧拉应力，则不必进行折减计算，因而第一次求得的总纵弯曲应力值，就是进行强度校核的计算应力。

### 2.3.3　总纵弯曲应力第二次近似计算

计算了构件的折减系数之后，可以进行总纵弯曲应力第二次近似计算。通常是用表2.3.5的形式进行计算，分别按中拱及中垂状态对第一次近似计算结果进行修正。

表 2.3.5　第二次近似计算

| 1 | 2 | 3 | 4 | 5 | 6 | 7 | 8 | 9 |
|---|---|---|---|---|---|---|---|---|
| 构件编号 | 构件名称 | 剖面积 $A_i$ /cm² | 折减系数 $\varphi_i$ | $\varphi_i - 1$ | (3)×(5) $A_i(\varphi_i - 1)$ /cm² | 距参考轴距离 $Z_i$ /m | 静力矩 (6)×(7) /(cm²·m) | 惯性矩 (7)×(8) /(cm²·m) |
| | Ⅰ 第一次近似计算结果 Ⅱ 折减构件…… | | | | $A$ $\Delta A$ | | $B$ $\Delta B$ | $C$ $\Delta C$ |
| | $\sum$ | | | | $A_1$ | | $B_1$ | $C_1$ |

设某构件需要进行折减的剖面积为 $A_i$，折减系数为 $\varphi_i$，则修正面积为 $\Delta A_i = A_i(\varphi_i - 1)$，分别求出修正面积对第一次近似计算的参考轴的静力矩和惯性矩，即

$$\left.\begin{array}{l} \sum A_i(\varphi_i - 1) = \Delta A \\ \sum A_i(\varphi_i - 1)Z_i = \Delta B \\ \sum A_i(\varphi_i - 1)Z_i^2 = \Delta C \end{array}\right\} \tag{2.3.15}$$

把上面计算结果与第一次近似计算结果相加可得

$$\left.\begin{array}{l} A_1 = A + \Delta A \\ B_1 = B + \Delta B \\ C_1 = C + \Delta C \end{array}\right\} \tag{2.3.16}$$

修正后的船体剖面中和轴至参考轴的距离 $\varepsilon_1$ 及剖面惯性矩 $I_1$ 分别按下式计算

$$\varepsilon_1 = \frac{B_1}{A_1} \quad \text{m} \tag{2.3.17}$$

$$I_1 = 2\left(C_1 - \frac{B_1^2}{A_1}\right) \quad \text{cm}^2 \cdot \text{m}^2 \tag{2.3.18}$$

任一构件中和轴的距离为

$$Z_i' = Z_i - \varepsilon_1 \quad \text{m} \tag{2.3.19}$$

任一构件第二次近似计算的总纵弯曲应力

$$\sigma_i' = \frac{M}{I_1}Z_i' \cdot 10^3 \quad \text{kgf/cm}^2 \tag{2.3.20a}$$

或

$$\sigma_i' = \frac{M}{I_1}Z_i' \cdot 10^2 \quad \text{N/mm}^2 \tag{2.3.20b}$$

如果刚性构件中第二次近似计算的总纵弯曲应力值与第一次近似计算值之差不超过 5%，则可用第二次近似值进行总强度校核，否则应再进行一次近似计算。此时，第二次近似计算的结果可作为第三次近似计算的基础。

所以某构件的修正面积为

$$\Delta A_i' = A_i(\varphi_i' - \varphi_i)$$

式中 $\varphi_i' = \dfrac{\sigma_E}{\sigma_i}$，其余各项计算与第二次近似计算完全一样。

如果计算结果仍不能满足要求,则说明该结构设计不甚合理,应考虑新的设计方案,如设法提高柔性构件的稳定性等。

# 2.4 局部弯曲应力计算

在总纵强度校核计算中,考虑到构件的多重作用,需要进行局部弯曲应力计算。下面根据前面提到的构件分类次序分别予以讨论。

### 2.4.1 船底板架弯曲应力计算

船底板架一般作为交叉梁系结构。关于它的计算原理在"船舶结构力学"课程中已作介绍,这里不再重复。下面只讲在船体强度计算中的具体分析处理方法。

对一纵骨架式船底板架,板架宽度 $B$ 取肋板组合剖面中和轴与内底边板交点之间的距离,板架长度 $l$ 取舱长。桁材组合剖面的带板宽度 $C_1$,用 $l/8 \sim l/6$ 或桁材间距 $C$,取其小者。在带板宽度内的纵骨包括在计算剖面之内。实肋板组合剖面的带板宽度 $a_1$,用 $B/6$ 或肋板间距 $a$,取其小者。板架周界的固定条件,当舷侧为横骨架式时,可作为自由支持;在横舱壁处作为刚性固定。

作用在板架上的荷重为船底外板上的水压力和舱内货物重力之差。在确定作用在船底外板上的水压力时,应注意板架弯曲应力要和总纵弯曲应力进行合成,而且应当是同一计算状态下的应力合成,因而水压力的取法应与总纵弯曲应力的计算状态相对应。在校核船体中部剖面在中拱或中垂状态的强度时,静水压力值必须按照船舶在中拱或中垂状态时,船底板架在波面下的水深来确定,在舱长范围内可认为是均匀分布的,同时应考虑在计算区域内底板上货物可能产生的最不利反压力。舱内反压力一般也认为是均匀的。对于油船,计算波谷在船中时,应考虑舱内满载;波峰在船中时舱内空载。

对于舱长很短的板架,例如舱长与板架计算宽度之比小于0.8时,这种板架中桁材的弯曲应力,可不必进行板架计算,而将中桁材当作单跨梁处理,其理由如下。

如果把船底板架当作组合版,且认为是各向同性的,则板架中桁材与平板的中央板条梁相当。在表2.4.1中列出了不同边长比值时各向同性板的弯矩与板条梁弯矩的比值。

**表 2.4.1　弯矩比值**

| 边界固定情况 | 构件 | 断面 | $l/B$ | | |
|---|---|---|---|---|---|
| | | | 0.8 | 1 | 1.2 |
| 在舱壁处为刚性固定,舷侧为自由支持 | 中桁材 | 舱壁处 | 0.94 | 0.84 | 0.72 |
| | | 跨度中点 | 0.91 | 0.8 | 0.67 |

从列表数据可见,边长比值 $l/B$ 越小,弯矩比值越大,亦即将中桁材作为单跨梁处理引起的误差越小,而且这个误差是偏于安全的,因此初步校核船体强度时,对于边长比小于0.8的板架,可以采用单跨梁的计算公式,即

支座断面弯矩

$$M_0 = \frac{1}{12}Ql \tag{2.4.1}$$

跨长中点弯矩

$$M_n = \frac{1}{24}Ql \tag{2.4.2}$$

式中 $Q = q \cdot C \cdot l$ 为作用在中桁材上的载荷;$q$ 为载荷强度;$C$ 为纵桁间距;$l$ 为纵桁跨度。

中桁材的剖面要素用表 2.4.2 的形式进行计算。

表 2.4.2　桁材剖面要素计算

| 剖面图 | 构件编号 | 尺寸 /mm | 剖面积 $A_i$ /cm² | 距参考轴距离 $Z_i$ /cm | 静力矩 $A_i Z_i$ /cm³ | 惯性矩 $A_i Z_i^2$ /cm⁴ | 自身惯性矩 $i_0$ /cm⁴ |
|---|---|---|---|---|---|---|---|
| | ⋮ | | | | | | |
| | ∑ | | $A$ | | $B$ | | $C$ |

中和轴距参考轴 $e = B/A$;

剖面对中和轴的惯性矩 $I = C - Ae^2$;

外底板剖面模数 $W = I/e$;

内底板剖面模数 $W = I/(h - e)$,式中 $h$ 为中桁材高。

中桁材的弯曲应力(用表 2.4.3 计算)

$$\sigma = \frac{M}{W} \tag{2.4.3}$$

表 2.4.3　桁材弯曲应力计算

| 构件号 | 弯矩 | | | | 剖面模数 cm²·m | 应力 | | | |
|---|---|---|---|---|---|---|---|---|---|
| | 支座 | | 跨中 | | | 支座 | | 跨中 | |
| | 波峰 | 波谷 | 波峰 | 波谷 | | 波峰 | 波谷 | 波峰 | 波谷 |
| | /(tf·m) 或(N·m) | | | | | /(kgf/cm²) 或(N/mm²) | | | |
| 1 | | | | | | | | | |
| 2 | | | | | | | | | |
| ⋮ | | | | | | | | | |

### 2.4.2　船体纵骨弯曲应力计算

船底纵骨由肋板支持,由于纵骨在结构上及所承受的载荷对称于肋板的关系,可以把纵骨当作两端刚性固定在肋板上的单跨梁进行计算,其支座断面和跨中的弯矩按下式计算。

支座弯矩

$$M_0 = \frac{qba^2}{12}$$ (2.4.4)

跨中弯矩

$$M_1 = \frac{qba^2}{24}$$ (2.4.5)

式中　$a$——纵骨跨距；

　　　$b$——纵骨间距；

　　　$q$——载荷强度，分别取中拱和中垂时的水压力。

计算纵骨剖面要素时，带板宽度 $b_1$ 为纵骨间距 $b$ 或者跨长的 $1/6$，取其小者，并按照表2.4.4计算。

**表2.4.4　纵骨剖面要素计算**

| 剖面图 | 构件编号 | 尺寸 /mm | 剖面积 $A_i$ /cm$^2$ | 距参考轴距离 $Z_i$ /cm | 静力矩 $A_i Z_i$ /cm$^3$ | 惯性矩 $A_i Z_i^2$ /cm$^4$ | 自身惯性矩 $i_0$ /cm$^4$ |
|---|---|---|---|---|---|---|---|
| | ⋮ | | | | | | |
| | $\sum$ | | $A$ | | $B$ | | $C$ |

纵骨弯曲应力为

$$\sigma_3 = \frac{M}{W} \cdot 10^5 \quad \mathrm{kgf/cm^2}$$

或

$$\sigma_3 = \frac{M}{W} \cdot 10^4 \quad \mathrm{N/mm^2}$$ (2.4.6)

式中　$M$——跨中或支座弯矩；

　　　$W$——纵骨自由翼板或带板的剖面模数。

### 2.4.3　船底板的弯曲应力计算

船底板被船底骨架分成矩形板格，在板的外表面上作用着均布水压力。由于相邻板格在结构上及所承受的载荷均对称于支承周界，故可以将船底板格当作四周刚性固定的板进行计算。

**1. 纵骨架式板格**

纵骨架式的板格，其长边沿船长方向，通常作为刚性板进行计算。在总纵强度计算中，只计算沿船长方向的最大应力，即板短边中点和板中心点横剖面内的应力（图2.4.1）。

板中心点横剖面内的计算弯矩为

$$\left. \begin{aligned} M_1 &= k_2 q b^2 \\ M_2 &= k_4 q b^2 \end{aligned} \right\}$$ (2.4.7)

式中　$k_2$、$k_4$——根据边长比值 $a/b$ 按板的弯曲要素查得的弯矩系数，$a/b \geqslant 2$ 时，$k_2 = 0.0125$，$k_4 = 0.0515$；

$q$——船舶在中拱或中垂状态时作用在板上的压力；

$b$——纵骨间距。

船底板上计算剖面中的最大应力为

$$\sigma_4 = \pm \frac{6M}{t^2}$$

板中心点横剖面上的应力为

$$\sigma_4 = \mp 0.075q\left(\frac{b}{t}\right)^2 \quad \text{kgf/cm}^2$$

或

$$\sigma_4 = \mp 0.0075q\left(\frac{b}{t}\right)^2 \quad \text{N/mm}^2$$

式中　$t$——板的厚度。

板的内表面为拉应力，外表面为压应力。

短边中点横剖面上的应力为

$$\sigma_4' = \mp 0.039q\left(\frac{b}{t}\right)^2 \quad \text{kgf/cm}^2$$

或

$$\sigma_4' = \mp 0.0309q\left(\frac{b}{t}\right)^2 \quad \text{N/mm}^2$$

板的外表面为拉应力，内表面为压应力。

2. 横骨架式板格

根据合成应力的要求，应该计算长边中点和板中心点横剖面上的应力。如果计算中不考虑中面应力、初挠度等因素，亦即作为刚性板处理，则上述剖面中的计算弯矩如下（图 2.4.2）：

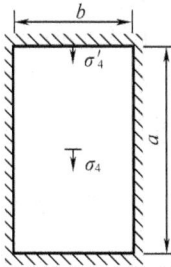

图 2.4.1　纵骨架式板格　　　　　图 2.4.2　横骨架式板格

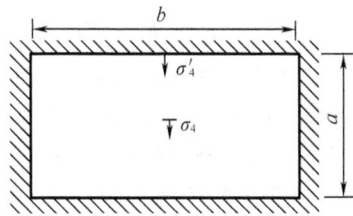

$$M_1 = k_3 qa^2$$
$$M_2 = k_5 qa^2$$

式中　$a$——肋板间距；

$k_3$、$k_5$——根据边长比 $b/a$ 按板的弯曲要素查表得的弯曲系数，若 $b/a > 3$ 时，$k_3 = \dfrac{1}{24}$，

$k_5 = \dfrac{1}{12}$。

长边中点横剖面上的最大应力为

$$\sigma_4' = \mp \frac{1}{2} q \left( \frac{a}{t} \right)^2 \quad \text{kgf/cm}^2$$

或

$$\sigma_4' = \mp 0.05 q \left( \frac{a}{t} \right)^2 \quad \text{N/mm}^2$$

板中心点横剖面上的最大应力为

$$\sigma_4' = \mp \frac{1}{4} q \left( \frac{a}{t} \right)^2 \quad \text{kgf/cm}^2$$

或

$$\sigma_4' = \mp 0.025 q \left( \frac{a}{t} \right)^2 \quad \text{N/mm}^2$$

强度校核计算中,计算板的弯曲应力时,按表 2.4.5 的形式进行。

表 2.4.5　板的弯曲应力计算

| 构件号 | 长边 $a$ /cm | 短边 $b$ /cm | 板厚 $t$ /cm | 边长比 $a/b$ | $(b/t)^2$ | 波峰压头 $H_f$ /m | 波谷压头 $H_s$ /m | 板中心距基线 /m | 计算压头 $H-h$ | | 应力 | | | |
|---|---|---|---|---|---|---|---|---|---|---|---|---|---|---|
| | | | | | | | | | | | 波峰 | | 波谷 | |
| | | | | | | | | | 波峰 /m | 波谷 /m | 板中心 | 短边中点 | 板中心 | 短边中点 |
| | | | | | | | | | | | /(kgf/cm²) 或 (N/mm²) | | | |
| ⋮ | | | | | | | | | | | | | | |

### 2.4.4　应力合成

如前所述,由于船体结构的多重作用,把它们分成四类构件,于是出现四种应力成分,即总纵弯曲应力 $\sigma_1$、板架弯曲应力 $\sigma_2$、纵骨弯曲应力 $\sigma_3$ 及板的弯曲应力 $\sigma_4$。强度校核时,对上述四类构件可能出现最大合成应力点求其合成应力。通常对图 2.4.3 所示的四个剖面进行应力合成。计算合成应力时,总纵弯曲应力在舱长范围内可认为是相同的;板架弯曲应力在一个肋距之间也可认为是相同的;纵骨弯曲应力则取跨中和支座两个剖面的应力值;板的弯曲应力值也是取同样的两个剖面的应力值。最后用合成应力与相应位置的许用应力进行比较,以判断船体结构的总纵强度。

综上所述,考虑了构件参加抵抗总纵强度的有效程度,以及构件的多重作用特点,进而用合成应力校核船体强度应当说是比较合理的,但是仍有待商讨之处。例如各种应力成分均是按互不相干的独立结构求出的,因而破坏了船体剖面中力的平衡条件;再如各类构件的作用及其应力性质是不同的,因此用叠加的应力值判断船体结构的强度也是不合理的,所以应力合成法包含了很大程度的假设性。近年来,概率方法在研究船结构强度方面起了很大的推动作用,并对采取许用应力法评定船体结构强度提出了异议。当然,在没有新的概率强度标准之前,许用应力法仍是评定船体强度的基本方法。

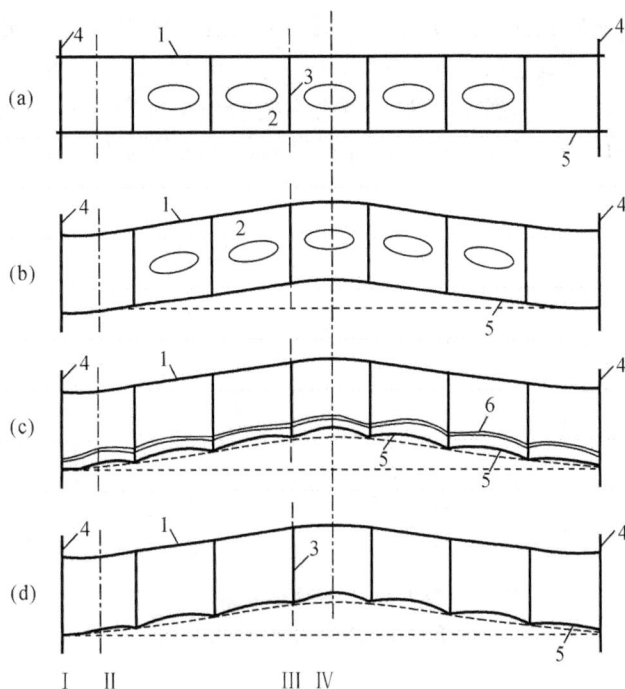

**图 2.4.3　应力合成的四个剖面**

(a)板架未弯曲时的图形;(b)底纵桁的弯曲;(c)船底纵骨的弯曲;(d)船底板的弯曲

1—内底;2—底纵桁;3—肋板;4 横舱壁;5—船底板;6—船底纵骨

## 2.5　船体总纵弯曲时的剪应力计算

船体总纵弯曲时,船体横剖面上除了存在总纵弯曲应力外,由于剪力的作用而在同一剖面上产生剪应力。在距艄艉端约四分之一船长附近,船体剖面上作用着最大的剪力,因此需要校核该剖面船体构件承受剪应力的强度和稳定性。船体梁剖面中的剪应力一般可按材料力学中的公式计算,即

$$\tau = \frac{N \cdot s}{I \cdot t} \tag{2.5.1}$$

式中　$I$——船体剖面对中和轴的惯性矩;

　　　$s$——求剪应力点一侧剖面积对中和轴的静力矩;

　　　$t$——求剪应力点板的总厚度。

对任一船体剖面来说,剪力 $N$ 和惯性矩 $I$ 是定值,因此剪应力随 $s/t$ 值而变化。对中和轴的静力矩 $s$ 为最大值,通常剪应力亦为最大值。在板厚 $t$ 和静力矩 $s$ 突变处,剪应力值发生突变。由于 $s$ 在中和轴两侧呈抛物线变化,因此剪应力亦呈抛物线变化。

由于船体结构左右对称,计算剪应力时只考虑半个剖面即可。由于船体中心线处甲板板没有与其他构件相连接,故该处剪应力为零。但具有双层底和纵舱壁的船体结构用式(2.5.1)就不能得到精确解答。这一类结构称为闭式结构,其剪应力应根据薄壁梁的弯曲理论公式计算。下面对以上两种结构中剪应力的实际计算方法分别予以讨论。

对于图2.5.1(a)所示的结构,其中一部分可看作开式结构,另一部分可看作闭式结构。但为了简化计算,可近似地把双层底(闭式结构)化为开式结构。其办法是假定各纵桁与外底板连接处的剪应力为零,相当于在 $K$、$L$ 点把纵桁腹板与外底板分开,于是闭式的双层底结构变成了开式结构。用式(2.5.1)可以计算底部各点的剪应力。在计算中桁材的剖面积时,只应取其一半。

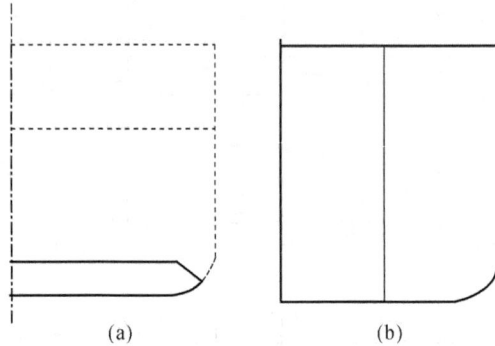

**图2.5.1 船体剖面结构**

(a)开式、闭式组合结构;(b)闭式结构

对于完全的闭式剖面结构,例如具有三道纵舱壁的油船结构(图2.5.1(b)),其剖面上任一点的剪应力,都和与其相连的其他构件上的剪应力有关,所以用式(2.5.1)就得不到准确的结果,为此我们来研究一下船体总纵弯曲时剪应力计算的一般公式。假如从船体上切出一个微元素 $dz \cdot ds$(图2.5.2),其上作用有正应力和剪应力,则根据 $z$ 轴方向力的平衡条件得

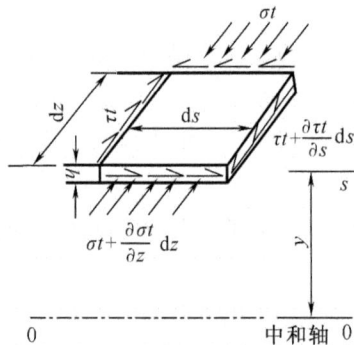

**图2.5.2 薄壁微元结构受力示意图**

$$\frac{\partial \sigma t}{\partial z} - \frac{\partial \tau_s t}{\partial s} = 0 \tag{2.5.2}$$

因此

$$\tau_s t = \int_0^s \frac{\partial \sigma t}{\partial z} ds + q_0 \tag{2.5.3}$$

或改写成

$$q = \int_0^s \frac{\partial \sigma t}{\partial z} ds + q_0 \tag{2.5.4}$$

式中　$q$——剪流, $q = \tau_s \cdot t$。对于薄壁结构, 由于断面厚度很小, 故假定剪应力沿板厚是均匀变化的, 则剪应力的合力 $\tau \cdot t$ 成为剪流;

　　　$q_0$——坐标原点处 $(s = 0)$ 的剪流。

考虑到

$$\frac{\partial \sigma}{\partial z} = \frac{\partial}{\partial z}\left(\frac{M_s}{I_x}y\right) = \frac{N_y}{I_x}y$$

则

$$q = \int_0^s \frac{N_y}{I_x}yt\mathrm{d}s + q_0 = \frac{N_y s_y}{I_x} + q_0 \tag{2.5.5}$$

式中　$s_y$——从原点算起到所求剪流那点为止的剖面积对中和轴的静力矩, $s_y = \int_0^s yt\mathrm{d}s$。

　　　由式 (2.5.5) 可知, 剪流与弯矩无关, 且沿结构剖面周线的变化规律只与剖面对中和轴的静力矩有关。换句话说, 剪流的分布规律完全决定于剖面的几何性质。现在的问题是决定常数 $q_0$。

　　　如果结构为开式剖面, 则因开口处的剪应力为零, 故当 $s = 0$ 时, $s_y = 0$, $q = 0$, 所以 $q_0 = 0$, 于是剖面上的剪流为

$$q^0 = \frac{N_y s_y}{I_x} \tag{2.5.6}$$

或

$$\tau = \frac{N_y s_y}{I_x t} \tag{2.5.7}$$

这与材料力学中求得的剪应力公式完全一样。

　　　如果结构为闭式剖面, 可在某些点处切开, 使之形成开式剖面。但在切开处, 纵剖面上将出现剪应力, 并可能使切开后的剖面发生纵向位移。为了保证结构的连续性, 在切开的两侧剖面上, 加上两个大小相等、方向相反的剪流 $q_i$, 于是横截面上的剪流为

$$q = \frac{N_y s_y}{I_x} + q_0 = q^0 + q_i \tag{2.5.8}$$

式中　$q^0$——按开式剖面计算的剪流, $q^0 = \frac{N_y s_y}{I_x}$。

　　　由于结构对称, 且只讨论总纵弯曲, 所以剪力的合力通过纵中剖面 (弯曲中心)。此时船体只产生弯曲而不发生扭转变形。于是根据

$$\oint \frac{q}{Gt}\mathrm{d}s = 0 \quad \text{或} \oint \frac{q}{t}\mathrm{d}s = 0 \tag{2.5.9}$$

可确定出剪流 $q_i$ 值, 因而也就求得了剪流的分布规律公式。符号 $\oint$ 表示沿闭式剖面积分一周。

　　　如果船体剖面由多闭室组成, 则相邻闭室公共壁上的附加剪流为

$$q_{i,k} = q_i - q_k$$

于是式 (2.5.9) 的一般形式是

$$\oint q_0 \frac{\mathrm{d}s}{Gt} + q_i \oint \frac{\mathrm{d}s}{Gt} - \sum q_k \int_{i,k} \frac{\mathrm{d}s}{Gt} = 0 \tag{2.5.10}$$

式中　$q_i$——$i$ 闭室的附加剪流，$i = 1, 2, \cdots, n$，闭室数目；

　　　$q_k$——与 $i$ 闭室相邻闭室的附加剪流，$k$ 值等于与 $i$ 闭室相邻闭室数目；

　　　$\int_{i,k}$——$i$、$k$ 两闭室公共边上的积分。

**例**　求具有两道纵舱壁的油船横剖面中剪应力分布规律。为了简化计算，假定船体剖面形状如图 2.5.3 所示，其中 $B/2 = H$，板厚 $t$ 为常量，作用在剖面上的剪力 $N_y$，惯性矩为 $I_x$。

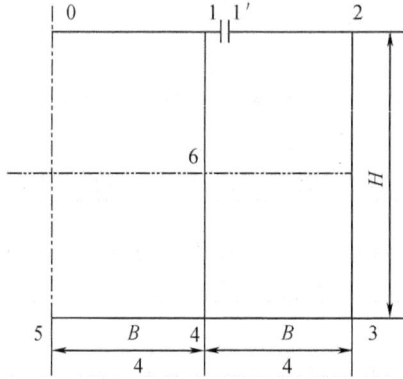

**图 2.5.3　油船剖面形状**

由于结构对称，船体中心线处 0,5 两点的剪应力为零，因此 0—1 和 5—4 部分的剪应力可直接用式(2.5.1)求得。1—2—3—4—1 为一闭式结构，现假定在 1 点附近切开，并加上一个顺时针方向的剪流 $q_1$，则船体剖面上实际剪应力分布应力为图 2.5.4(a)、(b)两种情况叠加。

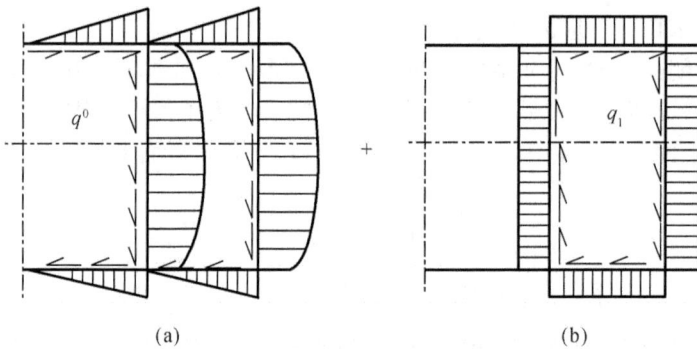

**图 2.5.4　船体剖面实际剪应力分布**

(a)$q^0$ 作用下剪力分布；(b)$q_1$ 作用下剪力分布

为了确定 $q_1$ 值，把式(2.5.8)代入式(2.5.9)得

$$\oint \frac{q}{t} \mathrm{d}s = \int_{1-2-3-4-1} \frac{q^0 + q_1}{t} \mathrm{d}s = 0$$

计算中先假定 $N_y/I_x = 1$，则上式可简化成

$$\frac{1}{t} \cdot \int_{1-2-3-4-1} s_y \mathrm{d}s + \frac{q_1}{t} \cdot \int_{1-2-3-4-1} \mathrm{d}s = 0 \tag{2.5.11}$$

式中静力矩积分，实际上就是求静力矩分布曲线的面积，且积分方向按 1—2—3—4—1 进行。由于 4—1 的积分值与 2—3 的积分值相等、符号相反，故有

$$\left.\begin{aligned}\int_{1-2-3-4-1} s_y \mathrm{d}s &= \int_{1-2} s_y \mathrm{d}s + \int_{3-4} s_y \mathrm{d}s = 2\int_0^{B/4} \frac{Hts}{2}\mathrm{d}s = \frac{Ht}{2}\left(\frac{B}{4}\right)^2 = \frac{H^3 t}{8} \\ \int_{1-2-3-4-1} \mathrm{d}s &= 2 \times \frac{B}{4} + 2H = H + 2H = 3H\end{aligned}\right\} \quad (2.5.12)$$

把式(2.5.12)代入式(2.5.11)得

$$\frac{1}{t} \cdot \frac{H^3 t}{8} + \frac{q_1}{t} \cdot 3H = 0$$

即

$$q_1 = -\frac{H^2 t}{24} \quad (2.5.13)$$

式中负号表示与假定的剪流方向相反。把式(2.5.13)代入式(2.5.8),则得到闭式剖面上的剪流分布规律,即

$$q = q^0 + q_1 = s_y - \frac{H^2 t}{24} \quad (2.5.14)$$

很明显,只要算出静力矩 $s_y$ 即可求得剪流 $q$ 的分布形式。下面只计算几个特殊点的静力矩值。

$$\left.\begin{aligned}s_1 &= 0 \\ s_2 &= s_{1,2} = \frac{H^2 t}{4} \\ s_7 &= s_2 + s_{2,7} = \frac{3H^2 t}{8} \\ s_3 &= s_7 + s_{7,3} = \frac{H^2 t}{4} \\ s_4' &= s_3 + s_{3,4} = 0 \\ s_4 &= s_3 + s_{3,4} + s_{5,4} = -\frac{H^2 t}{4}\end{aligned}\right\} \quad \left.\begin{aligned}s_0 &= s_4 + s_{4,6} = -\frac{3H^2 t}{8} \\ s_1 &= s_6 + s_{6,1} = -\frac{H^2 t}{4} \\ s_0 &= s_1 + s_{4,0} = 0\end{aligned}\right\} \quad (2.5.15)$$

说明:单脚标表示编号处的静矩;双脚标表示编号点板端的静矩,其中第一个脚标是计算静矩的起点号,第二脚标是计算静矩的终点号。

由此可得

$$\left.\begin{aligned}q_1' &= -\frac{H^2 t}{24} \\ q_4 &= -\frac{7H^2 t}{24} \\ q_2 &= \frac{5H^2 t}{24} \\ q_6 &= -\frac{10H^2 t}{24} \\ q_7 &= \frac{8H^2 t}{24} \\ q_1 &= -\frac{7H^2 t}{24} \\ q_3 &= \frac{5H^2 t}{24}\end{aligned}\right\} \quad (2.5.16)$$

根据上述结果可以画出剪流分布图(图2.5.5)。若将 $N_y/I_x$ 值乘入式(2.5.16),则得到实际的剪流或剪应力值。

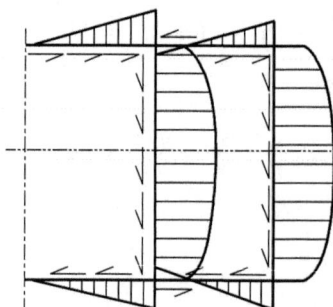

**图2.5.5 剪流分布**

在实用上,这一类闭式结构往往也采用近似方法计算。通常假定同一水平线上的剪应力相等,即 $\tau_s = \tau_L$,于是按式(2.5.1)有

$$\tau_s = \tau_L = \frac{N \cdot s}{I(t_s + t_L)}$$

式中　$s$——水平线 LS 以上切去部分的截面积对中和轴的静力矩;

　　　$t_s$、$t_L$——分别为舷侧板和纵舱壁板在求剪应力处的板厚。

为了与精确计算方法进行比较,下面对前面的例题做近似计算。

对中和轴的静力矩

$$s_6 = \frac{B}{2} \cdot t \cdot \frac{H}{2} + 2 \cdot \left( \frac{H}{2} t \cdot \frac{H}{4} \right) = \frac{H^2 t}{2} + \frac{H^2 t}{4} = \frac{3H^2 t}{4}$$

中和轴处的剪流

$$q_6 = q_7 = \frac{s_L}{2} = \frac{3H^2 t}{8} = \frac{9H^2 t}{24}$$

该值与理论值比较(见式(2.5.16)),舷侧板的剪应力比理论值高;而纵舱壁板的剪应力则比理论值低,误差约为10%。因为剪应力计算并不像总纵弯曲应力计算那么重要,所以一般采用简化的近似计算方法。计算剪应力实际上就是计算剖面对中和轴的静力矩,通常用表2.5.1计算。

**表2.5.1　剖面静力矩计算**

| 构件编号 | 构件名称 | 剖面积 $A_i$ /cm$^2$ | 至中和轴距离 $Z_i$ /m | 静力矩 $A_i Z_i$ /(cm$^2 \cdot$ m) | 自上而下和 $\sum A_i Z_i$ /(cm$^2 \cdot$ m) |
|---|---|---|---|---|---|
|  |  |  |  |  |  |
|  |  |  |  |  |  |
|  |  |  |  |  |  |
|  |  |  |  |  |  |

### 2.5.3　许用应力

许用应力就是在船体结构设计时预计的各种工况下,结构构件所容许承受的最大应力值。许用应力值通常小于构件材料破坏时的极限应力值或结构发生危险状态时材料所对应的极限应力值,以保证其强度有足够的储备。在理论上,材料的极限应力除以安全系数即得到许用应力值。在实际上,许用应力标准是根据舰船设计、建造和营运的经验,以及积累的实船静载测量和航行试验结果,根据安全和经济的原则而确定的。例如选一批经过长期航行考验,并证明具有足够强度的船,对这些船按静置在标准波浪上的计算方法,求出其总纵弯曲应力(称为计算应力),把这些应力加以分析整理,并求其统计平均值。这个统计平均值就代表了实际船舶按标准计算方法得出的安全可靠的应力水平,因此这个统计平均值就可以作为许用应力值的基础。显然,用这种方法决定的许用应力值纯属经验性质,并且与计算方法和船舶类型有关。也就是说,船舶结构设计中所用的强度标准仅适用于完全确定的外力和内力的计算方法,当计算方法改变时,也要相应地改变许用应力标准。早年各国学者曾经建议过一些许用应力的经验公式

$$
\left.\begin{array}{ll}
爱勃尔(\text{W. S. Abell}) & \sigma = 7.88\left(1 + \dfrac{L}{305}\right) \\
托平(\text{T. C. Tobin}) & \sigma = 2.34\sqrt[3]{L} \\
福斯特(\text{E. Forster}) & \sigma = 5L + 500
\end{array}\right\}
\tag{2.5.17}
$$

式中　$L$——船长。

从公式可以看出,许用应力值是随船长而增加的。这可以认为是以下两个方面的原因。首先,在确定构件尺寸时,必须考虑钢板的腐蚀储备厚度,而这个厚度与船舶尺度无关,亦即对于大船或小船其储备厚度几乎是一样的。因此对小船而言,亦即相对于薄板来说,腐蚀余量所占板厚的百分比较大;反之,对于大船而言,即相对于厚板来说,该百分比较小。所以可适当提高大船的许用应力标准。其次,在标准计算方法中,波高取为 1/20 船长。根据观测结果可知,该值对小船偏低,对大船则偏高。因此,对于大船来说,实际遇到的波高低于计算值,亦即船体所受的弯曲应力低于计算值。因此,船舶尺度增大时,许用应力值可以提高一些。1958 年苏联船舶登记局颁布的《钢制海船强度标准》中,虽然对不同尺度的船舶许用应力值是一样的,但是规定了不同的计算波高公式:船长 $L > 120$ m 时,波高 $h = L/20$;$L \leqslant 120$ m 的船,波高 $h = (L/30) + 2$ m。其结果与前述许用应力值随船长增加是一致的。在 1962 年苏联颁布的《钢质海船强度标准》中又进行了修改,建议取船长等于波长,而对于超过 120 m 长度的船舶波高一律取 6 m,小于或等于 120 m 的船舶波高按下式计算

$$
h = 0.64\sqrt{\lambda} - 1
\tag{2.5.18}
$$

式中　$h$——波高,m;

　　　$\lambda$——波长,m。

但是,在确定极限弯矩时,则不论船长如何,均按式(2.5.18)计算其相应的波高。

这样的规定是基于以下的计算分析:通过对世界各国所设计与营运的长度为 120 ~ 240 m 的干货船和油船的强度分析表明,当船舶静置于波长等于船长的波浪上计算其作用弯矩时,若计算波高相同,则船舶中剖面内上甲板的应力实际上是相同的。这与各船级社所采用的波浪坡度随波长增大而减小,同时随设计船舶长度的增加而提高甲板构件中的许用应力是相符合的。鉴于合成应力的假定性,1962 年苏联颁发的标准中取消了三个和四个应力的合成,只保留了两个应力合成以校核船体总纵强度。

对于干货船及油船按总纵弯曲应力校核强度时,其许用应力为(括号中为油船许用应力)

$$
[\sigma] = 0.50\sigma_{\text{s}}(0.45\sigma_{\text{s}})
$$

对于按总纵弯曲应力和板架弯曲应力合成值校核的构件,其许用应力为

跨中剖面 $\qquad [\sigma_1 + \sigma_2] = 0.65\sigma_{\mathrm{s}}(0.55\sigma_{\mathrm{s}})$

支座剖面 $\qquad [\sigma_1 + \sigma_2] = 1.0\sigma_{\mathrm{s}}(0.90\sigma_{\mathrm{s}})$

式中 $\quad \sigma_{\mathrm{s}}$——材料屈服极限;

$\quad\quad \sigma_1$——总纵弯曲应力;

$\quad\quad \sigma_2$——板架弯曲应力。

军舰结构设计中的许用应力,过去很长时间内一直沿用布勒诺夫提出的许用应力公式。他采用了材料的疲劳极限作为危险应力。但根据在 1951 年至 1952 年间,"奥西恩·伐耳凯"号轮船在海洋上进行 17 个月试验中所测得的名义应力资料,可得出与计算应力相接近的应力,循环次数非常小,因此在计算总纵强度时采用疲劳极限作为危险应力是不恰当的,而应当取材料的屈服极限作为危险应力的表征。但必须指出,在振动荷重作用下,在焊接的结构中应当考虑疲劳极限。为便于研究,现将布勒诺夫的许用应力公式摘录如下:

$$[\sigma] = 0.25\sigma_{\mathrm{s}}\left(3 + \frac{\sigma_{\min}}{\sigma_{\max}}\right) \qquad (2.5.19)$$

式中 $\quad \sigma_{\min}$——绝对值最小的正应力;

$\quad\quad \sigma_{\max}$——绝对值最大的正应力。

综上所述,无论是过去还是现在,造船工程上衡量强度的基本方法一直是许用应力法。但是近几十年来,许用应力法由于存在许多固有缺点而受到非议,因为在许多场合这些缺点都使该方法同现代建筑实践相矛盾。

它的主要缺点是强度计算目的没有明确,而事实上一切强度计算的目的都是要取得这样的保证:在结构的使用期内不出现公认的危险状态。

如果已知荷重和材料性能都具有变动性和随机性,则单单用应力值来衡量强度是不够的。因为计算应力这个值只代表该应力随机变量的某个应力水平,围绕它有许多可能值,简单地取最大荷重和最差材料性能是不能解决问题的。

许用应力法的另一个缺点是把计算应力与许用应力比较时,对决定结构强度的所有因素都赋予了一个统一的强度储备系数,而实际上从随机性来看这些因素的性质是互不相同的。例如在衡量船体甲板构件的强度时,计算应力中包括静水应力和波浪应力。但静水应力所具有的随机性比波浪应力要小得多。在总纵弯曲应力与局部弯曲应力做合成计算时这一情况尤为严重。

上述各缺点的后果乃是许用应力法在实质上不能保证不同的结构在其规定的运行条件下具有统一的强度储备。换句话说,此法仅在形式上保证各结构在统一的储备系数下具有相同的强度。由此可见,许用应力法的不足之处就在于不能考虑表征结构强度诸因素的变动性和随机性,因此只有采用概率方法才能充分揭示作用在船体上的随机外力的真相,以及结构材料在随机荷重作用下的破坏机理。但是,由于许用应力法简单,且已经过长期应用,大量的资料、规则、规范等均以此法为基础而制定,故目前仍采用此法来评定船体强度。

## 2.6　船体挠度计算

船体挠度并不像强度那么重要,但对于使用高强度钢或轻合金建造的船,特别是对于船长与型深之比很大的船,挠度的问题应予以注意。挠度过大时,可能影响主机、轴系的运转,也可

能影响舾装件的安装、仪表的使用,甚至可能导致上层建筑端部由于应力集中而破坏。

船体总纵弯曲时的挠度,可分为弯曲挠度和剪切挠度两部分。

**弯曲挠度曲线**　若取船尾为原点,$x$ 轴指向船首方向,$y$ 轴垂直向上,则作用在任意剖面上的弯矩 $M(x)$ 与挠度之间具有下列关系:

$$EI(x)y'' = -M(x) \tag{2.6.1}$$

对上式积分两次得到

$$y(x) = -\int_0^x \int_0^x \frac{M(x)}{EI(x)} \mathrm{d}x\mathrm{d}x + ax + b$$

式中 $a$、$b$——积分常数,根据艏艉端挠度为零的条件决定。

当 $x = 0$ 时,$y(0) = 0$,所以 $b = 0$。

当 $x = L$ 时,$y(L) = 0$。

所以

$$a = \frac{1}{L}\int_0^L \int_0^x \frac{M(x)}{EI(x)}\mathrm{d}x\mathrm{d}x$$

于是船体弯曲挠度方程为

$$y(x) = \frac{1}{E}\left[\frac{x}{L}\int_0^L \int_0^x \frac{M(x)}{EI(x)}\mathrm{d}x\mathrm{d}x - \int_0^x \int_0^x \frac{M(x)}{EI(x)}\mathrm{d}x\mathrm{d}x\right] \tag{2.6.2}$$

式中　$I(x)$——船体剖面惯性矩;

　　　$E$——船体材料弹性模数。

船舶的实际挠度可以通过数值积分用表 2.6.1 计算。船体剖面惯性矩沿船长变化,但在船中部 0.4～0.5 船长范围内变化不大,至端部逐渐减小。如果按等值惯性矩计算,则所得挠度值偏低。一般可计算 5 个典型剖面的惯性矩,据此画出船体刚度变化曲线。对于无艏楼甲板结构的船舶,也利用下列近似公式计算

$$I(x) = I_{\otimes}\left[\frac{1}{3} + \frac{8}{3}\cdot\frac{x}{L}\left(1 - \frac{x}{L}\right)\right] \tag{2.6.3}$$

式中　$I_{\otimes}$——船中剖面惯性矩。

**表 2.6.1　弯曲挠度计算**

| 1 | 2 | 3 | 4 | 5 | 6 | 7 | 8 | 9 | 10 | 11 | 12 |
|---|---|---|---|---|---|---|---|---|---|---|---|
| 理论站号 $i$ | 弯矩 $M$ /(tf·m) 或 (kN·m) | 惯性矩 $I$ /m$^4$ | $\dfrac{M}{I}$ /(tf/m$^3$) 或 (kN/m$^3$) | 第(4)栏成对和 /(tf/m$^3$) 或 (kN/m$^3$) | 第(5)栏自上而下和 /(tf/m$^3$) 或 (kN/m$^3$) | 第(6)栏成对和 /(tf/m$^3$) 或 (kN/m$^3$) | 第(7)栏自上而下和 /(tf/m$^3$) 或 (kN/m$^3$) | $(8)\cdot\left(\dfrac{L}{40}\right)^2$ /(tf/m$^3$) 或 (kN/m$^3$) | $(9)_{20}\cdot\dfrac{i}{20}$ /(tf·m) 或 (kN/m) | $(10)-(9)$ /(tf·m) 或 (kN/m) | 挠度 $y = \dfrac{(11)}{E}$ /m |
| 0 |  |  |  |  |  |  |  |  |  |  |  |
| 1 |  |  |  |  |  |  |  |  |  |  |  |
| 2 |  |  |  |  |  |  |  |  |  |  |  |
| ⋮ |  |  |  |  |  |  |  |  |  |  |  |
| 19 |  |  |  |  |  |  |  |  |  |  |  |
| 20 |  |  |  |  |  |  |  |  |  |  |  |

**剪切挠度曲线**　由于剪力使船体剖面发生上下移动,故产生剪切挠度,如图 2.6.1 所示。根据剪力功与剪切变形能相等的条件可求得剪切挠度方程。

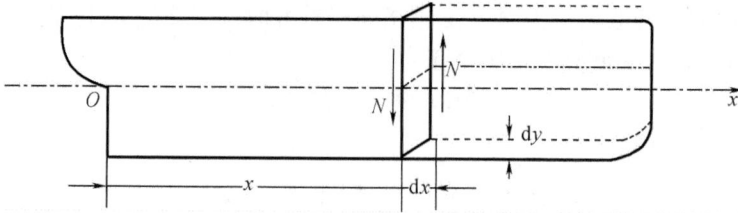

**图 2.6.1　剪切挠度**

设距艉端点 $x$ 处的剪力为 $N(x)$,在微段 $dx$ 上引起的挠度为 $dy$,因为挠度与剪力成正比增加,故剪力 $N(x)$ 所做的功等于 $\frac{1}{2}N(x)dy$。又 $x$ 剖面上任一点的剪应力 $\tau$ 引起的剪应变 $\gamma = \frac{\tau}{G}$,则剪切变性能等于 $\frac{1}{2} \cdot \tau \cdot \gamma = \frac{\tau^2}{2G}$,所以在 $dx$ 微段内的剪切变性能为

$$\int_A \frac{1}{2} \cdot \frac{\tau^2}{G} da dx \tag{2.6.4}$$

式中　$da$——$x$ 剖面上的微面积;

　　　$A$——$x$ 剖面处的船体剖面积。

利用剪力功与剪切变性能相等的条件可得

$$\frac{1}{2} N \cdot dy = \frac{1}{2G} \cdot dx \int_A \tau^2 da \tag{2.6.5}$$

所以距原点 $x$ 处的剪切挠度为

$$y = \int_0^x dy = \int_0^x \frac{dx}{NG} \int_A \tau^2 da \tag{2.6.6}$$

由于剪应力 $\tau$ 在船体横剖面上的分布比较复杂,所以剪应力的积分运算比较困难。为了计算方便,可以近似 $\tau = \frac{N}{A_\omega}$,$A_\omega$ 为船体横剖面承受剪切的相当面积(一般只计及船体的垂向构件剖面积),于是式(2.6.6)可改写为

$$y = \int_0^x \frac{dx}{NG} \int_{A_\omega} \left(\frac{N}{A_\omega}\right)^2 da = \frac{1}{G} \int_0^x \frac{N}{A_\omega} dx \tag{2.6.7}$$

按式(2.6.7)计算得到的船首端垂向位移的坐标值为 $a = \frac{1}{G} \int_0^L \frac{N}{A_\omega} dx$。为了求得船体的实际剪切挠度值,通常把剪切挠度方程写成下列形式

$$y = \frac{1}{G} \left( \int_0^x \frac{N}{A_\omega} dx - \frac{x}{L} \int_0^L \frac{N}{A_\omega} dx \right) \tag{2.6.8}$$

式(2.6.8)的数值积分用表 2.6.2 计算。

**表 2.6.2　剪切挠度计算**

| 1 | 2 | 3 | 4 | 5 | 6 | 7 | 8 | 9 | 10 |
|---|---|---|---|---|---|---|---|---|---|
| 理论<br>站号<br>$i$ | 剪力<br>/N<br>tf<br>(kN) | 剪切面积<br>$A_\omega$<br>/cm² | $\dfrac{(2)}{(3)}$<br>/(tf/m²)或<br>(kN/m²) | 第(4)栏<br>成对和<br>/(tf/m²)或<br>(kN/m²) | 第(5)栏<br>自上而<br>下和<br>/(tf/m²)或<br>(kN/m²) | $(6)\dfrac{\Delta L}{2}$<br>/(tf/m²)或<br>(kN/m²) | $(7)_{20}\cdot\dfrac{i}{20}$<br>/(tf/m²)或<br>(kN/m²) | $(7)-(8)$<br>/(tf/m²)或<br>(kN/m²) | 剪切挠度<br>$y=(9)/G$<br>m |
| 0 | | | | | | | | | |
| 1 | | | | | | | | | |
| 2 | | | | | | | | | |
| ⋮ | | | | | | | | | |
| 19 | | | | | | | | | |
| 20 | | | | | | | | | |

　　弯曲挠度与剪切挠度之和即为船体总纵弯曲时的总挠度。但由于剪切挠度一般仅为弯曲挠度的 10% 左右,所以通常可忽略不计。

　　为了简略估计剪切挠度值,可假定船体是等断面的箱型梁,则腹板剖面积 $A_\omega$ 为常数,于是式(2.6.8)可改写成下式

$$y = \frac{1}{GA_\omega}\Big[\int_0^x N(x)\,\mathrm{d}x - \frac{x}{L}\int_0^L N(x)\,\mathrm{d}x\Big]$$

$$= \frac{1}{GA_\omega}\Big\{\big[M(x)\,\mathrm{d}x - M(0)\big] - \frac{x}{L}\big[M(L) - M(0)\big]\Big\} = \frac{M(x)}{GA_\omega} \qquad (2.6.9)$$

　　从式(2.6.9)看出,只要把弯矩曲线缩小 $\dfrac{1}{GA_\omega}$ 倍,就可得到剪切挠度曲线的近似值。

　　若船舯剖面的最大总纵弯矩值已知,则船舯的弯曲挠度可用下列近似公式估算

$$y_\otimes = \beta\frac{M_{\max}L^2}{EI_\otimes} \qquad (2.6.10)$$

式中　$\beta$——根据精确计算结果倒推出来的统计值,在 0.08 ~ 0.10 之间。

## 2.7　极限弯矩计算

　　船体结构除保证在正常航行状态中具有足够的强度外,对某种意外状态也具有一定的强度储备。船舶可能遇到的意外情况是多种多样的,例如搁浅、碰撞、水下爆炸等。在这些情况下的外力是难以确定的,因而不能进行准确的强度计算,但可以用船体剖面中的极限弯矩,来估计船体所具有的过载能力。

　　在船体强度计算中,极限弯矩是指船体剖面内离中和轴最远点的构件中的应力达到结构材料的屈服极限时,船体剖面中所对应的总纵弯矩。

　　以结构材料的屈服极限为衡准,是因为在通常的钢结构中,应力超过该值时,结构将产生塑性变形。船体边缘构件中的总纵弯曲应力超过结构材料的屈服极限时,船体将出现整

体性的总纵弯曲变形,这是不允许的。

根据上述极限状态,反求出作用在船体剖面上的弯矩,用该弯矩值表征船体能够承受的最大载荷。通常是用下面的形式规定船体承受过载的能力,即

$$\frac{M_j}{M} \geq n \tag{2.7.1}$$

式中　$M_j$——极限弯矩;

　　　　$M$——标准计算状态下的计算弯矩;

　　　　$n$——过载系数。

$n$ 值表明船体结构所具有的承受过载能力的大小。对于不同类型的船舶 $n$ 值是不同的。

按照局限弯矩的定义,不论是中拱状态还是中垂状态,均按下式计算

$$M_j = \sigma_s W_s \tag{2.7.2}$$

式中　$\sigma_s$——船体结构材料的屈服极限;

　　　　$W_s$——极限弯矩作用下的船体剖面模数。

从式(2.7.2)知道,计算极限弯矩,实际上就是计算极限状态下的船体剖面模数 $W_s$。为此,首先应确定船体剖面上的应力分布,然后用总纵弯曲应力第二次近似计算的办法,求折减后的剖面模数。

一般船体横剖面中和轴偏于船底一边,因此不论中拱状态还是中垂状态,甲板中的应力总是首先达到屈服极限,剖面上其他构件中的应力按线性规律分布,即

$$\sigma_i = \frac{Z_i}{Z_{\max}} \cdot \sigma_s \tag{2.7.3}$$

式中　$Z_i$——任一构件距中和轴的距离;

　　　　$Z_{\max}$——离中和轴最远构件至中和轴的距离。

求得各构件的应力之后,按下式计算受压构件的折减系数:

$$\varphi_i = \frac{\sigma_E}{\sigma_i}$$

剖面减缩计算过程与总纵弯曲应力第二次近似计算完全一样,应当对中拱和中垂两种状态进行计算。

对于中和轴位置近于型深之半的船舶,如果拉应力一侧首先达到屈服极限,则经过减缩计算之后,由于中和轴的移动,可能使压应力一侧离中和轴最远构件中的应力先达到屈服极限,因而之后的计算应以压应力一侧达到屈服极限为标准。

若按此步骤求得的剖面模数 $W_s$ 与总纵强度第一次近似计算之最小剖面模数 $W$ 相比,其差值不小于 10% 时,需要进行一次近似计算,直至前后两次计算之差小于 10% 为止。同时,最终的 $W_s$ 不得小于总纵弯曲应力第一次近似计算值的 75%,否则结构要重新设计。

若求得的极限弯矩与总纵弯矩之比值 $n$ 过大,则表明船体具有不必要大的过载能力,说明船体结构材料没有得到充分利用。反之,若比值低于规定值,则认为结构强度是不足的。

影响船体过载能力的因素可从下式看出

$$n = \frac{M_j}{M} = \frac{\sigma_s \cdot w_s}{[\sigma] \cdot W} = k \cdot \frac{w_s}{W}$$

　　强度储备系数 $k$ 值越大,则过载系数 $n$ 值也越大;总纵弯曲计算应力低于许用应力 $[\sigma]$ 时,则相当于提高了 $k$ 值,因而也相当于增大了 $n$ 值;若在极限状态下板的减缩过大,必然降低过载系数。因此为了提高船体的过载能力,应尽可能降低板在极限弯矩作用下的减缩程度。设计中应保证甲板边板、舷侧顶列板和平板龙骨的欧拉应力达到结构材料的屈服极限,也就是说,这些构件在极限弯矩作用下不应当出现减缩。

# 第3章　局 部 强 度

船体结构主要组成部分为船底结构、甲板结构、舷侧结构和舱壁结构。船体在外力作用下除发生总纵弯曲变形外,各局部结构,如船底、甲板、舷侧、舱壁板架和横向肋骨框架也会因局部载荷作用而发生变形、失稳或破坏。它们的强度问题称为局部强度。

## 3.1　船体局部强度计算模型及载荷的确定

在进行局部强度计算时,首先应根据结构受力与变形特点,把实际复杂的结构抽象为可以用力学方法计算的简化模型(称为力学模型或计算模型);然后对这个力学模型进行内力和应力分析并进行强度校核。力学模型的建立是与计算方法相联系的,用传统的船舶结构力学方法(解剖法、力法、位移法和能量法)进行局部强度计算时,只能将船体各部分结构简化为板架、钢架、连续梁、板等结构进行计算,而且载荷也只能采取比较简单的情况。如果用有限元方法进行计算,则可整体解剖,不受上述分类及载荷的限制,只需要采取适当的单元并处理好约束条件。

### 3.1.1　船体局部强度计算模型

计算模型仅反映具有实际结构的一些主要力学特征,并不是把实际结构的各种特征全部反映出来,而且计算模型 3 选取也与计算载荷和许用应力的选择有关。内力计算的精度应与外载荷的精度相匹配,如果外力有很大的近似性,就没有必要过分追求内力计算的精确性。

1. 建立计算模型的原则

船舶局部强度与总强度一样,也是一种相对强度(比较强度)。外力、内力和许用应力的一致性是比较强度的基本出发点。

结构模型化是计算的前提和结构分析成败的关键,它更富于工程判断。从强度校核观点看,"偏于安全"的简化是允许的,但"偏于安全"的简化模型往往会使结构材料增加,并不是合理的符合结构设计要求的计算模型。我们追求的是力学上能反映实际结构变形特征,计算上又不过于复杂的模型。影响计算模型的重要因素有以下几点。

(1)结构的重要程度:对重要结构应采用比较精确的计算模型。

(2)设计阶段:在初步设计阶段可采用较粗糙的模型,在详细设计阶段则需要较精确的计算模型。

(3)计算问题的性质:对于结构静力分析,一般可用较复杂的计算模型,对于结构动力和稳定性分析,由于问题比较复杂,可用较简单的计算模型。

2. 构件几何尺寸的简化

在进行局部强度计算时,不可能也没有必要对实际结构的各种因素加以考虑,在确定其几何要素(如跨距、宽度、带板尺寸、剖面模数等)时,可将结构做一些"理想化"处理。

板架计算时,其长度、宽度取相应的支持构件间距离,例如船底板架和甲板板架的长度取横舱壁之间的距离,宽度取组成肋骨框架梁中和轴的跨距,或简单地取为船宽。

肋骨钢架计算时,其长度、宽度取组成肋骨框架梁的中和轴线交点间距离,用中和线代替实际构件。不计梁拱及舭部的弯曲,由于肘板和开孔(人孔、减轻孔等)的存在而引起的构件剖面变化也不予考虑,即在内力(弯矩、切力)计算时把每一构件作为等直梁处理,如图3.1.1 所示。但是,在确定骨架剖面的应力时,需考虑肘板的影响,即在计算梁的剖面模数时计入肘板。例如图 3.1.1 所示的肋骨钢架底部弯矩值最大,若计算应力时不考虑舭肘板,则最大应力甚至会超过许用应力,如果计入舭肘板,则其应力很小,实际上最大应力出现在肋骨跨距中部。

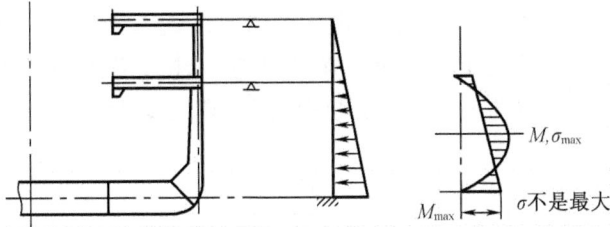

图 3.1.1 肋骨钢架弯矩图

应当指出,对于具有大肋板的船舶结构(如油船、矿砂船等),在计算内力时也应考虑肋板影响,否则在某些载荷下所得结果可能偏于危险。

构件剖面要素计算时应包括带板(附连翼板),关于带板问题将在后文中讨论。

3. 骨架支撑条件的简化

把局部构件或结构从整体结构中分离出来进行局部强度计算,需考虑相邻构件对计算结构的影响——支承条件或支座。在船体结构计算中,通常有以下三种支座情况:

(1)自由支持在刚性支座上;

(2)刚性固定;

(3)弹性支座和弹性固定。

简化成何种支座,视相邻构件与计算构件间的相对刚度及受力后的变形特点而定。图3.1.2 所示的船底纵骨,在船底均布水压作用下产生弯曲变形。由于实肋板刚性远大于纵骨,可视为纵骨的刚性支座。又因为变形以肋板为支点左右对称,因此计算船底纵骨强度时可按两端刚性固定的单跨梁来进行。图 3.1.3 所示的甲板纵骨,在船舶中垂弯曲时受轴向压力作用。纵骨稳定性计算时,根据其变形特点可作为两端自由自持的单跨梁来计算。

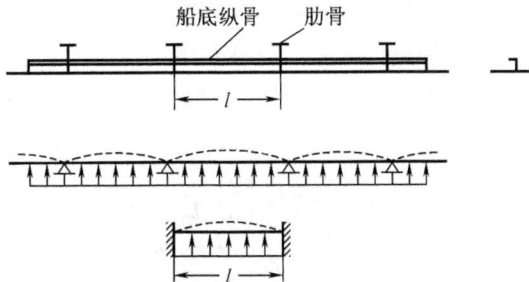

图 3.1.2 船底纵骨变形

由此可见,正确分析结构变形特点才能做到力学上等价,这是模型化的关键。

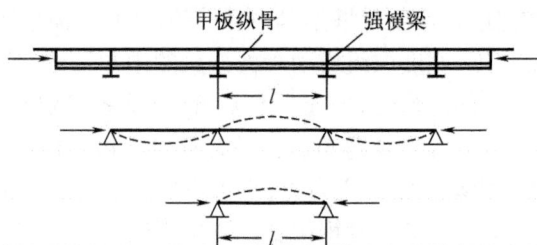

**图 3.1.3　甲板纵骨稳定性计算**

计算图 3.1.4(a)所示的肋骨框架时,由于肋板刚度远大于肋骨,故肋骨下端可作刚性固定(图 3.1.4(b));因甲板上无荷重,故又可进一步简化为弹性固定的单跨梁(图 3.1.4(c))。按船舶结构力学方法,可算出其弹性固定端的转角和柔性系数分别为

$$\theta_2 = \frac{l}{3Ei} M_2 \tag{3.1.1}$$

$$\alpha = \frac{l}{3Ei} \tag{3.1.2}$$

式中　$i$、$l$——分别为横梁的剖面惯性矩和跨度。

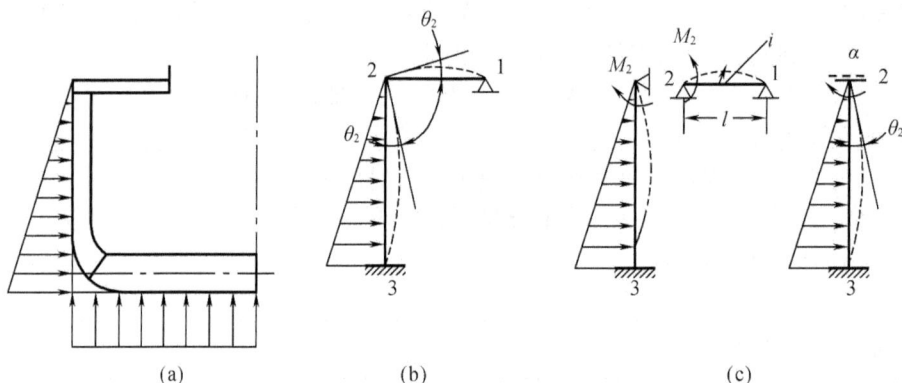

**图 3.1.4　肋骨框架的简化图形**

一般情况下,当相邻梁的刚度相差 20 倍以上时,其计算可按极限情况简化处理,误差在 5%以内,如图 3.1.5 所示。

板架的交叉构件(龙骨、纵桁)在横舱壁处的固定条件取决于相邻板架的刚度、跨度和载荷之比。为了精确计算相邻板架的相互影响,必须对它们进行连续板架计算(图 3.1.6);但从实用角度,通常引入横舱壁的支座固定系数 $x$ 来考虑相邻板架的影响。$x$ 可用下列近似公式确定

$$x = \frac{1 + \dfrac{1}{2}\dfrac{q'}{q}\dfrac{l'}{l}}{1 + \dfrac{1}{2}\dfrac{l'}{l}} \tag{3.1.3}$$

式中　$q$——在板架计算跨距上的荷重强度;

　　　$q'$——相邻两个舱板架上的平均荷重强度;

　　　$l$——计算板架的跨距;

$l'$——相邻两个舱板架的平均跨距。

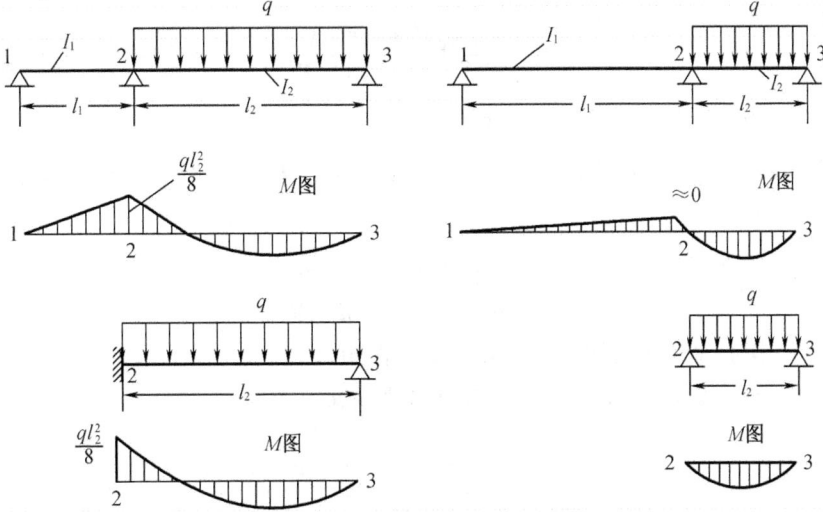

图 3.1.5 骨架梁支座的简化

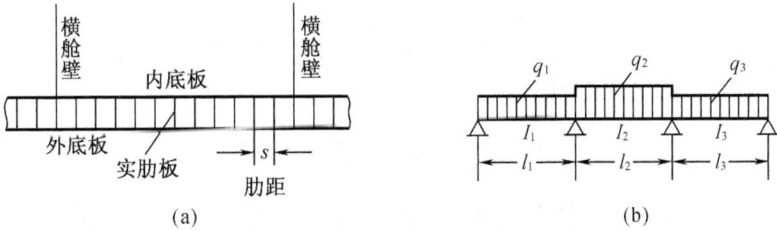

图 3.1.6 板架固定系数计算

在多数情况下,交叉构件在横舱壁处可以认为是刚性固定的。船底板架在舷侧处的固定情况可通过肋骨钢架计算来确定,但在通常计算中可以近似认为是自由支持在舷侧,因为肋骨的刚度比肋板小得多。

在确定板架两向梁支持关系时,应以它们的相对刚度来判断。如图 3.1.7 所示为交叉梁系,现在求出节点反力 $R$。

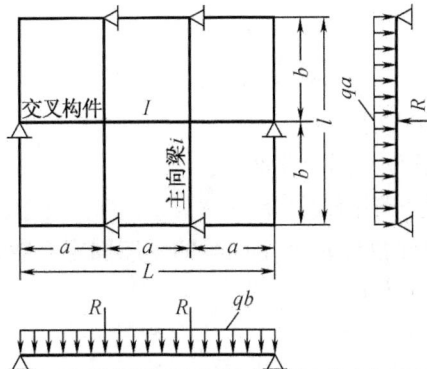

图 3.1.7 交叉梁系

设主向梁上所受总荷重为 $Q_1 = qal = \dfrac{1}{3}qlL$，节点反力为 $R$。则主向梁在节点处的挠度为

$$\omega = \frac{11}{972}\frac{Q_2L^3}{EI} + \frac{5}{162}\frac{RL^3}{EI} \tag{3.1.4}$$

式中 $l$、$i$——主向梁的跨度和剖面惯性矩。

又设交叉构件所受总荷重为 $Q_2 = qbL = \dfrac{1}{2}qlL$，则在 $Q_2$ 与节点反力 $R$ 同时作用下，节点挠度为

$$\omega = \frac{11}{972}\frac{Q_2L^3}{EI} + \frac{5}{162}\frac{RL^3}{EI} \tag{3.1.5}$$

式中 $L$、$l$——分别为交叉构件的长度和剖面惯性矩。

使式(3.1.4)和式(3.1.5)相等，则可解出节点反力为

$$R = qlL\frac{\dfrac{5}{1\,152}a - \dfrac{11}{1\,944}}{\dfrac{a}{48} + \dfrac{5}{162}} \tag{3.1.6}$$

式中 $a$——交叉构件与主向梁的相对刚度，$\alpha = \dfrac{l^3 I}{L^3 i}$。

由式(3.1.6)可以看出，节点反力随 $a$ 的增加而增大，即随交叉构件刚性增加而加大。当 $a \to \infty$ 时，节点反力达到最大值，即

$$R_{\max} = \frac{5}{1\,152} \times 48qlL = \frac{5}{24}qlL \tag{3.1.7}$$

这时，交叉构件对主向梁的作用相当于一个刚性支座。如果交叉构件刚性减少，则反力 $R$ 也减少，并且当

$$\frac{5}{1\,152}a < \frac{11}{1\,944}，即\frac{1}{L^3} < 1.3\frac{1}{l^3} \tag{3.1.8}$$

时，节点反力将变为负值。这表示交叉构件不仅不支持主向梁，反而加重了主向梁的负担，这是一种不合理的设计，因此在决定交叉构件尺寸时必须考虑它与主向梁间的相对刚度。

在有多根交叉构件板架的情况下，当主向梁与交叉构件的刚度满足下列条件时，说明两向梁相互支持，必须进行板架计算，不能将一个方向的梁简化为另一个方向上梁的刚性支座，即

$$k\sqrt[4]{\frac{L}{a}\frac{i}{I}\left(\frac{L}{l}\right)^3} \leqslant 3.7 \tag{3.1.9}$$

式中 $a$——主向梁之间的平均距离；

$\quad\quad L, I$——交叉构件的长度与剖面惯性矩；

$\quad\quad l, i$——主向梁的长度与剖面惯性矩；

$\quad\quad k$——系数，与交叉构件数目 $m$ 和主向梁的支座固定系数 $x$ 有关，$k$ 值见表 3.1.1(横坐标为 $x$，纵坐标为 $m$)。

表 3.1.1　**k 值表**

| | 0 | 0.1 | 0.2 | 0.3 | 0.4 | 0.5 | 0.6 | 0.7 | 0.8 | 0.9 | 1.0 |
|---|---|---|---|---|---|---|---|---|---|---|---|
| 1 | 0.931 | 0.945 | 0.967 | 0.988 | 1.015 | 1.048 | 1.088 | 1.130 | 1.182 | 1.245 | 1.320 |
| 2 | 0.849 | 0.865 | 0.886 | 0.905 | 0.933 | 0.965 | 1.00 | 1.046 | 1.098 | 1.160 | 1.282 |
| 3 | 0.785 | 0.800 | 0.820 | 0.836 | 0.863 | 0.892 | 0.927 | 0.967 | 1.015 | 1.072 | 1.185 |
| 4 | 0.740 | 0.754 | 0.773 | 0.789 | 0.813 | 0.841 | 0.874 | 0.912 | 0.957 | 1.011 | 1.115 |
| 5 | 0.709 | 0.723 | 0.755 | 0.756 | 0.779 | 0.805 | 0.837 | 0.874 | 0.918 | 0.968 | 1.068 |

例如在计算设置船侧纵桁与强肋骨的舷侧板架时,如果 $k\sqrt[4]{\dfrac{L}{a}\dfrac{i}{I}\left(\dfrac{L}{l}\right)^3}>3.7$,则不需

要进行板架计算,此时船侧纵桁可视为支持在刚性支座(强肋骨)上的连续梁。

4.结构处理模型化

结构处理模型化的任务是,尽可能应用简化的模型来计算实际结构,以减少计算工作量。

(1)结构对称性的利用

船体结构一般是左右对称的,充分利用这个特点可大大减少未知量的数目。如果结构与载荷都是对称的,可取一半结构进行计算,在对称面的各节点加上适当的约束,如图 3.1.8(a)所示。

如果结构具有纵、横双重对称性,载荷也对称,则可取 1/4 结构进行计算。例如受均布水压力作用的双层板架(图 3.1.8(b)),取 1/4 板架并在纵向与横向对称面上加相应约束。在用有限元法计算时,取这样的计算模型的计算工作量的 1/16,且只需要 1/4 的存储量。

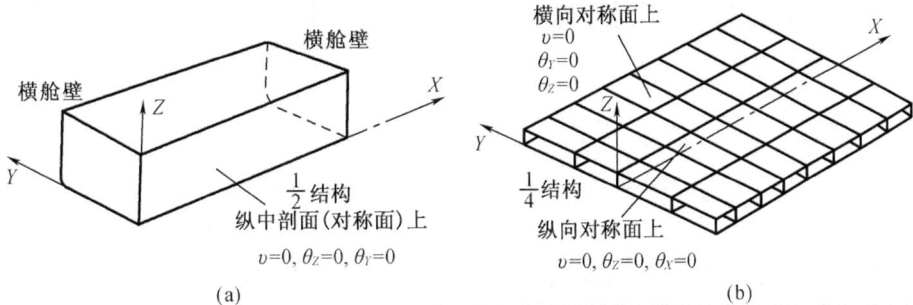

图 3.1.8　对称性条件的利用

(a)立体舱段;(b)双层底板架

当结构对称、载荷不对称时,可将载荷分解为对称与反对称两种情况计算,然后叠加。如图 3.1.9(a)所示肋骨钢架的弯矩,可用图 3.1.9(b)、(c)两钢架计算结果合成得到。

(2)等效刚度模型的利用

等效模型在船体局部强度计算中的应用是很普遍的,它可使自由度大为减少。例如,将空间结构用平面结构模型,甚至一维模型来计算;用弹性支座或弹性固定端代替相邻结构等。如图 3.1.10 所示的大舱口货船的悬臂梁结构,就可采用一维梁模型来代替空间钢架计算。

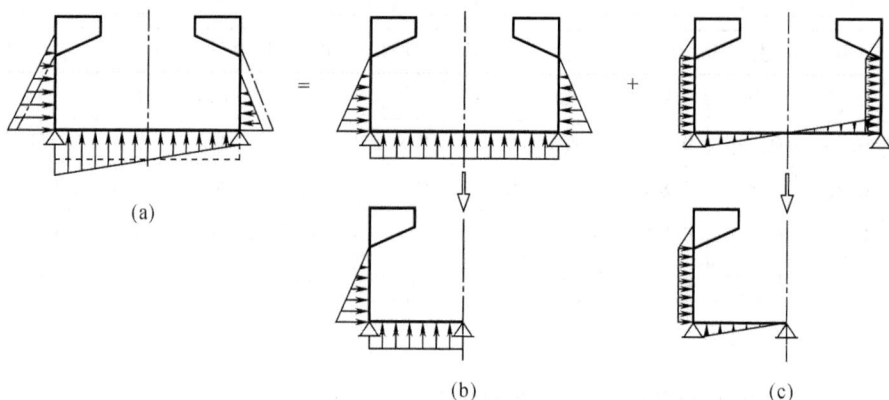

**图 3.1.9 载荷分解为对称和反对称情况**

将悬臂梁简化为支持甲板纵桁的弹性支座（图 3.1.10(b)），其刚度 $K_j$ 可由图 3.1.10(c)所示肋骨钢架在单位力作用下的挠度求得，即

$$v_j = A_j R = A_j \times 1, \quad K_j = \frac{1}{A_j} \tag{3.1.10}$$

舱口围板处的弹性支座刚度可由图 3.1.10(d)所示钢架计算得到。

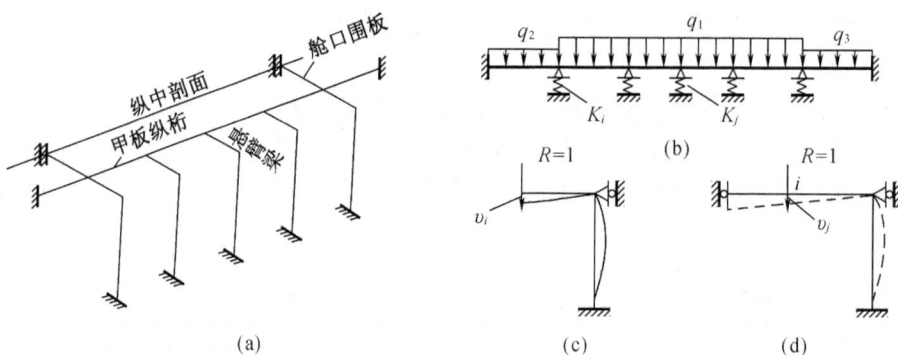

**图 3.1.10 大舱口货船悬臂梁结构计算图形**

### 3.1.2 船体局部强度载荷的确定

船体各局部结构所受的局部载荷可以分为共同性载荷和特殊考虑的载荷。

共同性载荷分为船体外部构件及内部构件共同性载荷。船体的外部结构包括船底、舷侧和甲板，会受到偶然波浪的压力作用。

对于甲板，计算其水头高度为

$$\Delta = K \cdot L / \sqrt{H'} \tag{3.1.11}$$

船底处水头高度 $H$ 即为型深。

内部构件共同性载荷主要分析中间甲板、内底板和水密舱壁的破损水压，以及液舱周界构件的液压，破损水压头在船首尾处为 7/6 当地干舷，在 $L/3$、$2L/3$ 处为 1/2 当地干舷。液舱周界构件如内底板、油水舱壁和舱顶平台会受到偶然液压（取注入管和空气管压头大者）及经常液压（高达舱顶的压头）。

特殊考虑的载荷包括：

(1)甲板和底部板架的经常载荷和固定重力；

(2)甲板及平台的偶然载荷和人群重力；

(3)艏部主横舱壁应考虑船首失落后而承受的附加动水压力。

1.上甲板、舷侧、底部结构计算水压力

考虑到舰船在波浪中横摇、纵摇与升沉运动，以及波浪冲击下的甲板上浪，船体舷外最大水压力比舰船的设计吃水要大，规范规定船体上甲板和艏艉楼甲板的露天部分，其计算载荷主要考虑飞溅水作用，并按式(3.1.12)计算：

$$p = 9.8\Delta \tag{3.1.12}$$

式中　$p$——计算水压力，kPa；

　　　$\Delta$——计算水头高，m，并按式(3.1.13)计算，但任何情况下不得小于 0.5 m。

$$\left. \begin{array}{l} \Delta = K \cdot L / \sqrt{h_f} \\ K = 0.01\left[ 1 + 2\left( \dfrac{X}{L} \right) + 8\left( \dfrac{X}{L} \right)^2 \right] \end{array} \right\} \tag{3.1.13}$$

其中　$X$——所计算截面距舰舯的距离，m，由舰舯向舰首为正，向艉为负；

　　　$h_f$——所计算截面的干舷高，m，并需计及艏楼的高度；

　　　$L$——正常排水时舰船设计水线长，m。

船体底部和舷侧的计算水压力由式(3.1.14)确定，其计算载荷如图3.1.11所示。

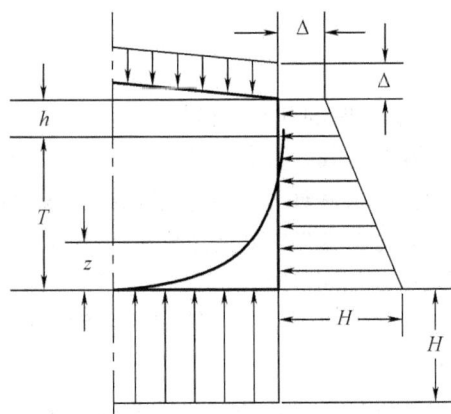

**图 3.1.11　甲板、舷侧、底部等效水压头**

$$p = 9.8\left[ H - Z\left( 1 - \frac{\Delta}{H} \right) \right] \tag{3.1.14}$$

式中　$p$——计算载荷，kPa；

　　　$H$——计算截面的舷侧高度，m；

　　　$Z$——计算结构中点距基线的高度，m，对于底板、舷侧板、底部纵骨、舷侧纵骨及舷侧纵桁取构件中点距基线的高度的平均值。

　　　$\Delta$——按式(3.1.13)计算，且 $\Delta \geqslant 0.5$ m。

2.其他甲板和平台设计计算载荷

船体甲板或平台局部强度计算还应考虑以下计算载荷，并取所有这些载荷的最大载荷作为甲板或平台局部强度的计算载荷。

上甲板遮蔽部分和不考虑破损水压头的下层甲板、平台的局部强度计算载荷取为

$$p = p_1 + p_2 \tag{3.1.15}$$

式中 $p$——压力,kPa;

$p_1$——固定重物载荷,kPa;

$p_2$——水压力,4.91 kPa。

艏艉两端附近甲板和平台上装有重物或板厚大于 20 mm 时,需计算重物或结构因舰艇摇摆而引起的惯性力。

保证舰艇不沉性的甲板,其局部强度计算载荷不应小于破损水压头高。

作为液舱结构一部分的甲板和平台,应取高达舱顶或注入管(空气管)高度的水柱压头作为计算载荷。

3. 上层建筑局部强度计算载荷

上层建筑局部强度计算载荷主要包括航行中飞溅浪花冲击产生的等效水压力和上层建筑上重物或惯性力,下面主要介绍上层建筑各部分结构的等效计算水压头。

对于艏楼、艉楼甲板和第一层桥楼甲板的露天部分及侧壁的计算载荷取 $9.8\Delta$(kPa),其中 $\Delta$ 由式(3.1.13)确定。

第一层甲板室甲板露天部分及侧壁的计算载荷按式(3.1.16)计算

$$p = 4.9\Delta\left(1 + \frac{b}{B}\right) \tag{3.1.16}$$

式中 $p$——计算压力,kPa;

$b$——甲板室宽度,m;

$B$——该处船宽。

所有第一层上层建筑甲板和侧壁的计算载荷均不得小于 4.9 kPa。

第 1 层前上层建筑甲板的前壁,其计算载荷应增加到 1.5 倍的侧壁计算载荷且不小于 9.8 kPa;第 1 层后上层建筑的后壁,其计算载荷应增加到 1.3 倍的侧壁计算载荷且不小于 9.8 kPa。其余第 1 层后上层建筑的端部与侧壁计算载荷相同。

第 1 层后上层建筑的侧壁与端部的计算载荷分别为第 1 层相应部位规定载荷的 75%;第 3 层及其以上的上层建筑,其侧壁与端部的计算载荷分别为第 1 层相应部位规定载荷的 50%,但均不得小于 4.9 kPa。

第 2 层及其以上的上层建筑甲板,露天部分计算载荷取 4.9 kPa,遮蔽部分计算载荷取 2.94 kPa。

4. 艏部 0.35$L$ 区域底部和舷侧波浪冲击水动压力

舰船航行时,舰艏受到较大的波浪冲击力,在波浪冲击水动压力作用下,船体首部、船体底部和舷侧板、纵骨、肋骨和纵桁将产生冲击动力响应。考虑到动力响应较静强度计算要复杂得多,因此从工程计算方便出发,规范采用静力等效方法计算艏部 0.35$L$ 区域专用于底部和舷侧水动压力的等效值。

对于肋板和纵骨,计算水动压力由式(3.1.16)给出

$$p = m_p c h_r \tag{3.1.16}$$

式中 $p$——计算水动压力的等效静水压,kPa;

$m_p$——计算结构形状相关动力系数,kN·s²/m⁴,按图 3.1.11 确定;

$c$——水动力相关系数,m/s²,按图 3.1.12 和图 3.1.13 确定;

$h_r$——谐振波波高,m。

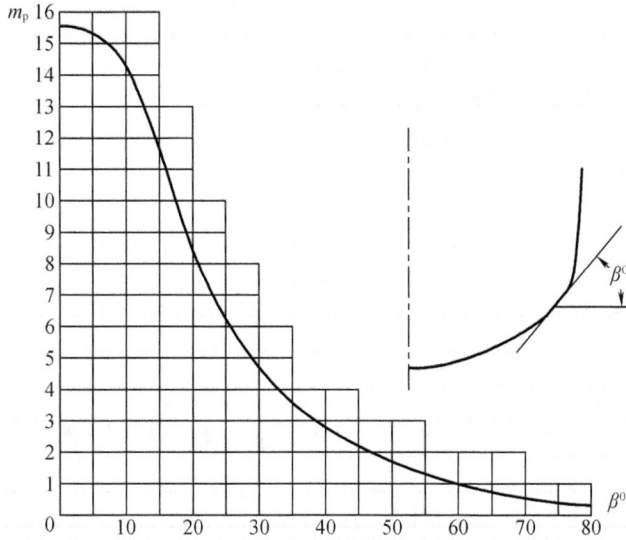

图 3.1.12　系数 $m_p$ 值

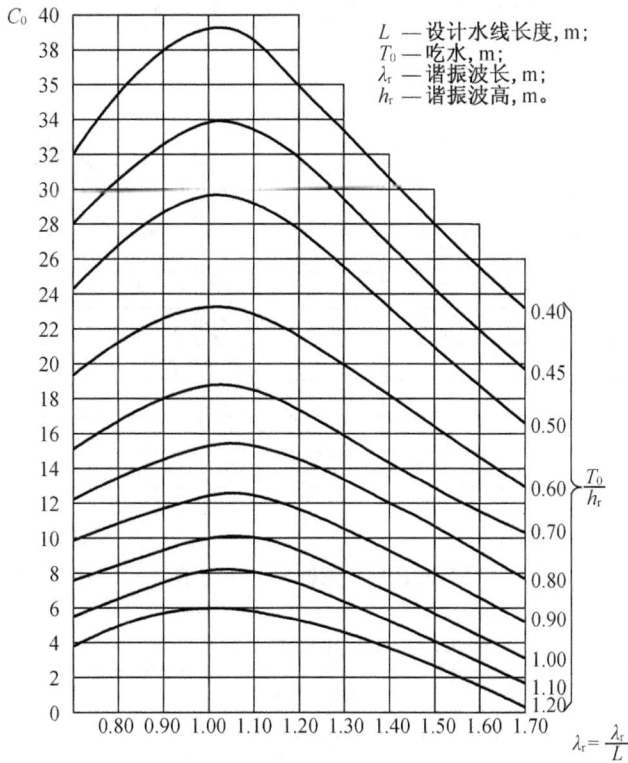

图 3.1.13　系数 $C_0$ 值

可按式(3.1.17)确定,即

$$h_r = 1.75 + 3.94\left(\frac{\lambda_r}{100}\right) - 0.30\left(\frac{\lambda_r}{100}\right)^2 \tag{3.1.17}$$

式中　$\lambda_r$——谐振波波长,m;

$\lambda_r$ 可按式(3.1.18)计算

$$7.5\sqrt{\frac{T}{L}}\cdot\frac{F_r+0.4\sqrt{\lambda_r}}{\lambda_r}=1 \tag{3.1.18}$$

式中 $T$——舰艇正常排水量平均吃水,m;

$L$——舰艇正常排水量设计水线长,m;

$F_r$——傅罗德数,$F_r=V/\sqrt{gL}$;

$V$——航速;

$g$——重力加速度。

对于肋板、底纵桁共同组成的底部板架,其计算水动压力由式(3.1.19)确定:

$$p_1=0.7p_m \tag{3.1.19}$$

式中 $p_1$——计算均布压力,kPa;

$p_m$——按式(3.1.16)计算的水动压力平均值,kPa,计算底部板架时,应按板架中间肋骨的线型确定。

对于底部板架的计算载荷,还应计及所校核部位永久固定重物的反压力。

5. 船体舷侧抗冰载荷

对于可能在碎冰区航行的舰船(对于冰区航行另有要求),应对其舷侧结构抗冰强度进行校核,此时有抗冰要求的舷侧结构范围是舰长方向从艏至艉的全部范围,舷高方向的范围由表3.1.2确定,该范围与舰船最大宽度值 $B_{max}$ 有关。

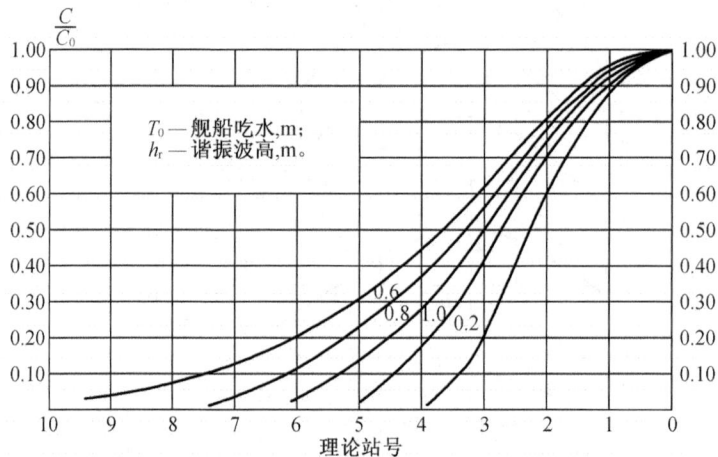

图 3.1.14 系数 $C$ 的相对值

表 3.1.2 冰载荷沿舷高的作用区

| $B_{max}$/m | 设计水线以上/m | 设计水线以下/m |
|---|---|---|
| 5 | 0.25 | 0.50 |
| 10 | 0.40 | 0.80 |
| 15 | 0.50 | 1.00 |
| 20 | 0.55 | 1.10 |
| 25 | 0.58 | 1.16 |
| 30 | 0.60 | 1.20 |

舷侧结构,包括外板、纵骨和肋骨,其冰载荷计算值对于不同构件和不同部位,所用的计算值也不同。图 3.1.15 所示为舷侧肋骨沿舰长不同部位的冰载荷计算值,载荷方向取为垂直于外板方向,图中 $q_0$ 按式(3.1.20)计算确定

$$q_0 = 9.81K \cdot \sqrt[4]{B\Delta} \qquad (3.1.20)$$

式中   $q_0$——船体艏部、艉部区域每米水线上的冰载荷,kN/m;

     $B$——舰艇最大宽度,m;

     $\Delta$——正常排水量,t;

     $K$——系数,舰艇正常排水量小于 2 000 t 时,取 0.8;对于 10 000 t 时取 1.0;其中间取 0.9。

舷侧外板和纵骨的均布压力按式(3.1.21)计算确定

$$p = 0.002q \qquad (3.1.21)$$

式中   $p$——均布压力,MPa;

     $q$——按图(3.1.15)确定的冰载荷,kN/m。

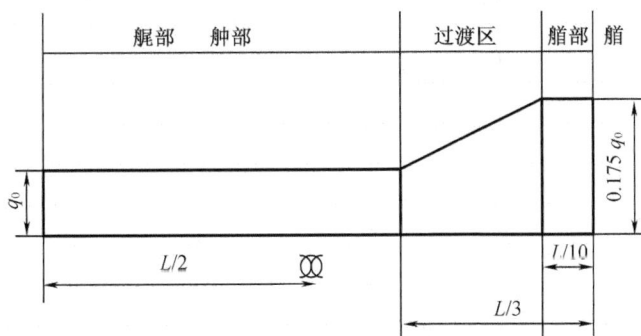

**图 3.1.15 舷侧肋板冰载荷计算值**

6. 甲板上重物或结构的重力、惯性力和风压力计算

当甲板或平台上有较大设备或结构时,必须考虑其重力及其因舰艇摇摆而产生的惯性力对该区域甲板或平台的作用,并用该载荷校核该区域甲板或平台的强度。当较大设备或结构为露天,并有较大乘风面积时,还应考虑风压力的作用。强度计算时,取重力、惯性力和风压力的最大合力,其具体计算方法如下。

(1)计算坐标系

固定于舰艇船体上的坐标系选用直角坐标系,坐标原点 $O$ 位于船体重心,$Ox$ 轴沿舰艇纵向,平行于基线,向艏为正;$Oy$ 轴向右舷为正;$Oz$ 轴向上为正。

(2)重力

考虑到最大计算摇摆角时,重物或结构的惯性力最大,因此重力计算时也取该状态,即横摇和纵摇时,各坐标轴方向上的重力分别按式(3.1.22)和式(3.1.23)计算

横摇

$$\begin{cases} G_x = 0 \\ G_y = G\sin\varphi_{max} \\ G_z = G\cos\varphi_{max} \end{cases} \qquad (3.1.22)$$

纵摇

$$\begin{cases} G_x = G\sin\,\theta_{\max} \\ G_y = 0 \\ G_z = G\cos\,\theta_{\max} \end{cases} \quad (3.1.23)$$

式中　$G$——设备重物或结构重力，N，$G = Mg$；

　　　$M$——质量；

　　　$g$——重力加速度；

　　　$G_x$、$G_y$、$G_z$——重力在坐标轴 $x$、$y$、$z$ 上的投影，N；

　　　$\varphi_{\max}$——最大横摇计算角，rad；

　　　$\theta_{\max}$——最大纵摇计算角，rad。

（3）惯性力

舰艇横摇及纵摇情况下重物或结构的惯性力在坐标轴方向上的分量分别按式（3.1.24）和式（3.1.25）计算

横摇

$$\left. \begin{array}{l} F_x = 0 \\ F_y = \dfrac{4\pi^2 \cdot M}{T_\varphi^2} \cdot (Z \cdot \varphi_{\max} + R) \\ F_z = \dfrac{4\pi^2 \cdot M}{T_\varphi^2} \cdot (Y \cdot \varphi_{\max} + R) \end{array} \right\} \quad (3.1.24)$$

纵摇

$$\left. \begin{array}{l} F_x = \dfrac{4\pi^2 \cdot M}{T_\theta^2} Z \cdot \theta_{\max} \\ F_y = 0 \\ F_z = \dfrac{4\pi^2 \cdot M}{T_\theta^2} \cdot X \cdot \theta_{\max} \end{array} \right\} \quad (3.1.25)$$

式中　$M$——重物或结构的质量，kg；

　　　$T_\varphi$——静水中横摇周期，s；

　　　$T_\theta$——静水中纵摇周期，s；

　　　$X, Y, Z$——重物或结构重心至舰艇重心的距离，m；

　　　$R$——舰艇重心轨迹半径，m。

舰艇重心轨迹半径 $R$ 由下式确定

$$\left. \begin{array}{l} R = 0.039 T_\varphi^2 f(c_1) f(c_2) \\ f(c_1) = \dfrac{\sin\,\pi c_1}{\pi c_1} \\ f(c_2) = \dfrac{1 - e^{-2\pi c_2}}{2\pi c_2} \\ c_1 = \dfrac{0.64B}{T_\varphi^2} \\ c_2 = \dfrac{0.64T}{T_\varphi^2} \end{array} \right\} \quad (3.1.26)$$

式中　$T$——舰艇正常排水量平均吃水，m；

　　　$B$——船宽，m。

（4）风力

规范给出的风力在坐标轴方向上的分量按式（3.1.27）计算

$$
\left.\begin{array}{l}
D_x = P_w \cdot A_{yz} \cdot \cos^2\theta_{max} \\
D_y = P_w \cdot A_{xz} \cdot \cos^2\varphi_{max} \\
D_z = 0
\end{array}\right\}
\tag{3.1.27}
$$

式中 $P_w$——风压力，由安全航行的最大风速决定，kPa；

$A_{yz}$、$A_{xz}$——重物或结构分别在 $YOZ$ 和 $XOZ$ 平面上的投影面积，$m^2$。

7. 其舱壁结构计算载荷

水面舰艇舱室结构设计计算载荷一般考虑船体破损压力水压值，但对于艏部防撞舱壁和液舱舱壁还要分别考虑艏部破损后航行水动压力和液舱水压头（包括空气管高或注入管高）。其中防撞舱壁取破损水压力加上航行水动压力（统一取 13.24 kPa）作为计算载荷，而防撞舱壁的数量，根据舰艇吨位不同分别为：正常排水量小于 1 000 t 时为 1 个舱壁；1 000 ~ 5 000 t 时为 2 个舱壁；大于 5 000 t 时为 3 个舱壁。液舱舱壁计算载荷取破损水压力值和注水管高水压头的较大值。船体破损压力水压值由式（3.1.28）计算

$$
P = 9.81(T - Z + h_B)
\tag{3.1.28}
$$

式中 $P$——破损水压头，kPa；

$T$——舰艇正常排水量吃水，m；

$Z$——所计算构件距基线高度，m；

$h_B$——根据舰艇有无艏楼及艏楼长度不同而确定的不同位置的水线以上附加破损水压头高度，m，并由图 3.1.16 至图 3.1.20 确定，图中 $F_I$ 和 $F_{IV}$ 分别对应舰艇艏艉的干舷高度。

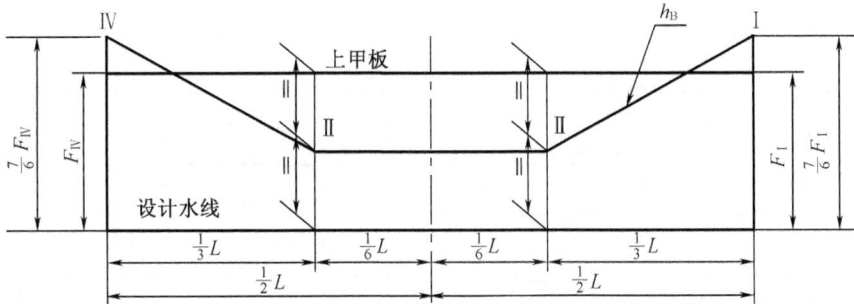

图 3.1.16 无艏楼附加水压头高

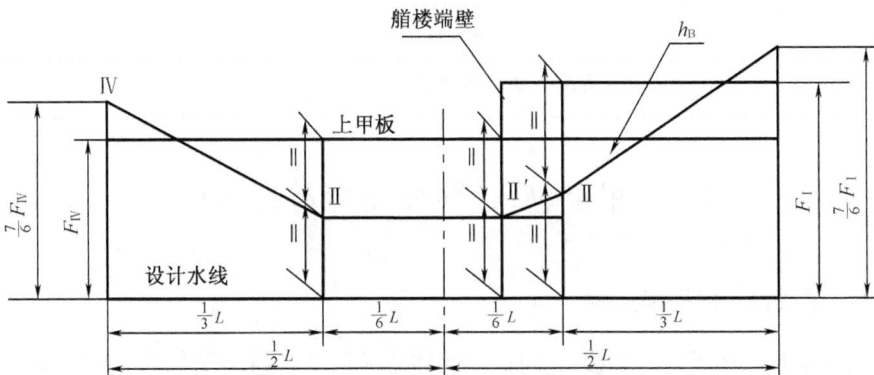

图 3.1.17 艏楼长小于 $\dfrac{1}{3}L$ 附加水压头高

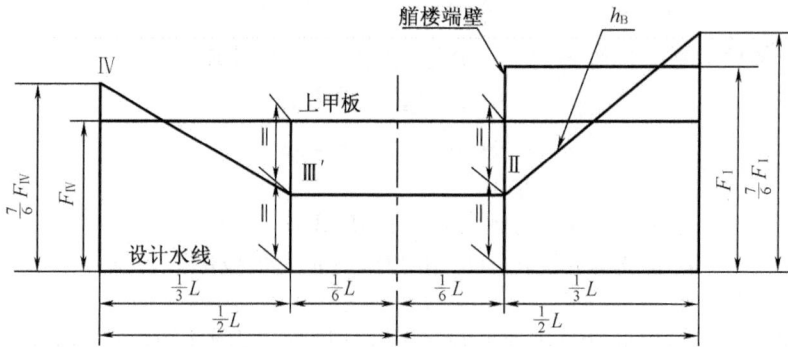

图 3.1.18　艉楼长大于 $\dfrac{1}{3}L$ 小于 $\dfrac{2}{3}L$ 附加水压头高

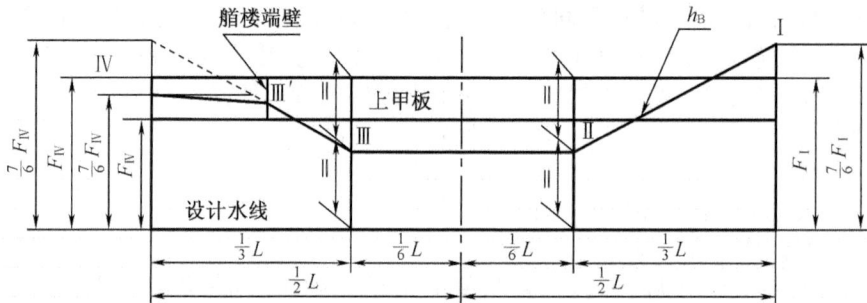

图 3.1.19　艉楼大于 $\dfrac{2}{3}L$ 附加水压头高

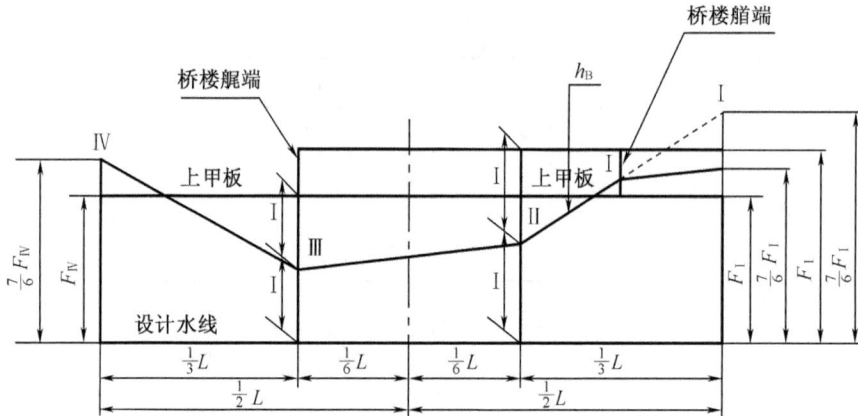

图 3.1.20　桥楼附加水压头高

## 3.2　甲板、底部和舷侧的局部强度

### 3.2.1　甲板板架的局部强度

最上层甲板是船体梁的上翼板,它对保证船体总纵强度起到重要作用,所以又称为强力甲板,对于军船和海船,由于它们所受的外载荷较大,其上甲板多采用纵骨架式结构形式,以提高板的稳定性,由于小型船舶、内河船纵向不易受弯曲应力及受外力较小等原因,上甲板通常采

用结构相对简单的横骨架式结构。下甲板靠近中和轴,主要承受货物等载荷作用下的局部强度,结构形式既可采用纵骨架式,又可采用横骨架式,通常横骨架式结构居多。

无论哪一层甲板都承受均布荷重。上层露天甲板,如不载货则认为承受甲板上浪的水压力,其水头高度可按规范规定计算,露天强力甲板计算水头高度在 1.20～1.25 m 之间,不小于按下式计算值,即

$$h_s = 1.2 + \frac{2}{1\,000}\left( \frac{100 + 3L}{D - d} - 150 \right) \tag{3.2.1}$$

式中　$L$——船长,m;

　　　$D$——型深,m;

　　　$d$——吃水,m。

对于军用舰艇,上甲板、艏艉楼甲板露天部分,由飞溅水作用的计算载荷按下式确定

$$\Lambda = K \frac{L}{\sqrt{H}} \tag{3.2.2}$$

式中　$K = 0.01\left[ 1 + 2\left( \frac{x}{L} \right) + 8\left( \frac{x}{L} \right)^2 \right]$;

　　　$x$——计算剖面距船中的距离,m(向艏为正,向艉为负);

　　　$L$——正常排水量的水线长度,m;

　　　$H$——计算剖面的干舷高度,并需计及艏楼和艉楼高度的影响,m。

对于军船要求,$\Lambda$ 不得小于 4.91 kN/mm²。

**1. 甲板板架的强度计算**

图 3.2.1 所示为一典型的纵骨架式甲板板架,有纵舱壁或在舱口端梁中点设置支柱时,甲板纵桁和舱口端梁的计算可化为图 3.2.1(b)、(c)所示计算模型,其中荷重可化为

$$q_0 = \frac{1}{2}(B_1 + b_1)h \tag{3.2.3}$$

$$q_1 = \frac{1}{2}\left( B_1 + \frac{b_1}{2} \right)h \quad （当纵中剖面有纵舱壁时） \tag{3.2.4}$$

式中　$h$——计算水头高度。

甲板纵桁归结为刚性或弹性固定在横舱壁上,并且有中间弹性支座(舱口端梁)的阶梯形变断面梁的计算。开口区域以外的横梁和开口区域内的半梁对它的支持作用实际上可不予考虑,它们的主要作用是将甲板荷重传递给甲板纵桁。舱口端梁自由支持在舷侧,且由于荷重对称而刚性固定在纵中剖面处。

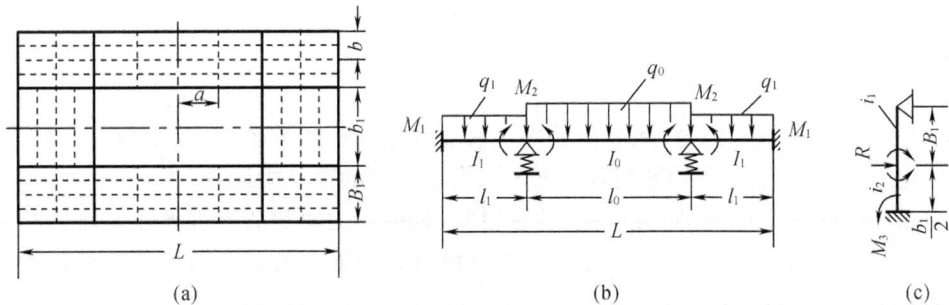

**图 3.2.1　纵骨架式甲板板架简图**

令 $R=1$，可由图 3.2.1（c）的计算模型求得舱口端梁对甲板纵桁的弹性支座的柔性系数 $A=\dfrac{v}{R}=v$。

甲板纵桁的计算可采用五弯矩法。取舱壁处和舱口端梁处剖面弯矩为未知数 $M_1$、$M_2$。求得 $M_1$ 和 $M_2$ 后可按下式计算甲板纵桁跨度中点处的弯矩

$$M=\frac{q_0 l_{02}}{8}-M_2 \qquad (3.2.5)$$

甲板纵桁在跨度中点处的最大挠度为

$$v_{\max}=v+\frac{5}{384}\frac{q_0 l_{04}}{EI_0}-\frac{M_2 l_0^2}{8EI_0} \qquad (3.2.6)$$

式中　$v$——甲板纵桁与舱口端梁交点处的挠度，

$$v=A\left(\frac{q_1 l_1+q_0 l_0}{2}+\frac{M_2-M_1}{l_1}\right) \qquad (3.2.7)$$

舱口端梁的强度应按承受甲板纵桁传来的反力 $R$ 进行计算。反力 $R$ 由下式确定

$$R=\frac{q_1 l_1+q_0 l_0}{2}+\frac{M_2-M_1}{l_1} \qquad (3.2.8)$$

舱口区强横梁的强度可按图 3.2.2 所示图形计算。认为强横梁自由支持在甲板纵桁上并且在一般情况下弹性固定在舷侧上。强横梁在舷侧的弹性固定柔性系数，可按下式确定

$$a=\frac{l_{肋}}{3EI_{肋}} \qquad (3.2.9)$$

式中　$l_{肋}$——与强横梁相连的肋骨的跨度；

　　　　$I_{肋}$——肋骨的剖面惯性矩。

强横梁在弹性固定端的弯矩为

$$M=\frac{qB_1^2}{8}\cdot\frac{1}{1+\dfrac{3aEi}{B_1}} \qquad (3.2.10)$$

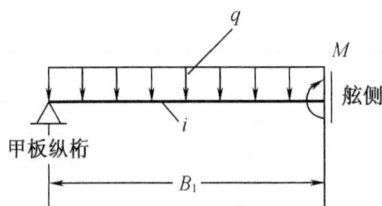

图 3.2.2　舱口强横梁的计算图形

**2. 甲板纵骨的强度计算**

作用在甲板纵骨上的力，除横荷重外还有总纵弯曲产生的轴向力，甲板纵骨视为两端刚性固定在强横梁上，承受均布荷重 $q$ 及轴向力 $T$ 作用的单跨梁计算。

由船舶结构力学中梁的复杂弯曲计算可知，轴向拉力对纵骨弯曲产生有利影响，轴向压力产生不利影响。当 $T$ 为压力时，可求得甲板纵骨的最大弯曲应力发生在制作剖面处，其应力为

$$\sigma=\frac{ql^2}{12W}X^*(u^*) \qquad (3.2.11)$$

式中　$W$——甲板纵骨(包括带板)的剖面模数;

$u^* = \dfrac{1}{2}\sqrt{\dfrac{T}{EI}}$,其中 $I$ 为甲板纵骨(包括带板)的剖面惯性矩;

$X^*(u^*)$——梁的复杂弯曲辅助函数,可在《船舶结构力学》书中附录查得。

考虑到甲板纵骨同时有总纵弯曲应力作用,所以它的局部强度的许用应力一般较小,约为 $50\ \text{N/mm}^2$。

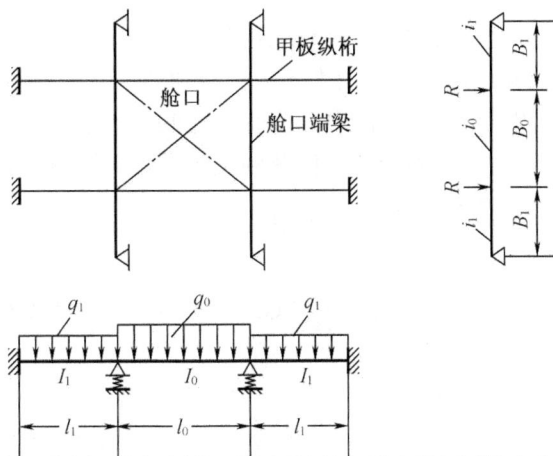

图 3.2.3　无半纵舱壁的甲板板架计算图形

### 3.2.2　舷侧板架的局部强度

舷侧板架参与船体总纵弯曲和舷外水压作用,保证船体总纵强度和舷外水压作用下的局部强度,此外在水线附近出现腐蚀状况时,可对相应位置的舷侧板进行加厚处理。军船和海船舷侧板架可采用横骨架式、纵骨架式的混合形式,但为与底部板架结构一致,常采用纵骨架式,而小船及内河船多采用横骨架式舷侧结构。

1. 舷侧外板的强度计算

作用在舷侧外板上的静水压力呈三角形或梯形分布,在舷列板上缘最大。由于水线附近的外板承受较大的波浪冲击且腐蚀比较严重,加之易遭受碰撞等意外荷重,故在计算舷侧外板局部强度时把荷重取为均布的(图 3.2.5),并以舷列板上缘的水压力作为计算荷重。

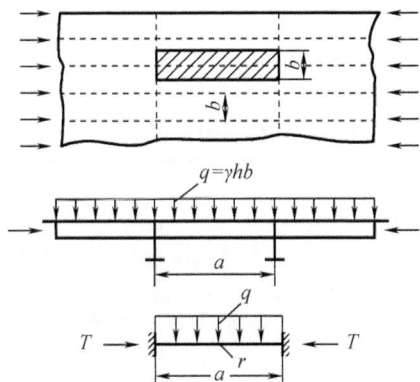

图 3.2.4　甲板纵骨的计算图形

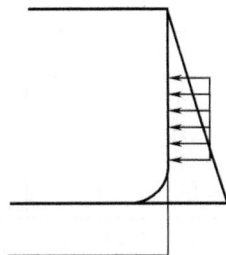

图 3.2.5　舷侧外板载荷

由于结构对称,荷重对称,计算时把舷侧外板作为刚性固定在支持周界上,因此可利用式(3.2.12)至式(3.2.16)计算。

为了提高舷侧顶列板的工作能力,应保证它在船体总纵弯曲正应力和剪应力联合作用下不发生破坏,同时按相当应力进行校核,其值不应超过材料的屈服极限 $\sigma_r$,即

$$\sigma^* = \sqrt{\sigma^2 + 3\tau^2} \leqslant \sigma_r \tag{3.2.12}$$

**2. 舷侧板架计算**

从舷侧板架的功能和受力特点看,采用横骨架式为宜。因为横骨架式舷侧板架对建造工艺、舱容扩大及防碰撞和传递垂向作用力等都是有利的。一般货船多采用在舱壁之间设置数根强肋骨和一根舷侧纵桁的交替肋骨的横骨架式舷侧甲板。

图3.2.6所示为具有三根强肋骨和一根舷侧纵桁的板架计算图形,其舷侧纵桁可归结为弹性基础梁,承受荷重 $q = \dfrac{\beta}{\gamma}\dfrac{Q}{s}$ 及三个集中力 $P_1$、$P_2$、$P_3$。其中 $\beta$ 与 $\gamma$ 为肋骨的影响系数,假如肋骨两端为刚性固定,则 $\gamma = \dfrac{1}{192}$,$\beta = \dfrac{1}{384}$。力 $P_1$ 和 $P_2$ 的数值由下式确定

$$\left.\begin{array}{l} P_1 = k_1 Q \\ P_2 = k_2 Q \end{array}\right\} \tag{3.2.13}$$

式中 $k_1$、$k_2$——系数,具有三根强肋骨和一根舷侧纵桁的船侧板架系数($L_n = 16s$;$x_1 = x_2 = 1$)由表3.2.1查得,其中 $u$ 为弹性基础梁的模数,其值为

$$u = \sqrt[4]{\dfrac{i}{64\gamma} \dfrac{L_n}{s} \left(\dfrac{L_n}{l}\right)^3 \dfrac{J}{J_1}} \tag{3.2.14}$$

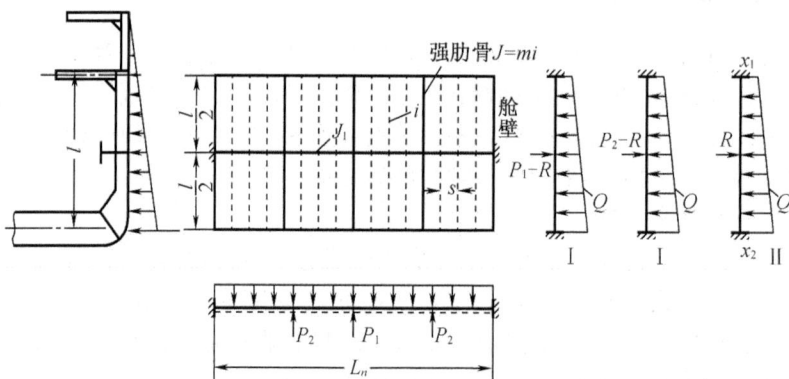

**图3.2.6 舷侧板架计算图形**

**表3.2.1 具有三根强肋骨和一根舷侧纵桁的船侧板架系数**

| $m$ | $m = 3$ | | $m = 5$ | | $m = 11$ | | $m = 21$ | |
|------|---------|---------|---------|-------|----------|-------|----------|-------|
| | $k_1 = \dfrac{P_1}{Q}$ | $k_2 = \dfrac{P_2}{Q}$ | $k_1$ | $k_2$ | $k_1$ | $k_2$ | $k_1$ | $k_2$ |
| 1.00 | 0.14 | 0.06 | 0.26 | 0.15 | 0.57 | 0.32 | 0.94 | 0.53 |
| 1.25 | 0.27 | 0.16 | 0.50 | 0.28 | 0.96 | 0.55 | 1.38 | 0.82 |
| 1.50 | 0.42 | 0.24 | 0.74 | 0.42 | 1.26 | 0.75 | 1.67 | 1.02 |

表 3.2.1(续)

| $m$ | $m=3$ | | $m=5$ | | $m=11$ | | $m=21$ | |
|---|---|---|---|---|---|---|---|---|
| | $k_1=\dfrac{P_1}{Q}$ | $k_2=\dfrac{P_2}{Q}$ | $k_1$ | $k_2$ | $k_1$ | $k_2$ | $k_1$ | $k_2$ |
| 1.75 | 0.54 | 0.32 | 0.69 | 0.54 | 1.42 | 0.91 | 1.75 | 1.20 |
| 2.00 | 0.63 | 0.39 | 1.00 | 0.63 | 1.51 | 1.03 | 1.77 | 1.33 |
| 2.25 | 0.68 | 0.44 | 1.05 | 0.70 | 1.53 | 1.10 | 1.77 | 1.39 |
| 2.50 | 0.71 | 0.48 | 1.07 | 0.76 | 1.52 | 1.19 | 1.73 | 1.49 |
| 2.75 | 0.72 | 0.52 | 1.07 | 0.81 | 1.49 | 1.24 | 1.70 | 1.52 |
| 3.00 | 0.72 | 0.55 | 1.06 | 0.85 | 1.48 | 1.28 | 1.70 | 1.55 |
| 3.50 | 0.69 | 0.59 | 1.01 | 0.89 | 1.42 | 1.31 | 1.62 | 1.54 |

强肋骨Ⅰ、Ⅱ与舷侧纵桁交点处的挠度按下式确定

$$\left.\begin{array}{l} v_1 = \gamma \dfrac{P_1 l^3}{(m-1)Ei} \\[2mm] v_2 = \gamma \dfrac{P_2 l^3}{(m-1)Ei} \end{array}\right\} \tag{3.2.15}$$

肋骨Ⅲ按承受的荷重 $Q$ 和反力 $R$ 来计算。$R$ 由下式确定

$$R = \dfrac{\beta}{\gamma}Q - \dfrac{P_1}{m-1} \tag{3.2.16}$$

强肋骨按承受的荷重 $Q$ 及反力 $P_1-R$(旁边强肋骨)和 $P_2-R$(中间强肋骨)来计算。

肋骨也是保证横强度的主要构件。在横强度校核时,通常将货舱中间开口区的肋骨框架进行孤立的钢架计算。由于未考虑纵向构件的影响,计算结果过于保守。对于有强大纵向构件的油船横向强度或有长大货舱开口的船舶横向强度,宜进行立体舱段计算。

### 3.2.3　船底板架的局部强度

船底板架是船体梁的下翼板,承受很大的总纵弯曲应力,此外还承受机器重力、货物重力、压载水及舷外水压力等横向载荷作用,对于航速较高的船舶,底部还会承受很大的冲击力。军船和海船,由于受到的外载荷较大,其底部板架多采用纵骨架式结构形式,以提高板的稳定性。小型船舶、内河船,由于它们纵向不易受弯曲及受外力较小等原因,通常采用横骨架式结构。

在总纵强度校核时,船底纵桁应力要与总纵弯曲应力合成,此时船底板架的计算载荷应取相应的总纵弯曲计算时的载荷状态和波浪位置的水头高度。在局部强度计算时,船底板架计算水头为舷外水压与货物反压力之差值。

1. 船底外板的强度计算

受均布水压力作用的船底板,一般可作为四周刚性固定的刚性板来计算。

对于横骨架式板格(图 3.2.7(a)),若 $\dfrac{l}{s}>2$,则长边中点(2 点)的最大应力(沿船长方向)可按下式计算

$$\sigma_x = 0.5q\left(\frac{s}{t}\right)^2 \tag{3.2.17}$$

板中点(1 点)沿船长方向的应力为

$$\sigma_x = 0.25q\left(\frac{s}{t}\right)^2 \tag{3.2.18}$$

式中　$q$——水压力,N/mm$^2$;

　　　$s$——肋骨间距,mm;

　　　$t$——板厚,mm。

纵骨架式板格(图 3.2.7(b)),若 $\frac{s}{b} > 1.5 \sim 2.0$ 时,可按下式计算。

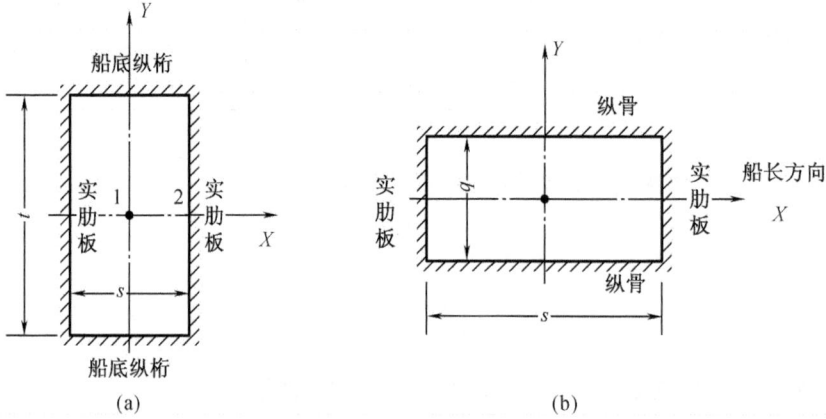

**图 3.2.7　船底外板板格**

(a)横骨架式板格;(b)纵骨架式板格

短边中点沿船长方向的应力

$$\sigma_x = 0.034\,3q\left(\frac{b}{t}\right)^2 \tag{3.2.19}$$

板中点沿船长方向的应力

$$\sigma_l = 0.075q\left(\frac{b}{t}\right)^2 \tag{3.2.20}$$

长边中点沿船宽方向的应力

$$\sigma_b = 0.5q\left(\frac{b}{t}\right)^2 \tag{3.2.21}$$

式中 $b$ 为船底纵骨间距,mm。

船底板的许用应力,在板中点处可取 $[\sigma] = 0.8\sigma_r$,在骨架处 $[\sigma] \leqslant 0.9\sigma_r$($\sigma_r$ 为材料屈服极限)。

2.船底纵骨弯曲应力计算

船底纵骨由肋板支持,由于纵骨在结构上与所承受的载荷对称于肋板,可以把纵骨当作两端固定在肋板上的单跨梁计算,其支座剖面和跨中的弯矩按下式计算

支座弯矩　　　　　　　　　　　$M_0 = \dfrac{qba^2}{12}$ 　　　　　　　　　(3.2.22)

跨中弯矩　　　　　　　　　　　$M_0 = \dfrac{qba^2}{24}$ 　　　　　　　　　(3.2.23)

式中 $a$——纵骨跨距；

$b$——纵骨间距；

$q$——载荷强度，分别取中拱和中垂时的水压力。

纵骨弯曲应力为

$$\sigma_3 = \frac{M}{W} \qquad (3.2.24)$$

式中 $W$ 为纵骨自由翼板或带板的剖面模数，$cm^3$。

3. 船底板架计算

船底一般是由多根交叉构件和很多主向梁组成的板架。对于横骨架式板架，主向梁（实肋板）承受肋板间距范围内的荷重，交叉构件只承受节点反力；对于纵骨架式板架，载荷通过纵骨传给实肋板，交叉构件也只承受节点反力，如图3.2.8所示。

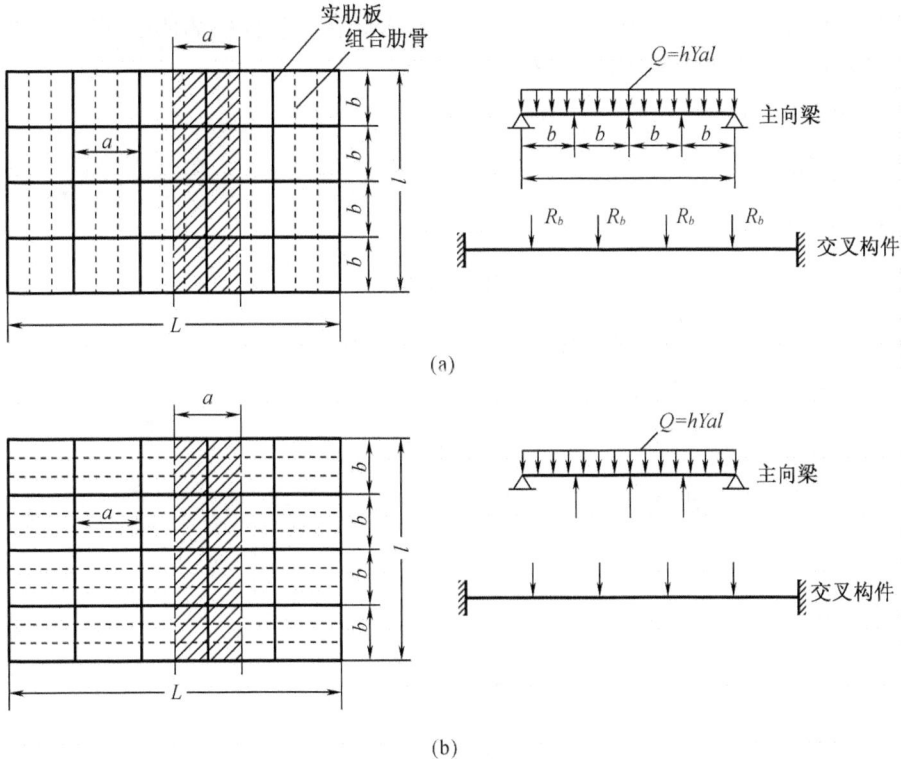

图 3.2.8　船底板架

(a)横骨架式船底板架；(b)纵骨架式船底板架

多根交叉构件板架的计算可采用船舶结构力学中介绍的近似方法——主向梁节点挠度选择法。若构件不等间距、不等截面或某些构件加强，手算就比较困难，往往做些近似简化处理，如采用有限元法计算则不需要任何困难，这些将在后文介绍。

船底板架由于其结构强大，又比强力甲板靠近船体剖面中和轴线，且在船体中拱变形时船底板架不易失稳，其主要矛盾是强度问题。

对于舱长很短的船底板架（例如舱长 $l$ 与板架计算宽度 $B$ 之比小于0.8时），为确定这种板架中桁材的弯曲应力，可将中桁材当作单跨梁处理。现分析如下。

如果把船底板架当作组合板，且认为是各向同性的，则板架中桁材与平板的中央板条梁相当。在表3.2.2中列出了不同边长壁纸时各向同性板的弯矩与板条梁弯矩的比值。

表3.2.2 板的弯矩与板条梁弯矩的比值

| 边界固定情况 | 构件名称 | 剖面位置 | $\dfrac{l}{B}$ | | |
|---|---|---|---|---|---|
| | | | 0.8 | 1.0 | 1.2 |
| 在舱壁处为刚性固定,舷侧处为自由支持 | 中桁材 | 舱壁处 | 0.94 | 0.84 | 0.72 |
| | | 跨度中点 | 0.91 | 0.80 | 0.67 |

从表3.2.2所列数值可知,边长比$\dfrac{l}{B}$越小,弯矩比值越大,亦即将中桁材当作单跨梁处理引起的误差越小,而且是偏于安全方面的误差,因此在初步校核船体强度时,对变长比小于0.8的板架可以采用单跨梁的计算公式,即

支座剖面处弯矩

$$M_0 = \frac{1}{12}Ql \tag{3.2.25}$$

跨长中点处弯矩

$$M_1 = \frac{1}{24}Ql \tag{3.2.26}$$

对于边长比大于或等于0.8的板架,可按下述近似公式计算。

中桁材在与座剖面处的弯矩

$$M_0 = \gamma_1 \frac{Ql}{12} \tag{3.2.27}$$

中桁材在跨长中点处的弯矩

$$M_1 = \gamma_2 \frac{Ql}{24} \tag{3.2.28}$$

中央肋板在中桁材处弯矩

$$M = \gamma_3 \frac{Q_1 B}{8} \tag{3.2.29}$$

式中　$Q$——作用在中桁材上的载荷,$Q = qcl$;

$Q_1$——作用在肋板上的载荷,$Q = qaB$;

$q$——板架的载荷强度;

$c$——纵桁间距;

$l$——纵桁跨度;

$a$——肋板间距;

$B$——肋板跨度;

$\gamma_1$、$\gamma_2$、$\gamma_3$——系数,由板架长宽比$\dfrac{l}{B}$及中桁材与旁桁材的惯性矩之比$\dfrac{I_1}{I_2}$决定,见表3.2.3。

表 3.2.3　板架弯矩系数

| 构件名称 | 剖面位置 | $l/B$ | 0.8 | | 1.0 | | 1.2 | | 1.4 | |
|---|---|---|---|---|---|---|---|---|---|---|
| | | $l_1/l_2$ | 1.0 | 1.2 | 1.0 | 1.2 | 1.0 | 1.2 | 1.0 | 1.2 |
| 中桁材 | 在舱壁处 | $\gamma_1$ | 0.81 | 0.92 | 0.73 | 0.83 | 0.60 | 0.69 | 0.51 | 0.58 |
| | 在跨度中 | $\gamma_2$ | 0.81 | 0.91 | 0.68 | 0.80 | 0.55 | 0.63 | 0.47 | 0.56 |
| 肋板 | 在中桁材处 | $\gamma_3$ | 0.16 | 0.08 | 0.27 | 0.17 | 0.40 | 0.31 | 0.19 | 0.42 |

# 3.3　舱壁的局部强度

舱壁按其布置方向可分为横舱壁和纵舱壁,按其结构形式可分为平面舱壁(由舱壁板和扶强材、桁材等组成)和槽形舱壁(或称皱折舱壁)。

作用在舱壁上的载荷,有垂向于板面的横向荷重和作用在舱壁平面内的力。对于民用船舶,保证破舱后船舶不沉性的主舱壁,其荷重是由计算点量至舱壁甲板的水头高度。对于舰艇,根据有关规则规定,按图 3.3.1 所示的舰艇破损压头线确定作用在主舱壁上的水头高度。图中 $H$ 为干舷高度;$L$ 为水线高度。

艉端防撞舱及紧靠它的一道水密舱壁的计算载荷,还应加上破损后舰艇仍能以 10 kn 航速向前航行时所产生的相当于 1.35 m 水头高度的水动压力。

对于液舱舱壁,若无空气管和注入管,则按相邻舱为空舱,去该舱所装液货产生的静水压力作为舱壁的计算载荷;若设有空气管和注入管,且空气管和注入管的高度高于它们所在液舱的破损高度时,则应按与上述管子的高度相应的水柱压力作为舱壁的计算载荷。

作用在舱壁平面内的力,例如在坞内或下水时由船底板架传来的坞墩反力或下水架反力,应根据船舶进坞或下水计算资料确定。

## 3.3.1　平面舱壁的局部强度

被扶强材支持的舱壁板,由于结构和载荷的对称性变形呈筒形,故舱壁板可按两端固定的板条梁来计算(图 3.3.1)。

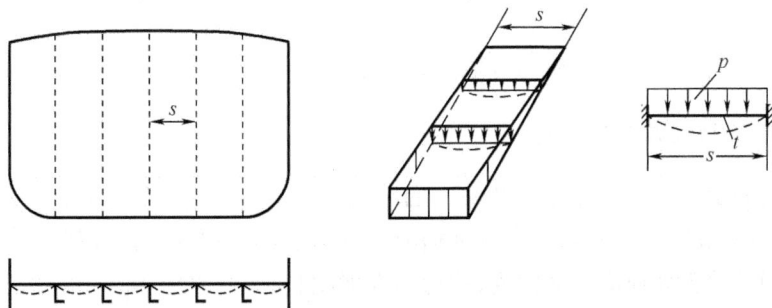

图 3.3.1　平面舱壁板计算图形

两端刚性固定的板条梁的最大应力 $\sigma$ 与水头高度 $h$ 的关系见图 3.3.1。

由图可见,板的跨度与厚度之比 $\mu = \dfrac{s}{t} < 70$ 时,则板的挠度较小,因而中面应力对板的

弯曲影响可忽略不计,应力与载荷成正比关系(图 3.3.2 中直线);若 $\mu > 80$,应计及中面应力对板的弯曲影响,与刚性板相比将使挠度与应力减小。

$\mu < 70$ 的舱壁板,作为刚性板来计算,板条梁跨度中点的弯曲应力为

$$\sigma = \frac{1}{4}p\left(\frac{s}{t}\right)^2 \text{ 或 } \sigma \approx 25h\left(\frac{s}{100t}\right)^2 \tag{3.3.1}$$

式中  $h$——板条梁上的水头高度,m;

$s$——扶强材间距,m。

$\mu > 80$ 的舱壁板应作为柔性板来计算,即要考虑板自身弯曲而产生的中面力的影响。板条梁的周界支撑系数取为 $K = 0.5$。当板条梁端部的应力超过屈服极限时,板跨度中点的应力应取板条梁端部分别为简支($K = 0$)和刚性固定($K = 1.0$)的跨度中点应力的平均值。

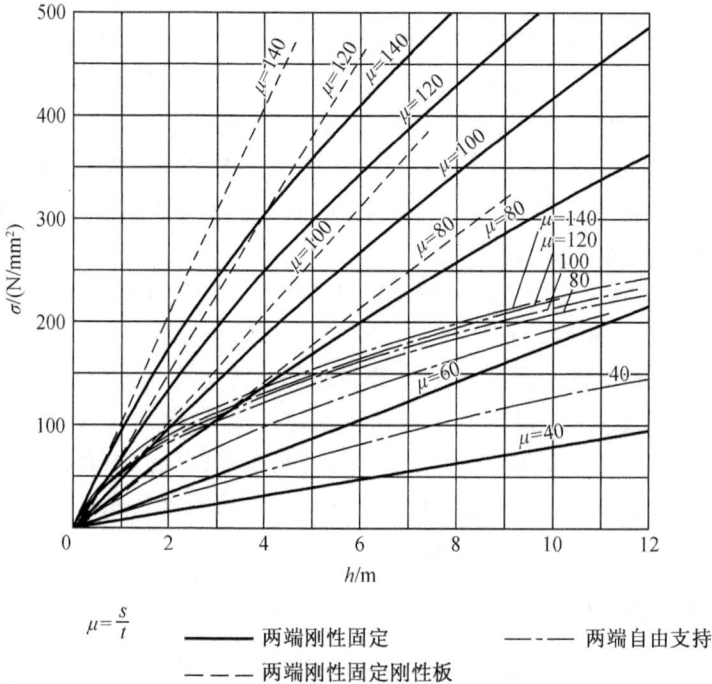

$$\mu = \frac{s}{t}$$

—— 两端刚性固定   — · — 两端自由支持

— — — 两端刚性固定刚性板

**图 3.3.2   板条梁最大应力 $\sigma$ 与水头高度 $h$ 的关系图**

舱壁板在跨度中点的许用应力可取为 $0.8\sigma_r$。

### 3.3.2   槽型舱壁总强度计算

一般分为两步计算槽型舱壁总强度。首先,把槽形舱作为一个整体,计算在横荷重作用下沿纵向和横向的弯曲强度,通常称为槽形舱壁的总强度;其次,计算槽形体的折曲钢板在横荷重作用下的横向局部弯曲强度,称为局部强度。

1.槽型舱壁总体弯曲计算

试验证明,槽型舱壁在横载荷作用下沿横向的弯曲是极微小的,可忽略不计。此外,各槽型体对纵向弯曲的相互影响也可忽略不计,因此槽型舱壁的总强度归结为其单个槽型体的弯曲强度。

槽型舱壁的单个槽型体与平面舱壁的扶强材相当,因此槽型体的弯曲计算与平面舱壁扶强材一样,作为弹性固定的单跨梁或连续梁来计算。在求解超静定方程后,作弯矩图及剪力图,求出整个槽型体内的 $M_{max}$ 和 $N_{max}$,则在槽型体的水平翼板及倾斜版面内相应的最大应力为

$$\left.\begin{array}{c} \sigma_{max} = \dfrac{M_{max}}{W} \\[3mm] \tau_{max} = \dfrac{N_{max}S}{2It} \end{array}\right\} \tag{3.3.2}$$

若最大弯矩产生在跨中,为确定槽型体剖面内的最大纵向应力值,除上述由槽型体总弯矩所产生的应力外,还应计及后述由折曲板局部弯曲所引起的应力,即在校核槽型舱壁总强度时,跨中的总计算应力应按下述公式确定

$$\sigma_{x0} = \sigma_{xmax} + \mu\sigma_{ymax} \tag{3.3.3}$$

式中　$\sigma_{xmax}$ 及 $\sigma_{ymax}$ 按式(3.3.2)及式(3.3.3)确定;

　　　$\mu$——泊松系数。

许用应力,对干货船一般可取 $[\sigma] = 0.8\sigma_r$,$[\sigma] = 0.57[\sigma] = 0.45\sigma_r$。

具有加强桁材时,桁材视为波条的刚性支座,波条作为连续梁计算,桁材只承受反力。

2. 槽形舱壁、舱壁板的弯曲计算

槽型体的折曲钢板间具有相互支持作用,而且槽型体的长宽比 $\left(\dfrac{l}{a}\right)$ 一般大于 2.5,因此折曲钢板槽型舱壁在横荷重作用下的局部弯曲可视为简形面弯曲的连续板条梁来考虑(图3.3.3)。

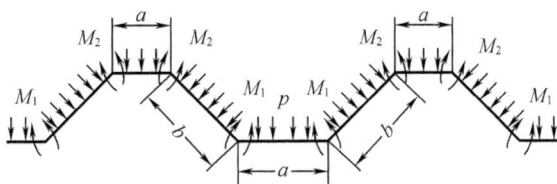

**图 3.3.3　槽型舱壁的横向弯曲**

当 $\dfrac{l}{a} < 70$ 时,可认为折曲板是刚性板,折曲板的相互支持作用为刚性支座,因此可列出连续板条梁的三弯矩方程

$$\left.\begin{array}{l} \dfrac{M_2a}{3EI} + \dfrac{M_2a}{6EI} - \dfrac{pa^3}{24EI} = -\dfrac{M_2b}{3EI} - \dfrac{M_1b}{6EI} + \dfrac{pb^3}{24EI} \\[3mm] \dfrac{M_1b}{3EI} + \dfrac{M_2b}{6EI} - \dfrac{pb^3}{24EI} = -\dfrac{M_2a}{3EI} - \dfrac{M_1a}{6EI} + \dfrac{pa^3}{24EI} \end{array}\right\} \tag{3.3.4}$$

由此可解得槽型体棱边处单位宽度的弯矩

$$M_1 = M_2 = C\dfrac{pb^2}{12} \tag{3.3.5}$$

式中　$C = 1 - \dfrac{a}{b} + \left(\dfrac{a}{b}\right)^2$;

　　　$p$——载荷强度。

当 $\dfrac{l}{a} > 80$ 时,折曲板应视为柔性板,折曲板的相互支持作用为弹性支座。此时,槽型体棱边处的弯矩为

$$M_1 = xC \frac{pb^2}{12} \tag{3.3.6}$$

式中 $x$——考虑板自身弯曲而产生的中面力及槽形体棱边处的弹性位移的影响系数,一般可取 1.3。

所以最大弯曲应力可按下式确定

$$\sigma_{y\max} = \frac{6M_1}{t} \tag{3.3.7}$$

3. 槽型舱壁的稳定性计算

槽型体翼板因槽型本身的弯曲而受到压缩应力作用,因而翼板可能失稳。虽然受压的翼板失稳并不代表槽型体承载能力耗尽,但对油船来说是不允许的。

槽型体翼板的局部稳定性可按矩形板公式计算,即

$$\sigma_{cr} \approx n_1 80 \left( \frac{100l}{a} \right)^2 \tag{3.3.8}$$

式中 $n_1$——修正系数,当 $\dfrac{b}{a} = 0.4 \sim 1.4$ 时,$n_1 = 1.37 \sim 1.24$,计算时可近似取 $n_1 = 1.25$。

在设计中,希望临界应力 $\sigma_{cr}$ 达到材料屈服极限 $\sigma_s$,但在任何情况下不得小于 $0.8\sigma_s$。

# 第 4 章 扭 转 强 度

## 4.1 大开口船舶的特点

甲板上具有长大货舱开口的船舶可以大大提高装卸效率,是近些年来的航运发展主力,集装箱船就是典型的大开口船舶。大开口船舶的主要特点是,舱口宽度已经超过船宽的 80%,有的甚至超过了船宽的 90%,大大超过了普通货船的舱口宽度,严重降低了船舶的抗扭刚度,这使得对大开口船舶而言,由扭转引起的破坏是除总纵弯曲外另一种重要的总体破坏模式。扭转强度的重要性已经上升到与总纵强度同等地位。图 4.1.1 给出了近年来集装箱船的发展趋势,从图中可以清楚地看到集装箱船这种典型大开口船舶的舷侧结构变得越来越薄,为了更好地放置集装箱,舱口宽度显著增加并且取消了甲板纵桁的设置。

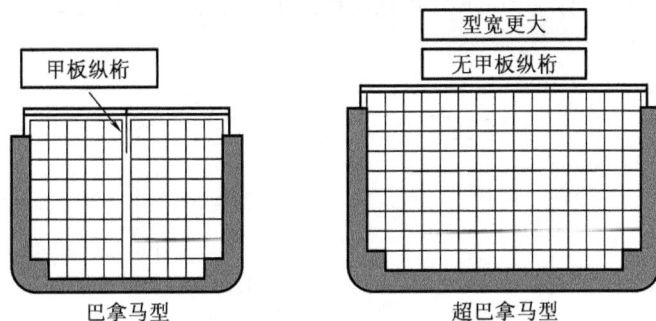

**图 4.1.1 集装箱船发展趋势**

## 4.2 扭转外力的计算

### 4.2.1 船舶在斜浪中航行时引起的扭转力矩

为了计算扭转强度,必须先了解船体扭转产生的原因及作用在船体上的外力。作用在船体上的扭转载荷有很多种,其中最主要的就是船舶在斜浪中航行时所受的波浪扭矩。现简要阐述波浪扭矩的产生机理:当船舶在斜浪中航行时,其两舷吃水是不同的,船舶前半部(图 4.2.1)左舷吃水比右舷大,后半部(图 4.2.2)正好相反;在船舶前半部的浮力 $F$ 作用在距船中剖面线 $e$ 处,由左右两舷吃水差产生的横向力 $H$ 从左舷向右舷作用,后半部相反,因此将会在船中剖面处产生绕船体扭转中心轴的力矩作用——扭矩。

对普通船型而言,扭转中心通常接近剖面形心 $G$,横向力 $H$ 的作用点与 $G$ 十分靠近,由 $H$ 产生的力矩很小,可忽略不计。然而对于大开口船舶,其剖面的扭转中心一般在基线以下,偏离剖面形心 $G$ 相当远,因此必须考虑由横向力引起的扭矩。

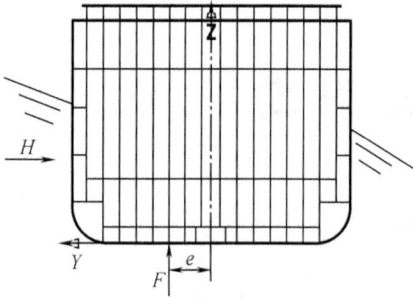

图 4.2.1　船体前半部吃水图　　　　图 4.2.2　船体后半部吃水图

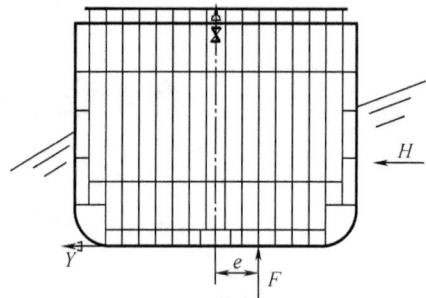

下面讨论由艏艉部分浮力引起的扭矩。

距艉端为 $x$ 的剖面处,取 $dx$ 微段,设船体单位长度的重力为 $w$,单位长度的浮力为 $F$,在微段剖面上作用的重力为 $wdx$,浮力为 $vdx$,见图 4.2.3。重力与浮力作用点之间的距离为 $e$,在一般情况下 $w \neq v$,因此在微段上作用有 $(w-v)dx$ 力及 $vedx$ 力矩作用,力和力矩是沿船长方向分布载荷,船体在 $w-v$ 分布载荷作用下产生总纵弯曲力矩 $M$,在 $ve$ 分布力矩作用下产生扭矩 $T$。

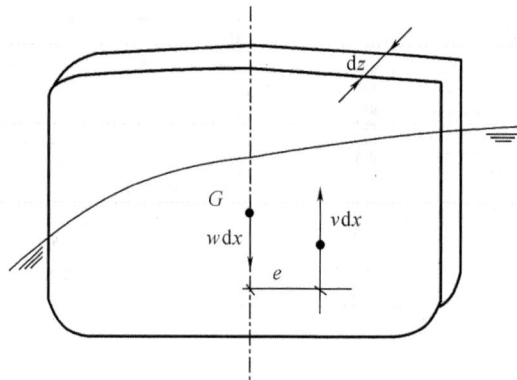

图 4.2.3　船体首尾浮力产生的扭矩

设单位长度的分布力矩为 $c$

$$c = ve \tag{4.2.1}$$

式中 $e$ 与船体各剖面形状有关。

距艉端为 $x$ 的剖面处的扭矩 $T(x)$ 为这个剖面到艉端的全部分布力矩的总和,即

$$T(x) = \int_0^x c\,dx \tag{4.2.2}$$

由于船舶首尾为自由端,即满足 $x=0$,$x=L$ 时 $T=0$ 的条件,所以

$$\int_0^L c\,dx = 0 \tag{4.2.3}$$

由式(4.2.2)得

$$c = \frac{dT(x)}{dx} \tag{4.2.4}$$

对于具有大开口的船舶,除了船体浮力左右不均引起的扭矩外,还必须考虑横向力引起的扭矩。大开口的船体剖面形心通常在基线以下,偏离形心很远,因此横向力 $H$ 引起的

扭矩不能忽略。

船舶在斜浪中左、右舷吃水不同,其压力差引起横向力。设单位长度的横向力 $h$ 对扭心的力矩为

$$c_1 = he_1 \tag{4.2.5}$$

式中  $e_1$——横向力 $h$ 到扭心的距离。

在船舶尾部与首部分布力矩 $c_1$ 的符号相反,$c_1$ 积分曲线即为横向力引起的扭矩。

$$T_1(x) = \int_0^x c_1 \mathrm{d}x \tag{4.2.6}$$

斜浪中的总扭矩为上述 $V$ 和 $H$ 引起的扭矩之和。船体扭矩的产生,除了斜浪航行的扭矩外,还有其他种种原因:船体重力分布不对称,风和其他因素引起的船舶横倾时的倾斜力矩,船体摇摆时的惯性力等。作用在船体上的总扭矩应该是这些扭矩的合成。

## 4.3  等直薄壁梁扭转理论

### 4.3.1  等断面直杆的圣维南扭转

圣维南扭转是指一等断面直杆两端仅受扭矩作用(图4.3.1),并不受其他任何约束,杆在扭转时可以自由变形。

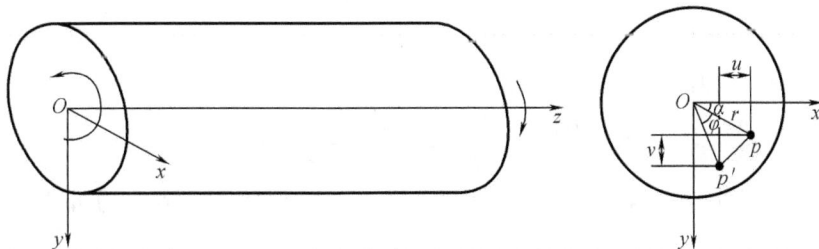

**图 4.3.1  圣维南扭转示意图**

1. 位移分量

设扭转时断面如刚体般转动,并设坐标原点在扭转中心,于是可得杆件任意断面上任意点 $P(x,y)$ 的位移分量为

$$u = -\overline{pp'}\sin\alpha = -r\varphi\frac{y}{r} = -\varphi y \tag{4.3.1}$$

$$v = \overline{pp'}\cos\alpha = r\varphi\frac{x}{r} = \varphi x \tag{4.3.2}$$

式中  $\varphi$——相对于左断面($z=0$)的扭角,$\varphi = \varphi(z)$。

在圣维南扭转中认为单位长度的扭角(扭率)$\varphi' = \dfrac{\mathrm{d}\varphi}{\mathrm{d}z}$ 为常数,故 $\varphi = \varphi'z$,于是

$$u = -\varphi'zy, v = \varphi'zx \tag{4.3.3}$$

杆件 $z$ 方向的位移分量(翘曲)可写成

$$\omega = \varphi'F(x,y) \tag{4.3.4}$$

式中 $F(x,y)$ 代表 $\varphi' = 1$ 时的翘曲,称为翘曲函数。

2. 应变分量

杆内的应变分量为

$$
\left.
\begin{aligned}
\varepsilon_x &= \frac{\partial u}{\partial x} = 0 \\[4pt]
\varepsilon_y &= \frac{\partial v}{\partial y} = 0 \\[4pt]
\varepsilon_z &= \frac{\partial \omega}{\partial z} = 0 \\[4pt]
\gamma_{xy} &= \frac{\partial u}{\partial y} + \frac{\partial v}{\partial x} = 0 \\[4pt]
\gamma_{xz} &= \frac{\partial u}{\partial z} + \frac{\partial \omega}{\partial x} = -\varphi' y + \varphi' \frac{\partial F}{\partial x} = \varphi' \left( \frac{\partial F}{\partial x} - y \right) \\[4pt]
\gamma_{yz} &= \frac{\partial v}{\partial z} + \frac{\partial \omega}{\partial y} = \varphi' x + \varphi' \frac{\partial F}{\partial y} = \varphi' \left( \frac{\partial F}{\partial y} + x \right)
\end{aligned}
\right\}
\tag{4.3.5}
$$

3. 应力分量

杆内的应力分量为

$$
\left.
\begin{aligned}
\sigma_x = \sigma_y = \sigma_z = \tau_{xy} &= 0 \\[4pt]
\tau_{xz} = G\gamma_{xz} &= G\varphi' \left( \frac{\partial F}{\partial x} - y \right) \\[4pt]
\tau_{yz} = G\gamma_{yz} &= G\varphi' \left( \frac{\partial F}{\partial y} + x \right)
\end{aligned}
\right\}
\tag{4.3.6}
$$

4. 静力平衡方程式

在不计体积力的情况下,有以下静力平衡方程式

$$
\frac{\partial \tau_{xz}}{\partial z} = 0, \ \frac{\partial \tau_{yz}}{\partial z} = 0, \ \frac{\partial \tau_{xz}}{\partial x} + \frac{\partial \tau_{yz}}{\partial y} = 0
\tag{4.3.7}
$$

将式(4.3.6)代入式(4.3.7)后,得到关于 $F(x,y)$ 的拉普拉斯微分方程式

$$
\frac{\partial^2 F}{\partial x^2} + \frac{\partial^2 F}{\partial y^2} = \nabla^2 F = 0
\tag{4.3.8}
$$

在断面的边界上,剪应力必须沿切线方向,由此可得 $F(x,y)$ 在边界上应满足

$$
\left( \frac{\partial F}{\partial y} + x \right) \mathrm{d}x - \left( \frac{\partial F}{\partial x} - y \right) \mathrm{d}y
\tag{4.3.9}
$$

式(4.3.8)和式(4.3.9)为单位翘曲函数 $F$ 应满足的方程及边界条件。

5. 应力函数

圣维南扭转问题可引入应力函数 $\Phi(x,y)$ 来求解,应力函数满足

$$
\tau_{xz} = \frac{\partial \Phi}{\partial y}, \quad \tau_{yz} = -\frac{\partial \Phi}{\partial x}
\tag{4.3.10}
$$

这样静力平衡方程式(4.3.7)恒满足,再利用式(4.3.6)得到

$$
G\varphi' \left( \frac{\partial F}{\partial x} - y \right) = \frac{\partial \Phi}{\partial y}, \ G\varphi' \left( \frac{\partial F}{\partial y} + x \right) = -\frac{\partial \Phi}{\partial x}
\tag{4.3.11}
$$

由此得到关于 $\Phi(x,y)$ 的泊松微分方程式

$$
\frac{\partial^2 \Phi}{\partial x^2} + \frac{\partial^2 \Phi}{\partial y^2} = -2G\varphi' = 常数
\tag{4.3.12}
$$

将式(4.3.11)代入式(4.3.9)中,则在断面边界上有

$$\frac{\partial \Phi}{\partial x}dx + \frac{\partial \Phi}{\partial y}dy = d\Phi = 0 \qquad (4.3.13)$$

从而可知在断面边界上 $\Phi$ 为常数,并且 $\Phi = 0$ 不会影响剪应力 $\tau_{xz}$ 与 $\tau_{yz}$ 的结果,因此应力函数 $\Phi(x,y)$ 应满足式(4.3.12)和在边界上等于零的条件。

6.扭矩及扭转常数

断面上剪应力合成扭矩如图4.3.2所示,故有

$$M = \int_A (\tau_{yz}x - \tau_{xz}y)dA = G\varphi' \int_A \left[\left(\frac{\partial F}{\partial y} + x\right)x - \left(\frac{\partial F}{\partial x} - y\right)y\right]dA = GJ\varphi' \quad (4.3.14)$$

式中 $J$ 为扭转惯性矩(扭转常数),定义为

$$J = \int_A \left[\left(\frac{\partial F}{\partial y} + x\right)x - \left(\frac{\partial F}{\partial x} - y\right)y\right]dA \qquad (4.3.15)$$

$GJ$ 则称为抗扭刚度。

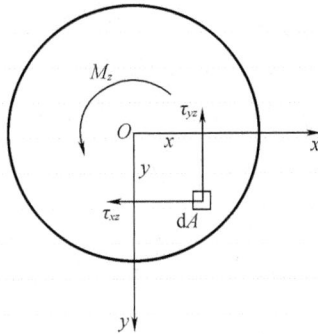

**图4.3.2 断面力的示意图**

另一方面剪应力用应力函数表示时则有

$$M = \int_A (\tau_{yz}x - \tau_{xz}y)dA = -\int_A \left(\frac{\partial \Phi}{\partial x}x + \frac{\partial \Phi}{\partial y}y\right)dA \qquad (4.3.16)$$

上式用分部积分法计算可得

$$\int_A \left(\frac{\partial \Phi}{\partial x}x + \frac{\partial \Phi}{\partial y}y\right)dA = -2\int_A \Phi dA \qquad (4.3.17)$$

与式(4.3.14)比较可得

$$GJ = \frac{2}{\varphi'}\int_A \Phi dA \qquad (4.3.18)$$

综上所述,求解圣维南扭转问题时,可以先选取应力函数 $\Phi(x,y)$,再求出扭率 $\varphi'$,并由式(4.3.10)求出剪应力 $\tau_{xz}$ 与 $\tau_{yz}$,由式(4.3.3)求出位移 $u$ 与 $v$,最后由式(4.3.11)求出单位翘曲函数 $F(x,y)$,并由式(4.3.4)求出翘曲 $\omega$。

**4.3.2 开口薄壁杆件的自由扭转**

开口薄壁杆件自由扭转的计算是建立在狭长矩形断面直杆自由扭转计算原理的基础之上的,但在应用时需引入薄壁杆件扭转理论中的一个最基本的假定——符拉索夫的刚周边假定。这个假定的内容是:在小变形情况下,可以认为杆件扭转后断面在其原来平面上的投影形状与原断面形状相同。图4.3.3所示为工字梁断面,扭转后断面的投影仍为工字形,实践证明刚周边假定是可用的。

根据刚周边假定,开口薄壁杆件扭转是断面如刚体般转动,其各个组成部分的扭角都相同,因此,开口薄壁断面的位移分量 $u$、$v$ 仍可以用式(4.3.3)的形式。

现在推导断面扭转惯性矩的公式。以图4.3.3所示的工字断面为例,可把它看成由三个狭长矩形断面所组成,并设 $H_1$、$t_1$、$H_2$、$t_2$、$H_3$、$t_3$ 分别代表三个狭长断面的长度和壁厚。根据刚周边假定,每一狭长断面的扭率都应相同,即

$$\varphi_1' = \varphi_2' = \varphi_3' = \varphi' \tag{4.3.19}$$

或

$$\frac{M_{z1}}{GJ_1} = \frac{M_{z2}}{GJ_2} = \frac{M_{z3}}{GJ_3} = \frac{M_z}{GJ} \tag{4.3.20}$$

上两式中,$\varphi'$ 为整个工字断面的扭率;$J_1 = \frac{1}{3}H_1 t_1^3$,$J_2 = \frac{1}{3}H_2 t_2^3$;$J_3 = \frac{1}{3}H_3 t_3^3$ 分别为三个狭长矩形断面的扭转惯性矩;$J$ 为整个工字断面的扭转惯性矩;$M_{z1}$、$M_{z2}$、$M_{z3}$ 分别为作用于三个狭长矩形断面上的扭矩;$M_z$ 为作用在整个工字断面上的扭矩,显然应有

$$M_z = M_{z1} + M_{z2} + M_{z3} \tag{4.3.21}$$

联立式(4.3.20)和式(4.3.21)不难求得整个工字断面的扭转惯性矩为

$$J = J_1 + J_2 + J_3 = \frac{1}{3}H_1 t_1^3 + \frac{1}{3}H_2 t_2^3 + \frac{1}{3}H_3 t_3^3 \tag{4.3.22}$$

由此可见整个工字断面的扭转惯性矩等于组成断面的各狭长矩形断面的扭转惯性矩之和。

这个结论可以推广到一般情况,即由 $n$ 个狭长矩形断面组成的开口薄壁断面的扭转惯性矩可用叠加法求得,公式为

$$J = \frac{1}{3}\sum_{i=1}^{n} H_i t_i^3 \tag{4.3.23}$$

更一般的,开口薄壁断面若是任意曲线形状的,则有

$$J = \frac{1}{3}\int_c t^3 \mathrm{d}s \tag{4.3.24}$$

式中 $\int_c \mathrm{d}s$ ——沿 $s$ 坐标在整个断面上的积分;

$c$——断面的边界曲线。

以上公式告诉我们,开口薄壁断面的扭转惯性矩与壁厚的三次方成比例,因此壁厚的大小对扭转刚度的影响甚为显著。也就是说,开口薄壁杆件的壁厚越小,它的抗扭能力越差;反之壁厚增加,抗扭能力就大大增加。

扭率与扭矩之间的关系仍为

$$\varphi' = \frac{M_z}{GJ} \tag{4.3.25}$$

断面的剪力 $\tau_s$ 与狭长矩形断面的情况一样,沿壁厚为线性分布,在中心线处为零,在断面周界上最大,剪应力的最大值用 $(\tau_s)_{\max}$ 表示,其值为

$$(\tau_s)_{\max} = \frac{M_z t}{J} \tag{4.3.26}$$

图4.3.3表示了一个开口薄壁断面在自由扭转时剪应力分布情形。

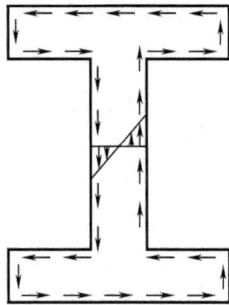

**图4.3.3　工字断面及其剪应力分布**

### 4.3.3　闭口薄壁杆件的自由扭转

闭口薄壁杆件在自由扭转时,也可以认为断面中的剪应力沿壁厚均匀分布,因此剪应力断面形成剪流,这个剪流称为布雷特(Bredt)剪流,记为

$$\hat{f}_B = \tau_B t \tag{4.3.27}$$

式中相应的剪应力 $\tau_B$ 称为布雷特剪应力。

1. 单闭室断面

考虑一等断面的单闭室薄壁杆件,两端是扭矩 $M_z$ 作用而发生扭转(图4.3.4)。在杆件中取出 $dsdz$ 的一微块,其静力平衡条件为

$$\frac{\partial \hat{f}_B}{\partial z}dz = 0 \tag{4.3.28}$$

$$\frac{\partial \hat{f}_B}{\partial s}ds = 0 \tag{4.3.29}$$

由此可得 $\hat{f}_B$ 为一常数。这表示,闭口薄壁杆件在自由扭转时,断面上任意点的剪流即剪应力与壁厚的乘积始终不变。据此,最大剪应力将发生在壁厚最小的地方,最小剪应力将发生在壁厚最大的地方。

断面上剪流对任意一点的力矩等于扭矩,若将剪流对形心取矩(图4.3.4),则有

$$\oint \hat{f}_B h ds = \hat{f}_B \oint h ds = 2\hat{A}\hat{f}_B = M_z \tag{4.3.30}$$

于是得

$$\hat{f}_B = \frac{M_z}{2A} \tag{4.3.31}$$

这就是单闭室薄壁杆件自由扭转时的剪流计算公式,称为布雷特第一公式。

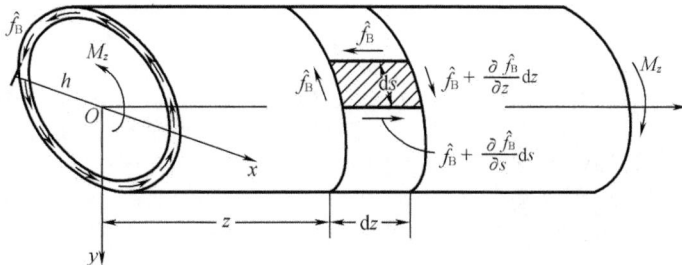

**图4.3.4　等断面单闭室薄壁杆件受扭示意图**

断面扭转惯性矩的计算要用到一个联系扭角与剪应力的"环流方程式",此方程式可用弹性力学中的能量原理导得,现在就用"单位力法"推导如下。

将图 4.3.5(a)中两端受扭矩 $M_z$ 作用的闭口薄壁杆件称为第一状态,同一杆件两端受单位扭矩作用时称为第二状态(图 4.3.5(b)),第二状态的外力(单位扭矩)对第一状态的变形(扭角)的功 $1 \times \varphi$ 应等于第二状态的内力对第一状态的应变的功(应变能)。

在杆中取 $dsdz$ 的微块,它的应变能为 $\tau^0 t ds \gamma dz$,整个杆件的应变能可通过积分得到,即 $\int_0^l \oint \tau^0 t ds \gamma dz$。式中 $\tau^0 = \dfrac{1}{2\hat{A}t}$ 为第二状态的剪应力;$\gamma = \dfrac{\tau_B}{G}$ 为第一状态中的剪应变,所以

$$\int_0^l \oint \tau^0 t ds \gamma dz = \int_0^l \oint \frac{\tau_B}{2\hat{A}G} ds dz = \frac{l}{2\hat{A}G} \oint \tau_B ds \qquad (4.3.32)$$

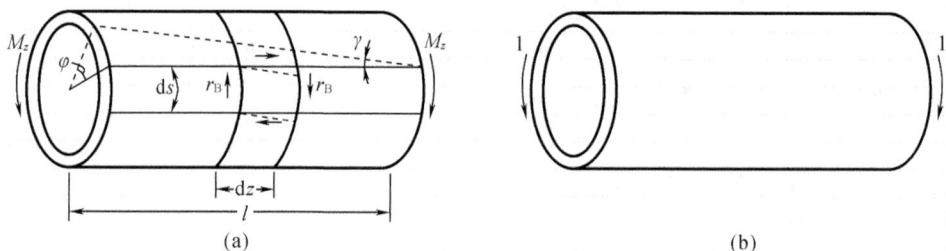

**图 4.3.5 闭口薄壁杆件的状态**

(a)第一状态;(b)第二状态

于是得

$$1 \times \varphi = \frac{l}{2\hat{A}G} \oint \tau_B ds \qquad (4.3.33)$$

或

$$\varphi' = \frac{\varphi}{l} = \frac{l}{2\hat{A}G} \oint \tau_B ds = \frac{l}{2\hat{A}G} \oint \frac{\hat{f}_B}{t} ds \qquad (4.3.34)$$

此式即为环流方程式。

将式(4.3.33)代入后得单闭室薄壁杆件自由扭转的扭率为

$$\varphi' = \frac{l}{2\hat{A}G} \oint \frac{M_z}{2\hat{A}t} ds = \frac{M_z}{4\hat{A}^2 G} \oint \frac{ds}{t} \qquad (4.3.35)$$

由 $\varphi' = \dfrac{M_z}{GJ}$ 可知扭转惯性矩为

$$J = \frac{4\hat{A}^2}{\oint \dfrac{ds}{t}} \qquad (4.3.36)$$

上式称为布雷特第二公式。

现引入扭转函数 $\Psi$,定义为

$$\Psi = \frac{\hat{f}_B}{G\varphi'} \qquad (4.3.37)$$

对单闭室断面,将式(4.3.33)和式(4.3.35)代入上式后可得

$$\Psi = \frac{2\hat{A}}{\oint \dfrac{\mathrm{d}s}{t}} \tag{4.3.38}$$

由此可见,$\Psi$ 是一个由断面的几何形状决定的量,多闭室断面的情况亦如此,利用扭转函数,闭口断面的剪应力计算公式还可以写成

$$\tau_{\mathrm{B}} = \frac{\hat{f}_{\mathrm{B}}}{t} = G\varphi' \frac{\Psi}{t} = \frac{M_z}{J} \frac{\Psi}{t} \tag{4.3.39}$$

2. 多闭室断面

多闭室断面的薄壁杆件在扭矩 $M_z$ 作用下发生自由扭转时,断面每一闭室上的剪流仍为常数,而公共壁上的剪流则由相邻两闭室的常剪流叠加而成。如图 4.3.6 中的双闭室断面,第一室中的剪流和第二室中的剪流均为常剪流,在公共壁 CF 上的剪流为(方向按第一室,即在公共壁 CF 上向上为正)

$$\hat{f}_{\mathrm{CF}} = \hat{f}_1 - \hat{f}_2 \tag{4.3.40}$$

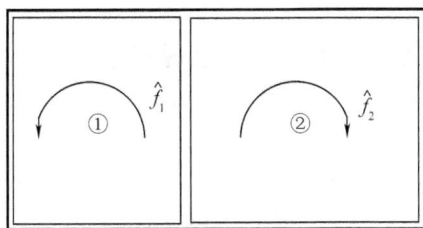

**图 4.3.6　双闭室断面**

求解多闭室薄壁杆件自由扭转的方法是,分别对每一闭室列出布雷特公式,并使作用在各室上的扭矩之和等于作用在整个断面上的扭矩 $M_z$,再利用环流方程式列出各室的扭率式,根据刚周边假定,令各室的扭率均相同,从而得到补充方程用来求解剪流和扭矩,最后利用 $\varphi' = \dfrac{M_z}{GJ}$ 关系式得到扭转惯性矩。

然而混合断面中开口部分对于断面扭转惯性矩的贡献很小,因此可近似地只考虑闭口部分,并不会有太大的误差。例如对具有大舱口、单层舷侧的集装箱船,其断面扭转惯性矩的计算就可以只考虑双层底的闭口部分。

### 4.3.4　开口薄壁杆件的约束扭转

薄壁杆件在扭转时,若由于支座约束或其他原因(如外扭矩沿杆长不均匀分布,非等断面杆件等),使得断面不能自由翘曲,那么杆件就会发生约束扭转,或称为翘曲约束扭转。

由于断面不能自由翘曲,或各个断面的翘曲不相等,杆件单位长度的扭角(扭率)沿杆长不再是一个常量,杆件的纵向纤维将有伸长或缩短,从而在杆件中产生正应力。此正应力在断面上的分布不是均匀的,这就引起了杆件的弯曲。因此,约束扭转有时亦称为弯曲扭转。

随着杆件的弯曲,断面上还将出现弯曲剪应力,称为二次剪应力。这样,薄壁杆件在约束扭转时除了有自由扭转剪应力外,还有二次剪应力。二次剪应力在断面上形成一个附加的扭矩,称为二次扭矩,用 $M_\omega$ 表示。于是,杆件断面的扭矩应为自由扭转扭矩(记为 $M_{\mathrm{f}}$)与

二次扭矩之和,即

$$M_z = M_\omega + M_f \tag{4.3.41}$$

式中自由扭转扭矩 $M_f = GJ\varphi'$。

约束扭转的主要特点是杆件的翘曲受到了约束,因此研究约束扭转问题必须从翘曲着手。开口薄壁杆件自由扭转时断面的翘曲分布仅与断面的几何特征有关,即可将翘曲写成

$$w(s,z) = -\varphi'(z)\omega(s,z) + w_0(z) \tag{4.3.42}$$

通常认为上式表示的翘曲在开口薄壁杆件约束扭转时亦成立,并由此出发导出一系列基本公式和约束扭转的微分方程式。这一做法称为经典的薄壁杆件约束扭转理论。但是式(4.3.42)是在自由扭转的情况下得出的,这时断面上没有二次剪应力存在,而前面指出,在约束扭转时断面上除了自由扭转剪应力外,还有二次剪应力,因此采用式(4.3.42)显然是近似的。然而分析表明,这样引起的误差可以忽略不计,因此在工程实际中是可行的。

对于闭口薄壁杆件的约束扭转,忽略二次剪应力的影响将要引起显著的误差,因此必须对式(4.3.42)做一定的修正。

1. 扇性正应力

在式(4.3.42)成立的假设前提下,约束扭转时杆件的轴向应变为

$$\varepsilon_z = \frac{\partial w}{\partial z} = -\varphi''\omega + w_0' \tag{4.3.43}$$

可以认为杆件在变形时纵向纤维间无挤压,故根据单向虎克定律得正应力为

$$\sigma_z = E\varepsilon_z = -E\varphi''\omega + Ew_0' \tag{4.3.44}$$

当杆件仅受扭矩而发生扭转时,断面上没有纵向力和绕 $x$ 轴、$y$ 轴的力矩,故正应力应满足以下条件

$$\int_A \sigma_z dA = 0, \quad \int_A \sigma_x x dA = 0, \quad \int_A \sigma_z y dA = 0 \tag{4.3.45}$$

将式(4.3.44)代入后得

$$\varphi'' \int_A \omega dA - w_0' A = 0 \tag{4.3.46}$$

$$\varphi'' \int_A \omega x dA - w_0' \int_A x dA = 0 \tag{4.3.47}$$

$$\varphi'' \int_A \omega y dA - w_0' \int_A y dA = 0 \tag{4.3.48}$$

以上在式(4.3.45)中考虑了 $\int_A dA = A$。

先分析式(4.3.46),因为 $w_0(z)$ 是未定的,而断面的扇性零点也未确定,故可以这样来选择扇性零点,令 $w_0'(z) = 0$,于是式(4.3.46)变为

$$\int_A \omega dA = 0 \tag{4.3.49}$$

按上式决定了扇性零点后,由于 $w_0'(z) = 0$,从而正应力 ($\sigma_\omega$) 为

$$\sigma_\omega = -E\varphi''\omega \tag{4.3.50}$$

可见此正应力在断面上的分布取决于扇性坐标,故又称为扇性正应力,或称为翘曲应力。并且,当 $w_0'(z) = 0$ 时,$w_0(z)$ 是常量,代表了杆件轴向的刚性移动,它对扭转变形没有影响,可以忽略不计,这样翘曲公式就可以写成

$$w = -\varphi' w \tag{4.3.51}$$

再看式(4.3.47)和式(4.3.48),由于 $x$ 轴、$y$ 轴为断面的主惯性轴,故有 $\int_A x\mathrm{d}A = \int_A y\mathrm{d}A = 0$。
再定义断面的扇性惯性积为

$$I_{\omega x} = \int_A \omega x\mathrm{d}A, \quad I_{\omega y} = \int_A \omega y\mathrm{d}A \tag{4.3.52}$$

于是,由式(4.3.47)和式(4.3.48)可得

$$I_{\omega x} = \int_A \omega x\mathrm{d}A = 0, \quad I_{\omega y} = \int_A \omega y\mathrm{d}A = 0 \tag{4.3.53}$$

此式可用来确定断面的扭转中心(扇性极点)的位置。

2. 扇性剪应力

和薄壁梁弯曲的情况相同,扇性正应力将引起剪应力,这个剪应力称为扇性剪应力或二次剪应力,此剪应力沿壁厚均匀分布,故可用剪应力流表示,称为扇性剪流或二次剪流。

为导出二次剪流的公式,考虑杆件中 $\mathrm{d}s\mathrm{d}z$ 的微块,如图 4.3.7 所示,此处 $s$ 自开口断面端点算起,并取二次剪应力的正向,现列出 $z$ 方向的静力平衡方程式,有

$$\frac{\partial \sigma_\omega}{\partial z}\mathrm{d}z \cdot t \cdot \mathrm{d}s = -\frac{\partial(\tau_0 t)}{\partial s}\mathrm{d}s \cdot \mathrm{d}z \tag{4.3.54}$$

将式(4.3.50)的扇性正应力 $\sigma_\omega$ 代入后得

$$\frac{\partial(\tau_0 t)}{\partial s} = E\varphi'''\omega t \tag{4.3.55}$$

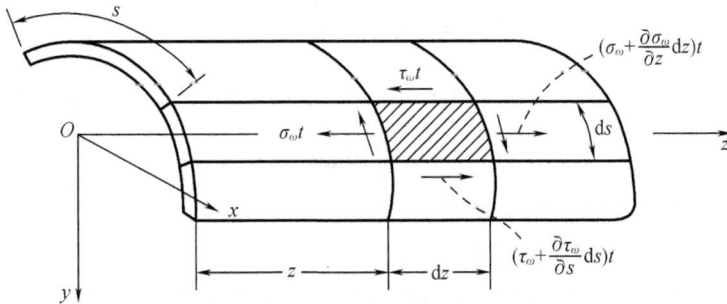

**图 4.3.7　微元块受力示意图**

从而有

$$f_\omega = \tau_\omega t = E\varphi''' \int_0^s \omega t\mathrm{d}s \tag{4.3.56}$$

上式在积分时因开口断面端点无剪应力而不出现积分常数,定义断面上长度为 $s$ 的部分的扇性静矩为

$$S_\omega = \int_0^s \omega t\mathrm{d}s \tag{4.3.57}$$

则式(4.3.56)又可写成

$$f_\omega = \tau_\omega t = E\varphi''' S_\omega \tag{4.3.58}$$

将沿断面壁厚均匀分布的二次剪应力与沿断面壁厚线性分布的自由扭转剪应力相加,即得开口断面在约束扭转时的总剪应力(图 4.3.8)。

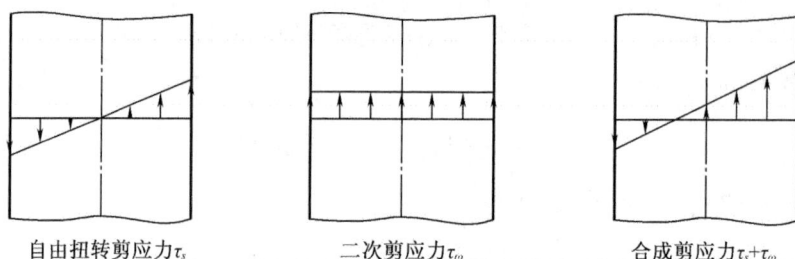

自由扭转剪应力$\tau_s$      二次剪应力$\tau_\omega$      合成剪应力$\tau_s + \tau_\omega$

**图 4.3.8　约束扭转时的剪应力分布示意图**

3. 二次扭矩与双力矩

杆件在约束扭转时，二次剪应力 $\tau_\omega$ 在断面上形成一扭矩，即二次扭矩 $M_\omega$。

$$M_\omega = -EI\varphi''' \tag{4.3.59}$$

二次剪流又可以表示为

$$f_\omega = \tau_\omega t = -\frac{M_\omega S_\omega}{I_\omega} \tag{4.3.60}$$

此式与开口薄壁杆件弯曲时的剪流公式类似，故把 $M_\omega$ 称为 $\tau_\omega$ 的内力或内力素。

类似于二次剪流 $\tau_\omega$ 有其相应的内力 $M_\omega$，杆件断面的扇性正应力 $\sigma_\omega$ 亦有其相应的内力，称为双力矩，用 $B$ 表示，定义为

$$B = \int_A \sigma_\omega \omega \mathrm{d}A = \int_0^{s1} \sigma_\omega \omega t \mathrm{d}s \tag{4.3.61}$$

双力矩可通过计算断面上 $\sigma_\omega$ 对翘曲位移 $\widetilde{w}$ 的虚功来导得，即计算虚功：

$$\int_A \sigma_\omega \widetilde{w} \mathrm{d}A = -\widetilde{\varphi'} \int_A \sigma_\omega \omega \mathrm{d}A = -B\widetilde{\varphi'} \tag{4.3.62}$$

可见双力矩 $B$ 即相应于广义位移 $\varphi'$ 的广义内力。

将式(4.3.50)代入式(4.3.61)得

$$B = -E\varphi'' \int_A \omega^2 \mathrm{d}A = -EI_\omega \varphi'' \tag{4.3.63}$$

从而 $\sigma_\omega$ 又可表示为

$$\sigma_\omega = \frac{B\omega}{I_\omega} \tag{4.3.64}$$

此式与开口薄壁梁弯曲正应力的计算公式类似。

### 4.3.5　闭口薄壁杆件的约束扭转

1. 约束扭转的翘曲函数

在开口薄壁杆件的约束扭转问题中采用了自由扭转时的翘曲公式，即忽略了二次剪应力对扭转变形的影响。对于闭口薄壁杆件，分析表明，约束扭转时若不计及二次剪应力的影响将引起较大的误差，因此要对自由扭转时的翘曲公式 $w = -\varphi' \omega$ 做一修正。目前的做法是在该式中不改变扇性坐标 $\omega$，而用另一个函数 $\theta(z)$ 来代替扭率 $\varphi'(z)$，于是得到闭口薄壁杆件约束扭转的翘曲公式为

$$w = -\theta(z)\omega(s) \tag{4.3.65}$$

不失一般性地写成

$$w = -\theta(z)\omega(s) + w_0(z) \tag{4.3.66}$$

式中 $\theta(z)$ 为翘曲函数。

上式表明,约束扭转时翘曲沿断面的分布规律与自由扭转时相同,但翘曲沿杆件长度的变化则与自由扭转时不同。

2. 约束扭转正应力及剪应力

(1) 扇性正应力

根据翘曲公式(4.3.66)可得杆件的轴向应变为

$$\varepsilon_z = \frac{\partial w}{\partial z} = -\theta'\omega + w_0' \tag{4.3.67}$$

从而有轴向正应力为

$$\sigma_z = E\varepsilon_z = -E\theta'\omega + Ew_0' \tag{4.3.68}$$

当杆件仅受扭矩发生扭转时,断面上的扇性正应力不会形成纵向力和对 $x$ 轴、$y$ 轴的力矩,故有

$$\oint \sigma_z t\mathrm{d}s = 0 \quad \oint \sigma_z x t\mathrm{d}s = 0 \quad \oint \sigma_z y t\mathrm{d}s = 0 \tag{4.3.69}$$

将式(4.3.68)代入后得

$$\theta'\oint \omega t\mathrm{d}s - w_0'\oint t\mathrm{d}s = 0 \tag{4.3.70}$$

$$I_{\omega x} = \oint \omega x t\mathrm{d}s = 0 \tag{4.3.71}$$

$$I_{\omega y} = \oint \omega y t\mathrm{d}s = 0 \tag{4.3.72}$$

再令

$$\oint \omega t\mathrm{d}s = 0 \tag{4.3.73}$$

则得 $w_0' = 0$,从而 $w_0$ 为常数。适当选取 $s$ 坐标的起点可使 $w_0$ 为零,于是扇性正应力为

$$\sigma_w = -E\theta'\omega \tag{4.3.74}$$

式(4.3.71)和式(4.3.72)可用来确定断面扭转中心(扇性极点)的位置,式(4.3.73)则可用来确定扇性零点(坐标起始点)的位置。

2. 双力矩

按开口薄壁杆件那样定义双力矩为

$$B = \oint \sigma_w \omega t\mathrm{d}s = -E\theta'\oint \omega^2 t\mathrm{d}s = -EI_\omega\theta' \tag{4.3.75}$$

式中 $I_w$ 为断面的扇性惯性矩。

$$I_\omega = \oint \omega^2 t\mathrm{d}s \tag{4.3.76}$$

于是扇性正应力又可写作

$$\sigma_w = \frac{B\omega}{I_\omega} \tag{4.3.77}$$

开口薄壁杆件的双力矩等于断面扇性正应力形成的力矩对扭心之矩,但这一结论仅对开口薄壁断面成立。对于箱形闭口薄壁断面,如现在仅考虑断面中的壁 1－4 及壁 2－3,扇性正应力的分布如图 4.3.8 所示。

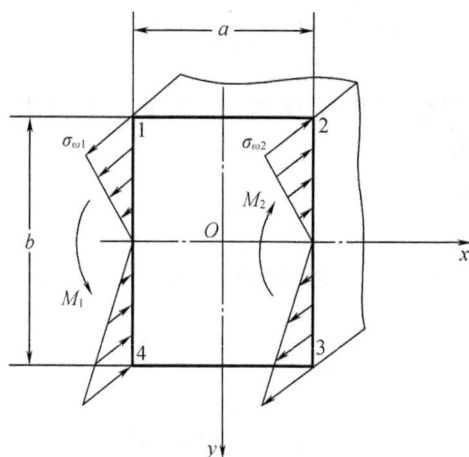

**图 4.3.8　箱形闭口薄壁断面扇性正应力的分布图**

注意到壁 $1-4$ 上 $\sigma_w$ 为正时 $y$ 为负，这两个壁上扇性正应力形成的力矩分别为

$$M_1 = -\int_{A_1} \sigma_w y \mathrm{d}A, \quad M_2 = -\int_{A_2} \sigma_w y \mathrm{d}A \qquad (4.3.78)$$

式中 $A_1$、$A_2$ 为壁 $1-4$ 和壁 $2-3$ 的面积。

对此箱形断面，形心 $O$ 同时也是断面的扭转中心，因此，对于壁 $1-4$ 和壁 $2-3$，$h = a/2$，将 $M_1$、$M_2$ 对扭心取矩得

$$M_1 \frac{a}{2} + M_2 \frac{a}{2} = -\int_{A_1} \sigma_w y \frac{a}{2} \mathrm{d}A + \int_{A_2} \sigma_w y \frac{a}{2} \mathrm{d}A \qquad (4.3.79)$$

与开口断面时不同，目前壁 $1-4$ 的扇性坐标 $\omega_{1-4}$ 并不等于 $-ya/2$，壁 $2-3$ 的扇性坐标 $\omega_{2-3}$ 并不等于 $ya/2$。于是，上式所得力矩的矩并不等于双力矩 $B$。

进一步考虑扇性正应力引起的双力矩。由于 $s$ 坐标沿断面顺时针方向为正，在壁 $1-4$ 上，$s$ 方向与 $y$ 相反，故扇性坐标为 $\omega_{1-4} = \int_0^s \left( h - \frac{\Psi}{t} \right) \mathrm{d}s = -\left( \frac{a}{2} - \frac{\Psi}{t} \right) y$；在壁 $2-3$ 上，扇性坐标则为 $\omega_{2-3} = \int_0^s \left( h - \frac{\Psi}{t} \right) \mathrm{d}s = \left( \frac{a}{2} - \frac{\Psi}{t} \right) y$，于是有

$$
\begin{aligned}
B &= \int_{A_1} \sigma_w \omega_{1-4} \mathrm{d}A + \int_{A_2} \sigma_w \omega_{2-3} \mathrm{d}A \\
&= -\left( \int_{A_1} \sigma_w y \mathrm{d}A \right) \left( \frac{a}{2} - \frac{\Psi}{t} \right) + \left( \int_{A_2} \sigma_w y \mathrm{d}A \right) \left( \frac{a}{2} - \frac{\Psi}{t} \right) \\
&= M_1 \left( \frac{a}{2} - \frac{\Psi}{t} \right) + M_2 \left( \frac{a}{2} - \frac{\Psi}{t} \right) \qquad (4.3.80)
\end{aligned}
$$

由此可见，对于闭口断面，若将矩臂 $h$ 修正为 $\left( h - \frac{\Psi}{t} \right)$，则双力矩仍可看作是断面上扇性正应力 $\sigma_w$ 形成的力矩对扭转中心之矩。

（3）扇形剪应力

为了求出闭口薄壁杆件因扇性正应力 $\sigma_w$ 引起的扇性剪应力（二次剪应力）$\tau_w$，将断面切一切口，成为开口断面，于是有剪应力流为

$$\hat{f}_w = f_w + f_{w0} \qquad (4.3.81)$$

式中 $f_{w0}$——切口处的扇性剪流；

$f_w$——按开口断面计算的扇性剪流。

$$f_\omega = E\theta'' \int_0^s \omega t \mathrm{d}s = E\theta'' S_\omega \qquad (4.3.82)$$

式中 $S_\omega$ 为断面的扇性静矩。

$$S_\omega = \int_0^s \omega t \mathrm{d}s \qquad (4.3.83)$$

计算时, $s$ 从断面的切口算起, 再引入

$$\frac{\mathrm{d}B}{\mathrm{d}z} = M_\omega = -EI_\omega \theta'' \qquad (4.3.84)$$

则可将 $f_\omega$ 写成

$$f_\omega = -\frac{M_\omega S_\omega}{I_\omega} \qquad (4.3.85)$$

$M_\omega$ 为断面的二次扭矩, 等于二次剪流对扭心之矩。

为了求出式(4.3.81)中的 $f_{w0}$, 仍要利用环流方程式。为此将断面上的剪应力写成布雷特剪应力与二次剪应力之和, 即

$$\tau = \tau_B + \tau_\omega \qquad (4.3.86)$$

再根据剪应变的公式可得

$$\gamma_{sz} = \frac{\partial \omega}{\partial s} + \frac{\partial \xi}{\partial z} = \frac{\partial \omega}{\partial s} + h\varphi' = \frac{\tau}{G} \qquad (4.3.87)$$

从而有

$$\frac{\partial \omega}{\partial s} = \frac{\partial}{G} - h\varphi' \qquad (4.3.88)$$

翘曲绕闭室一周后相等的条件可以写成

$$\oint \frac{\partial \omega}{\partial s} \mathrm{d}s = 0 \qquad (4.3.89)$$

将式(4.3.88)代入式(4.3.89)得

$$\oint \frac{\tau}{G} \mathrm{d}s = \varphi' \oint h \mathrm{d}s = 2\hat{A}\varphi' \qquad (4.3.90)$$

再计及式(4.3.86)可得

$$\oint \tau \mathrm{d}s = \oint \tau_B \mathrm{d}s + \oint \tau_\omega \mathrm{d}s = 2G\hat{A}\varphi' \qquad (4.3.91)$$

现假设薄壁杆件自由扭转时的环流方程式仍成立, 即有 $\oint \tau_B \mathrm{d}s = 2G\hat{A}\varphi'$, 把它代入式(4.3.91)得到

$$\oint \tau_\omega \mathrm{d}s = 0 \quad \text{或} \quad \oint \frac{\hat{f}_\omega}{t} \mathrm{d}s = 0 \qquad (4.3.92)$$

这就是我们所需要的补充方程式。

在以上推导中, 我们假设自由扭转时的环流方程式仍成立, 其物理意义实际上就是略去了与二次剪应力对应的那一部分剪应变对翘曲变形的影响。

把式(4.3.85)代入式(4.3.92)得

$$\oint \frac{f_\omega}{t} \mathrm{d}s + \oint \frac{f_{\omega 0}}{t} \mathrm{d}s = -\frac{M_\omega}{I_\omega} \oint \frac{S_\omega}{t} \mathrm{d}s + f_{\omega 0} \oint \frac{\mathrm{d}s}{t} = 0 \qquad (4.3.93)$$

从而解得

$$f_{\omega 0} = \frac{M_\omega}{I_\omega} \frac{\oint \frac{S_\omega}{t}ds}{\oint \frac{ds}{t}} \tag{4.3.94}$$

现在来证明断面二次剪流 $\hat{f}_\omega$ 对扭心之矩等于二次扭矩 $M_\omega$，为此将二次剪流 $\hat{f}_\omega$ 对扭心取矩得

$$\oint \hat{f}_\omega hds = \oint f_\omega hds + \oint f_{\omega 0} hds = -\frac{M_\omega}{I_\omega}\oint S_\omega hds + 2\hat{A}f_{\omega 0} \tag{4.3.95}$$

计及 $S_\omega = \int_0^{s_1} \omega tds$，以及对单闭室断面 $d\omega = \left(h - \frac{J}{2\hat{A}t}\right)ds$，上式中的第一个积分可按如下步骤计算

$$\oint S_\omega hds = \oint S_\omega \left(h - \frac{J}{2\hat{A}t}\right)ds + \oint S_\omega \frac{J}{2\hat{A}t}ds$$

$$= \oint \left(\int_0^{s_1} \omega tds\right)d\omega + \frac{J}{2\hat{A}}\oint S_\omega \frac{J}{t}ds \tag{4.3.96}$$

式中第一项又可分部积分得

$$\oint \left(\int_0^{s_1} \omega tds\right)d\omega = -I_\omega \tag{4.3.97}$$

式中 $s_1$ 为断面壁厚中心线的总长，并考虑到 $\int_0^{s_1} \omega tds = \oint \omega tds = 0$。

考虑到扭转惯性矩 $J$ 的表达式，可将式(4.3.96)中的第二项写成

$$\frac{J}{2\hat{A}}\oint \frac{S_\omega}{t}ds = \frac{4\hat{A}^2}{2\hat{A}\oint \frac{ds}{t}}\oint \frac{S_\omega}{t}ds = \frac{I_\omega}{M_\omega}2\hat{A}f_{\omega 0} \tag{4.3.98}$$

最后把式(4.3.97)和式(4.3.98)代入式(4.3.96)，并进一步代入式(4.3.95)就得到

$$\oint f_\omega hds = -\frac{M_\omega}{I_\omega}(-I_\omega + \frac{I_\omega}{M_\omega}2\hat{A}f_{\omega 0}) + 2\hat{A}f_{\omega 0} = M_\omega \tag{4.3.99}$$

## 4.4 弯扭组合的分析方法

随着研究的深入，薄壁杆件弯曲和扭转之间的耦合效应越来越受到重视。尤其当薄壁杆件具有非对称断面且剪切的作用不容忽视时，必须考虑弯曲和扭转之间的耦合效应。

薄壁杆件的弯曲和扭转是否耦合是与杆件断面的形状有关的。当杆件的所有断面均有两根相互垂直的对称轴时，弯曲和扭转不发生耦合。当杆件的断面有一根对称轴时，在对称轴平面内的弯曲与扭转不耦合，但与对称轴相互垂直的另一个方向的弯曲与扭转就发生耦合。例如，船体作为薄壁杆件计算时，由于船体断面有一根垂向对称轴，所以船体的垂向弯曲与扭转不耦合，但水平弯曲却与扭转耦合。最一般地，当薄壁杆件的断面是非对称的时候，两个方向的弯曲与扭转均发生耦合作用。

### 4.4.1 应力和内力

一般地,在薄壁杆件的弯扭耦合问题中,我们考虑杆件在 $xoz$ 平面内的弯曲,在 $yoz$ 平面内的弯曲、扭转(绕 $z$ 轴),以及杆件沿轴向($z$ 方向)的拉压变形。

在推导薄壁杆件弯扭耦合微分方程式时,仍采用符拉索夫刚周边假设、库尔布鲁纳和哈丁对翘曲位移的假设,以及弯曲时的平断面假设,于是断面上任意点的轴向位移为拉压引起的位移、两个方向弯曲引起的位移及扭转引起的翘曲位移之和,即

$$w(s,z) = w_0(z) - x(s)\theta_y(z) + y(s)\theta_x(z) - \omega(s)\theta(z) \tag{4.4.1}$$

切向位移为(图 4.4.1)

$$\xi(s,z) = h(s)\varphi(z) + \left[u_0(z) - y_s\varphi(z)\right]\frac{\partial x(s)}{\partial s} + \left[v_0(z) + x_s\varphi(z)\right]\frac{\partial y(s)}{\partial s} \tag{4.4.2}$$

这里 $z$ 轴和 $y$ 轴为断面的形心主惯性轴,$z$ 轴通过断面形心并沿杆件长度方向,$s$ 为沿壁厚中心线的自然坐标。在以上两式中,$u_0(z)$、$v_0(z)$、$w_0(z)$ 分别为形心沿 $x$、$y$、$z$ 三个方向的位移;$\theta_x(z)$、$\theta_y(z)$ 分别为断面绕 $x$ 轴、$y$ 轴的转角;$\varphi(z)$ 为扭角;$\theta(z)$ 为翘曲函数;$x_s$、$y_s$ 为扭心的坐标;$x(s)$、$y(s)$ 分别为断面上任意点的坐标;$h(s)$ 为断面上任意点切线到扭心的距离;$\omega(s)$ 为剖面上任意点以扭心为极点的扇形坐标。

这里要注意,为推导方便起见,本章中位移与内力的正向规定将与以前有所不同。我们规定,位移 $u$、$v$、$w$ 分别沿 $x$、$y$、$z$ 轴正向时为正,转角 $\theta_x(z)$、$\theta_y(z)$ 及扭角 $\varphi(z)$ 分别按右手法则绕 $x,y,z$ 轴正向转动时为正,内力的正向与相应位移的正向相同。

由式(4.4.1)和式(4.4.2)可得轴向应变和剪切应变分别为

$$\varepsilon_z = \frac{\partial w}{\partial z} = w_0' - x\theta_y' + y\theta_x' - \omega\theta' \tag{4.4.3}$$

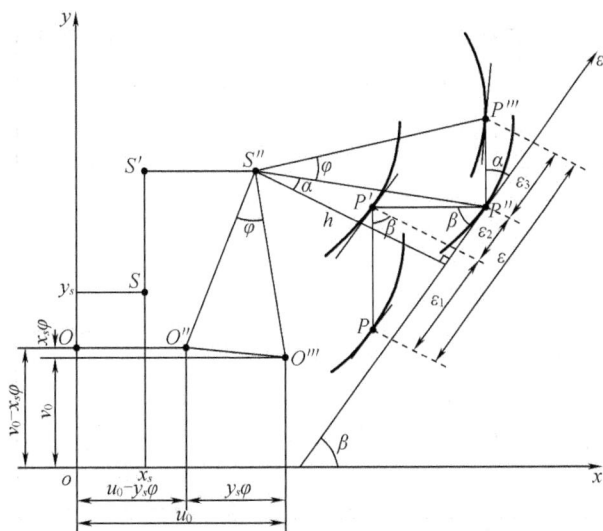

**图 4.4.1 薄壁杆件的弯扭耦合变形**

$$\gamma_{sz} = \frac{\partial w}{\partial s} + \frac{\partial \xi}{\partial z}$$

$$= -\frac{\partial x}{\partial s}\theta_y + \frac{\partial y}{\partial s}\theta_x - \frac{\partial \omega}{\partial s}\theta + h\varphi' + \frac{\partial x}{\partial s}(u_0 - y_s\varphi)' + \frac{\partial y}{\partial s}(v_0 - x_s\varphi)'$$

$$= h(\varphi' - \theta) + \frac{\psi}{t}\theta + \frac{\partial x}{\partial s}(u'_0 - y_s\varphi' - \theta_y) + \frac{\partial y}{\partial s}(v'_0 - x_s\varphi' - \theta_x) \qquad (4.4.4)$$

轴向正应力和剪应力分别为

$$\sigma_z = E\varepsilon_z, \tau_{sz} = G\gamma_{sz} \qquad (4.4.5)$$

此外,根据关于薄壁杆件约束扭转一致理论的讨论,在薄壁断面上还有沿壁厚线性分布的圣维南剪应力和相应的线性分布的剪应变。

正应力和剪应力将在断面上合成 7 个广义内力,即纵向(拉压)力 $P$,沿 $x$ 方向的剪力 $N_x$、绕 $y$ 轴的弯矩 $M_y$、沿 $y$ 方向的剪力 $N_y$、绕 $x$ 轴的弯矩 $M_x$、扭矩 $M_z$、双力矩 $B$。各广义内力示意图如图 4.4.2 所示。

将正应力和剪应力在断面上积分可得各广义内力分别为

$$P = \int_A \sigma_z \mathrm{d}A = \int_A E(w'_0 - x\theta'_y + y\theta'_x - \omega\theta')\mathrm{d}A$$

$$= Ew'_0\int_A \mathrm{d}A - E\theta'_y\int_A x\mathrm{d}A + E\theta'_x\int_A y\mathrm{d}A - E\theta'\int_A \omega\mathrm{d}A \qquad (4.4.6)$$

$$N_x = \int_A \tau_{sz}\frac{\partial x}{\partial s}\mathrm{d}A$$

$$= \int_A G\left[h(\varphi' - \theta) + \frac{\psi}{t}\theta + \frac{\partial x}{\partial s}(u'_0 - ys\varphi' - \theta_y) + \frac{\partial y}{\partial s}(v'_0 + xs\varphi' + \theta_x)\right]\frac{\partial x}{\partial s}\mathrm{d}A$$

$$= G(\varphi' - \theta)\int_A h\frac{\partial x}{\partial s}\mathrm{d}A + G\theta\int_A \frac{\psi}{t}\frac{\partial x}{\partial s}\mathrm{d}A + G(u'_0 - ys\varphi' - \theta_y)\int_A \left(\frac{\partial x}{\partial s}\right)^2\mathrm{d}A +$$

$$G(v'_0 + xs\varphi' + \theta_x)\int_A \frac{\partial x}{\partial s}\frac{\partial y}{\partial s}\mathrm{d}A \qquad (4.4.7)$$

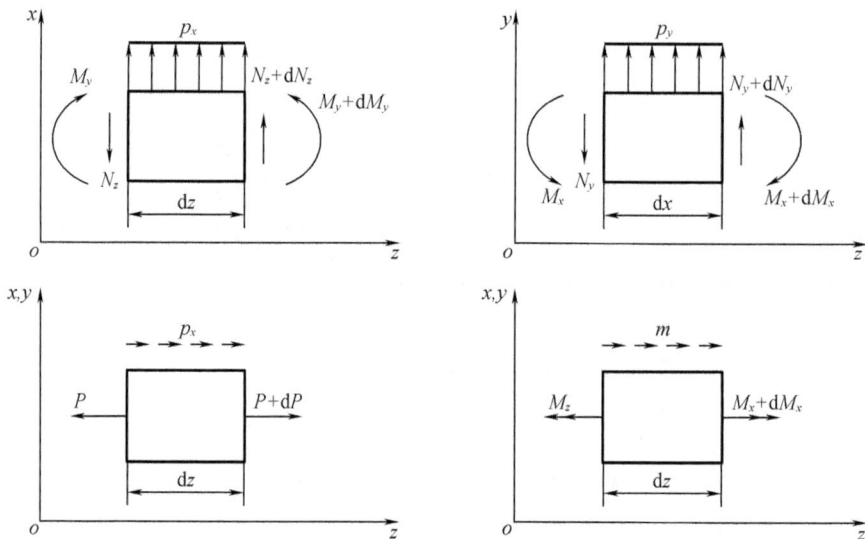

图 4.4.2  广义内力示意图

$$M_y = -\int_A \sigma_z x\mathrm{d}A = \int_A E(w'_0 - x\theta'_y + y\theta'_x - \omega\theta')x\mathrm{d}A$$

$$= -Ew'_0\int_A x\mathrm{d}A + E\theta'_y\int_A x^2\mathrm{d}A - E\theta'_x\int_A xy\mathrm{d}A + E\theta'\int_A \omega x\mathrm{d}A \qquad (4.4.8)$$

$$N_y = \int_A \tau_{sz} \frac{\partial y}{\partial s} \mathrm{d}A$$

$$= \int_A G\left[ h(\varphi' - \theta) + \frac{\Psi}{t}\theta + \frac{\partial x}{\partial s}(u'_0 - ys\varphi' - \theta_y) + \frac{\partial y}{\partial s}(v'_0 + xs\varphi' + \theta_x) \right] \frac{\partial y}{\partial s} \mathrm{d}A$$

$$= G(\varphi' - \theta)\int_A h\frac{\partial y}{\partial s}\mathrm{d}A + G\theta\int_A \frac{\Psi}{t}\frac{\partial y}{\partial s}\mathrm{d}A + G(u'_0 - ys\varphi' - \theta_y)\int_A \left(\frac{\partial y}{\partial s}\right)^2 \mathrm{d}A +$$

$$G(v'_0 + xs\varphi' + \theta_x)\int_A \left(\frac{\partial y}{\partial s}\right)^2 \mathrm{d}A \qquad\qquad (4.4.9)$$

$$M_x = \int_A \sigma_z y \mathrm{d}A = \int_A E(w'_0 - x\theta'_y + y\theta'_x - \omega\theta')y\mathrm{d}A$$

$$= Ew'_0\int_A y\mathrm{d}A - E\theta'_y\int_A xy\mathrm{d}A + E\theta'_x\int_A y^2\mathrm{d}A + E\theta'\int_A \omega y\mathrm{d}A \qquad (4.4.10)$$

$$M_z = M_u + M_s = \int_A \tau_{sz} h\mathrm{d}A + GJs\varphi'$$

$$= \int_A G\left[ h(\varphi' - \theta) + \frac{\Psi}{t}\theta + \frac{\partial x}{\partial s}(u'_0 - ys\varphi' - \theta_y) + \frac{\partial y}{\partial s}(v'_0 + xs\varphi' + \theta_x) \right] h\mathrm{d}A + GJs\varphi'$$

$$(4.4.11)$$

$$B = \int_A \sigma_z \omega \mathrm{d}A = \int_A E(w'_0 - x\theta'_y + y\theta'_x - \omega\theta')\omega\mathrm{d}A$$

$$= Ew'_0\int_A \omega\mathrm{d}A - E\theta'_y\int_A \omega x\mathrm{d}A + E\theta'_x\int_A \omega y\mathrm{d}A - E\theta'\int_A \omega^2\mathrm{d}A \qquad (4.4.12)$$

在以上各式中,沿断面积分的各项定义为下列断面特性参数。

断面面积:

$$A = \int_A \mathrm{d}A$$

沿 $x$ 方向的剪切面积:

$$A = \int_A \left(\frac{\partial x}{\partial s}\right)^2 \mathrm{d}A$$

沿 $y$ 方向的剪切面积:

$$A = \int_A \left(\frac{\partial y}{\partial s}\right)^2 \mathrm{d}A$$

混合剪切面积:

$$A = \int_A \frac{\partial y}{\partial s}\frac{\partial x}{\partial s}\mathrm{d}A$$

$x$ 方向的剪切静矩:

$$S_{sx} = \int_A h\frac{\partial x}{\partial s}\mathrm{d}A$$

$y$ 方向的剪切静矩:

$$S_{sy} = \int_A h\frac{\partial y}{\partial s}\mathrm{d}A$$

绕 $x$ 轴的惯性矩:

$$I_x = \int_A y^2\mathrm{d}A$$

绕 $y$ 轴的惯性矩:

$$I_y = \int_A x^2 \mathrm{d}A$$

绕扭心的极惯性矩：

$$I_p = \int_A h^2 \mathrm{d}A$$

扇性惯性矩：

$$I_\omega = \int_A \omega^2 \mathrm{d}A$$

与布雷特剪应力对应的扭转惯性矩：

$$J_B = \int_A \frac{\boldsymbol{\Psi}}{t} h \mathrm{d}A = \int_A \left(\frac{\boldsymbol{\Psi}}{t}\right)^2 \mathrm{d}A$$

由于 $x$ 轴和 $y$ 轴为断面的形心主惯性轴，$\omega$ 为以扭心为极点的主扇性坐标，故有

$$\int_A x\mathrm{d}A = \int_A y\mathrm{d}A = \int_A xy\mathrm{d}A = \int_A \omega\mathrm{d}A = \int_A \omega x\mathrm{d}A = \int_A \omega y\mathrm{d}A = 0 \qquad (4.4.13)$$

此外还可以证明

$$\int_A \frac{\psi}{t} \frac{\partial x}{\partial s}\mathrm{d}A = \int_A \frac{\psi}{t} \frac{\partial y}{\partial s}\mathrm{d}A = 0 \qquad (4.4.14)$$

于是，各广义内力又可写成

$$P = EAw_0' \qquad (4.4.15)$$

$$N_x = G[S_{sx}(\varphi' - \theta) + A_{xx}(u_0' - y_s\varphi' - \theta_y) + A_{xy}(v_0' + x_s\varphi' + \theta_x)] \qquad (4.4.16)$$

$$M_y = EI_y\theta_y' \qquad (4.4.17)$$

$$N_y = G[S_{sy}(\varphi' - \theta) + A_{xy}(u_0' - y_s\varphi' - \theta_y) + A_{yy}(v_0' + x_s\varphi' + \theta_x)] \qquad (4.4.18)$$

$$M_x = EI_x\theta_x' \qquad (4.4.19)$$

$$M_z = G[J\varphi' + (I_p - J_B)(\varphi' - \theta) + S_{sx}(u_0' - y_s\varphi' - \theta_y) + S_{sy}(v_0' + x_s\varphi' + \theta_x)] \qquad (4.4.20)$$

$$B = -EI_\omega\theta' \qquad (4.4.21)$$

式(4.4.20)中的扭矩还可以按其性质分为自由扭转的扭矩 $M_f$ 和二次扭转 $M_\omega$ 两部分，即

$$M_z = M_f + M_\omega \qquad (4.4.22)$$

式中

$$M_f = GJ\varphi' \qquad (4.4.23)$$

$$M_\omega = G[(I_p - J_B)(\varphi' - \theta) + S_{sx}(u_0' - y_s\varphi' - \theta_y) + S_{sy}(v_0 + x_s\varphi' + \theta_x)] \qquad (4.4.24)$$

### 4.4.2  弯扭耦合微分方程式

为导出弯扭耦合微分方程式，需要考虑图 4.4.2 中长度为 dz 的薄壁杆件微段的静力平衡，由此得

$$\begin{cases} \dfrac{\partial N_x}{\partial z} = -p_x, \dfrac{\partial M_y}{\partial z} = -N_x, \dfrac{\partial N_y}{\partial z} = -p_y \\ \dfrac{\partial M_x}{\partial z} = N_y, \dfrac{\partial P}{\partial z} = -p_z, \dfrac{\partial M_z}{\partial z} = -m \end{cases} \qquad (4.4.25)$$

此外，我们已知

$$\frac{\partial B}{\partial z} = M_\omega \qquad (4.4.26)$$

以上诸式中，$p_x$、$p_y$、$p_z$ 分别为 $x$、$y$、$z$ 三个方向的分布外力；$m$ 为分布扭矩，这里鉴于实际

意义,忽略了分布弯矩和分布双力矩。

将式(4.4.15)至式(4.4.21)代入式(4.4.25)和式(4.4.26),得到下列 7 个微分方程式:

$$GS_{sx}(\varphi' - \theta)' + GA_{xx}(u_0' - ys\varphi' - \theta_y)' + GA_{xy}(v_0' + xs\varphi' + \theta_x)' = -P_x \quad (4.4.27)$$

$$EI_y\theta_y'' + GS_{sx}(\varphi' - \theta) + GA_{xx}(u_0' - ys\varphi' - \theta_y) + GA_{xy}(v_0' + xs\varphi' + \theta_x) = 0 \quad (4.4.28)$$

$$GS_{sy}(\varphi' - \theta)' + GA_{xy}(u_0' - ys\varphi' - \theta_y)' + GA_{yy}(v_0' + xs\varphi' + \theta_x)' = -P_y \quad (4.4.29)$$

$$-EI_x\theta_x'' + GS_{sy}(\varphi' - \theta) + GA_{xy}(u_0' - ys\varphi' - \theta_y) + GA_{yy}(v_0' + xs\varphi' + \theta_x) = 0 \quad (4.4.30)$$

$$EAw_0'' = -P_z \quad (4.4.31)$$

$$GJ\varphi'' + G(I_p - J_B)(\varphi' - \theta)' + GS_{sx}(u_0' - ys\varphi' - \theta_y)' + GS_{sy}(v_0' + xs\varphi' + \theta_x)' = -m \quad (4.4.32)$$

$$EI_\omega\theta'' + G(I_p - J_B)(\varphi' - \theta) + GS_{sx}(u_0' - ys\varphi' - \theta_y) + GS_{sy}(v_0' + xs\varphi' + \theta_x) = 0 \quad (4.4.33)$$

这 7 个微分方程式形式较复杂,不易直接求解,也难以导出薄壁杆件单元的刚度矩阵,因此,还需作进一步的推导。现在,我们从另一方面由式(4.4.15)至式(4.4.21)以及式(4.4.25)和式(4.4.26)来导出关于弯曲位移和扭角的四阶微分方程式。

首先,联合式(4.4.17)、式(4.4.19)、式(4.4.20)、式(4.4.25)和式(4.4.26)可得

$$\left.\begin{aligned} EI_y\theta_y''' &= p_x \\ -EI_x\theta_x''' &= p_y \\ EI_\omega\theta''' - GJ\varphi'' &= m \end{aligned}\right\} \quad (4.4.34)$$

然后,再将式(4.4.16)、式(4.4.18)和式(4.4.20)式写成矩阵形式

$$G\begin{bmatrix} A_{xx} & A_{xy} & S_{sx} \\ A_{xy} & A_{yy} & S_{sy} \\ S_{sx} & S_{sy} & I_p - J_B \end{bmatrix}\begin{Bmatrix} u_0' - y_s\varphi' - \theta_y \\ v_0' - x_s\varphi' - \theta_x \\ \varphi' - \theta \end{Bmatrix} + GJ\begin{Bmatrix} 0 \\ 0 \\ \phi' \end{Bmatrix} = \begin{Bmatrix} N_x \\ N_y \\ M_z \end{Bmatrix} \quad (4.4.35)$$

并由此矩阵式解得 $\theta_x$、$\theta_y$、$\theta$ 与 $u^*$、$v^*$，$\varphi$ 之间的关系为

$$\left.\begin{aligned} \theta_y &= u^{*\,\prime} - r_{11}\frac{N_x}{G} - r_{12}\frac{N_y}{G} - r_{13}\frac{M_z}{G} \\ -\theta_x &= v^{*\,\prime} - r_{21}\frac{N_x}{G} - r_{22}\frac{N_y}{G} - r_{23}\frac{M_z}{G} \\ \theta &= \frac{1}{\mu}\phi' - r_{31}\frac{N_x}{G} - r_{32}\frac{N_y}{G} - r_{33}\frac{M_z}{G} \end{aligned}\right\} \quad (4.4.36)$$

式中

$$u^* = u_0 - y_s^*\varphi, v^* = u_0 - x_s^*\varphi, \mu = \frac{1}{1 + r_{33}J}$$

$$x_s^* = x_s - d_x, y_s^* = y_s - d_y, d_x = -r_{23}J, d_y = -r_{13}J \quad (4.4.37)$$

$r_{ij}$ 为下列逆矩阵中的元素,即

$$\begin{bmatrix} A_{xx} & A_{xy} & S_{sx} \\ A_{xy} & A_{yy} & S_{sy} \\ S_{sx} & S_{sy} & I_p - J_B \end{bmatrix}^{-1} = \begin{bmatrix} r_{11} & r_{12} & r_{13} \\ r_{21} & r_{22} & r_{23} \\ r_{31} & r_{32} & r_{33} \end{bmatrix}$$

最后,将式(4.4.36)代入式(4.4.34),得到以下三个微分方程式

$$\begin{cases} EI_y u^{*\,IV} = P_x - \dfrac{EI_y}{G}(r_{11}p_x'' + r_{12}p_y'' + r_{13}m'') \\[2mm] EI_x v^{*\,IV} = P_y - \dfrac{EI_x}{G}(r_{21}p_x'' + r_{22}p_y'' + r_{23}m'') \\[2mm] \dfrac{1}{\mu}EI_\omega \varphi^{IV} - GJ\varphi'' = m - \dfrac{EI_\omega}{G}(r_{31}p_x'' + r_{32}p_y'' + r_{32}m'') \end{cases} \tag{4.4.38}$$

以上三式分别是 $u^*$、$v^*$ 和 $\varphi$ 的四阶微分方程式。与单独考虑弯曲和扭转时的微分方程类似，它们的解是容易得到的。在下节中，我们将利用这三个方程及式(4.4.31)在齐次情况下的通解作为插值函数来导出单元的弯扭耦合刚度矩阵。

$\theta_x$、$\theta_y$、$\theta$ 与 $u^*$、$v^*$、$\varphi$ 之间的关系还可做进一步的推导，首先，由式(4.4.36)得

$$\begin{cases} \theta_y'' = u^{*\,\prime\prime\prime} + r_{11}\dfrac{p_x'}{G} + r_{12}\dfrac{p_y'}{G} + r_{13}\dfrac{m'}{G} \\[2mm] -\theta_x'' = v^{*\,\prime\prime\prime} + r_{21}\dfrac{p_x'}{G} + r_{22}\dfrac{p_y'}{G} + r_{23}\dfrac{m'}{G} \\[2mm] \theta'' = \dfrac{1}{\mu}\varphi^{\prime\prime\prime} + r_{31}\dfrac{p_x'}{G} + r_{32}\dfrac{p_y'}{G} + r_{33}\dfrac{m'}{G} \end{cases} \tag{4.4.39}$$

然后，将式(4.4.17)、式(4.4.19)、式(4.4.21)代入式(4.4.25)、式(4.4.26)，并计及式(4.4.22)至式(4.4.24)可得

$$-EI_y\theta_y'' = N_x, \quad EI_x\theta_x'' = N_y, \quad -EI_\omega\theta'' + GJ\varphi' = M_z \tag{4.4.40}$$

再将式(4.4.39)代入以上三式得

$$\begin{cases} N_x = -EI_y\left(u^{*\,\prime\prime\prime} + r_{11}\dfrac{p_x'}{G} + r_{12}\dfrac{p_y'}{G} + r_{13}\dfrac{m'}{G}\right) \\[2mm] N_y = -EI_x\left(v^{*\,\prime\prime\prime} + r_{21}\dfrac{p_x'}{G} + r_{22}\dfrac{p_y'}{G} + r_{23}\dfrac{m'}{G}\right) \\[2mm] M_z = -EI_\omega\left(\dfrac{1}{\mu}\varphi^{\prime\prime\prime} + r_{31}\dfrac{p_x'}{G} + r_{32}\dfrac{p_y'}{G} + r_{33}\dfrac{m'}{G}\right) + GJ\varphi' \end{cases} \tag{4.4.41}$$

最后，将以上三式代回式(4.4.36)得到 $\theta_x$、$\theta_y$、$\theta$ 与 $u^*$、$v^*$、$\varphi$ 之间关系的另一形式为

$$\theta_y = u^{*\,\prime} - r_{13}J\varphi' + \frac{EI_y}{G}r_{11}u^{*\,\prime\prime\prime} + \frac{EI_x}{G}r_{12}v^{*\,\prime\prime\prime} + \frac{EI_\omega}{\mu G}r_{13}\varphi^{\prime\prime\prime} + \frac{EI_y}{G}r_{11}\left(r_{11}\frac{p_x'}{G} + r_{12}\frac{p_y'}{G} + r_{13}\frac{m'}{G}\right) +$$

$$\frac{EI_x}{G}r_{12}\left(r_{21}\frac{p_x'}{G} + r_{22}\frac{p_y'}{G} + r_{23}\frac{m'}{G}\right) + \frac{EI_\omega}{G}r_{13}\left(r_{31}\frac{p_x'}{G} + r_{32}\frac{p_y'}{G} + r_{33}\frac{m'}{G}\right) \tag{4.4.42}$$

$$\theta_x = v^{*\,\prime} - r_{23}J\varphi' + \frac{EI_y}{G}r_{21}u^{*\,\prime\prime\prime} + \frac{EI_x}{G}r_{22}v^{*\,\prime\prime\prime} + \frac{EI_\omega}{\mu G}r_{23}\varphi^{\prime\prime\prime} + \frac{EI_y}{G}r_{21}\left(r_{11}\frac{p_x'}{G} + r_{12}\frac{p_y'}{G} + r_{13}\frac{m'}{G}\right) +$$

$$\frac{EI_x}{G}r_{22}\left(r_{21}\frac{p_x'}{G} + r_{22}\frac{p_y'}{G} + r_{23}\frac{m'}{G}\right) + \frac{EI_\omega}{G}r_{23}\left(r_{31}\frac{p_x'}{G} + r_{32}\frac{p_y'}{G} + r_{33}\frac{m'}{G}\right) \tag{4.4.43}$$

$$\theta = \varphi' + \frac{EI_y}{G}r_{31}u^{*\,\prime\prime\prime} + \frac{EI_x}{G}r_{32}v^{*\,\prime\prime\prime} + \frac{EI_\omega}{\mu G}r_{33}\varphi^{\prime\prime\prime} + \frac{EI_y}{G}r_{31}\left(r_{11}\frac{p_x'}{G} + r_{12}\frac{p_y'}{G} + r_{13}\frac{m'}{G}\right) +$$

$$\frac{EI_x}{G}r_{32}\left(r_{21}\frac{p_x'}{G} + r_{22}\frac{p_y'}{G} + r_{23}\frac{m'}{G}\right) + \frac{EI_\omega}{G}r_{33}\left(r_{31}\frac{p_x'}{G} + r_{32}\frac{p_y'}{G} + r_{33}\frac{m'}{G}\right) \tag{4.4.44}$$

此三式亦将在推导单元刚度矩阵时用到。

### 4.4.3　插值函数

由于在弯扭耦合问题中,我们考虑薄壁杆件在 $xOz$ 平面内的弯曲、在 $yOz$ 平面内的弯曲、扭转,以及杆件沿轴向($z$ 方向)的拉压变形,因此,杆件单元的每一节点的广义位移有:沿 $x$ 方向的位移 $u$、沿 $y$ 方向的位移 $v$、沿 $z$ 方向的位移 $w$、绕 $x$ 轴的转角 $\theta_x$、绕 $y$ 轴的转角 $\theta_y$、扭角 $\varphi$、翘曲函数 $\theta$。也就是说,每一节点有 7 个自由度。其中,根据上节导得的微分方程式,我们将沿 $x$ 方向的位移取作 $u^*$、沿 $y$ 方向的位移取作 $v^*$、沿 $z$ 方向的位移取作 $w_0$。单元的节点位移矢量为

$$\boldsymbol{\delta}_{ij} = \left[ u_i^*, v_i^*, w_{0i}, \theta_{xi}, \theta_{yi}, \varphi_i, \theta_i, u_j^*, v_j^*, w_{0j}, \theta_{xj}, \theta_{yj}, \varphi_j, \theta_j \right]^{\mathrm{T}} \tag{4.4.45}$$

为了导出单元的弯扭耦合刚度矩阵,首先要选取插值函数。取 $u^*$、$v^*$、$w_0$ 和 $\varphi$ 作为基本函数,并利用式(4.4.37)和式(4.4.38)在齐次情况下的通解作为插值函数,为此在上述四式中令 $p_x = p_y = p_z = m = 0$,所得齐次方程式的通解为

$$\left.\begin{aligned}
u^*(z) &= C_1 + C_2 z + C_3 z^2 + C_4 z^3 \\
v^*(z) &= C_5 + C_6 z + C_7 z^2 + C_8 z^3 \\
w_0(z) &= C_9 + C_{10} z \\
\varphi(z) &= C_{11} + C_{12} z + C_{13} \mathrm{sh} kz + C_{14} \mathrm{ch} kz
\end{aligned}\right\} \tag{4.4.46}$$

写成矩阵形式

$$\left.\begin{aligned}
u^*(z) &= \boldsymbol{H}_u C \\
v^*(z) &= \boldsymbol{H}_v C \\
w_0(z) &= \boldsymbol{H}_w C \\
\varphi(z) &= \boldsymbol{H}_\varphi C
\end{aligned}\right\} \tag{4.4.47}$$

式中

$$\boldsymbol{H}_u = \left[ 1, z, z^2, z^3, 0, 0, 0, 0, 0, 0, 0, 0, 0, 0 \right]$$
$$\boldsymbol{H}_v = \left[ 0, 0, 0, 0, 1, z, z^2, z^3, 0, 0, 0, 0, 0, 0 \right]$$
$$\boldsymbol{H}_w = \left[ 0, 0, 0, 0, 0, 0, 0, 0, 0, 0, 1, z, 0, 0, 0, 0 \right]$$
$$\boldsymbol{H}_\varphi = \left[ 0, 0, 0, 0, 0, 0, 0, 0, 0, 0, 1, z, \mathrm{sh} kz, \mathrm{ch} kz \right]$$

$$C = \left[ C_1, C_2, C_3, C_4, C_5, C_6, C_7, C_8, C_9, C_{10}, C_{11}, C_{12}, C_{13}, C_{14} \right]^{\mathrm{T}}$$

另一方面,在式(4.4.42)至式(4.4.44)中令 $p_x = p_y = p_z = m = 0$,可得在齐次情况下有

$$\left.\begin{aligned}
\theta_y &= u^{*\prime} - r_{13} J \varphi' + \lambda_{11} u^{*\prime\prime\prime} + \lambda_{12} v^{*\prime\prime\prime} + \lambda_{13} \varphi''' \\
-\theta_x &= v^{*\prime} - r_{23} J \varphi' + \lambda_{21} u^{*\prime\prime\prime} + \lambda_{22} v^{*\prime\prime\prime} + \lambda_{23} \varphi''' \\
\theta &= \varphi' + \lambda_{31} u^{*\prime\prime\prime} + \lambda_{32} v^{*\prime\prime\prime} + \lambda_{33} \varphi'''
\end{aligned}\right\} \tag{4.4.48}$$

式中 $\lambda_{i1} = \dfrac{EI_y}{G} r_{i1}$, $\lambda_{i2} = \dfrac{EI_x}{G} r_{i2}$, $\lambda_{i3} = \dfrac{EI_\omega}{\mu G} r_{i3}$ ($i = 1, 2, 3$)。

将式(4.4.45)代入式(4.4.47)得

$$\left.\begin{aligned}
\theta_x(z) &= -6 C_4 \lambda_{21} - 2 C_7 z - C_8 (3 z^2 + 6 \lambda_{22}) - C_{12} d_x - \\
&\quad C_{13} g_1 k \mathrm{ch} kz - C_{14} g_1 k \mathrm{sh} kz \\
\theta_y(z) &= C_2 + 2 C_3 z + C_4 (3 z^2 + 6 \lambda_{11}) + 6 C_8 \lambda_{12} + \\
&\quad C_{12} d_y + C_{13} g_2 k \mathrm{ch} kz + C_{14} g_2 k \mathrm{sh} kz \\
\theta(z) &= -6 C_4 \lambda_{31} + 6 C_8 \lambda_{32} + C_{12} + C_{13} g_3 k \mathrm{ch} kz + C_{14} g_4 k \mathrm{sh} kz
\end{aligned}\right\} \tag{4.4.49}$$

式中 $d_x$、$d_y$ 由式(4.4.36)定义,而将 $g_1$、$g_2$、$g_3$ 定义为

$$g_1 = d_x + \lambda_{23}k^2, g_2 = d_y + \lambda_{13}k^2, g_3 = 1 + \lambda_{33}k^2 \qquad (4.4.50)$$

式(4.4.49)也可写成

$$\begin{cases} \theta_x(z) = \boldsymbol{H}_{\theta_x} C \\ \theta_y(z) = \boldsymbol{H}_{\theta_y} C \\ \theta(z) = \boldsymbol{H}_{\theta} C \end{cases} \qquad (4.4.51)$$

式中

$$\boldsymbol{H}_{\theta_x} = [0,0,0,-6\lambda_{21},0,-1,-2z,-3z^2-6\lambda_{22},0,0,0,-d_x,-g_1 k\mathrm{ch}kz,-g_1 k\mathrm{sh}kz]$$

$$\boldsymbol{H}_{\theta_y} = [0,1,2z,3z^3+6\lambda_{11},0,0,0,-6\lambda_{12},0,0,0,-d_y,g_2 k\mathrm{ch}kz,g_2 k\mathrm{sh}kz]$$

$$\boldsymbol{H}_{\theta} = [0,0,0,6\lambda_{31},0,0,0,6\lambda_{32},0,0,0,1,g_3 k\mathrm{ch}kz,g_3 k\mathrm{sh}kz]$$

与推导单元约束扭转刚度矩阵时类似,把单元两端节点的坐标($z=0$ 及 $z=l$)代入 $u^*(z)$、$v^*(z)$、$w_0(z)$、$\varphi(z)$、$\theta_x(z)$、$\theta_y(z)$、$\theta(z)$,可得 $\delta_{ij} = AC$,式中

$$A = \begin{bmatrix}
1 & 0 & 0 & 0 & 0 & 0 & 0 & 0 & 0 & 0 & 0 & 0 & 0 & 0 \\
0 & 0 & 0 & 0 & 1 & 0 & 0 & 0 & 0 & 0 & 0 & 0 & 0 & 0 \\
0 & 0 & 0 & 0 & 0 & 0 & 0 & 0 & 1 & 0 & 0 & 0 & 0 & 0 \\
0 & 0 & 0 & -6\lambda_{21} & 0 & -1 & 0 & -6\lambda_{22} & 0 & 0 & 0 & -d_x & -g_1 k & 0 \\
0 & 1 & 0 & 6\lambda_{11} & 0 & 0 & 0 & 6\lambda_{12} & 0 & 0 & 0 & d_y & g_2 k & 0 \\
0 & 0 & 0 & 0 & 0 & 0 & 0 & 0 & 0 & 0 & 1 & 0 & 0 & 1 \\
0 & 0 & 0 & 6\lambda_{31} & 0 & 0 & 0 & 6\lambda_{32} & 0 & 0 & 0 & 1 & g_3 k & 0 \\
1 & l & l^2 & l^3 & 0 & 0 & 0 & 0 & 0 & 0 & 0 & 0 & 0 & 0 \\
0 & 0 & 0 & 0 & 1 & l & l^2 & l^3 & 0 & 0 & 0 & 0 & 0 & 0 \\
0 & 0 & 0 & 0 & 0 & 0 & 0 & 0 & 1 & l & 0 & 0 & 0 & 0 \\
0 & 0 & 0 & -6\lambda_{21} & 0 & -1 & -2l & -3l^2-6\lambda_{22} & 0 & 0 & 0 & -d_x & -g_1 k\mathrm{ch}kl & -g_1 k\mathrm{sh}kl \\
0 & 1 & 2l & 3l^2+6\lambda_{11} & 0 & 0 & 0 & 6\lambda_{12} & 0 & 0 & 0 & d_y & g_2 k\mathrm{ch}kl & g_2 k\mathrm{sh}kl \\
0 & 0 & 0 & 0 & 0 & 0 & 0 & 0 & 0 & 0 & 1 & l & \mathrm{sh}kl & \mathrm{ch}kl \\
0 & 0 & 0 & 6\lambda_{31} & 0 & 0 & 0 & 6\lambda_{32} & 0 & 0 & 0 & 1 & g_3 k\mathrm{ch}kl & g_3 k\mathrm{sh}kl
\end{bmatrix}$$

将 $C = A^{-1}$ 代入式(4.4.47)和式(4.4.39),最终可将 $u^*(z)$、$v^*(z)$、$w_0(z)$、$\varphi(z)$、$\theta_x(z)$、$\theta_y(z)$、$\theta(z)$ 用单元两端节点的广义位移表示为

$$\begin{cases} u^*(z) = \boldsymbol{H}_u A^{-1}\delta_{ij} \\ v^*(z) = \boldsymbol{H}_v A^{-1}\delta_{ij} \\ w_0(z) = \boldsymbol{H}_w A^{-1}\delta_{ij} \\ \varphi(z) = \boldsymbol{H}_{\varphi} A^{-1}\delta_{ij} \\ \theta_x(z) = \boldsymbol{H}_{\theta_x} A^{-1}\delta_{ij} \\ \theta_y(z) = \boldsymbol{H}_{\theta_y} A^{-1}\delta_{ij} \\ \theta(z) = \boldsymbol{H}_{\theta} A^{-1}\delta_{ij} \end{cases} \qquad (4.4.52)$$

以上 $A$ 的逆矩阵 $A^{-1}$ 必须用电子计算机才能求得。

### 4.4.4 弯扭耦合刚度矩阵和等效节点力

与推导约束扭转刚度矩阵时类似,我们从薄壁杆件单元的应变能出发来推导弯扭耦合刚度矩阵。在弯扭耦合情况下,单元的应变能也包括两部分,即

$$V = V_1 + V_2$$

式中,$V_1$ 对应于沿壁厚均匀分布的正应变和剪应变;$V_2$ 对应于沿壁厚线性分布的剪应变。

根据式(4.4.1)和式(4.4.2)表示的应变,联合式(4.4.48)的关系和4.4.2中定义的断面特性参数可得

$$
\begin{aligned}
V = \frac{1}{2}\int_0^l & \{ EAw_0'^2 + EI_y\theta_x'^2 + EI_x\theta_x'^2 + EI_\omega\theta'^2 + GJ\varphi'^2 + G(I_p^* - J_B)(\varphi' - \theta)^2 + \\
& G(A_{xx} - A_{yy})\left[\frac{S_{sx}}{A_{xx} - A_{yy}}(\varphi' - \theta) + (u_0' - y_s\varphi' - \theta_y)\right]^2 + \\
& G(A_{yy} - A_{xy})\left[\frac{S_{sy}}{A_{yy} - A_{xy}}(\varphi' - \theta) + (v_0' + x_s\varphi' + \theta_x)\right]^2 + \\
& GA_{xy}\left[(u_0' - y_s\varphi' - \theta_y) + (v_0' + x_s\varphi' + \theta_x)\right]^2 \} \mathrm{d}z \\
= \frac{1}{2}\int_0^l & \{ EAw_0'^2 + EI_y u^{*\prime\prime 2} + EI_x v^{*\prime\prime 2} + \frac{EI_\omega}{\mu^2}\varphi''^2 + GJ\varphi'^2 + G(I_p^* - J_B) \cdot \\
& (\lambda_{31}u^{*\prime\prime\prime} + \lambda_{32}v^{*\prime\prime\prime} + \lambda_{33}\varphi''')^2 + G(A_{xx} - A_{xy})(\xi_{11}u^{*\prime\prime\prime} + \xi_{32}v^{*\prime\prime\prime} + \xi_{33}\varphi''')^2 + \\
& G(A_{yy} - A_{xy})(\xi_{21}u^{*\prime\prime\prime} + \xi_{22}v^{*\prime\prime\prime} + \xi_{23}\varphi''') + GA_{xy}(\xi_{31}u^{*\prime\prime\prime} + \xi_{32}v^{*\prime\prime\prime} + \xi_{33}\varphi''') \} \mathrm{d}z
\end{aligned}
\tag{4.4.53}
$$

式中 $I_p^* = I_p - \dfrac{S_{sx}^2}{A_{xx} - A_{xy}} - \dfrac{S_{sy}^2}{A_{yy} - A_{xy}}$,$\xi_{1i} = \lambda_{1i} + \dfrac{S_{sx}}{A_{xx} - A_{xy}}\lambda_{3i}$,$\xi_{2i} = \lambda_{2i} + \dfrac{S_{sy}}{A_{yy} - A_{xy}}\lambda_{3i}$,$\xi_{3i} = \lambda_{1i} + \lambda_{2i}$($i = 1,2,3$)。

将式(4.4.51)代入式(4.4.52),并考虑到应变能可写成 $V = \dfrac{1}{2}\delta_{ij}^{\mathrm{T}}\boldsymbol{K}\delta_{ij}$,即可得到薄壁杆件单元弯扭耦合的刚度矩阵 $\boldsymbol{K}$,用以下形式表示为

$$\boldsymbol{K} = \sum_{i=1}^9 K_i = \sum_{i=1}^9 R_{Ki}(\boldsymbol{A}^{-1})^{\mathrm{T}}\boldsymbol{B}_{Ki}\boldsymbol{A}^{-1} \tag{4.4.54}$$

式中 $R_{K1} = EA$,$R_{K2} = EI_y$,$R_{K3} = EI_x$,$R_{K4} = E\dfrac{I_\omega}{\mu^2}$,$R_{K5} = GJ$,$R_{K6} = G(I_p^* - J_B)$,$R_{K7} = G(A_{xx} - A_{xy})$,

$R_{K8} = G(A_{yy} - A_{xy})$,$R_{K9} = GA_{xy}$。

矩阵 $$\boldsymbol{B}_{K1} = \int_0^l \boldsymbol{H}_{Ki}^{\mathrm{T}}\boldsymbol{H}_{Ki}\mathrm{d}z \tag{4.4.55}$$

式中

$$\boldsymbol{H}_{K1} = \boldsymbol{H}_\omega'$$
$$\boldsymbol{H}_{K2} = \boldsymbol{H}_u''$$
$$\boldsymbol{H}_{K3} = \boldsymbol{H}_v'''$$
$$\boldsymbol{H}_{K4} = \boldsymbol{H}_\varphi'''$$
$$\boldsymbol{H}_{K5} = \boldsymbol{H}_\theta'$$
$$\boldsymbol{H}_{K6} = \lambda_{31}\boldsymbol{H}_u''' + \lambda_{32}\boldsymbol{H}_v''' + \lambda_{33}\boldsymbol{H}_\varphi'''$$
$$\boldsymbol{H}_{K7} = \xi_{11}\boldsymbol{H}_u''' + \xi_{12}\boldsymbol{H}_v''' + \xi_{13}\boldsymbol{H}_\varphi'''$$

$$H_{K8} = \xi_{21} \boldsymbol{H}_u''' + \xi_{22} \boldsymbol{H}_v''' + \xi_{23} \boldsymbol{H}_\varphi'''$$

$$H_{K9} = \xi_{31} \boldsymbol{H}_u''' + \xi_{32} \boldsymbol{H}_v''' + \xi_{33} \boldsymbol{H}_\varphi'''$$

为导得单元的外力矢量,需要考虑单元所受外力做的功。由式(4.4.38)中前两个方程可知,若不计分布外力的二次导数,那么当它们作用在断面上坐标为 $x_s^*$、$y_s^*$ 的点处时,将不会引起扭转($x_s^*$、$y_s^*$ 的定义见式(4.4.37))。因此在考虑外力功时,我们假设外力的作用点就在该点,于是单元所受外力做的功为

$$W = N_{xi}u_i^* + N_{yi}v_i^* + P_iw_{0i} + M_{xi}\theta_{xi} + M_{yi}\theta_{yi} + M_{zi}\varphi_i + B_i\theta_i N_{xj}u_j^* + N_{yj}v_j^* + P_jw_{0j} +$$

$$M_{xj}\theta_{xj} + M_{yj}\theta_{yj} + M_{zj}\varphi_j + B_j\theta_j + \int_0^l (p_x u^* + p_y v^* + p_z w_0 + m\varphi)\,\mathrm{d}z \tag{4.4.56}$$

将式(4.4.72)至式(4.4.75)代入式(4.4.85),并考虑到外力功又可写成 $W = \delta_{ij}^\mathrm{T} F$,即可得到单元的外力矢量为

$$\boldsymbol{F} = \boldsymbol{F}_1 + \boldsymbol{F}_2 \tag{4.4.57}$$

式中 $\boldsymbol{F}_1 = [N_{xi}, N_{yi}, p_i, M_{xi}, M_{yi}, M_{zi}, B_i, N_{xj}, N_{yj}, p_j, M_{xj}, M_{yj}, M_{zj}, B_j]^\mathrm{T}$;

$\boldsymbol{F}_2$——单元上的分布外力引起的等效节点力,用以下形式表示为

$$\boldsymbol{F}_2 = \sum_{i=1}^4 F_{ei} = \sum_{i=1}^4 R_{Fi}(\boldsymbol{A}^{-1})^\mathrm{T} B_{Fi} \tag{4.4.58}$$

式中 $R_{F1} = p_x, R_{F2} = p_y, R_{F3} = p_z, R_{F4} = m, B_{F1} = \int_0^l \boldsymbol{H}_u^\mathrm{T}\mathrm{d}z, B_{F2} = \int_0^l \boldsymbol{H}_v^\mathrm{T}\mathrm{d}z, B_{F3} = \int_0^l \boldsymbol{H}_w^\mathrm{T}\mathrm{d}z, B_{F4} = \int_0^l \boldsymbol{H}_\varphi^\mathrm{T}\mathrm{d}z$。

### 4.4.5　单元的组合

一般地,对于复杂的变断面薄壁杆件,离散成有限元模型后,各个单元的形心主惯件轴可能不重合,各个单元的刚度矩阵对应的坐标系也可能各不相同。因此,将单元刚度矩阵组合成总体刚度矩阵时,需要定义一个总体的坐标系,认为各单元的位移在总体坐标系下是协调的,现将单元在总体坐标系下的节点位移矢量写成

$$\overline{\boldsymbol{\delta}}_{ij} = [\overline{u}_{gi}, \overline{v}_{gi}, \overline{w}_{gi}, \overline{\theta}_{xi}, \overline{\theta}_{yi}, \overline{\varphi}_i, \overline{\theta}_i, \overline{u}_{gj}, \overline{v}_{gj}, \overline{w}_{gj}, \overline{\theta}_{xj}, \overline{\theta}_{yj}, \overline{\varphi}_j, \overline{\theta}_j]^\mathrm{T} \tag{4.4.59}$$

此外,弹壁杆件的翘曲位移和翘曲正应力在断面上的分布与扇性坐标有关,而扇性坐标是由断面的几何形状唯一确定的,因此断面不同的两个单元之间的翘曲位移和相应的力的连续条件不能得到满足,为解决这一问题引入了翘曲相容因子。在一般非对称断面的情况下,单元的轴向位移和绕 $x$ 轴、绕 $y$ 轴的转角亦将受到翘曲的影响,因此左右两单元的位移协调关系要用矩阵的形式来表示。

考虑了单元的局部坐标系和总体坐标系之间的关系及单元间的位移协调关系后,式(4.4.45)定义的局部坐标系下的节点位移矢量和式(4.4.59)定义的总体坐标系下的节点位移矢量之间可用下式转换:

$$\boldsymbol{\delta}_{ij} = \boldsymbol{TS}\,\overline{\boldsymbol{\delta}}_{ij} \tag{4.4.60}$$

式中　$\boldsymbol{T}$——坐标转换矩阵;

$\boldsymbol{S}$——位移协调矩阵。

下面给出它们的具体形式。

1. 坐标转换矩阵

首先,从单元局部坐标系到总体坐标系的坐标转换要考虑以下三个方面(图 4.4.3)。

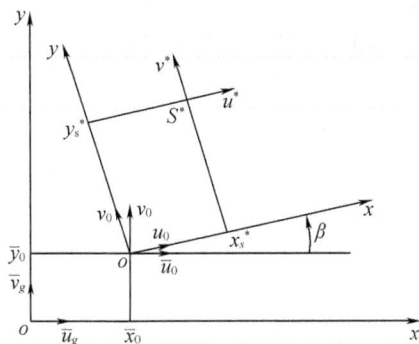

**图 4.4.3　坐标转换**

第一,在式(4.4.45)定义的 $\delta_{ij}$ 中,沿 $x$ 方向和沿 $y$ 方向的位移取的是坐标为 $x_s^*$、$y_s^*$ 的点处的位移 $u^*$ 和 $v^*$,由式(4.4.37),它们与断面形心处的位移 $u_0$ 和 $v_0$ 之间的关系为

$$u_0 = u^* + y_s^* \varphi, \quad v_0 = v^* + x_s^* \varphi \tag{4.4.61}$$

第二,单元局部坐标系的 $x$ 轴($y$ 轴)与总体坐标系的 $\bar{x}$ 轴($\bar{y}$ 轴)之间有一夹角 $\beta$,因此,沿局部坐标方向的位移 $u_0$ 和 $v_0$ 与沿总体坐标方向的位移 $\bar{u}_0$ 和 $\bar{v}_0$ 之间的关系为

$$\bar{u}_0 = u_0 \cos\beta - v_0 \sin\beta, \bar{v}_0 = u_0 \sin\beta - v_0 \cos\beta \tag{4.4.62}$$

单元局部坐标系的 $z$ 轴与总体坐标系的 $\bar{z}$ 轴方向一致,因此 $w_0$ 不用变换。

第三,形心处的位移 $\bar{u}_0$、$\bar{v}_0$、$w_0$ 与总体坐标 $z$ 轴处的位移 $\bar{u}_g$、$\bar{v}_g$、$\bar{w}_g$ 之间的关系为

$$\bar{u}_g = \bar{u}_0 + \bar{y}_0 \varphi, \bar{v}_g = \bar{v}_0 + \bar{x}_0 \varphi, \bar{w}_g = w_0 + \bar{x}_0 \theta_y - \bar{y}_0 \theta_x \tag{4.4.63}$$

式中 $\bar{x}_0$、$\bar{y}_0$ 为断面形心在总体坐标系中的坐标,注意在上式中轴向位移不包括翘曲位移在内。

根据以上三点,可将坐标转换矩阵写成

$$\boldsymbol{T} = \begin{bmatrix} \boldsymbol{t} & 0 \\ 0 & \boldsymbol{t} \end{bmatrix} \tag{4.4.64}$$

式中

$$\boldsymbol{t} = \begin{bmatrix} \cos\beta & \sin\beta & 0 & 0 & 0 & \bar{x}_0\sin\beta - \bar{y}_0\cos\beta - y_s^* & 0 \\ -\sin\beta & \cos\beta & 0 & 0 & 0 & \bar{x}_0\cos\beta + \bar{y}_0\sin\beta + x_s^* & 0 \\ 0 & 0 & 1 & \bar{y}_0 & -\bar{x}_0 & 0 & 0 \\ 0 & 0 & 0 & \cos\beta & \sin\beta & 0 & 0 \\ 0 & 0 & 0 & 0 & 0 & 1 & 0 \\ 0 & 0 & 0 & 0 & 0 & 0 & 1 \end{bmatrix}$$

在一些实际问题的计算中,如船体弯扭分析中,常设总体坐标系的 $\bar{z}$ 轴通过各单元的断面形心,即总体坐标系的 $\bar{z}$ 轴与各单元的局部坐标系的 $z$ 轴重合,这时在上式中 $\bar{x}_0 = \bar{y}_0 = 0$。

2. 位移协调矩阵

在两个不同剖面的薄壁杆件单元连接处,位移的协调关系一般可以写为

$$\bar{\delta}_{ir} = \boldsymbol{\alpha}\, \bar{\delta}_{jl} \tag{4.4.65}$$

式中$\bar{\delta}_{ir} = \left[ u_{gi}, v_{gi}, w_{gi}, \theta_{xi}, \theta_{yi}, \varphi_i, \theta_i \right]_r^T$，$\bar{\delta}_{jl} = \left[ u_{gj}, v_{gj}, w_{gj}, \theta_{xj}, \theta_{yj}, \varphi_j, \theta_j \right]_l^T$，下标 l、r 分别表示连接点左边和右边的单元；$\boldsymbol{\alpha}$ 为翘曲相容矩阵，其形式为

$$\boldsymbol{\alpha} = \begin{bmatrix} 1 & 0 & 0 & 0 & 0 & 0 & 0 \\ 0 & 1 & 0 & 0 & 0 & 0 & 0 \\ 0 & 0 & 1 & 0 & 0 & 0 & \alpha_{37} \\ 0 & 0 & 0 & 1 & 0 & 0 & \alpha_{47} \\ 0 & 0 & 0 & 0 & 1 & 0 & \alpha_{57} \\ 0 & 0 & 0 & 0 & 0 & 1 & 0 \\ 0 & 0 & 0 & 0 & 0 & 0 & \alpha_{77} \end{bmatrix}$$

式(4.4.65)表明，在连接处，左右两单元沿 $x$、$y$ 方向的位移和扭角是相同的，即

$$\bar{u}_{gi,r} = \bar{u}_{gj,l}, \quad \bar{v}_{gi,r} = \bar{v}_{gj,l}, \quad \bar{\varphi}_{i,r} = \bar{\varphi}_{j,l} \tag{4.4.66}$$

左右两单元翘曲函数之间的关系为

$$\bar{\theta}_{i,r} = \alpha_{77}\bar{\theta}_{j,l} \tag{4.4.67}$$

左右两单元沿 $z$ 方向的位移，以及绕 $x$ 轴和 $y$ 轴的转角之间的关系受到翘曲的影响，为

$$\left. \begin{array}{l} \bar{w}_{gi,r} = \bar{w}_{gj,l} + \alpha_{37}\bar{\theta}_{j,l} \\ \bar{\theta}_{xi,r} = \bar{\theta}_{xj,l} + \alpha_{47}\bar{\theta}_{j,l} \\ \bar{\theta}_{yj,r} = \bar{\theta}_{yj,l} + \alpha_{57}\bar{\theta}_{j,l} \end{array} \right\} \tag{4.4.68}$$

由此可得位移协调矩阵为

$$\boldsymbol{s} = \begin{bmatrix} \boldsymbol{I} & \boldsymbol{0} \\ \boldsymbol{0} & \boldsymbol{\alpha}^{-1} \end{bmatrix} \tag{4.4.69}$$

式中 $\boldsymbol{I}$ 为单位矩阵。

翘曲相容矩阵 $\boldsymbol{\alpha}$ 中的元素 $\alpha_{37}$、$\alpha_{47}$、$\alpha_{57}$ 和 $\alpha_{77}$ 可通过研究相邻两单元连接处轴向位移之间的协调关系来加以确定，对此将在下一节中讨论。

3. 刚度矩阵的转换

与式(4.4.59)的节点位移矢量的转换相应，单元的节点力矢量作下列转换：

$$\boldsymbol{F}_{ij} = \boldsymbol{S}^T \boldsymbol{T}^T \boldsymbol{F}_{ij} \tag{4.4.70}$$

式中，$\boldsymbol{F}_{ij}$ 为变换后的节点力矢量。

在节点位移矢量和节点力矢量的关系式 $\boldsymbol{F}_{ij} = \boldsymbol{K}\delta_{jl}$，等号两边同乘以 $\boldsymbol{S}^T \boldsymbol{T}^T$，并将式(4.4.59)和(4.4.70)式代入得

$$\boldsymbol{S}^T \boldsymbol{T}^T \boldsymbol{K} \boldsymbol{T} \boldsymbol{S}\, \bar{\boldsymbol{\delta}}_{ij} = \boldsymbol{F}_{ij} \tag{4.4.71}$$

由此可得刚度矩阵的转换式为

$$\bar{\boldsymbol{K}} = \boldsymbol{S}^T \boldsymbol{T}^T \boldsymbol{K} \boldsymbol{T} \boldsymbol{S} \tag{4.4.72}$$

式中 $\bar{\boldsymbol{K}}$ 即为考虑坐标转换和翘曲相容后的单元弯扭耦合刚度矩阵。

对每一单元均作上述转换后，即可按有限元法的通常做法将单元的刚度矩阵组合成总体刚度矩阵，并将单元等效节点力矢量连同作用在单元连接点处的集中外力组合成总体外力矢量，再作约束处理后即可求解。

# 第5章　上层建筑

## 5.1　船体上层建筑的变形特点

船体最上层连续甲板以上的舱室结构统称为上层建筑,例如艏楼、桥楼、艉楼和甲板室。上层建筑通常分为两类:一类是船楼,它们的特征是侧壁为船主体的船侧外板的延续,即与船体同宽;另一类是甲板室,特征是侧壁从船舷向内缩进了一些距离,即其宽度小于船宽。上述差异对结构的变形将有很大的影响。

上层建筑的强度问题有两类:总强度及局部强度。上层建筑的甲板、侧壁、前后壁都会受到波浪的冲击力作用,还承受人群、设备的重力等,故有局部强度问题。因参与或部分参与船体总纵弯曲,而有总强度问题。当上层建筑足够长时,它将参与船体总弯曲,长度不同,参与总强度的程度不同,或长度一定,但剖面位置不同时,参与总强度的程度不同。下面就对其参与总弯曲时的受力及变形进行分析。

设主体受中拱弯曲作用,这时上甲板受拉伸长。但是由于上层建筑与之连接,上甲板的伸长受到上层建筑下沿的约束,这个约束以连接线处分布的水平剪力来表示。同时,上层建筑下沿受到上甲板伸长的牵连,亦将随之伸长,这种强制变形的作用以另一组水平剪力表示。这两组剪力是一一对应的而且方向相反,如图 5.1.1(b)所示。

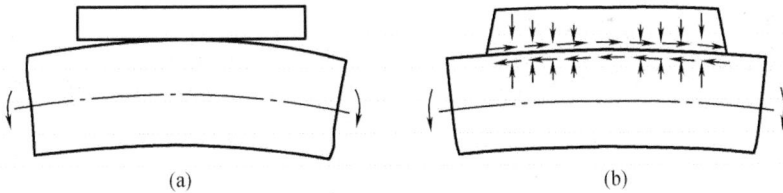

图 5.1.1　上层建筑与主体连接线上的相互作用力

由于主体对上层建筑的强制变形是偏心作用的,故作用在上层建筑下沿的水平剪力将使上层建筑向主体弯曲相反的方向弯曲,越接近上层建筑端点,这种倾向越强烈。然而这种分开倾向被与主体连接线的作用所克服,所以在连接线上存在着抵制这种倾向的两种竖向分布力,分别作用于上层建筑下沿的连接线上和主体的上甲板连接线上。这两组竖向分布力自然也是一一对应和方向相反的。图 5.1.1(a)表示上层建筑与主体没有连接约束。主体变形而上层建筑保持原状,于是两部分的相应断面将出现相对的纵向移动和分离现象。越接近上层建筑端点,这种现象越严重。图 5.1.1(b)表示通过连接的作用迫使上层建筑与主体一致弯曲变形。

如果上层建筑长度是 $2l$,$p$ 是沿上层建筑长度分布的竖向力,$q$ 是分布的水平剪力,根据力的平衡条件要求

$$\left.\begin{array}{l} \int_0^{2l} p\mathrm{d}x = 0 \\ \int_0^{2l} q\mathrm{d}x = 0 \end{array}\right\} \tag{5.1.1}$$

坐标原点取在上层建筑靠近船尾的端点。如果上层建筑与主体弯曲一致,并且在上层建筑侧壁和上甲板上没有水平剪力作用,则将适用梁的弯曲理论,在整个深度上应力分布是线性的。但现在已经明确侧壁上有水平剪力作用,它的影响是使上层建筑剖面歪斜,如图5.1.2所示,从而减小了弯曲应力。

剪切迟滞对纵弯曲应力的影响说明如下:设 $\sigma_x$ 是上层建筑长度中点断面上的正应力。从这断面切开的半段上层建筑所受的力的总和是 $\sum \sigma_x dA$,其中 $dA$ 就是那个断面的单元面积。因为上层建筑端点是自由端,没有力作用,故这个力只有由上层建筑与主体连接的水平剪力来平衡。如果 $\tau_a$ 是平均剪应力,$a$ 是剪切面积,则

$$\tau_a \cdot a = \sum \sigma_x dA \qquad (5.1.2)$$

断面越接近上层建筑端点,则剪切面积越小;假定弯曲应力与中点断面上一样,$\tau_a$ 越来越大,这种效应将使得越接近上层建筑端点的断面的歪斜越大,因而由剪切影响的减小纵应力效果越接近端点越大。如果上层建筑很短,即使是长度中点的断面也免不了端点的影响。就是说,如果上层建筑很长,其中点断面离端点相当远,端点影响就可以略去;但对靠近端点的断面仍有重大影响。这种由上层建筑的自由端产生的效应叫作端点效应。它表现为在上层建筑中点断面的弯曲应力受上层建筑长度变化的影响,如图5.1.3所示。

由于船楼的侧壁是主体舷侧外板的延续,所以连接线上的竖向力将迫使船楼产生与主体相同曲率的弯曲,即它参加船体梁总纵弯曲的程度最大。图5.1.4表示这种情况的弯曲形状和不同剖面纵向应力的分布。由图可看到,尽管船楼侧壁底部与主体有相同的曲率,但由于水平剪力的作用,纵向应力的垂向分布并不是线性的。

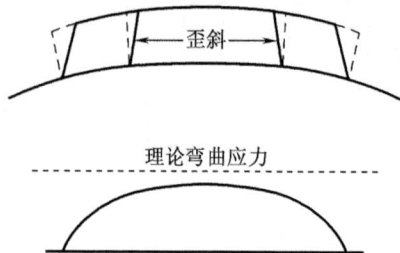

图5.1.2 水平剪力作用

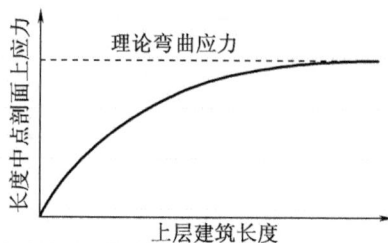

图5.1.3 上层建筑长度中点剖面上的弯曲应力
随长度的变化图

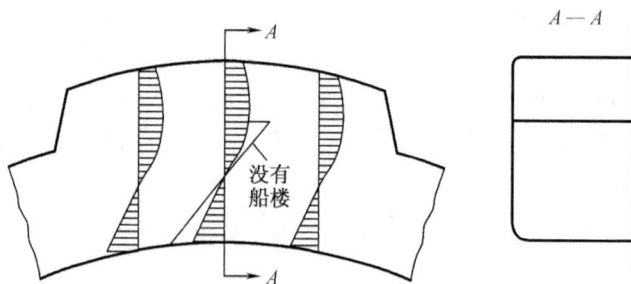

图5.1.4 船体与船楼的相互作用

对于甲板室,如果它仅支持在甲板横梁上,由于横梁相对柔软,竖向力将使它发生弯

曲,结果使甲板室与主体具有不同的曲率半径,甚至相反。如图 5.1.5 所示,此时应力沿横剖面的分布曲线有一个突变的坡度,并且即使在长度中点其应力也很小,因而甲板室和主体基本上是独立的。但是如在甲板室下设置横舱壁,并且向上一直延伸到甲板室顶,则在该处甲板室与主体有相同的变形,如图 5.1.6 所示。

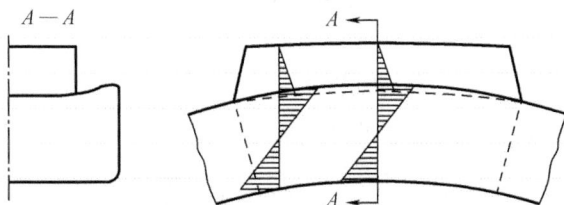

**图 5.1.5 船体与甲板室的相互作用（无中间横舱壁）**

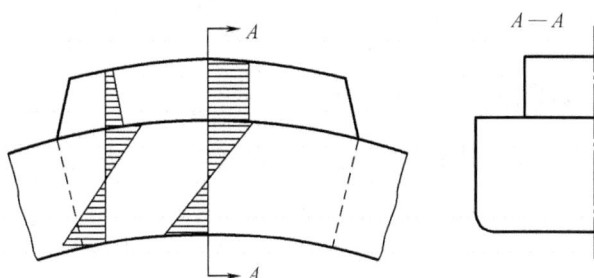

**图 5.1.6 船体与甲板室的相互作用（有中间横舱壁）**

上层建筑的端点效应和柔度效应应该是始终存在的,故上层建筑剖面中的弯曲应力一般要小于按梁的理论计算所得值。

# 5.2 上层建筑强度计算

## 5.2.1 计算方法概述

上层建筑强度计算主要是计算它的应力分布。可以采用组合杆理论计算,即将上层建筑和主船体作为两根不同的梁,各自遵循"平断面"假设,且彼此间满足变形协调条件。为了便于计算,特作如下几项假定:

（1）上层建筑与主体的变形对称于上层建筑的长度中点;

（2）上层建筑和主体的挠度在上层建筑端点处相同,在上层建筑长度中点处均为 0;

（3）两部分结构的曲率在长度中点处相同;

（4）在长度中点处的上层建筑下沿和主体上沿的应力相同。

求解思路如下:

（1）假定水平剪力和竖向力的分布模式;

（2）通过变形协调方程确定水平剪力和竖向力中的待定系数;

（3）确定轴向力 $P$ 及弯矩 $M$;

（4）得到正应力。

### 5.2.2 水平剪力与竖向力的分布模式

现假定上层建筑长度为 $2l$,坐标原点取在它的左端,取

竖向力

$$p = p_1 \cos \frac{\pi x}{l} \tag{5.2.1}$$

水平剪力

$$q = q_1 \cos \frac{\pi x}{2l} + q_3 \cos \frac{3\pi x}{2l} \tag{5.2.2}$$

可以满足平衡条件。因为上层建筑总的竖向力为

$$2\int_0^l p_1 \cos \frac{\pi x}{l} \mathrm{d}x = 2p_1 \frac{l}{\pi} \sin \frac{\pi x}{l} \Big|_0^l = 0$$

上层建筑内总的水平剪力为

$$\int_0^{2l} \Big( q_1 \cos \frac{\pi x}{2l} + q_3 \cos \frac{3\pi x}{2l} \Big) \mathrm{d}x = 0$$

### 5.2.3 根据变形协调条件确定系数 $p_1$、$q_1$、$q_3$

现在把上层建筑和主体分别作为单独的梁,各自受到竖向力和水平力的作用。此外主体还受到外弯矩 $M_x$ 的作用。令 $\overline{y_a}$ 是上层建筑断面的形心距上层建筑与主体相交线的距离。

在任一点 $x$ 处的上层建筑断面内由水平力所产生的弯矩

$$M_{ax}^q = -\int_0^x \overline{y_a} q \mathrm{d}x = -\int_0^x \overline{y_a} \Big( q_1 \cos \frac{\pi x}{2l} + q_3 \cos \frac{3\pi x}{2l} \Big) \mathrm{d}x$$

$$= -\overline{y_a} \frac{2l}{\pi} \Big( q_1 \sin \frac{\pi x}{2l} + \frac{1}{3} q_3 \sin \frac{3\pi x}{2l} \Big) \tag{5.2.3}$$

在 $x = l$ 处,即长度中点处的弯矩

$$M_{al}^q = -\frac{2\overline{y_a}l}{\pi} \Big( q_1 - \frac{1}{3} q_3 \Big) \tag{5.2.4}$$

由竖向力对上层建筑产生的弯矩

$$M_{ax}^p = \iint p \mathrm{d}x \mathrm{d}x = \iint p_1 \cos \frac{\pi x}{l} \mathrm{d}x \mathrm{d}x = -\frac{p_1 l^2}{\pi^2} \cos \frac{\pi x}{l} + Ax + B$$

在 $x = 0$ 处剪力和弯矩均等于 $0$,得 $A = 0$,$B = \dfrac{P_1 l^2}{\pi^2}$。

所以竖向力产生的弯矩

$$M_{ax}^p = \frac{p_1 l^2}{\pi^2} \Big( 1 - \cos \frac{\pi x}{l} \Big) \tag{5.2.5}$$

在 $x = l$ 处的弯矩

$$M_{al}^p = \frac{2p_1 l^2}{\pi^2} \tag{5.2.6}$$

上层建筑长度中点剖面上的总弯矩是

$$M_{al} = \frac{2p_1 l^2}{\pi^2} - \frac{2\overline{y_a}l}{\pi} \Big( q_1 - \frac{1}{3} q_3 \Big) \tag{5.2.7}$$

由水平力和竖向力的作用,在上层建筑任一点处产生的挠度是

$$y_{ax} = \frac{1}{E_a I_a} \iint M \mathrm{d}x \mathrm{d}x$$

$$= \frac{1}{E_a I_a} \iint \left[ \frac{p_1 l^2}{\pi^2} \left( 1 - \cos \frac{\pi x}{l} \right) - \frac{2 \overline{y_a} l}{\pi} \left( q_1 \sin \frac{\pi x}{2l} + \frac{1}{3} q_3 \sin \frac{3\pi x}{2l} \right) \right] \mathrm{d}x \mathrm{d}x$$

$$= \frac{1}{E_a I_a} \left[ \frac{p_1 l^2}{\pi^2} \left( \frac{x^2}{2} + \frac{l^2}{\pi^2} \cos \frac{\pi x}{l} \right) + \frac{8 \overline{y_a} l^3}{\pi^3} \left( q_1 \sin \frac{\pi x}{2l} + \frac{1}{27} q_3 \sin \frac{3\pi x}{2l} \right) \right] + C_x + D \quad (5.2.8)$$

式中　$E_a$——上层建筑的弹性模量;

$I_a$——上层建筑断面对其本身中和轴的惯性矩。

由 $x = l$ 处的条件

$$y = 0, \frac{\mathrm{d}y}{\mathrm{d}x} = 0$$

从而得出

$$C = -\frac{p_1 l^3}{\pi^2}$$

$$D = \frac{p_1 l^4}{2\pi^2} + \frac{p_1 l^4}{\pi^4} - \frac{8 \overline{y_a} l^3}{\pi^3} \left( q_1 - \frac{1}{27} q_3 \right)$$

上层建筑在 $x = 0$ 处的挠度为

$$y_{a0} = \frac{1}{E_a I_a} \left[ p_1 l^4 \left( \frac{1}{2\pi^2} + \frac{2}{\pi^4} \right) - \frac{8 \overline{y_a} l^3}{\pi^3} \left( q_1 - \frac{1}{27} q_3 \right) \right] \quad (5.2.9)$$

由 $\overline{y_s}$ 表示主船体断面形心到上述相交线的距离,可同样得到由竖向力和水平力在 $x = l$ 处主体上产生的弯矩 $M_{sl}$ 和在 $x = 0$ 处的主体产生的挠度 $y_{s0}$。若以 $M_l$ 表示由外荷重在 $x = l$ 处引起的弯矩;$\delta_0$ 表示由外荷重在 $x = 0$ 处引起的挠度。于是

$$M_{sl} = M_l - \frac{2 l^2 p_1}{\pi^2} - \frac{2l \overline{y_s}}{\pi} \left( q_1 - \frac{1}{27} q_3 \right) \quad (5.2.10)$$

$$y_{s0} = \delta_0 - \frac{1}{E_s I_s} \left[ p_1 l^4 \left( \frac{1}{2\pi^2} + \frac{2}{\pi^4} \right) - \frac{8 \overline{y_s} l^3}{\pi^3} \left( q_1 - \frac{1}{27} q_3 \right) \right] \quad (5.2.11)$$

式中　$I_s$——主体断面对其中和轴的惯性矩。

作用于上层建筑长度中点的总水平力,也就是作用于主体的总水平力,即

$$P = \int_0^l q \mathrm{d}x = \int_0^l \left( q_1 \cos \frac{\pi x}{2l} + q_3 \cos \frac{3\pi x}{2l} \right) \mathrm{d}x = \frac{2l}{\pi} \left( q_1 - \frac{1}{3} q_3 \right) \quad (5.2.12)$$

现在可以计算长度中点的上层建筑断面内的与主体相交处的总应力

$$\sigma_{al} = \frac{2l}{\pi A_a} \left( q_1 - \frac{1}{3} q_3 \right) - \frac{\overline{y_a}}{I_a} \left[ \frac{2 l^2}{\pi^2} p_1 - \frac{2l \overline{y_a}}{\pi} \left( q_1 - \frac{1}{3} q_3 \right) \right] \quad (5.2.13)$$

式中　$A_a$——上层建筑的截面面积。

同样可得主体顶部的应力

$$\sigma_{sl} = \frac{M_l}{I_s} \overline{y_s} - \frac{2l}{\pi A_s} \left( q_1 - \frac{1}{3} q_3 \right) - \frac{\overline{y_s}}{I_s} \left[ \frac{2 l^2}{\pi^2} p_1 + \frac{2l \overline{y_s}}{\pi} \left( q_1 - \frac{1}{3} q_3 \right) \right] \quad (5.2.14)$$

式中　$A_s$——主船体的截面面积。

现在必须计算两部分结构的曲率半径,在相交处的曲率半径已假定相等。如取两部分

结构的曲率半径等于各自中和轴的曲率半径,也就足够精确了,因为曲率半径的数值都是很大的。在中点处各部分结构的曲率是

$$
\left.
\begin{aligned}
\frac{1}{R_a} &= \frac{1}{E_a I_a}\left[\frac{2l^2 p_1}{\pi^2} - \frac{2l\,\overline{y}_a}{\pi}\left(q_1 - \frac{1}{3}q_3\right)\right] \\
\frac{1}{R_s} &= \frac{1}{E_s I_s}\left[M_l - \frac{2l^2 p_1}{\pi^2} - \frac{2l\,\overline{y}_s}{\pi}\left(q_1 - \frac{1}{3}q_3\right)\right]
\end{aligned}
\right\}
\tag{5.2.15}
$$

根据前述假定(2)(3)(4)项,写出在 $x = l$ 处的应力相等,在 $x = 0$ 的挠度相等,在 $x = l$ 处的曲率相等的方程式如下:

$$
\left\{\frac{2l}{\pi A_a}\left(q_1 - \frac{1}{3}q_3\right) - \frac{\overline{y}_a}{I_a}\left[\frac{2l^2 p_1}{\pi^2} - \frac{2l\,\overline{y}_a}{\pi}\left(q_1 - \frac{1}{3}q_3\right)\right]\right\} \cdot \frac{E_s}{E_a}
$$

$$
= \frac{M_l}{I_s} \cdot \overline{y}_s - \frac{2l}{\pi A_s}\left(q_1 - \frac{1}{3}q_3\right) - \frac{\overline{y}_s}{I_s}\left[\frac{2l^2 p_1}{\pi^2} + \frac{2l\,\overline{y}_s}{\pi}\left(q_1 - \frac{1}{3}q_3\right)\right]
\tag{5.2.16a}
$$

$$
\frac{1}{E_a I_a}\left[p_1 l^4\left(\frac{1}{2\pi^2} + \frac{2}{\pi^4}\right) - \frac{8\,\overline{y}_a l^3}{\pi^3}\left(q_1 - \frac{1}{27}q_3\right)\right]
$$

$$
= \delta_0 - \frac{1}{E_s I_s}\left[p_1 l^4\left(\frac{1}{2\pi^2} + \frac{2}{\pi^4}\right) - \frac{8\,\overline{y}_s l^3}{\pi^3}\left(q_1 - \frac{1}{27}q_3\right)\right]
\tag{5.2.16b}
$$

$$
\frac{1}{E_a I_a}\left[\frac{2l^2}{\pi^2}p_1 - \frac{2l\,\overline{y}_a}{\pi}\left(q_1 - \frac{1}{3}q_3\right)\right] = \frac{1}{E_s I_s}\left[M_l - \frac{2l^2}{\pi^2}p_1 - \frac{2l\,\overline{y}_s}{\pi}\left(q_1 - \frac{1}{3}q_3\right)\right]
\tag{5.2.16c}
$$

合并同类项并重新排列成如下形式

$$
\left.
\begin{aligned}
p_1 l Q + q_1 S - \frac{1}{3}q_3 S &= \frac{M_l}{I_s} \cdot \frac{\overline{y}_s}{l} \\
p_1 l T + q_1 U - \frac{1}{27}q_3 U &= \frac{E_s I_s}{l^3}\delta_0 \\
p_1 l V + q_1 W - \frac{1}{3}q_3 W &= \frac{M_l}{l}
\end{aligned}
\right\}
\tag{5.2.17}
$$

式中

$$
\left.
\begin{aligned}
Q &= \frac{2}{\pi^2}\left(\frac{\overline{y}_s}{I_s} - \frac{\overline{y}_a}{I_a} \cdot \frac{E_s}{E_a}\right) \\
S &= \frac{2}{\pi}\left(\frac{1}{A_a} \cdot \frac{E_s}{E_a} + \frac{1}{A_s} + \frac{\overline{y}_a^2}{I_a} \cdot \frac{E_s}{E_a} + \frac{\overline{y}_s^2}{I_s}\right) \\
T &= \left(\frac{1}{2\pi^2} + \frac{2}{\pi^4}\right)\left(1 + \frac{E_s I_s}{E_a I_a}\right) \\
U &= \frac{8}{\pi^2}\left(\overline{y}_s - \overline{y}_a \cdot \frac{E_s}{E_a} \cdot \frac{I_s}{I_a}\right) \\
V &= \frac{2}{\pi^2}\left(1 + \frac{E_s I_s}{E_a I_a}\right) \\
W &= \frac{2}{\pi}\left(\overline{y}_s - \overline{y}_a \cdot \frac{E_s}{E_a} \cdot \frac{I_s}{I_a}\right)
\end{aligned}
\right\}
\tag{5.2.18}
$$

这些量对于已知的上层建筑和主体结构是常数。可以解出系数 $p_1$、$q_1$、$q_3$,再把这些数

值代入式(5.2.13)和式(5.2.14)就可以得到上层建筑长度中点处的上层建筑的总应力和主体的总应力。或者代入式(5.2.3)和式(5.2.7)就可以得到上层建筑上任一点 $x$ 处的弯矩。注意,这样得到的上层建筑内的应力,还需要进一步计及剪切滞后对纵弯曲应力的影响,可以用泰勒(J. T. Taylor)近似理论来考虑。

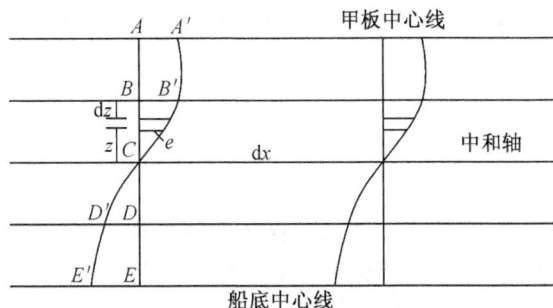

**图 5.2.1　船体剖面**

如图 5.2.1 所示的船体剖面 $ABCDE$ 由剪切作用畸变为 $A'B'CD'E'$。在离中和轴 $z$ 的一点处的剪切角应变为

$$\frac{\partial e}{\partial z} = \frac{\tau}{G} \tag{5.2.19}$$

式中　$\tau$——$z$ 点的剪应力;

　　　$G$——剪切弹性模数。

因而

$$e = \int \frac{\tau}{G} \mathrm{d}z \tag{5.2.20}$$

在 $\mathrm{d}x$ 段内,从 $z$ 到 $z_m$ 的弯曲应力 $\sigma$ 之和应等于这段作用的剪应力之和,即

$$\int_z^{z_m} \frac{\partial \sigma}{\partial x} \mathrm{d}x \mathrm{d}z = \tau \mathrm{d}x$$

式中　$z_m$——从中和轴到甲板中心线的距离,在甲板中心线那点 $\tau = 0$,所以在 $z$ 点

$$\tau = \int_z^{z_m} \frac{\partial \sigma}{\partial x} \mathrm{d}z$$

从图 5.2.1 还可以看到,由剪切应力引起的纵应变是 $\frac{\partial e}{\partial x}$,很容易证明这是与弯曲的纵应变相反的。所以由剪切引起的弯曲应力减小

$$E \frac{\partial e}{\partial x} = E \frac{\partial}{\partial x} \iint \frac{\left(\frac{\partial \sigma}{\partial x}\mathrm{d}z\right)}{G} \cdot \mathrm{d}z = \frac{E}{G} \int \left( \int_z^{z_m} \frac{\partial^2 \sigma}{\partial x^2}\mathrm{d}z \right) \mathrm{d}z \tag{5.2.21}$$

由于 $\sigma$ 是 $p_1$、$q_1$、$q_3$ 的函数,所以减小的应力可算出。

纵弯曲应力减小了,由弯曲应力构成的内弯矩就比外弯矩小了。为了平衡,泰勒还假定梁必须再弯曲一些以补偿差额弯矩

$$\mu = \int E \frac{\partial e}{\partial x} y \mathrm{d}A$$

注意,这里的 $y$ 是垂向坐标,前面的 $z$ 坐标是沿着剖面周界量的,两者是有差别的,$\mathrm{d}A$ 是单元面积。

故最后的应力是

$$\sigma_1 = \frac{M + \mu}{J}y - \frac{E}{G}\int\left(\int_z^{z_m} \frac{\partial^2 \sigma}{\partial x^2}dz\right)dz \qquad (5.2.22)$$

也可以用平面应力理论来解决上层建筑的强度问题。这个方法的优点在于能同时考虑剪切滞后和上甲板柔度的影响,还能考虑到连接处的纵向滑移的影响。

## 5.3 上层建筑的设计

对船的上层建筑进行设计时,需要考虑其参与船体总强度的程度。上层建筑参与总强度的程度跟其长度、宽度、刚度等密切相关。对于短上层建筑来说,端点效应明显,上层建筑基本不参与船体总强度。对于长上层建筑来说,中部通常参与总强度,其参与程度向两端逐渐减弱,在其端部通常存在明显的应力集中现象。通常用有效度来衡量上层建筑参与总强度的程度。在设计初期首先要计算上层建筑的有效度,从而指导设计。设计初期有效度的计算可采用建立于解析方法基础上的近似估算法;设计后期则可采用全船有限元法计算得到。

为了减轻船体质量、控制船体重心高度,通常不希望上层建筑参与总强度。一般的做法是将上层建筑设计为几段,或增设弹性接头,但同时也会引起应力集中。当为了提高船体结构刚度及强度需要上层建筑参与总强度时,就应按强力上层建筑进行设计。如《钢质海船入级规范》要求:当在船中 0.5L 区域内设置长上层建筑时,第一层长上层建筑的甲板结构应满足强力甲板的要求,舷侧外板应满足船体外板的要求;当在船中 0.5L 区域内设置长甲板室时,根据长甲板室参与船体梁总纵弯曲的程度,第一层长甲板室的甲板板厚和骨架尺寸应增大。

在总布置设计中,上层建筑的设计内容包括对其形式、尺度、层数、外部造型及内部各舱室的划分和布置等多个方面的工作,要考虑其具体情况加以确定。船楼能够增加内部面积并有利于舱室布置,还可以提高船的安全性。甲板室留有的外走道可以供人员通行,上下船方便,还有利于旅客在外走道观赏风光。在确定尺度和层数时应考虑舱室布置、重心高度、受风面积、驾驶视线等。最终的设计不但要满足基本的强度要求和一定的性能要求,还需优化人员的居住和作业条件、外观造型等。

# 第6章 应力集中

## 6.1 概 述

在船体强度计算中,一般均假定结构剖面中的应力是线性变化的。例如总纵弯曲应力与构件离开中和轴的距离成正比。这种假定对于等断面梁或者截面缓慢变化的梁来说是基本相符的。但船体结构中存在许多不连续构件(或称间断构件),这些构件的断面在某些地方发生突变。在断面发生突变的地方,往往产生极高的应力,且变化急剧,某些点处的最大应力可能比平均应力大许多倍,不过最大应力的分布范围却仅限于局部地方,换言之,应力的这种变化是局部现象,我们把这种在小范围内出现高应力的现象叫作应力集中。例如带有圆孔的板受拉压作用(图6.1.1),具有阶梯断面的板承受弯曲作用等(图6.1.2)。

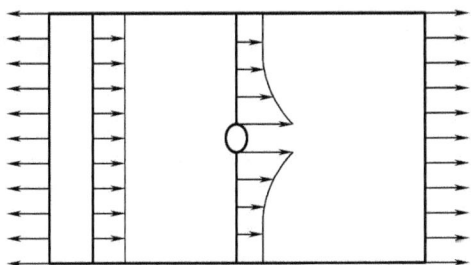

图 6.1.1 带有圆孔的板受拉作用      图 6.1.2 具有阶梯断面的板承受弯曲作用

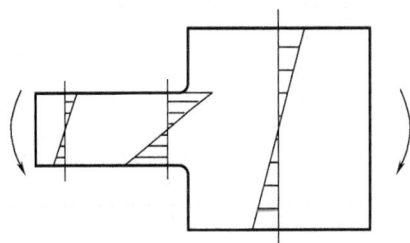

由于船体在波浪上的总纵弯曲具有交变的特性,应力集中又具有三向应力特性,严重的应力集中更易于引起局部裂纹和促进裂纹的逐渐扩展。第二次世界大战中和大战后,因为结构开口引起应力集中从而产生裂缝导致船体折断的事故占整个船体结构海损事故总数中的极大部分。所以在第二次世界大战后,关于船体结构的应力集中问题曾引起了造船界的普遍重视,开展了大量的研究工作。至今已证明应力集中是船体结构遭受破坏的重要因素之一,因此,船体结构设计工作者在设计中必须始终注意这一问题,尽量保证结构的连续性,并采取措施避免或减缓应力集中。

应力集中处的最大应力与所选定的平均应力之比值,称为应力集中系数。它是应力集中程度的一个标志,它表明最大应力是所选定的基准应力的倍数。可用式(6.1.1)表示:

$$k = \frac{\sigma_{max}}{\sigma_0} \quad 或 \quad k = \frac{\tau_{max}}{\tau_0} \tag{6.1.1}$$

式中    $\sigma_{max}$、$\tau_{max}$——应力集中处的最大正应力及剪应力;

       $\sigma_0$、$\tau_0$——选定的基准应力;

       $k$——应力集中系数。

由于基准应力不同,应力集中系数也不同。确定应力集中系数时,应指明选择的基准应力。基准应力有两种选法:一种是取开口区域最小断面的平均应力;另一种是取离开口区域较远处的平均应力。

应力集中系数 $k$ 值的确定,多数是利用光弹性试验,仅有少数几个特定的开口,可以根据弹性理论求出其精确值。此外,用有限元法可得到相当精确的数值解。考虑到实际结构的复杂性而进行的各种实船测量,也是研究应力集中问题的一个重要手段。

## 6.2 几种常见结构的应力集中与应力集中系数

间断构件的应力变化规律和应力集中系数的大小很大程度上取决于这些构件的形状。目前,已经能够确定各种形状的间断构件的应力集中系数。本节介绍几种常见的开孔形状的平板在拉伸、弯曲、扭转时的应力集中问题。

### 6.2.1 带圆孔的受拉(压)板的应力集中

对于具有圆孔且承受拉伸作用的平板如图 6.2.1 所示,根据无限宽板的弹性理论,设圆孔半径为 $a$,板宽 $2B \to \infty$,均匀受拉,无限远处应力为 $\sigma_0$,则板内任意一点 $(r, \theta)$ 处的应力状态可用下式表示

$$
\left.
\begin{aligned}
\sigma_r &= \frac{\sigma_0}{2}\left[ (1-\rho^2) + (1-4\rho^2+3\rho^4)\cos 2\theta \right] \\
\sigma_\theta &= \frac{\sigma_0}{2}\left[ (1+\rho^2) - (1+3\rho^4)\cos 2\theta \right] \quad (其中 \rho \equiv a/r \leqslant 1) \\
\tau_{r\theta} &= -\frac{\sigma_0}{2}(1+2\rho^2-3\rho^4)\sin 2\theta
\end{aligned}
\right\}
\tag{6.2.1}
$$

在 $AB$ 剖面上,$\theta = \pm\dfrac{\pi}{2}$,则

$$
\left.
\begin{aligned}
\sigma_r &= \frac{3}{2}\sigma_0(\rho^2-\rho^4) \\
\sigma_\theta &= \frac{\sigma_0}{2}(2+\rho^2 3\rho^4) \\
\tau_{r\theta} &= 0
\end{aligned}
\right\}
\tag{6.2.2}
$$

当 $\rho = \sqrt{2}$ 时,$\sigma_{r\max} = \dfrac{3}{8}\sigma_0$,即应力集中系数 $0 \leqslant k \leqslant \dfrac{3}{8}$,且 $\rho \leqslant 1.6$ 时,$k > 1.5$。

在圆周上,$r = a$,沿圆边缘的应力按式(6.2.3)分布:

$$
\left.
\begin{aligned}
\sigma_r &= \tau = 0 \\
\sigma_\theta &= \sigma_0(1-2\cos 2\theta)
\end{aligned}
\right\}
\tag{6.2.3}
$$

而且 $50° \leqslant |\theta| \leqslant 130°$ 时,$k > 1.5$。

综上,高应力区域为 $\{50° \leqslant |\theta| \leqslant 130°, r \leqslant 1.6a\}$。应力沿板宽及孔边的变化如图6.2.2所示。在孔边 $A$、$B$ 两点发生高度应力集中,这两点的拉应力为平均拉应力的三倍,故应力集中系数 $k = 3$。但是,该应力随着离开 $A$、$B$ 两点的距离增加而迅速降低。在离开孔边缘的距离等于圆孔半径之处,应力值仅比平均拉应力值高出 22%。由此可见,应力集中仅局限于孔边 $A$、$B$ 两点附近。应力沿孔边的变化,在 $\theta = 0°$ 时,沿孔边的切向应力等于板端的平均拉应力 $\sigma_0$。

对于实际问题中的有限宽板来说,相应的 $k$ 值要比无限宽板情形大。当板宽与开孔直径之比大于 5 时,上述理论解在实用上已具有足够的精确度。对于具有不同的板宽与孔径

之比的板,应力集中系数值的变化如图 6.2.3 所示。该系数值是以开孔处的拉伸应力作为基准应力求得的。

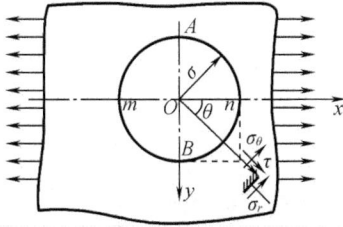

**图 6.2.1　带圆孔的受拉板**

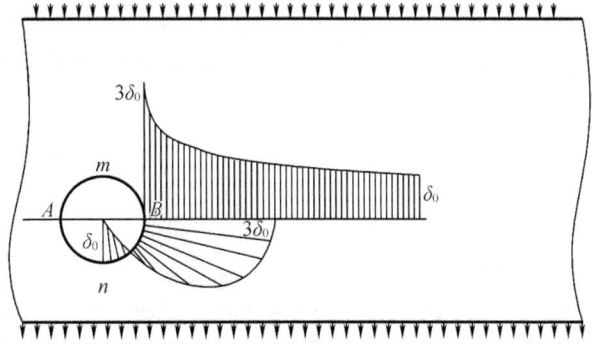

**图 6.2.2　应力沿板宽及孔边的变化**

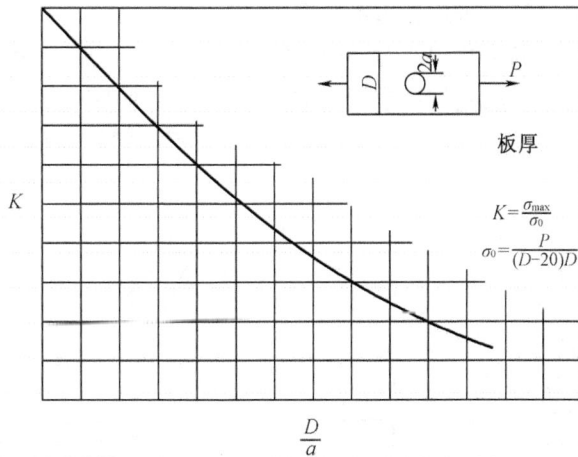

**图 6.2.3　不同板宽孔径比的应力集中系数**

当板受到平均压应力作用时,其结果与上面讨论中所得的应力符号相反。于是,$A$、$B$ 两点的最大压应力为 $3\sigma_0$,$m$、$n$ 两点为拉应力 $\sigma_0$。用叠加法可求得在两个方向同时受力时的应力集中系数(图 6.2.4(b)(c))。例如,当一个方向受到拉伸,而另一方向受到压缩作用时($\sigma_x = -\sigma_y = \sigma$),$A$、$B$ 两点的最大应力为 $4\sigma$,$m$、$n$ 两点的最大应力为 $-4\sigma$(图 6.2.4(c))。图 6.2.4(b)为两个方向受拉时的情形。

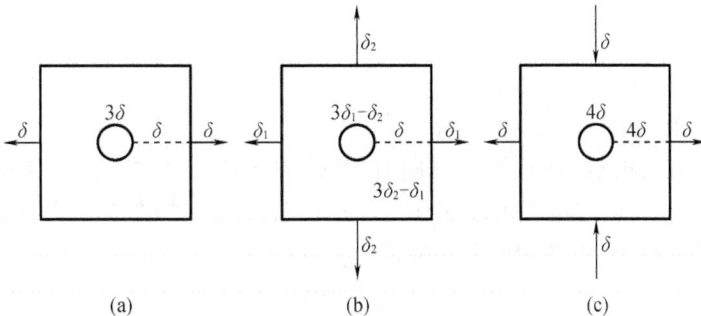

**图 6.2.4　带圆孔板受拉压作用的应力状态**

### 6.2.2  带椭圆孔的受拉（压）板的应力集中

具有小椭圆孔的无限宽板拉伸时，最大应力发生在长轴的两端，如图 6.2.5 所示。若以离开椭圆孔无限远处的拉伸应力为基准应力，则长轴两端点的应力集中系数由式（6.2.4）确定：

$$k = 1 + 2\frac{a}{b} \qquad\qquad (6.2.4)$$

式中    $a$——垂直于拉伸方向的椭圆主轴；

$b$——平行于拉伸方向的椭圆主轴。

当 $a/b = 1$ 时，$k = 3$，这与圆孔时的结果一样。两点的应力集中系数 $k$ 随 $a/b$ 值的增加而急剧增大。这说明垂直于拉伸方向的狭长开孔会引起很高的应力集中。例如当甲板沿船宽方向出现裂缝时，相当于 $a/b \to \infty$，因而 $k \to \infty$，所以裂缝将不断扩展，直至结构损坏。由于这个原因，甲板上应避免采用长边沿船宽方向布置的开孔。

对于有限宽度的板，椭圆孔很小时，式（6.2.4）在实用上具有足够的精度。对于在两个方向同时受力的情况，也可用叠加法求得 $A$、$B$ 点和 $m$、$n$ 点的应力集中系数。

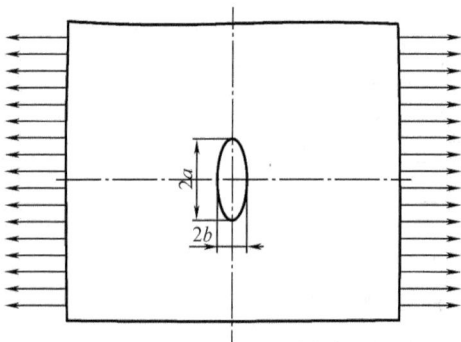

图 6.2.5  带椭圆孔的受拉板

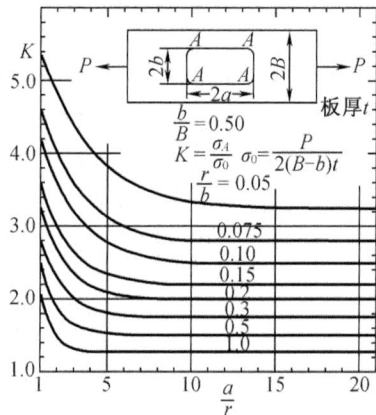

图 6.2.6  $k$ 与 $b/B$、$r/b$ 和 $a/r$ 的关系

### 6.2.3  带矩形开口的板的应力集中

对于具有方形或长形开口的板，在拉伸时的应力集中问题可用光弹性试验来研究。图 6.2.7 是光弹试验结果之一。最大应力 $\sigma_A$ 发生在角隅的 $A$ 点。取最小断面的平均应力为基准应力，应力集中系数 $k = \sigma_A/\sigma_0$。$k$ 值是 $b/B$、$r/b$ 和 $a/r$ 的函数，如图 6.2.6 所示。对应力集中系数影响最大的因素是角隅半径 $r$ 值，$r$ 值越大，应力集中系数越低。

具有长方形开孔的板，在板面内弯曲时，开孔的角隅处将发生应力集中。根据光弹性试验，最大应力 $\alpha_{max}$ 发生的位置可能在 $A$ 点，也可能在 $E$ 点，如图 6.2.7 所示。假如取 $A$ 点的弯曲应力为基准应力，则按梁的弯曲理论计算，可得

$$\sigma_0 = \frac{3Mb}{2(B^3 - b^3)t} \qquad\qquad (6.2.5)$$

对于 $A$ 点产生的最大应力 $\sigma_A$ 和 $E$ 点产生的最大应力 $\sigma_E$，其应力集中系数分别为

$$k_A = \frac{\sigma_A}{\sigma_0}, k_E = \frac{\sigma_E}{\sigma_0}$$

根据试验结果,对于 $k_A$ 可用式(6.2.6)表示:

$$k_A = \left\{ 2 + \left( \sqrt{\frac{b}{r}} - 1 \right)\left( 1 - \frac{b}{B} \right)^{1.6} \right\} \left[ 0.6 + 0.4 e^{-1.5\left( \frac{a}{r} - 1 \right)} \sqrt{\frac{r}{b}} \right] \qquad (6.2.6)$$

在光弹试验的精度内,$\sigma_E$ 可以用式(6.2.7)表示:

$$\sigma_E = \frac{3MB}{2(B^3 - b^3)t} \qquad (6.2.7)$$

于是,$k_E = \dfrac{\sigma_E}{\sigma_0} = \dfrac{B}{b}$。当 $\dfrac{b}{B} = 0.5$ 时,$k_E = 2.0$。所以当 $k_A < k_E$ 时取 $k_E$,否则取 $k_A$。应力集中系数 $k_A$、$k_E$ 与系数 $r/b$ 和 $a/r$ 的关系如图 6.2.7 所示。

具有阶梯形断面的板,在弯矩 $M$ 的作用下,转角处的应力集中如图 6.2.8 所示,根据梁的弯曲理论可求得最小断面处弯曲应力为

$$\sigma_0 = \frac{6M}{d^2 t} \qquad (6.2.8)$$

应力集中系数 $k = \sigma_{\max}/\sigma_0$。由图 6.2.8 可见,当转角半径 $r$ 减小时,应力集中系数急剧增加。船舶上层建筑端部与主体连接之处就相当于这种情况。

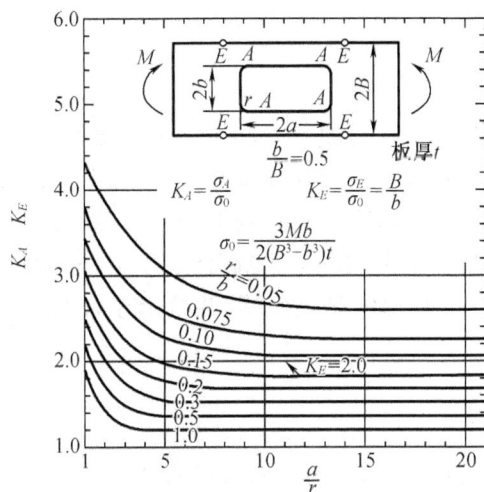

图 6.2.7  $k_A$、$k_E$ 与 $r/b$ 和 $a/r$ 的关系

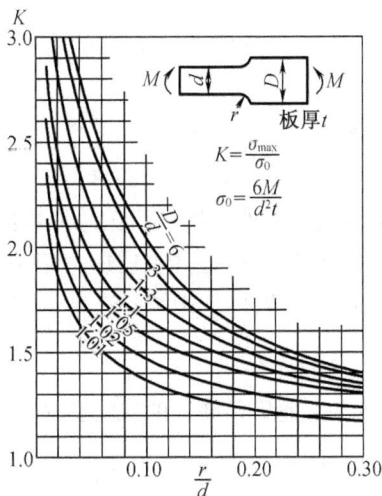

图 6.2.8  阶梯断面板受弯曲时的应力集中

### 6.2.4  扭转时的应力集中

如图 6.2.9 所示,在具有小圆孔的薄壁管扭转时,相当于承受纯剪切作用的平板,沿圆孔周围的切向应力按式(6.2.9)计算

$$\sigma_\theta = \tau_0 \left[ 1 + 3\left( \frac{a}{r} \right)^4 \right] \cos 2\left( \theta - \frac{\pi}{4} \right) \qquad (6.2.9)$$

式中  $\tau_0$——作用在板上的剪应力;

  $\theta$——孔边任意点与 $x$ 轴的夹角;

  $r$——离开孔圆心的距离。

圆孔边缘上的正应力为

$$\sigma_\theta = 4\tau_0 \cos 2\left(\theta - \frac{\pi}{4}\right) \tag{6.2.10}$$

当 $\theta = \dfrac{\pi}{4}$ 时, $\sigma_\theta = 4\tau_0$; 当 $\theta = \dfrac{3\pi}{4}$ 时, $\sigma_\theta = -4\tau_0$。

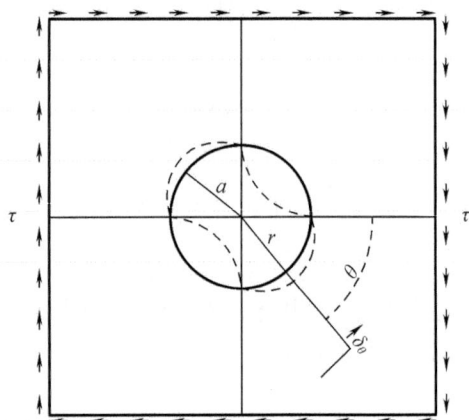

图 6.2.9　薄壁管的扭转

## 6.3　船体结构中的应力集中与防护措施

船体结构中断面和形状突然变化的构造很多,如上层建筑端部与主体的连接处、甲板舱口角隅处,以及构件中的各种开口或者不同尺寸的构件的相互连接等,这些都严重地破坏了船体结构的连续性。船舶总纵弯曲时,重复的拉压作用使得这些构件在不连续处的应力梯度急剧升高,引起严重的应力集中,从而成为船体的薄弱环节,也因此发生了许多海损事故。本节对船体结构中比较突出的几个应力集中问题做简要介绍,并给出建议的防护措施。

### 6.3.1　舱口角隅处的应力集中及防护措施

在大型船舶上,强力甲板上的大开口严重地破坏了甲板结构的连续性,使甲板结构变成所谓间断构件,致使甲板剖面上应力重新分布,特别是在舱口角隅处引起高度应力集中。由于在一个舱长范围内总纵弯矩变化不大,故取舱口长度中点断面处的甲板应力作为平均应力 $\sigma_0$。

1. 舱口角隅处的应力集中

甲板受拉时,舱口角隅处的应力集中主要受下述因素的影响。

(1)舱口宽度与整个船宽的比值为 $b/B$,应力集中系数随 $b/B$ 增大而增大。

(2)舱口长宽比为 $a/b$,应力集中系数随 $a/b$ 增大而降低。

(3)舱口角隅处的形状,对应力集中系数的影响最大。

采用圆弧形角隅的大舱口,根据实船的试验资料,最大应力一般发生在舱口纵边上圆弧终止点内侧约成30°角的圆弧边缘上,如图6.3.1所示。角隅圆弧半径 $r$ 与开口宽度 $b$ 之比是影响应力集中的主要因素。$\dfrac{r}{b} < 0.1$ 时,应力集中系数急剧增大,但当 $\dfrac{r}{b} > 0.2$ 时,应力集中系数不再变化。这与光弹性试验结果也是一致的。

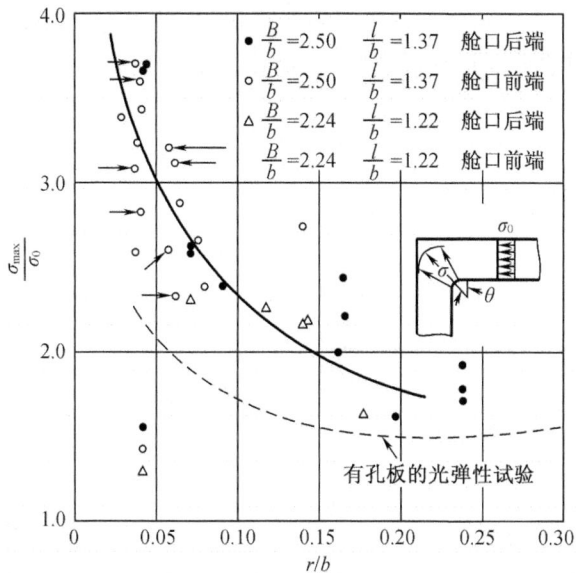

**图 6.3.1 舱口角隅的应力集中**

需要指出的是,开孔板的受力情况不同,其产生的应力集中也是不同的。对一般货船,甲板开口的应力集中主要以承受总纵弯曲的拉伸与压缩应力为对象。对于大开口船舶,船体的扭转不可忽视,此时不仅甲板产生切应力,而且还必须考虑船体扭转产生舱口菱形变形所引起的应力集中。特别是对集装箱船,这是不容忽视的问题。

2. 降低角隅处应力集中的结构措施

在结构设计时必须充分注意舱口角隅处的结构细节。对强力甲板上的机炉舱口、货舱口,为降低角隅处的应力集中,可采取如下一些措施。

(1)在舱口角隅高应力区,用增厚的插入板。这是过去广泛采用的一种结构形式。我国《钢质海船建造规范》规定该板应较原来板厚增加 5 mm,其加厚范围如图 6.3.2 所示。这种办法可以降低局部的高应力,但加厚板端接缝应与舱口围板的端接缝和甲板骨架的角接焊缝错开,这会使工艺更烦琐,且增厚板与原来甲板连接处厚度不同,产生新的不连续性,造成新的应力集中出现,从而增加断裂的可能性,因此不是很理想的方法。

(2)对于圆弧形舱口角隅,增大角隅圆弧半径是降低应力集中的最有效方法。通常角隅半径与舱口宽度之比不小于 1/10(现海船规范已放宽到 1/20)。但是,过大的圆角半径会使舱口有效面积减小,从而影响装卸货效率。从使用观点来看,圆弧半径不宜太大,因此应力集中系数仍然是较高的。

(3)采用抛物线或椭圆形舱口角隅。舱口角隅采用椭圆形或抛物线形,且长轴沿船长方向,进一步改善了过渡方式,这时的应力集中系数比采用圆弧形的应力集中系数低。根据光弹性试验结果,在保持同样开口面积的情况下,把圆弧改成椭圆或抛物线形状,应力集中系数可降低 12% ~20%。这种结构不仅工艺简单而且结构更加合理,所以各船级协会规范在推荐采用这两种形状的角隅时,都不要求在角隅处再加厚板。我国《钢质海船建造规范》中也规定"强力甲板上大开口的角隅是抛物线形或椭圆形的,则不需将角隅甲板加厚"。此时,角隅形状尺寸及画法应遵照图 6.3.3。椭圆角隅的最佳长短轴之比为 3.0~3.5,此时应力集中程度可比相应的圆弧角隅减少23%左右。对于易受疲劳损伤的重要部位的椭圆形开口也应予以加强。应用断裂力学原理的计算和试验表明:当角隅处存在一定长度的裂纹时,角隅形状对结构的强度几乎没有影响,而设置加厚板则明显增加了含裂纹构件的疲劳与断裂强度。

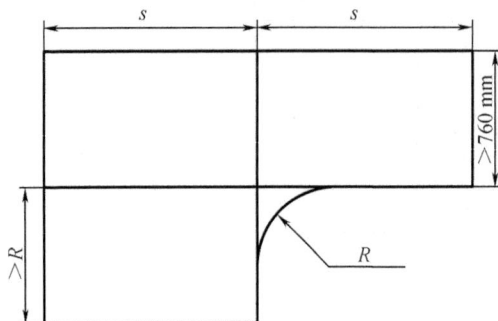

图6.3.2　角隅加厚板尺寸

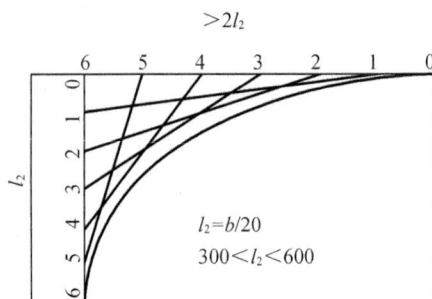

图6.3.3　角隅形状

(4)舱口边缘的甲板纵桁对降低角隅处的应力集中有一定的作用,但是若舱口围板在角隅处突然中断,会在围板端部产生新的应力集中,所以在舱口围板端部应当采用纵向肘板逐步过渡。至于舱口围板在角隅处是做成圆形还是直角形,相关试验结果表明,这对角隅处的应力集中的影响差别不大。为简化工艺,多用直角焊接。

对于总纵弯曲应力比较小的下层甲板机炉舱、货舱口的角隅,一般做成圆弧形就可以了。因为这些地方即使存在应力集中,其应力值也不会太大。但海船规范对第二甲板还是要求设加厚板,其厚度较甲板增加2.5 mm。

对于甲板上的各种小型开孔,应根据其受力的特点予以加强。

对于仅仅承受拉伸或压缩作用的圆孔来说,应力集中系数与开孔直径的绝对值无关,而高应力的分布范围则与开孔直径成正比。因此,不同开孔直径对船体结构的危害程度是不同的。凡开口尺度相对船宽来说很小,高应力只在很局部的范围内分布,或者应力集中系数不大,可以认为对船体结构没有什么大危险,这类开口可不予加强。这些开口有以下4类。

(1)直径不大于20倍板厚的圆形开口。

(2)椭圆形开口的长轴沿船长方向布置,且开口长宽比不小于2。

(3)其他形状的开口,如果试验证明其应力集中系数小于2(对一般强度钢)或者小于1.3(对高强度钢)的开口。

(4)强力甲板开口线以外,长度(艏艉方向)不超过2.5 m及宽度不超过1.2 m或0.04$B$ m(取小者)的甲板开口,在一个横部面($Y$—$Y$)上的开口宽度总和(包括图6.3.4所示阴影区域宽度)$b_e$应符合下式要求:

$$b_e \leqslant 0.06(B - \sum b_e) \tag{6.3.1}$$

式中　$B$——计算剖面处的船宽,m;

　　　$\sum b_e$——计算剖面处所考虑的开口宽度的总和,m。

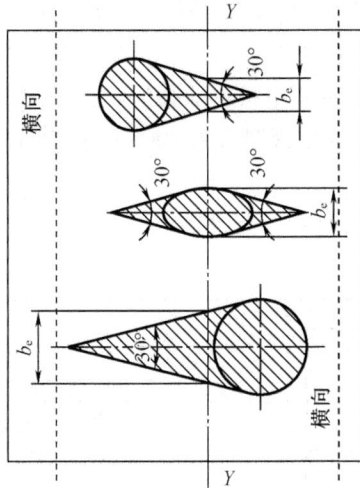

图6.3.4 横剖面上开口宽度的计算方法

不符合上述要求的小型开口则应予以加强,通常的补偿方法是加厚甲板,以便减小应力集中。直径大于构件厚度20倍的圆孔应在圆孔应力集中最高的地方,沿着拉力方向装设腹板或加厚板。

加厚板的厚度 $t_1$ 按式(6.3.2)确定。

$$t_1 = t + \nabla t \tag{6.3.2}$$

式中 $t$——最大应力集中区域的原始板厚;

$\nabla t$——附加厚度。

$\nabla t$ 按下式求得

$$\nabla t = \sqrt{t \cdot t_2}\left(K \cdot \alpha \frac{\sigma}{[\sigma]} - 1\right) \tag{6.3.3}$$

式中 $t_2$——开孔横边处板厚;

$\sigma, [\sigma]$——分别为构件中计算应力与许用应力;

$\alpha$——系数,按图6.3.5确定,图中 $d$ 是圆孔直径,$b$ 是开孔宽度;

$K$——应力集中系数,按图6.3.6确定。

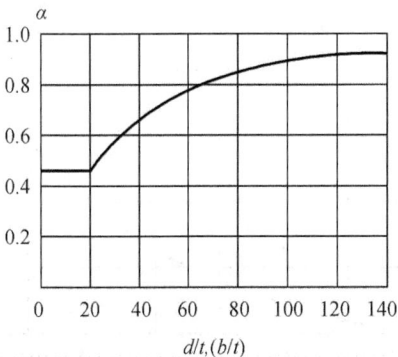

图6.3.5 $\alpha$ 与 $d/t(b/t)$ 的关系

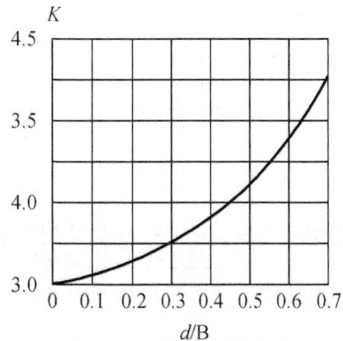

图6.3.6 $K$ 与 $d/B$ 的关系

腹板或加厚板的大小,以能盖住高应力分布区域为原则。

如果圆孔是在拉压及剪切共同作用下,则加强的形式应该考虑各个力单独作用时的要求,这时可采用图6.3.7的加强方式。

我国《钢质海船建造规范》中建议甲板上的圆形开孔采用围板的加强方式,如图6.3.8所示。围板的剖面积与开孔直径和原始板厚有关,圆环板的剖面积 $A$ 应不小于按下式的计算值:

$$A = 0.5rt \tag{6.3.4}$$

式中　$r$——开口半径,对椭圆形取开口宽度的一半,mm;

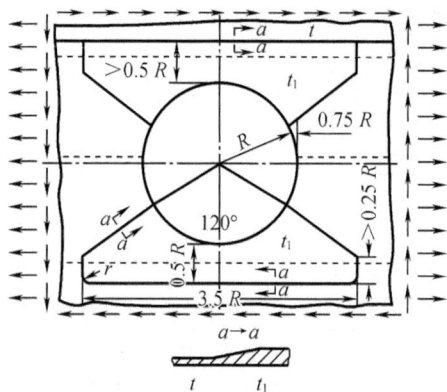

　　　$t$——甲板厚度,mm。

图6.3.7　拉剪共同作用下的圆孔加强　　　　图6.3.8　小型开口的套环形式加强

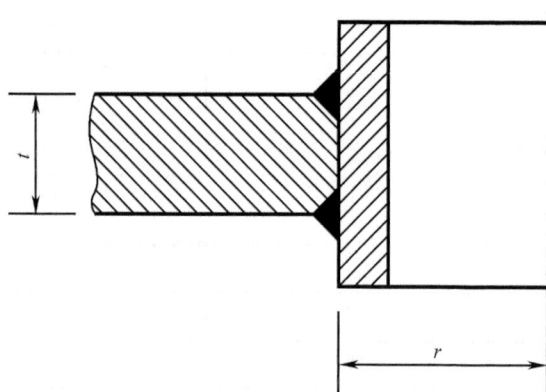

仅承受拉压作用的矩形开口的加强形式如图6.3.9所示。考虑到不仅在开口角隅处,而且在纵边中点处会出现高应力区,因此加强板或腹板应该沿整个开口纵边装设。但当船宽中央部分的开口宽度小于15%船宽,开口长度为开口宽度的3~4倍时,则允许只加强开口角隅部分。

加厚板的附加厚度 $\nabla t$ 应为

$$\nabla t = \sqrt{t \cdot t_2}\left(k\lambda\alpha\frac{\sigma}{[\sigma]} - 1\right) \tag{6.3.5}$$

式中　$\alpha$——按图6.3.5确定;

　　　$\lambda$——按图6.3.10确定;

　　　$k$——应力集中系数,按图6.3.11确定。

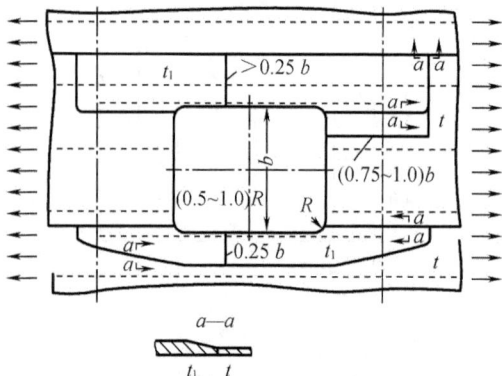

图6.3.9　仅受拉压作用的矩形开口加强　　　　图6.3.10　$\lambda$ 与 $b/B$ 的关系

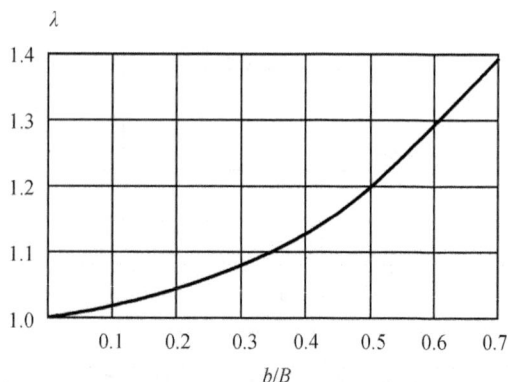

矩形开口的剪切力作用下,开口形状将发生歪斜变形,角隅处引起很高的应力集中,因此,开口角隅处应该加强。加强方案如图 6.3.12 所示。

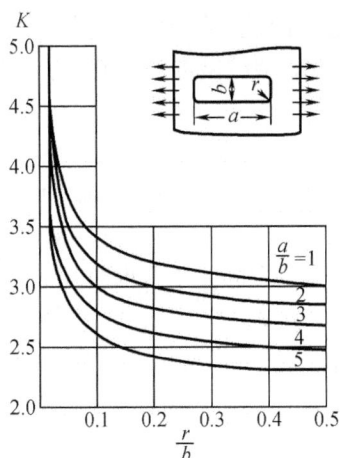

图 6.3.11　*K* 与 *r/b* 的关系

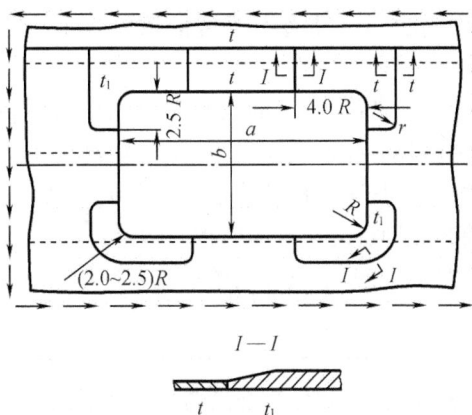

图 6.3.12　剪切力作用下的矩形开口加强

加强板的厚度按下式求得

$$t_1 = Kt\alpha \, \frac{\tau}{[\tau]} \cdot \frac{0.5}{r} \qquad (6.3.6)$$

式中　　$K$——开口角隅处的应力集中系数,按图 6.3.13 中曲线求得;

　　　　$r$——允许的应力集中系数;

　　　　$\alpha$——与开口宽度及构件厚度之比 $b/t$ 有关的系数,由图 6.3.5 中曲线得到。

对于承受拉伸及剪切共同作用的矩形开口,应该考虑各自独立作用的特点,加强板应该盖住每个力单独作用时产生的高应力区,如图 6.3.14 所示。

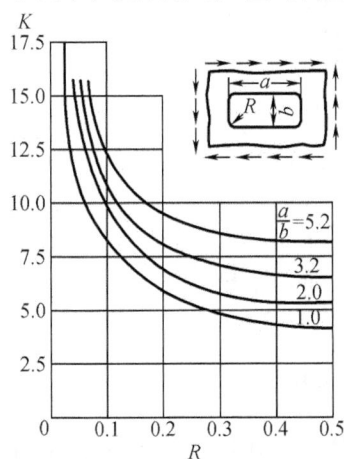

图 6.3.13　*K* 与 *R* 的关系

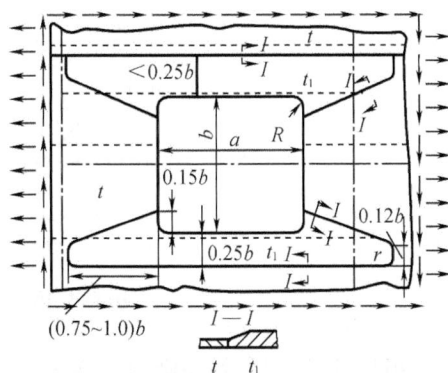

图 6.3.14　拉剪共同作用下的矩形开口加强

以上所有的加厚板,如果按计算求得的厚度大于原始厚度的 2 倍时,可以沿开口边缘采用加厚腹板的纵向构件来代替,或者采用较高强度的材料,此时其厚度可以按材料的屈服极限之比减小。必要时则应加大圆角半径以降低应力集中系数,从而减小腹板的厚度。

### 6.3.2 肘板的应力集中及防护措施

在船体结构中,骨架端部主要是以肘板进行连接的。因此,关于肘板的强度及其应力集中问题,一直是结构研究的重要方面。过去主要是通过模型试验进行研究的。

1. 肘板的应力集中

通常,普通骨材的端部多用三角形肘板,例如梁肘板、纵骨及舱壁扶强材端部肘板等。这种形状肘板的端部为不连续点,产生应力集中。对常用的等边三角形肘板,肘板的最大应力大约是梁理论计算值的 1.7 倍。因此,对强骨材间的连接,在不连续点处常以半径为 $r$ 的圆弧过渡,终止处向肘板内边缘约 10° 之内的点上;最大应力的大小要取决于 $r/d$,而与肘板的大小无关。应力集中系数 $k$ 可按下式近似确定:

$$k = \frac{\sigma_{\max}}{\sigma_0} = 1 + 0.112\frac{d}{r} \qquad (6.3.7)$$

式中  $\sigma_0$——强骨材在圆弧半径 $r$ 终止处的弯曲应力。

由此式可知,$r/d$ 足够大时,三角形肘板则变为圆弧形肘板。当 $r/d > 2.5$ 时,则无应力集中现象。因此,肘板尺寸的大小能保证 $r/d > 2$ 便已足够。

肘板的形状以圆弧形为最好。圆形肘板的应力集中系数,主要与圆弧半径 $r$ 与平行部分的型材腹板高度 $d$ 之比有关,如图 6.3.15 所示。增大圆弧半径可以降低应力集中系数,但当圆弧半径超过骨材腹板高度时,再增大圆弧半径其降低应力集中的效果就不明显了。最大应力点发生在圆弧半径 $r$ 终止附近。计算应力集中系数的平均应力 $\sigma_0$ 时,用梁弯曲理论求得圆弧终止处外边缘的应力值。图 6.3.15 中实线是平板模型光弹性试验结果,其他各点则为钢制模型测试结果。

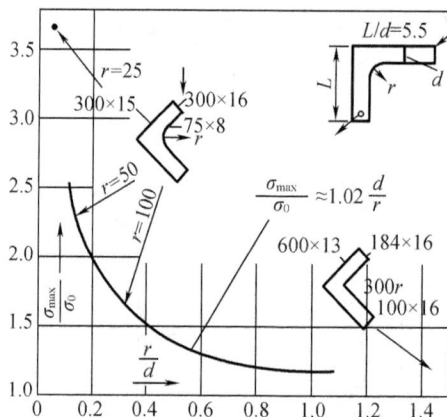

**图 6.3.15 圆形肘板的应力集中**

肘板尺寸较大时,例如舭部,为减轻结构质量常在其上开减轻孔。此时,除开孔的近旁外,肘板内的应力分布与不开孔时无多大变化。因此,减轻孔的位置及大小会使孔边的应力较小。当开孔中心距肘板边缘的距离 $h = 0.15D \sim 0.25D$(其中 $D$ 为肘板的深度,由肘板两直角边相交的顶点量至肘板边缘的距离)及开孔的直径 $\phi = 0.15D \sim 0.30D$ 时,在孔边距肘板边缘最近点处的应力将与骨材在肘板趾点处的弯曲应力相等,因此这样的减轻孔设计最为合理。

2. 降低肘板应力的几种结构措施

平台的端部应当用圆弧形或椭圆形肘板过渡,特别是船中部的平台,由于突然中断,可能在船侧板上引起应力集中。这种结构相当于船侧板为连续构件,平台甲板为间断构件,两者连续的剪力作用,使得平台端部舷侧板上产生应力集中。若取平台甲板厚度为 $t_1$,舷侧板厚度为 $t_2$,则圆弧肘板端点的应力集中系数可用椭圆端点的应力集中系数来表示。但由于平台甲板与舷侧板是互相垂直连接的,且连线上的剪力只相当于椭圆开口的一半,因此增高的应力值应为椭圆端点的四分之一,故

$$k = 1 + \frac{t_1}{2t_2}\sqrt{\frac{B}{2r}} \qquad (6.3.8)$$

式中各符号如图 6.3.16 所示。

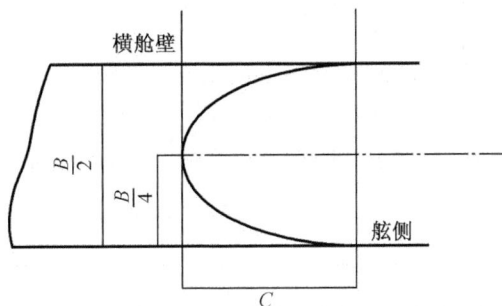

**图 6.3.16　四分之一椭圆肘板**

如果把肘板做成椭圆的四分之一(图 6.3.16),则肘板起点的曲率半径为 $r = \dfrac{c^2}{0.25B}$,于是

$$k = 1 + 0.18\,\frac{t_1}{t_2}\cdot\frac{B}{C} \qquad (6.3.9)$$

计算表明,采用不太大的肘板,就可以使肘板端点的应力值降至许用应力值。

### 6.3.3　上层建筑端部主体上的应力集中及防护措施

上层建筑端部与主体连接之处,由于断面形状发生突然变化,致使该处主体结构中产生高度应力集中。产生这种应力集中的现象可以用下述的模式来说明,而且这种原理也可以应用到各种间断构件中去,借以说明产生应力集中的原因。

1. 上层建筑端部主体上的应力集中

当船舶发生总纵弯曲变形时,在上层建筑的侧壁与主体的连接线上,作用着分布水平剪力 $q(x)$(图 6.3.17)。根据弹性力学的已知解,若一单位力 $T$ 作用在半无限板的直线边缘上(图 6.3.18),则距作用点 $x$ 处的正应力为

$$\sigma_x = \frac{2}{\pi t}\cdot\frac{T}{x} = \frac{0.64}{t}\cdot\frac{T}{x} \qquad (6.3.10)$$

又若有一单位力 $T$ 作用在板的表面上,沿着力作用线的垂直方向横截面上产生的正应力为

$$\sigma_x = \frac{3+\mu}{4\pi t}\cdot\frac{T}{x} = \frac{0.26}{t}\cdot\frac{T}{x} \qquad (6.3.11)$$

式中　$x$——所讨论的某断面离开力的作用点的距离;

$t$——板厚；

$\mu$——泊板比（$\mu = 0.3$）。

如果把上述理论解答应用到上层建筑与主体之间的相互关系中来，那么可以近似地用式(6.3.12)表示集中剪力 $T(T = qc)$ 在主体板边横断面上产生的正应力：

$$\sigma_x = \pm \beta \frac{T}{x} \qquad (6.3.12)$$

式中 $\beta = \dfrac{1}{2} \cdot \dfrac{1}{t_2 + t_3 + t_4}$，$t_2$、$t_3$、$t_4$ 如图 6.3.19 所示。

当 $t_3 = t_4 = 0$ 时，$\beta = \dfrac{0.5}{t_2}$，这个值近于式(6.3.10)的系数，在实际结构中相当于上层建筑侧壁与主体侧壁一致的情况；当 $t_2 = 0$，$t_3 = t_4 = t$ 时，$\beta = \dfrac{0.25}{t}$，它与式(6.3.11)的系数相近，在实际结构中相当于甲板室的侧壁与主甲板相连接的情况。

不论上述哪一种情况，理论上在靠近集中力 $T$ 作用点处，主体板边上的正应力 $\sigma_x$ 均无限增大。当 $x = 0$ 时，$\sigma_x \to \infty$，且过了力的作用点之后，应力改变符号(图 6.3.18)。

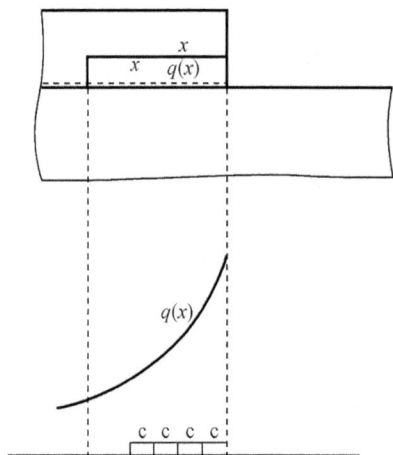

图 6.3.17　上层建筑与主体连线处的分布水平力　　图 6.3.18　半无限板直线边缘上的单位力

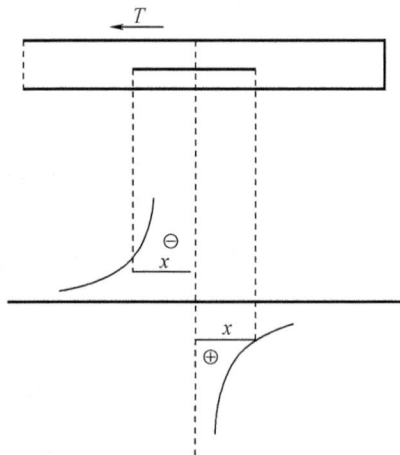

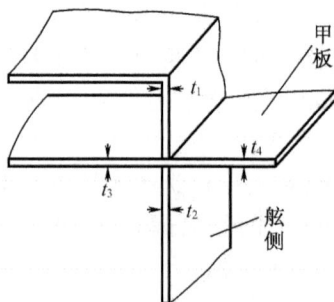

图 6.3.19　上层建筑与主体的连接处

在上层建筑侧壁与主船体的连接线上，作用着一系列的集中力，如果以侧壁的端点为坐标原点，则这些集中力在端点之外是引起同号的正应力，这些应力的叠加结果就形成端点的应力集中；至于端点之内的主体结构中，由于是符号不同的应力叠加，故不会产生很高的应力集中。

上层建筑端部主体上的应力集中系数,可以根据6.1节所述平板模型弯曲时的光弹性试验结果近似估算(见6.2.8),亦可采用式(6.3.13)的近似公式计算。

$$k = 1 + 0.3 \sqrt{\frac{h}{r}} \tag{6.3.13}$$

式中　　$h$——上层建筑高度;

　　　　$r$——端部的圆弧半径。

2. 降低应力集中的结构措施

上层建筑端部的应力集中现象,对船体结构强度造成严重威胁,因此必须设法改变这种状态。其基本方法就是使上层建筑端部结构不突然中断,应使其逐步过渡到主体,这种过渡形式使原来的终点不再是结构的突变点,而成为新结构的中间点,从而改变了该点的受力状态。由于过渡结构的刚性是由大逐渐减小,所以沿这部分连接上的水平剪力分布形式也是由大到小的变化。过渡结构端点处的主体上的应力不再是无限增大,而是某个有限值。该值的大小与过渡结构的形式有关,亦与上层建筑的高度和过渡结构的圆弧半径有关。增大圆弧半径可以有效地降低应力集中系数。另一方面,从公式(6.3.12)可以看出,当增加上层建筑端部区域的主体结构板厚时,则可降低过高的局部应力。基于上述分析,我国《钢质海船建造规范》对桥楼端部的结构有如下要求(图6.3.20):上层建筑的侧壁在端壁之外应顺滑消失,且在端壁之外的延伸长度不小于上层建筑的1.5倍。在此区域的主体舷侧板和上甲板边板的厚度应加厚。加厚板的范围,在端壁以内至少延伸两个肋距,在过渡圆弧起点之外也延伸两个肋距。

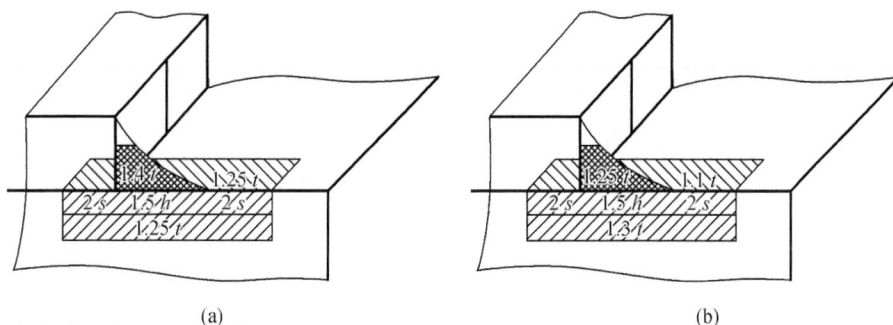

图 6.3.20　长桥楼与短桥楼端部的结构

(a)长桥楼;(b)短桥楼

为了保证伸出上层建筑端壁之外的舷侧的稳定性,以及减小这些板的自由边缘的应力集中,应当用型材加强之。

为了减小甲板室端壁角隅处的应力集中,在甲板室的侧壁平面内,甲板的下方应装设纵桁或纵向肘板,甲板室的端壁应设在横舱壁或上层建筑端壁平面内,如果不能做到这一点,则甲板室端壁至少应与下面甲板的横梁在同一平面内。当甲板室长度大于或等于$0.15L$($L$为船长),且不小于本身高度的6倍时,则在甲板室围壁的角隅区域应用角钢以双列铆钉将围壁与支承它的甲板连接,角钢沿船长及船宽方向的长度应不小于甲板室本身的高度。

# 第 2 部分　浮式平台强度

# 第7章　海洋平台环境载荷

## 7.1　概　　述

### 7.1.1　平台载荷的分类

海洋平台在复杂多变的海洋自然环境中,将受到风、浪、流及海冰载荷的作用,在地震情况发生的情况下,它们还将受到地震载荷的作用。为了确保平台在恶劣的海洋环境下的安全和业主提出的作业性能,设计者必须完成环境条件和外载荷确定这两部分工作。它们也是计算平台稳性、强度和运动的基础。

海洋平台的设计载荷有多种分类方式,一般分为工作载荷、环境载荷和施工载荷三大类。环境载荷是指直接或间接由自然环境引起的载荷,是平台实际的控制载荷。工作载荷是指使用期间除环境载荷之外的其他载荷。施工载荷是平台在建造及海上吊装过程中所受的载荷,可使构件产生瞬时应力。

平台载荷分类又可按使用期间和建造期间分成环境载荷、工作载荷和施工载荷,如图7.1.1 所示。

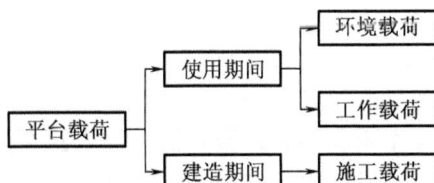

**图 7.1.1　平台载荷分类**

平台载荷在使用期间包括两个部分载荷,即环境载荷和工作载荷。

环境载荷(Environmental Loads)指直接或间接由自然环境现象作用引起的载荷,如风、流、浪、海冰及地震等载荷。环境载荷包括由于波浪和潮汐导致的水平面起伏而引起的静水压力的变化。另外,环境载荷还包括由环境载荷引起的所有外力的变化,如系泊力、运动惯性力、液舱晃荡力等。如果业主或设计者认为需要考虑地震、海床承载能力、温度、污底、冰雪等对载荷的影响,也应考虑。除非对于特定的情形,一般环境载荷要考虑全方位各个方向的情况。

工作载荷包括以下五种。

固定载荷(Dead Loads)的载荷大小、方向和作用位置不随时间变化。主要指平台结构、平台上长期安装的设备及附属设施的重量。这部分载荷一般不随平台的作业状态变化而变化。固定载荷具体包括的项目有:平台结构重量(包括桩基、泥浆、压载)、设备重量、永久安装在平台上的附属结构重量、作用在平台水线下的静水外压力(浮力)。

可变载荷(Variable Loads)的载荷大小随时间缓慢变化,例如压载水、钻井器材、生活用品等。目前,平台所能承受的可变载荷已经成为平台设计能力的一个重要体现。目前设计的第六代半潜式平台,其承受可变载荷的能力已达到万吨,比前几代平台有了大幅度的提升。

活动载荷(Live Loads)指随平台作业状态改变的可变载荷。活动载荷包括可拆卸的钻井和生产设备重量、生活模块重量、直升机平台重量和其他救生、潜水等可装卸的生活设备设施重量、消耗品和淡水重量、钻井作业、材料处理、系泊和直升机降落产生的载荷、甲板起重机的使用产生的悬挂载荷和惯性力。

动力载荷(Dynamic Loads)是载荷的大小方向或作用位置随时间迅速变化的载荷,例如吊机起重时的动力载荷,船舶停靠或直升机降落引起的冲击载荷,由于结构建造、下水、运输及安装等过程所承受的载荷,由于结构或设备拆卸、升级改造和重新安装等导致的载荷,周期性或冲击等载荷,可能由于波浪、风、地震或机械等产生的平台的激励,系泊船的碰撞、钻井作业等产生的载荷等。

施工载荷是平台在建造期间和海上安装时受到的载荷。常说的平台的设计工况至少要包括正常作业和风暴自存两种。然而,在整个平台从设计完成到安装使用的过程中,设计者还应该考虑平台建造、运输、安装所经历的载荷条件。这些情况下平台所处的环境和承载部位往往具有特殊性,有时也会成为某些局部构件的控制载荷。例如平台建造过程中分段起吊时的吊钩位置的构件,此时载荷是整个分段的重量。平台运输时系缆索的连接位置、运输船舶的运动导致的平台所受到的惯性力,都有可能影响到平台的设计。平台安装就位时也具有特殊性,如 Spar 平台在直立时,主体结构要承受较大的弯矩。

### 7.1.2 设计载荷工况

平台设计应该选取那些能导致平台最严重响应的载荷条件。载荷条件应该包括环境载荷、合适的固定载荷和活动载荷的组合,其中包括平台作业状态时环境载荷与固定载荷和最大活动载荷的组合、平台作业状态时环境载荷与固定载荷和最小活动载荷的组合、极限条件下设计环境载荷与固定载荷和最大活动载荷的组合、极限条件下设计环境载荷与固定载荷和最小活动载荷的组合。除地震载荷外,环境载荷应该考虑同时作用在平台上的可能性。地震载荷可单独施加在平台上进行分析。

平台作业的环境条件应该具有适度的严重性,但不应该超过平台作业的限制条件。1 年到 5 年的冬季风暴可作为墨西哥湾的设计条件。钻井和生产平台的最大活动载荷应该考虑钻井、生产和完井作业的载荷及其组合。

消耗品的变化和可移动设备的位置变化,如钻井架,应当在平台构件的最大设计应力时考虑。平台每个构件的设计都应该考虑到能使构件产生最大应力的载荷组合。临时载荷条件指发生在平台建造、运输、安装或拆除等过程中的载荷组合。这些载荷包括固定载荷、最大临时载荷和一定的环境载荷。

在确定海洋浮式平台的环境载荷时,将通过如下几种方式。

(1)根据实际作业海区的测量结果决定。这是最准确有效的方式,但实际上要得到作业海区的稳定的环境数据,往往需要经过精心布置的测量设备和多年的测量结果,需要较大的时间和较多的金钱的投入。关于作业海区的环境资料,目前一般需要专门的公司或研究单位提供,在油区规划论证时就要用到。

(2)根据规范决定。在设计的环境数据不充分时,规范推荐了一定的参考范围。往往规范推荐的数据是针对全球作业的较严重的海况,较为保守。在初始设计时可以作为参考。

(3)根据业主或用户提出的要求决定。在业主或用户有特殊要求的情况下,要满足他们的要求。

(4)根据邻近海区或类似区域的气象资料推算得到。

在确定平台环境条件时,还应考虑到载荷的合理组合。对于某一种设计工况,不应简单地将载荷的最大值进行组合。如在考虑冰载荷的作用时,再加上波浪载荷,这显然是不合适的。而且,不应将意外载荷与极端环境载荷进行组合。如果在自存环境条件下再考虑地震载荷,这种情况出现的可能性是非常小的,对平台的要求必定过高。环境条件的确定对平台的安全性和经济性有很大影响,一定要反复考虑,通过可靠的资料来确定。

平台设计应根据平台实际载荷(重力载荷和有关的环境载荷)情况研究其设计工况。业主/设计者应规定作为入级基础的各设计工况和相应的环境条件。如可能,设计环境条件应根据可靠及足够的实测资料由统计分析确定,自存工况设计环境条件的重现期建议不小于 50 年。环境载荷除按本章给出的方法外,还可采用其他公认的方法进行计算,必要时应通过数学模拟计算或物理模型试验来确定。在操作手册中应注明每种工况的设计限制条件。表 7.1.1 给出了 Spar 平台的设计工况。

表 7.1.1　Spar 平台的设计工况

| 设计条件 | | 环境 | 甲板承载 | 立管 | 许用应力系数 |
|---|---|---|---|---|---|
| 在位工况 | 正常作业 | 10 年一遇的冬季风暴 | 最大 | 临时 | 1.00 |
| | 极端 | 100 年一遇的飓风 | 最大 | 临时 | 1.33 |
| | 极端 | 100 年一遇的环流 | 最大 | 临时 | 1.33 |
| | 极端 | 100 年一遇的密度流 | 最大 | 临时 | 1.33 |
| | 极端 | 1 000 年一遇的飓风 | 最大 | 临时 | 1.67 |
| 在位工况 | 桁架构件破损 | 100 年一遇的飓风 | 最大 | 临时 | 1.67 |
| | 顶部桁架腿破损 | 100 年一遇的飓风 | 最大 | 临时 | 1.67 |
| | 1 根锚链断裂 | 100 年一遇的飓风 | 最大 | 临时 | 1.33 |
| | 1 舱进水 | 10 年一遇的飓风 | 最大 | 临时 | 1.33 |
| | 2 舱进水 | 无 | 最大 | 临时 | 1.67 |
| 在位工况 | 船体立直 | 无 | 临时 | 无 | 1.00 |
| | 船体安装 | 10 年一遇的飓风 | 临时 | 无 | 1.33 |
| | 系泊系统测试 | 10 年一遇的冬季风暴 | 临时 | 无 | 1.00 |
| | SCR 安装 | 10 年一遇的冬季风暴 | 临时 | 临时 | 1.00 |
| | 上部模块安装 | 10 年一遇的冬季风暴 | 临时 | 临时 | 1.00 |

# 7.2 风 载 荷

随着海洋油气资源开发海域逐步扩展,海洋工程结构物在油气开发工程实践中日益面临更加严酷的海洋环境。在海洋油气开发的热点海域,如中国南海海域、北美墨西哥湾、南美巴西近海、非洲西部海域,浮式生产储卸油系统(FPSO)、半潜式平台等主力开发装备面临着台风(飓风)等各种极端海况的考验。其中风载荷是一个不可忽视的因素。

现代浮式生产储卸油系统上装有大量的生产模块、火炬塔等生产处理设备,半潜式钻井平台上安装有高达数十米的钻机,这些现代海洋油气开发装备的上层建筑体积较大。而它们在风暴来临时,难以脱离井口躲避而必须在原地抵抗风暴,因此需要考虑在极端海况和运行海况下的生存能力。考虑海洋工程装备在极端海况下的载荷与受力的时候,除了浪和流等直接作用于平台浮体的外载荷外,风载荷也成为一个不可忽视的因素。

随着海洋油气开发日益向深海发展,各种深海工程结构物成为海洋工程测试的主要对象。由于深海结构物一般位于距离海岸较远的深水海域,必须安装大量设施设备而使平台受风面积较大。而平台自身一般采用动力定位或尺度较大的系泊系统,在风浪流载荷的综合作用下,平台系统会产生较大范围的水平漂移运动。

风的特征是用风向和风速来表示的,风速是空气在单位时间内所流过的距离,单位一般用 m/s 或 kn(海里/小时)。风向是指风的来向,在气象上用 16 个方位来表示,如北(N)、东北(NE)、东北偏北(NNE)等。

为了便于使用,人们又根据风速的大小划分等级,称为蒲福风级。蒲福风级(Beaufort Scale 或 Beaufort Wind Scale)是英国人弗朗西斯·蒲福(Francis Beaufort)于 1805 年根据风对地面物体或海面的影响程度而定出的风力等级。按强弱,将风力划为 0 至 12 共 13 个等级,即目前世界气象组织所建议的分级,如图 7.2.1 所示。到 20 世纪 50 年代,人类的测风仪器的进度,便量度到自然界的风实际上可以大大地超出 12 级,于是就把风级扩展到 17 级,即共 18 个等级。蒲氏风级等国际标准中通常给出海面以上 10 m 处的风速作为标准风速。但这些风级仍不能完全包括自然界中出现的所有的风,如台风的最大风速可能达到 70 m/s,而龙卷风的风速可能达到 100~200 m/s。

蒲氏分级是依靠观察海面现象的分级法,各级数根据海情或波浪的状况来划分,并没有相关联的风速。1830 年英国皇家海军以蒲氏风级为纪录标准。到 1850 年左右,一般航海亦使用蒲氏风级,之后开始使用风杯风速计测量风速,它是最常见的一种风速计。转杯式风速计最早由英国鲁滨孙发明,当时是四杯,后来改用三杯。三个互成角度固定在架上的抛物形或半球形的空杯都顺一面,整个架子连同风杯装在一个可以自由转动的轴上。在风力的作用下风杯绕轴旋转,其转速正比于风速,转速可以用电触点、测速发电机或光电计数器等记录。1923 年风速计标准化,蒲氏风级亦略为修改以方便气象学使用。至今航海仍然使用蒲氏风级 0~12 级描述不同风速。但由于测风仪器能准确地量出风速,不少西方国家已在海洋预报中弃用风级,改成以 5 kn 为一单位(英法是少数例外)。

**表 7.2.1　蒲氏风级的分类**

| 蒲氏风级 | 风速(n mile/h$^{-1}$) 或(km/h$^{-1}$) | 名称 | 浪高/m | 海情 | 陆上情况 |
|---|---|---|---|---|---|
| 0 | 0~1/0~2 | 无风/静止 Calm | 0 | 平静如镜 | 静,烟直向上 |
| 1 | 1~3/2~6 | 轻微/微风/软风 Light air | 0.1 | 无浪:波纹柔和,如鳞状,波峰不起白沫 | 烟能表示风向,风向标不转动 |
| 2 | 4~6/7~12 | 轻微/微风/轻风 Light breeze | 0.2 | 小浪:小波相隔仍短,但波浪显著;波峰似玻璃,光滑而不破碎 | 人面感觉有风,树叶有微响,风向标转动 |
| 3 | 7~10/13~19 | 和缓/温和/微风 Gentle breeze | 0.6 | 小至中浪:小波较大,波峰开始破碎,波逢间中有白头浪 | 树叶及小树枝摇动不息,旗展开 |
| 4 | 11~16/20~30 | 和缓/和风 Moderate breeze | 1 | 中浪:小波渐高,形状开始拖长,白头浪颇频密 | 吹起地面灰尘和纸张,小树枝摇动 |
| 5 | 17~21/31~40 | 清劲/清新/清风 Fresh breeze | 2 | 中至大浪:中浪,形状明显拖长,白头浪更多,中间有浪花飞溅 | 有叶的小树,整棵摇摆;内陆水面有波纹 |
| 6 | 22~27/41~51 | 强风/清劲 Strong breeze | 3 | 大浪:大浪出现,四周都是白头浪,浪花颇大 | 大树枝摇摆,持伞有困难,电线有呼呼声 |
| 7 | 28~33/52~62 | 强风/强劲/疾风 Near gale | 4 | 大浪至非常大浪:海浪突涌堆栈,碎浪之白沫,随风吹成条纹状 | 全树摇动,人迎风前行有困难 |
| 8 | 34~40/63~75 | 烈风/疾劲/大风 Gale | 5.5 | 非常大浪至巨浪:接近高浪,浪峰碎成浪花,白沫被风吹成明显条纹状 | 小树枝折断,人向前行阻力甚大 |
| 9 | 41~47/76~87 | 烈风 Strong gale | 7 | 巨浪:高浪,泡沫浓密;浪峰卷曲倒悬,颇多白沫 | 烟囱顶部移动,木屋受损 |
| 10 | 48~55/88~103 | 暴风/狂风 Storm | 9 | 非常巨浪:非常高浪;海面变成白茫茫,波涛冲击,能见度减低 | 大树连根拔起,建筑物损毁 |
| 11 | 56~63/104~117 | 狂暴风 Violent storm | 11.5 | 非常巨浪至极巨浪:波涛澎湃,浪高可以遮掩中型船只;白沫被风吹成长片于空中摆动,遍及海面,能见度减低 | 陆上少见,建筑物普遍损毁 |

表 7.2.1（续）

| 蒲氏风级 | 风速（n mile/h⁻¹）或（km/h⁻¹） | 名称 | 浪高/m | 海情 | 陆上情况 |
|---|---|---|---|---|---|
| 12 | 64＋/118＋ | 飓风 Hurricane | 14＋ | 极巨浪：海面空气中充满浪花及白沫，全海皆白；巨浪如江倾河泻，能见度大为降低 | 陆上少见，建筑物普遍严重损毁 |
| 13* | 64～71/118～132 | 飓风 Hurricane | 14＋ | 极巨浪：海面空气中充满浪花及白沫，全海皆白；巨浪如江倾河泻，能见度大为减低 | 陆上少见，建筑物普遍严重损毁 |
| 14* | 72＋/132＋ | 飓风 Hurricane | 14＋ | 极巨浪：海面巨浪滔天，不堪设想 | 陆上难以出现，如有必成灾祸 |

平台设计中不仅要考虑风速，还要考虑风向。风的方向不同，风载荷的大小是不一样的。因此要特别确定作业海区的强风向和定常风向。强风向是指该方向风的风速最大，定常风向是指该风向出现的频率最大。根据风向可以合理地确定平台的定位方向，减小平台所受风力。

风速和方向是随着空间和时间不断变化的。在尺度上，如典型的较大的海洋结构，在 1 h 持续时间量级上的风的统计性质（如风速的平均值和标准偏差）在水平面内并不变化，但在高度方向上变化（剖面系数）。在长持续时间内，存在具有高的平均风速的较短的持续时间（阵风系数）。因此，只有限定风的高程和持续时间，风速值才有意义。参考值 $V_H$ 是在高程 $H$ 为 10 m（33 ft）处的 1 h 的平均风速（说明：如不做特殊说明，持续时间为 1 h）。

### 7.2.1　基本风压及风载荷计算

平均风即恒定风速下的结构受力，相当于静力，并且风速越大，对结构物的作用压力也越大，风速与风压之间存在对应的关系式。由伯努利方程可导出单位面积的风压力

$$P_0 = \frac{1}{2}\rho V^2 \qquad (7.2.1)$$

根据 CCS《海上移动平台入级规范》给出的风压计算公式

$$P_0 = 0.163 \times 10^{-3} V^2 \qquad (7.2.2)$$

上面两式表示了风速与风压的关系。将基本风压沿着作用物体的表面积分就可以求得风压合力，平均风压力下风载荷一般表达式为

$$F = P_0 A C_h C_s \qquad (7.2.3)$$

式中　$C_s$——风中构件形状系数；

　　　$C_h$——风中构件高度系数；

　　　$A$——平台在平浮或倾斜状态时，受风构件的正投影面积，$m^2$。

计算风力时，推荐下列做法。

（1）当平台有立柱时，应计入全部立柱的投影面积，不考虑遮蔽效应。

（2）对于因倾斜产生的受风面积，如甲板下表面和甲板下构件等，应采用合适的形状系数计入受风面积中。

（3）对于密集的甲板室,可用整体投影面积来代替计算每个面积,此时形状系数可取为1.1。

（4）对于孤立的建筑物、结构型材和起重机等,应选用合适的形状系数分别进行计算。

（5）通常用作井架、吊杆和某些类型桅杆的桁架结构的受风面积,可近似地取每侧满实投影面积的30%,或取双面桁架其中一侧的满实投影面积的60%,并按表7.2.2选用合适的形状系数。

表7.2.2　构件的高度系数

| 构件高度 $h/\mathrm{m}$（距海面） | $C_\mathrm{h}$ |
|---|---|
| 0～15.3 | 1.00 |
| 15.3～30.5 | 1.10 |
| 30.5～46.0 | 1.20 |
| 46.0～61.0 | 1.30 |
| 61.0～76.0 | 1.37 |
| 76.0～91.5 | 1.43 |
| 91.5～106.5 | 1.48 |
| 106.5～122.0 | 1.52 |
| 122.0～137.0 | 1.55 |
| 137.0～152.5 | 1.60 |
| 152.5～167.5 | 1.63 |
| 167.5～183.0 | 1.67 |
| 183.0～198.0 | 1.70 |
| 198.0～213.5 | 1.72 |
| 213.5～228.5 | 1.75 |
| 228.5～244.0 | 1.77 |
| 244.0～259.0 | 1.79 |
| 259.0 以上 | 1.80 |

表7.2.3　构件的形状系数

| 构件形状 | $C_\mathrm{s}$ |
|---|---|
| 球形 | 0.40 |
| 圆柱形 | 0.50 |
| 大的平面（船体、甲板室、甲板下的平滑表面） | 1.00 |
| 甲板室群或类似结构 | 1.10 |
| 钢索 | 1.20 |
| 井架 | 1.25 |
| 甲板下裸露的梁和桁材 | 1.30 |
| 独立的结构形状（起重机、梁等） | 1.50 |

**表 7.2.4　球形结构的形状系数**

| | 结构 | | 形状系数 |
|---|---|---|---|
| →D | 中空半球体,凹面迎风 | | 1.4 |
| →⌒ | 中空半球体 | | 0.35 |
| →◖ | 中空或实心半球体,凸面迎风 | | 0.4 |
| →DI | 实心半球体和圆盘 | | 1.2 |
| →⌒ | 水平面上的半球体 | | 0.5 |
| →○ | 球 | $Re \leqslant 4.2 \times 10^5$ | 0.5 |
| | | $4.2 \times 10^5 < Re \times 10^5$ | 0.15 |
| | | $Re \geqslant 10^5$ | 0.20 |

对矢高 $f$ 小于半径 $r$ 的中空圆顶,形状系数可根据圆盘和半球体的形状系数按 $f/r$ 比值线性内插。

### 7.2.2　设计风速 $V$ 与受风投影面积 $A$ 的确定

下面主要介绍规范对设计风速的规定。

按照美国船级社(ABS)移动式钻井装置(MODU)的规定,无限作业区域的平台在正常钻井作业或拖航的状态下,设计风速不小于 36 m/s(70 kn)。所有在无限作业海域的平台至少要具备能承担一次严重海洋风暴的能力,风暴设计风速不小于 51.5 m/s(100 kn)。为了抵抗风暴环境,平台在任何时间内都具备改变操作方式以确保自存的能力。从正常作业的设计风速到自存状态的设计风速两个标准的协调,需要船东来指定其中的步骤(一般两者的安全系数是不同的)。对于在限制海域作业的平台,不必遵循上述的标准,但最小设计风速不应小于 25.7 m/s(50 kn)。中国船级社(CCS)采用了与美国船级社(ABS)相同的标准。设计风速在自存状态应不小于 51.5 m/s,在正常作业状态下不小于 36 m/s,在遮蔽海区不小于 25.8 m/s。

挪威船级社关于设计风速的规定也具有相当的代表性,该船级社规定了两种设计风速标准,均考虑重现期。

一是选用静水面以上 10 m 处的百年一遇持续风速为设计风速。在静水面以上 $z$(单位:m)高处的持续风速,可用下式计算:

$$V_z = V_{10}(1.53 + 0.007z)^{1/2} \tag{7.2.4}$$

式中　$V_{10}$——静水面以上 10 m 处的持续风速;

　　　$V_z$——静水面以上 $z$ 高处的持续风速。

如缺乏有关的风速数据时,DNV 规定可采用表 7.2.5 中给出的设计风速值。表中分别给出四种海域类型和两种季节类型,即所有的季节和夏季,其中夏季是指 5 月 15 日至 9 月 15 日。

**表7.2.5　DNV 设计风速 $V_{10}$**　　　　　　　　　　　　　　单位:m/s

| 海域类型 | 所有季节设计风速 | 夏季设计风速 |
|---|---|---|
| 遮蔽海域 | 40 | |
| 正常开阔海域 | 45 | |
| 风暴开阔海域(北海和挪威大陆架) | 50 | 45 |
| 极端海域(世界范围) | 50 | |

另一个是采用 $N$ 年一遇的阵风风速作为设计风速,如果缺乏详细数据,可采用下式进行计算:

$$V_z = V_{10}(1.53 + 0.003z)^{1/2} \qquad (7.2.5)$$

式中,$V_{10}$ 和 $V_z$ 意义同上。

DNV 规定的两种设计风速标准,用于不同的载荷组合,当与最大波浪力组合时,采用持续风速;当用阵风风速计算的风力比用持续风速与最大波浪力组合更为不利时,则采用阵风风速。DNV 定义的阵风风速是时距为 3 s 的平均风速,而持续风速是时距为 1 min 的平均风速,并给出了两者之间的换算公式:

$$V_g = 1.25V_{10} \qquad (7.2.6)$$

式中　$V_g$——海面以上 10 m 处的阵风风速;

$V_{10}$——海面以上 10 m 处的持续风速。

实际上风力可以分解为与风速方向一致的拖曳力和垂直风向的升力。对于较大的平面结构,如坐底式、自升式和半潜式平台箱形甲板的底面支撑在主甲板以上一定高度的直升机甲板等在受风作用时,都将产生升力。在风速较大时升力和阻力在数值上基本是同一量级。根据分析,对水面以上部分的风倾力矩而言,升力将降低该力矩,尤其是在平台倾角较大时。因此除特别情况以外,在计算中不考虑升力作用,其结果亦是偏于安全的。

美国土木工程师学会给出的风载荷计算公式和系数也是很实用的:

$$F_D = \frac{1}{2} \cdot \rho \cdot C_D \cdot V^2 \cdot S \qquad (7.2.7)$$

$$F_L = \frac{1}{2} \cdot \rho \cdot C_L \cdot V^2 \cdot S \qquad (7.2.8)$$

式中　$C_D$——受风构件的阻力系数(根据表7.2.6选取);

$C_L$——受风构件的升力系数(根据表7.2.6选取);

$\rho$——空气密度,kg/m³,其他符号意义同前。

规范给出的计算公式、形状系数和高度系数计算平台的风力和风倾力矩,是我国海洋工程设计人员通常采用的方法。为了便于计算,依据规范精神,在计算时需做如下假定:

(1)任意受风构件的风力与风向一致;

(2)风力作用在受风构件的风向投影面积的形心上;

(3)在受风时,不考虑立柱或者其他构件之间的相互遮蔽作用;

(4)平台水上部分所受的风力与平台水下部分的水阻力相平衡;

(5)上述力产生的力偶矩只能使平台倾侧而不计平台绕 $Z$ 轴旋转的影响;

(6)假定水下阻力中心即为平台水下部分在风速相反方向上的投影面积形心。

表7.2.6　各种剖面形状结构的阻力系数 $C_D$ 和升力系数 $C_L$

| 剖面形状及风向 | $C_L$ | $C_D$ |
|---|---|---|
| 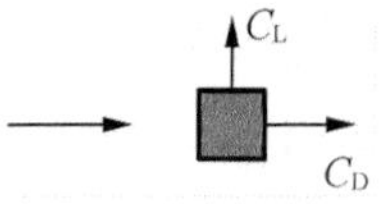 $C_L$ →■ $C_D$ | 2.02 | 0 |
| 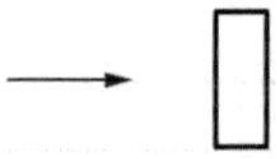 →▯ | 1.98 | 0 |
|  | 2.01 |  |
|  →Ⅰ | 2.04 | 0 |
|  →⊢⊣ | 1.81 | 0 |
| 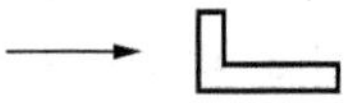 →L | 2.0 | 0.3 |
| 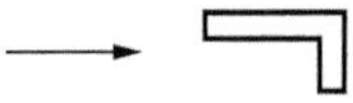 →⌐ | 1.83 | 2.07 |
| 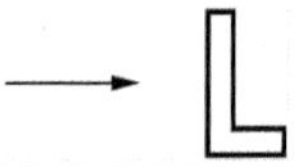 →L | 1.99 | −0.08 |
| 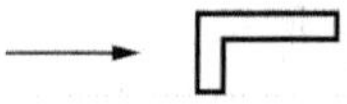 →Γ | 1.62 | −0.48 |
| 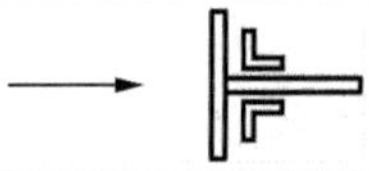 →⊩ | 2.01 | 0 |
| 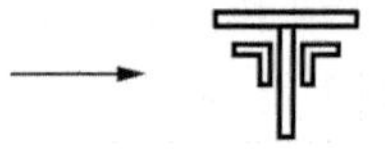 →⊤ | 1.99 | −1.19 |
|  →⊫ | 2.19 | 0 |

# 7.3　波　浪　载　荷

## 7.3.1　波浪理论的选择

1. 几种重要的波浪理论

在波浪理论中,通常假定研究的流体是理想、无旋、不可压缩的。虽然海浪表面的形状复杂且不断变化,但长期以来,为简单起见,常将其理想化为规则的剖面,并以波长 $L$、波高 $H$、水深 $d$ 和周期 $T$ 等波浪要素来代表其特性。通常情况下,我们根据水深、波幅、线性和非线性等条件将波浪分为以下几种类型。

(1) Airy 波——深水和浅水中的微幅波,适用于线性理论,计算简单且适应性强;

(2) 斯托克斯(Stokes)波——深水中的有限幅波;

（3）椭圆余弦波——浅水中的有限幅波；

（4）孤立波——极浅水中的有限幅波。

在上面的分类中,Stokes 波、椭圆余弦波和孤立波属于非线性的波浪理论、坦谷波形,计算复杂。

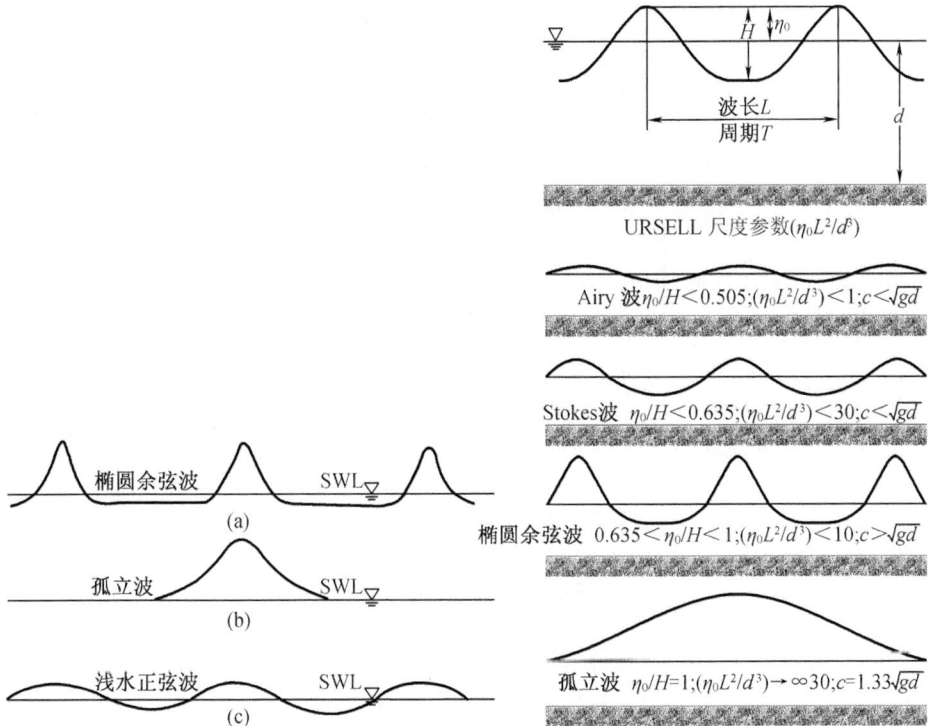

**图 7.3.1　波浪的分类**

2. 各种波浪理论的适用范围

根据运动学条件,浅水时,Airy 理论和椭圆余弦波理论较为适用;而在深水时($d/T^2 > 1.0$),Stokes 非线性理论更为适用。

为使所选择的波浪理论适于指定的设计环境,以满足设计工程师的要求,特别绘制了各种波浪理论的使用范围的图例。下图取自 Dean(1968)和 LeMehaute(1970)的工作,其范围用 $H/T^2$ 和 $d/T^2$ 描述。Stokes 四阶理论没有被广泛采用,一般用更为流行的五阶理论代替。

各种理论适用范围复杂交叉,其界限有一定的"任意性",因此只能用于定性分析。

3. Airy 波理论

Airy 波是假定波的振幅或波高对波长为无限小(流体质点运动速度较小)。需要假定流体为无黏不可压缩的均匀流体,做有势运动,且重力是唯一的外力,自由表面的压力为大气压,同时海底为水平的固定边界。

线性水波运动速度势应满足的条件为

$$\frac{\partial^2 \phi}{\partial x^2} + \frac{\partial^2 \phi}{\partial y^2} = 0 \tag{7.3.1}$$

$$\frac{\partial \phi}{\partial y} = 0, y = -d \tag{7.3.2}$$

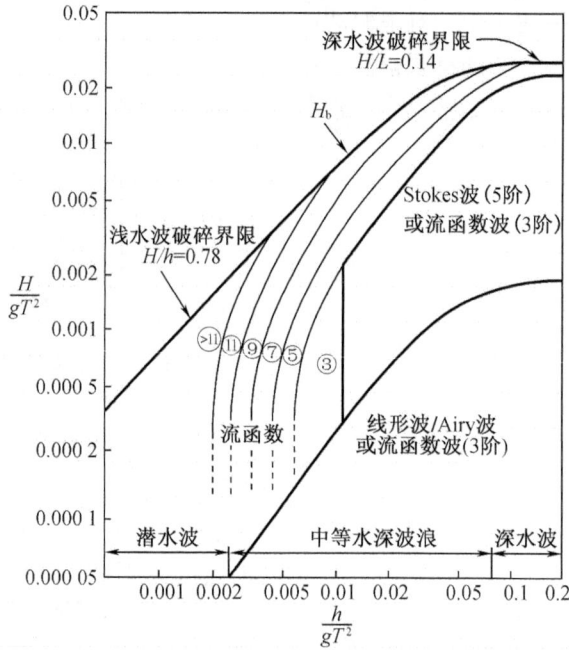

**图7.3.2 各种波浪的适用范围**

$$\frac{\partial \eta}{\partial t} + \frac{\partial \phi}{\partial x} \frac{\partial \eta}{\partial x} - \frac{\partial \phi}{\partial y} = 0 \tag{7.3.3}$$

$$\frac{\partial \phi}{\partial t} + \frac{1}{2}\left[ (\frac{\partial \phi}{\partial x})^2 + (\frac{\partial \phi}{\partial y})^2 \right] + g\eta = 0, y = \eta(x,t) \tag{7.3.4}$$

式中 $\phi$——速度势;

$x$——水平方向;

$y$——竖直方向;

$\eta$——波形方程。

表示一个标准时间周期 $2\pi$ 内波浪的个数的参数 $\omega = \dfrac{2\pi}{T}$。

波面方程

$$\eta = \frac{H}{2}\cos(kx - \omega t) \tag{7.3.5}$$

根据势流理论中速度势的表达式:

$$\phi = \frac{Hg}{2\omega} \cdot \frac{\operatorname{ch} k(y+d)}{\operatorname{ch} kd} \cdot \sin(kx - \omega t) \tag{7.3.6}$$

式中 $d$——水深。

根据线性波的色散关系 $\omega^2 = kg\tanh kd$。波长的公式如下:

$$L = \frac{gT^2}{2\pi}\tan kd \tag{7.3.7}$$

当水深 $d \to \infty$,由于 $\tanh kd \to 1$,则上式变为

$$L_0 = \frac{gT^2}{2\pi} \tag{7.3.8}$$

式中 $L_0$——深水波波长。

一旦求出了线性速度势,波浪场中水质点的速度即可求出

水平方向

$$u = \frac{\partial \phi}{\partial x} = \frac{\pi H}{kT} \frac{\operatorname{ch} k(y+d)}{\operatorname{sh} kd} \cos(kx - \omega t) \tag{7.3.9}$$

垂直方向

$$v = \frac{\partial \phi}{\partial y} = \frac{\pi H}{kT} \frac{\operatorname{sh} k(y+d)}{\operatorname{sh} kd} \sin(kx - \omega t) \tag{7.3.10}$$

式中　$H$——波高;

　　　$k$——波数。

波浪中流体质点的运动速度与波形的传播速度不同,流体质点在水平和垂直方向均作简谐运动。

水平方向的加速度

$$\dot{u} = \frac{\partial u}{\partial t} = \frac{2\pi^2 H}{T^2} \frac{\operatorname{ch} k(y+d)}{\operatorname{sh} kd} \sin(kx - \omega t) \tag{7.3.11}$$

垂直方向的加速度

$$\dot{v} = \frac{\partial v}{\partial t} = \frac{2\pi^2 H}{T^2} \frac{\operatorname{sh} k(y+d)}{\operatorname{sh} kd} \cos(kx - \omega t) \tag{7.3.12}$$

一般深水、浅水的判断,以水深与波长比为标尺。当 $\frac{d}{L} \geqslant 0.5$ 时,也就是说当水深大于波长的一半时,水深对波长的影响可以忽略。此时 $d \to \infty$,速度势为

$$\varphi = \frac{Hg}{2\omega} \cdot \frac{\operatorname{ch} k(y+d)}{\operatorname{ch} kd} \cdot \sin(kx - \omega t) \tag{7.3.13}$$

速度和加速度的求解方式与有限水深时相同。根据伯努利方程得到的线性波动压力

$$P = -\rho \frac{\partial \varphi}{\partial t} \tag{7.3.14}$$

将速度势代入,我们可以得到波浪的脉动压力

$$P(x, y, z, t) = -\rho \frac{\partial \varphi}{\partial t} = \rho g \frac{H}{2} \frac{\operatorname{ch} k(z+d)}{\operatorname{ch} kd} \cos(kx - \omega t) \tag{7.3.15}$$

### 7.3.2　波浪载荷计算概述

波浪对固定海洋结构物的作用主要是以下四种效应。

(1)由于流体的黏滞性而引起的黏滞效应。

(2)由于流体的惯性和结构物的存在,使结构物周围的波动场的速度发生改变而引起的附加质量效应。

(3)由于结构物本身对入射波的绕射作用而产生的绕射效应。

(4)由于结构物本身的相对高度较大,结构物与自由表面接近扰动了原波动场的自由表面而产生的自由表面效应。

波浪力按照其尺度大小的不同计算。

(1)与入射波相比,尺度较小的结构物,例如孤立桩柱、水下输油管道等,此类结构物的存在对波浪运动无显著影响,波浪对结构物的作用主要为黏滞效应和附加质量效应。

(2)而随着结构物尺度相对于波长比值的增大,例如平台的大型基础沉垫、大型石油

贮罐等,此类尺度较大的结构物本身的存在对波浪运动有显著影响,对入射波浪的绕射效应和自由表面效应必须考虑。此时要采用绕射理论计算波浪力。

作用于海洋结构物上的波浪力可以用三种不同的方法进行计算,分别是 Morison 公式、Froude – Krylov 理论和绕射理论。

Morison 方程假定,作用力是由惯性力和阻力线性加在一起组成的。所含的惯性系数和阻力系数必须通过试验确定。当阻力占主要地位时,Morison 公式是适用的,结构特征尺度比波长小时,通常就属于这种情形。

当阻力很小,惯性力占统治地位,结构特征尺度同时相对较小时,可以用 Froude – Krylov 理论。该理论利用入射波压力在结构表面受压面积上积分计算波浪力。方便之处在于,对某些对称物体,波浪力用预定形式得出,力系数一般容易确定。

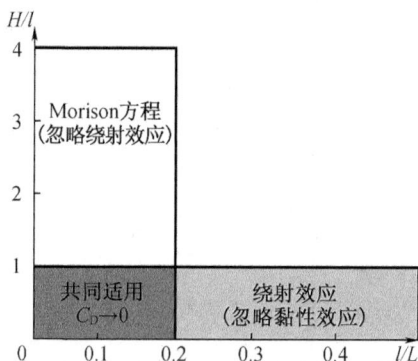

图 7.3.3　理论的使用范围

当结构尺寸与波长可比拟时,可以认为,结构的存在将改变结构附近的波浪场。这时,波浪受到结构表面的影响有必要计入。它就是通常所说的绕射理论。虽然对少数几种简单情形有可能得到简单形式的解,但一般来说,解此类的问题要用包括求解具有相应边界条件的拉普拉式方程的数值方法。

### 7.3.3　小尺度构件受到的波浪力

波浪理论在海洋工程方面的主要应用是评估海洋结构物所受到的波浪力。海洋结构根据结构形式的不同,适用的理论和分析方法也有所区别。本节主要考虑小尺度构件在波浪作用下的受力。"小尺度"意味着结构的形状对流场的干扰较小,只限制在局部的范围内。这就暗示可以忽略构件的存在,整个流场仍然可以采用线性波浪理论进行分析。根据实际经验,如果构件的典型尺度(例如圆柱的直径)小于波长的五分之一,这种近似是有效的。这类构件的波浪动力载荷的问题,到目前为止还没有比较严格的理论解,原因是要考虑黏性的影响,而对波浪这种不定常流同时考虑黏性作用是一个很困难的问题。在海洋工程实际中通常采用著名的 Morison 公式计算小构件的波浪载荷。

1. Morison 公式

Morison 于 1950 年在模型试验的基础上提出计算垂直于海底的刚性主体上的波浪载荷公式。Morison 公式给出,作用于垂直柱体一个微小长度上的水平力为

$$\mathrm{d}F = C_{\mathrm{M}} \frac{\pi}{4} \rho D^2 \dot{u} + \frac{1}{2} C_{\mathrm{D}} \rho D u |u| \tag{7.3.16}$$

式中  $\rho$——流体的密度;

$D$——柱体直径;

$C_D$——柱体的曳力系数或称阻力系数;

$C_M$——柱体的惯性力系数或称质量系数;

$u$——流体瞬时速度的水平分量;

$\dot{u}$——流体瞬时加速度的水平分量。

沿着柱体的波浪载荷为

$$F = \int_0^\eta \mathrm{d}F \qquad (7.3.17)$$

Morison 公式是带有经验型的计算公式,应该注意到的是从理论观点看,Morison 方程内部有些自相矛盾,惯性力项假设流体是理想的,而曳力项又是基于湍流。然而,Morison 方程因为简单有效被广泛应用。

关于经验系数 $C_M$ 和 $C_D$,具有大量已发表的试验结果,它与许多因素有关。Morison 方程既适用于规则波,又适用于随机波。

如果构件是浮动的或是固定于海底的柔性构件,则柱体上的波浪载荷用下面形式的 Morison 公式计算。

$$\mathrm{d}F_D = C_M \frac{\pi}{4}\rho D^2(\dot{u}-\ddot{x})\mathrm{d}z - C_A \frac{\pi}{4}\rho D^2 \ddot{x} + \frac{1}{2}C_D\rho D(u-\dot{x})\,|\,(u-\dot{x})\,|\,\mathrm{d}z + (\frac{\pi D^2}{4}\rho\mathrm{d}z - M)\ddot{x}$$

$$(7.3.17)$$

式中  $\dot{x},\ddot{x}$——微段 dz 中点处构件运动的水平速度和加速度分量;

$M$——该段构件的质量。

上面两式说明作用于垂直柱体上的波浪力的水平分量,可由与流体的水平速度平方成正比的曳力项和与流体水平加速度成正比的质量力项二者线性叠加而成。

在实际应用中,对于直径小于 40 ft 的构件,可以忽略绕射的影响。在这些情况下,应采用适于细长杆件的 Morison 方程。Morison 方程需要求解结构和波浪之间的相对运动。

在深水情况下,根据线性波理论,水质点的水平运动速度和加速度为

$$u = \frac{\partial\phi}{\partial x} = \frac{\pi H}{kT}\frac{\mathrm{ch}\,k(y+d)}{\mathrm{sh}\,kd}\cos(kx-\omega t) \qquad (7.3.18)$$

$$\dot{u} = \frac{\partial u}{\partial t} = \frac{2\pi^2 H}{T^2}\frac{\mathrm{ch}\,k(y+d)}{\mathrm{sh}\,kd}\sin(kx-\omega t) \qquad (7.3.19)$$

假设波峰在 $z$ 轴,将速度和加速度代入式(7.3.17),得

$$F = \int_{-h}^0 C_M \frac{\pi}{4}\rho D^2\big[a\omega^2\mathrm{e}^{kz}\sin(kx-\omega t)\big] +$$

$$\frac{1}{2}C_D\rho D\big[a^2\omega^2\mathrm{e}^{2kz}\cos(kx-\omega t)\,|\cos(kx-\omega t)\,|\big]\mathrm{d}z \qquad (7.3.20)$$

直立的圆柱体受力如图 7.3.4 所示。

同样,我们可以将不规则波理解成是多个规则波相互叠加形成的,也可以认为流速是多个规则波速度的叠加。

$$u(t_j) = \sum_{i=1}^N a_i\omega_i\mathrm{e}^{kz}\cos(\omega_i t_j + \varepsilon_j) \qquad (7.3.21)$$

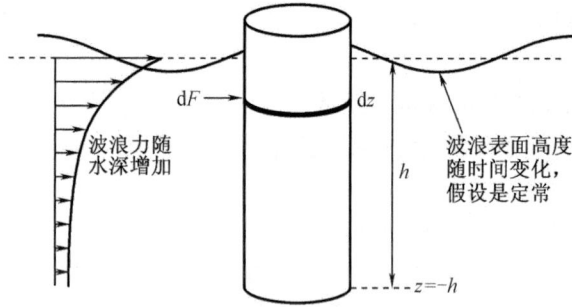

**图 7.3.4　直立的圆柱体受力图**

### 2. Morison 公式中的系数

运用 Morison 公式计算海洋工程结构的波浪载荷,一个关键问题是如何针对具体问题确定曳力系数 $C_D$ 与质量系数 $C_M$。多年来,尽管许多学者为确定 $C_D$ 与 $C_M$ 数值做了大量的试验研究和现场实测,但所发表的结果却有较大的离散性。这些研究表明,这两个系数同雷诺数 $Re$、$K-C$ 数及表面粗糙度等有关。

Keulegan – Carpenter($K-C$)数:

$$K_C = \frac{U_m T}{D} \tag{7.3.22}$$

式中　$U_m$——最大水质点轨迹速度;

　　　$D$——圆柱结构直径。

试验研究表明,圆柱体在黏性绕流作用下的受力除与柱形、流速有关外,海域绕流的形式有很大关系。柱体周围绕流的形式可有如下几种:稳定流、脉冲加速度流、均匀加速度流和正弦振荡流。通常试验中多用稳定流来确定阻尼系数。在稳定流中,Morison 公式中的惯性力不存在,柱体受到的水平力与速度的平方正比,属于压力成分。试验表明,尾流区的范围即边界层分离点的位置及尾流中漩涡的形成,与边界层内的流动状态有关,而流动状态发生的区域从流体力学可知是与 $Re$ 数有关的。因此,系数 $C_D$ 与 $Re$ 数有关。

下图给出的是稳态流中圆柱体的拖曳力系数。

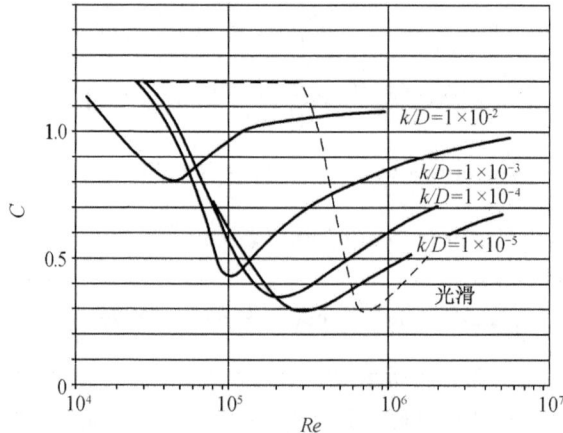

**图 7.3.5　圆柱体的拖曳力系数**

在稳态流中的其他光滑横断面形状的水动力拖曳力系数值可取表 7.2.4 中相应的风载

荷形状系数。

按照 DNV 规范,质量系数 $C_M$ 的选取与剖面形状的关系如下表所示,式中 $V_R$ 是公式 (7.3.22) 中阻力项除了 $C_M$、密度 $\rho$ 和加速度 $\dot{u}$ 之外的项。

表 7.3.1　质量系数值

| 物体剖面 | | 运动方向 | $C_a$ | $V_a$ |
|---|---|---|---|---|
| | | 竖向 | 1.0 | $\pi a^2$ |
| | | 竖向 | 1.0 | $\pi a^2$ |
| | | 竖向 | 1.0 | $\pi a^2$ |
| | | 竖向 | 1.0 | $\pi a^2$ |
| | $a/b = \infty$ | 竖向 | 1.0 | $\pi a^2$ |
| | $a/b = 10$ | | 1.14 | |
| | $a/b = 5$ | | 1.21 | |
| | $a/b = 2$ | | 1.36 | |
| | $a/b = 1$ | | 1.51 | |
| | $a/b = 0.5$ | | 1.70 | |
| | $a/b = 0.2$ | | 1.98 | |
| | $a/b = 0.1$ | | 2.23 | |
| | $d/a = 0.05$ | 竖向 | 1.61 | $\pi a^2$ |
| | $d/a = 0.10$ | | 1.72 | |
| | $d/a = 0.25$ | | 2.19 | |
| | $a/b = 2$ | 竖向 | 0.85 | $\pi a^2$ |
| | $a/b = 1$ | | 0.76 | |
| | $a/b = 0.5$ | | 0.67 | |
| | $a/b = 0.2$ | | 0.61 | |
| | | 水平向 | 2.29 | $\pi a^2$ |
| | | 水平向 | $1 + \left( \dfrac{h}{2a} - \dfrac{2a}{h} \right)^2$ | $\pi a^2$ |

Morison 公式是针对光滑柱体提出的。而在实际的海洋环境中,海洋工程结构物由于锈蚀、海生物附着等原因,其表面粗糙度将随时间而大大增加。因此,在高 K - C 值,振荡流中圆柱体的水动力系数可按下表取用。

表 7.3.2　考虑粗糙度的水动力系数

| 表面状况 | $C_D$ | $C_m$ |
|---|---|---|
| 多年粗糙度 $k/D > 1/100$ | 1.05 | 0.8 |
| 移动式平台(清理过) $k/D < 1/100$ | 1.0 | 0.8 |
| 光滑构件 $k/D < 1/10\ 000$ | 0.65 | 1.0 |

### 3. Morison 公式的变形

当波浪经过倾斜柱体时,水流与柱体的轴线之间存在一个非直角的夹角。对于图 7.3.6 中所示的倾斜柱体,为了将此公式应用于计算波浪载荷,可以将公式改写为

$$\begin{Bmatrix} F_x \\ F_y \\ F_z \end{Bmatrix} = \frac{1}{2}\rho C_D \mid W_n \mid \begin{Bmatrix} v_{nx} \\ v_{ny} \\ v_{nz} \end{Bmatrix} + \rho C_M \frac{\pi D^2}{4} \begin{Bmatrix} \dot{v}_{nx} \\ \dot{v}_{ny} \\ \dot{v}_{nz} \end{Bmatrix} \qquad (7.3.23)$$

式中　$W_n = \sqrt{V_{nx}^2 + V_{ny}^2 + V_{nz}^2}$

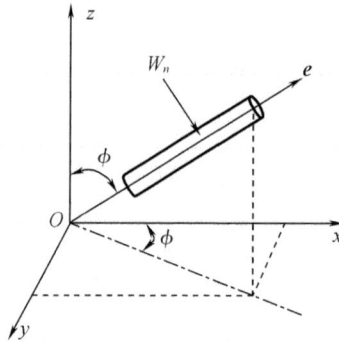

图 7.3.6

这里假设 $C_D, C_M$ 为已知。设 $e$ 为沿着柱体轴线方向的单位矢量。

$$\boldsymbol{e} = e_x \boldsymbol{i} + e_y \boldsymbol{j} + e_z \boldsymbol{k}$$

式中　$i$、$j$、$k$——沿着 $x$、$y$、$z$ 轴的单位矢量,并有 $e_x = \sin\varphi\cos\varphi$,$e_y = \cos\varphi$,$e_z = \sin\varphi\sin\varphi$。

由此可得到

$$v_{nx} = v_x - e_x(e_x v_x + e_x v_z)$$
$$v_{ny} = v_z - e_y(e_x v_x + e_y v_z)$$
$$v_{nz} = -e_z(e_x v_x + e_y v_z) \qquad (7.3.23)$$

对于图 7.3.7 所示的水平圆柱,$u$ 和 $\dot{u}$ 与 $w$ 和 $\dot{w}$ 都是沿圆柱的水平轴线,$z$ 是一个常量。

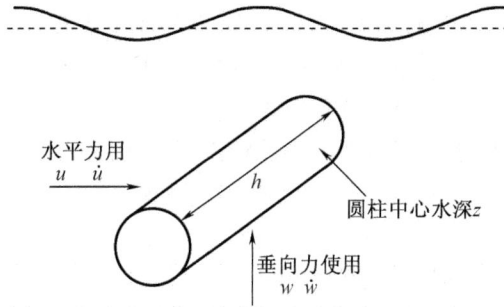

图 7.3.7   水平圆柱

这意味着总力 $= h \cdot \mathrm{d}F$。

水平力:

$$F_x = \left\{ C_{\mathrm{M}} \frac{\pi}{4} \rho D^2 \dot{u} + \frac{1}{2} C_{\mathrm{D}} \rho D u \mid u \mid \right\} h \tag{7.3.24}$$

垂向力:

$$F_z = \left\{ C_{\mathrm{M}} \frac{\pi}{4} \rho D^2 \dot{w} + \frac{1}{2} C_{\mathrm{D}} \rho D w \mid w \mid \right\} h \tag{7.3.25}$$

倾斜柱体的上述表达式,是建立在称为独立原则的基础上的。所谓独立原则可表述为,作用在倾斜柱体上的力能分解为法向和切向分量,而切向分量可以忽略。注意到波浪中水质点运动是椭圆的,垂直体的 Morison 公式方程同样忽略了切向分量。因此与标准的莫里森方程实际上是一致的。

### 7.3.4   大尺度物体上的波浪力

作用在结构上的波浪力可以根据结构特征尺度与波长比的范围决定采用何种方法进行计算。当结构特征尺度与波长比较大,反射波与入射波同阶时,计算作用在物体上的波浪力必须考虑物体存在对波浪场的影响,即所谓绕射理论。当结构特征尺度与波长比中等,而波浪力足够大,以至于惯性力比阻力大得多,但又不需要考虑绕射的影响时,则可采用 Froude – Krylov 理论。

1. 绕射理论

在小尺度的情况下,可以假定物体的存在对入射波浪没有影响。然而随着物体大小相对波长的比值增大,入射波在物体表面的散射效应增强,散射波和入射波相互干扰,这就改变了物体周围的流场,前面给出的莫里森公式不再使用,必须考虑流体的自由表面效应和相对尺度效应。这样的分析通常称为"绕射理论",其中黏滞效应即波浪对物体的拖曳力和惯性力比较可忽略不计,故问题归结为寻求物体在波浪中的反射波速度势,一旦找到,将其与入射波的速度势相叠加求出总速度势,即可利用积分公式确定物体表面上的动压强分布,从而确定作用在物体上的波浪载荷。常用的理论计算方法有两种,一种是解析法,但仅适用于大型圆柱体,此时流场的速度势 $\phi$ 可用解析式确定;另一种是数值方法,适用于一般形状的大尺度物体,此时速度势 $\phi$ 用数值法求解。例如,在物体表面分布强度待定的源汇(单位点源产生的流场速度势即 Green 函数),他们满足除物体表面以外的其他边界条件,最后利用物面条件来确定源汇的强度,从而求得 $\phi$。下面将主要介绍数值法。

在近海结构水动力学中,迄今得到普遍采用的数值方法有:有限基本解方法和有限元方法等。由于有限元方法处理的是流域,而有限基本解处理的是边界,对求作用在结构上的波浪力而言,仅要求边界上的状态即可。因此,采用有限基本解方法处理有较大优势。所谓有限基本解法,通常又称为源汇分布方法。

对大尺度物体,一般应采用绕射理论通过对作用在物体湿表面上整个水压力的积分计算波浪载荷。在绕射理论中,流场用速度势函数来描述,该速度势应在流体各处满足拉普拉斯方程,并满足物体表面、自由表面、海底及无穷远处的边界条件。通常总速度势由入射波势、绕射波势(假定物体固定)和运动着物体在静水中产生的辐射波势组成。相关的计算原理和方法如下。

考虑波高足够小,线性理论可以应用的情况。由于假设流体无黏性,流场中存在速度势,因此问题化为确定流场速度势 $\phi$ 的问题。

速度势 $\phi$ 是空间及时间的函数,在流体域内满足连续性方程(Laplace 方程):

$$\nabla^2 \phi = 0 \tag{7.3.26}$$

在线性问题中,它应满足的边界条件如下,如图 7.3.8 所示。

在自由表面:

$$\frac{\partial^2 \phi}{\partial t^2} + g \frac{\partial \phi}{\partial z} = 0 \tag{7.3.27}$$

在水底:

$$\frac{\partial \phi}{\partial z} = 0 \tag{7.3.28}$$

在物体表面:

$$\frac{\partial \phi}{\partial n} = 0 \tag{7.3.29}$$

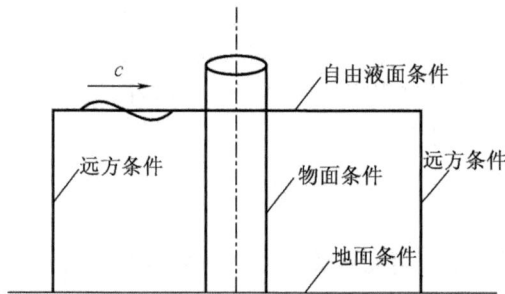

图 7.3.8

这里 $n$ 为物体表面的外法线方向。此外 $\phi$ 还应该满足辐射条件,这一条件保证绕射波势解的唯一性。

在线性问题中可将速度势 $\phi$ 分解为入射波势 $\phi_w$ 和绕射波势 $\varphi_D$

$$\phi(x,y,z,t) = \phi_w(x,y,z,t) + \phi_D(x,y,z,t) \tag{7.3.30}$$

$\phi_w(x,y,z,t)$ 为入射波速度势,是已知的;$\phi_D(x,y,z,t)$ 为绕射波速度势,是代求项。

由线性波浪理论已知入射波势 $\phi_w$ 如前面 7.3.1 中公式(7.3.6)所示。

绕射波势可以通过将式(7.3.6)和式(7.3.30)带入式(7.3.26)至式(7.3.28)中确定,此时方程(7.3.29)可写成

$$\frac{\partial \phi_D}{\partial n} = -\frac{\partial \phi_w}{\partial n} \tag{7.3.31}$$

解出 $\phi_D$ 从而确定 $\phi$ 后,可以用线性化的 Bernoulli 方程计算压力:

$$p = -\rho gz - \rho \frac{\partial \phi}{\partial t} \tag{7.3.32}$$

将作用于物体表面的压力积分,可以得到作用在物体上的合力。

2. Froude – Krylov 力

Froude – Krylov 理论假定,结构周围的波浪场不因物体的存在而改变,作用在结构上的波浪力可直接根据入射波产生的压力沿湿表面积分得到。在近海结构设计的论证阶段,结构尺度的大致范围可通过了解波浪力的数量概念进行确定。Froude – Krylov 力是一种最简洁而有一定准确度的估算方法,故而称为工程中最为常用的方法。

F – K 法是一种半理论半经验的方法,多用于长方体、圆柱体和半球体的规则形状。

$$F = c \cdot F_k$$

式中  $c$——绕射系数,反映由于物体存在而产生的波浪绕射效应和附加质量效应,可由实践或经验确定(分为水平绕射系数 $C_H$ 和垂直绕射系数 $C_V$)。

在下列四种情形中,水平绕射系数 $C_H$ 和垂直绕射系数 $C_V$ 可取常数值,并得到作用在结构上波浪力的一个合理的估值。

(1)结构与波长相较较小;

(2)波高很小;

(3)结构(如水平柱体或者球体)离海底有一定的距离(至少离海底有一个半径的距离);

(4)淹没结构(如水平柱体或者球体)不在自由表面邻近。

$F_k$ 为入射波压力引起的作用力,即 F – K 力。求解方法如下:

$$\boldsymbol{F}_k = \oiint\limits_S P\boldsymbol{n}\mathrm{d}s \tag{7.3.33}$$

$$\boldsymbol{m} = \oiint\limits_S \boldsymbol{r} \times P\boldsymbol{n}\mathrm{d}s \tag{7.3.34}$$

$$P = -\rho \frac{\partial \varphi}{\partial t} \tag{7.3.35}$$

例:用 F – K 法计算作用于长方形潜体上的水平波浪力和力矩(坐标见图7.3.9)。

已知:波高 $H$、频率 $\omega$、波数 $k$。$C_H = 1.8 \sim 2.0$,波面方程 $\eta(x,z,t) = \frac{H}{2}\cos(kx - \omega t)$

求解方法如下:

变换 $z$ 为 $z - d$,得出入射波压力为

$$P = \rho g \frac{H}{2} \frac{\mathrm{ch}\, kz}{\mathrm{ch}\, kd}\cos(kx - \omega t)$$

水平波浪力  $\qquad F_H = C_H \iint\limits_S P_x \mathrm{d}S = C_H(P_1 - P_2)$

式中  $\qquad P_1 = l_2 \cdot \int\limits_0^{l_3} P\left(-\frac{l_1}{2}, z, t\right)\mathrm{d}z = \frac{\rho g H l_2}{2k} \cdot \frac{\mathrm{sh}\, kl_3}{\mathrm{ch}\, kd}\cos\left(-\frac{kl_1}{2} - \omega t\right)$

$$P_2 = l_2 \cdot \int_0^{l_3} P\left(\frac{l_1}{2}, z, t\right) \mathrm{d}z = \frac{\rho g H l_2}{2k} \cdot \frac{\mathrm{sh}\, kl_3}{\mathrm{ch}\, kd}\cos\left(\frac{kl_1}{2} - \omega t\right)$$

所以得出
$$F_H = -C_H \frac{\rho g H l_2}{k} \cdot \frac{\mathrm{sh}\, kl_3}{\mathrm{ch}\, kd} \cdot \sin\frac{kl_1}{2}\sin \omega t$$

水平力矩 $M_H = C_H(M_1 - M_2)$

$$= C_H l_2\left[\int_0^{l_3} zp\left(-\frac{l_1}{2}, z, t\right)\mathrm{d}z - \int_0^{l_3} zp\left(\frac{l_1}{2}, z, t\right)\mathrm{d}z\right]$$

$$= -C_H \frac{\rho g H l_2}{k} \cdot \frac{\mathrm{sh}\, kl_3}{\mathrm{ch}\, kd} \cdot \left(l_3 - \frac{\mathrm{ch}\, kl_3 - 1}{k\,\mathrm{sh}\, kl_3}\right) \cdot \sin\frac{kl_1}{2}\sin \omega t$$

水平波浪力矩海底高度 $e = \dfrac{M_H}{F_H} = l_3 - \dfrac{\mathrm{ch}\, kl_3 - 1}{k\,\mathrm{sh}\, kl_3}$。

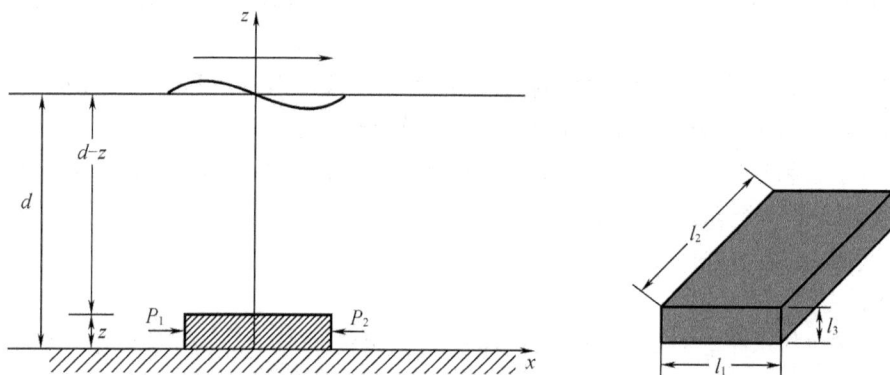

**图 7.3.9　长方形潜体水平波浪力和力矩计算示意图**

# 7.4　海流载荷

海流又称洋流,是海水因热辐射、蒸发、降水、冷缩等而形成的密度不同的水团,再加上风应力、地转偏向力、引潮力等作用而大规模相对稳定的流动,它是海水的普遍运动形式之一。海洋里有着许多海流,每条海流终年沿着比较固定的路线流动。

海洋里那些比较大的水流,多是由强劲而稳定的风吹刮起来的海流。这种由风直接产生的海流叫"风海流"。由于海水的连续性和不可压缩性,一个地方的海水流走了,相邻海区的海水也就流进来补充,这样就产生了"补偿流"。补偿流既有水平方向的,也有垂直方向的,还有一种是海水受月球、太阳引潮力而产生的水平流动现象,是同潮汐一起产生的"潮流"。

海流是海洋中主要的动力现象之一。它与风、浪等要素同时直接作用在平台上,对平台的稳性和强度将产生影响。因此在设计中,必须计算流载荷的作用。

流的向量和是由潮汐、环流和风暴生成的。它的大小随着平台的位置不同而有所不同,所以计算流力的大小是很重要的。潮汐流通常在深水水域很弱,且在开阔海域要强于狭窄的海域,但是在开阔的海岸线也很少超过 0.3 m/s(1 ft/s)。潮汐流有可能被海岸线或者是海底的外形所加强,以至于在入口或是沿海地带有很强的潮汐流存在。例如海面流速达到 3 m/s(10 ft/s)的库克海湾。

　　环流具有相对稳定的、大规模的一般海洋环流特征。例如,大西洋的湾流和墨西哥湾的环流的海面速度大概范围为 1～2 m/s(3～6 ft/s)。这些相对稳定的环流有的继续缓慢地前进,有的从环流中脱离出来,形成一些每天偏移几英里①的漩涡。这些分离出来的漩涡速度通常接近于之前环流的速度,并且分离过程一般发生于大陆坡折区外,并且不会影响水深大于 300 m(1 000 ft)的区域。(大陆坡介于大陆架和大洋底之间,大陆架是大陆的一部分,大洋底是真正的海底,因而大陆坡是联系海陆的桥梁,它一头连接着陆地的边缘,一头连接着海洋。)

　　风暴生成的流是由风应力和大气压力梯度差引起的,流的大小是风暴强度、气象特征、海水深度、海岸线形状和水密度等多种因素共同作用的。在深水开阔海域,风暴流中,热带风暴产生的流可以粗略地估计为 2%～3% 的一小时持续风速,冬季风暴或温带气旋产生的流为最高 1% 的一小时持续风速。

### 7.4.1　海流对结构物作用力

1. 海流的速度

　　在海洋平台结构设计中,通常选 100 年一遇的流作为设计值,流是随时间变化的,但一般很难确定大小。在设计中,使用有 10 年重现期的表面流。如果设计值缺乏的话,可以利用下面的公式计算静水面处的流速,式中 $U_w$ 是水面下 10 m 处一小时平均流速。

$$U = 0.015U_w \tag{7.4.1}$$

　　潮流的速度随深度的变化较小,而海流的速度随深度有一定变化。在有潮流的海区,一般说来,海流的速度与潮流相比是较小的。因此,在工程设计中,为简便起见,可以着眼于潮流,并近似地认为流速是垂直均匀分布的。

　　根据 DNV 规范中,当没有详细的流场测量值时,流速随水深变化可取为

$$v(z) = v_{tide}(z) + v_{wind}(z) \tag{7.4.2}$$

当 $z \leqslant 0$ 时,$v_{tide}(z) = v_{tide}\left(\dfrac{h+z}{h}\right)^{1/7}$;

当 $-h_0 \leqslant z \leqslant 0$ 时,$v_{wind}(z) = v_{wind}\left(\dfrac{h_0+z}{h_0}\right)$;

当 $z < h_0$ 时,$v_{wind}(z) = 0$。

式中　$v(z)$——高度 $z$ 处的总流量;

　　　　$z$——到静水面的距离,向上为正;

　　　　$v_{tide}(z)$——静水面潮流流速;

　　　　$v_{wind}(z)$——静水面风生流流速;

　　　　$h$——到静水面的水深(取正值);

　　　　$h_0$——对风生流的参照深度,$h_0 = 50$ m。

2. 剪切流

　　剪切流通常是随深度线性变化或双线性变化。在海底处的流速为 0,靠近海面流速剖面呈对数变化。流会改变波的形状和大小,对于均匀流所采取的近似做法是将流剖面移到

① 　1 英里 = 1.609 34 千米

自由表面上,如图 7.4.1 所示。

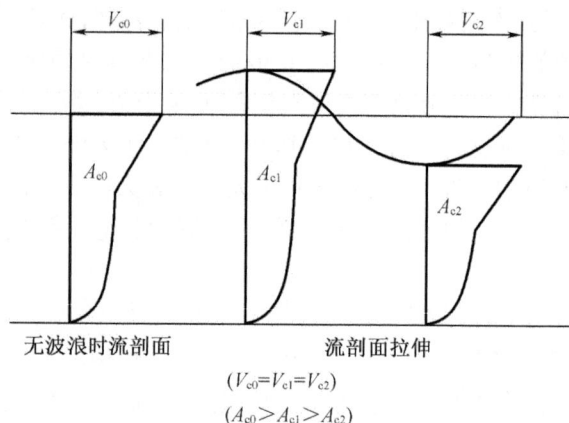

$(V_{c0}=V_{c1}=V_{c2})$

$(A_{c0}>A_{c1}>A_{c2})$

**图 7.4.1**

### 3. 波流联合

在计算海流、潮流作用力时,如果海流和波浪同时存在的状态,应考虑流速与波浪水质点水平速度叠加后产生的拖曳力,不能将两者分别计算。

我国船检部门给出的钻井平台水下部分构件的流力 $F$ 计算式为

$$F = \frac{\rho}{2}C_{\mathrm{D}}u^2A \tag{7.4.3}$$

式中   $u$——设计流速;

     $A$——构件在与流向垂直的平面上的投影面积,$\mathrm{m}^2$;

     $C_{\mathrm{D}}$——拖曳力系数;

     $\rho$——海水密度,$\mathrm{kN \cdot s^2/m^4}$。

当波流联合作用时,我们取 $u = u_{\mathrm{w}} + u_{\mathrm{c}}$ 从而有下式:

$$f_{\mathrm{D}} = \frac{1}{2}\rho C_{\mathrm{D}}A(u_{\mathrm{w}} + u_{\mathrm{c}}) \left| (u_{\mathrm{w}} + u_{\mathrm{c}}) \right| \tag{7.4.4}$$

式中   $A$——投影面积,$\mathrm{m}$;

     $u_{\mathrm{w}}$——波浪水质点的水平速度,$\mathrm{m/s}$;

     $u_{\mathrm{c}}$——流速,$\mathrm{m/s}$。

海流、潮流和波浪水质点的水平速度联合作用在整个桩柱上的水平拖曳力为

$$F_{\mathrm{D}} = \int_0^{d+\eta} \frac{1}{2}\rho C_{\mathrm{D}}D(u_{\mathrm{w}} + u_{\mathrm{c}})^2 \mathrm{d}z \tag{7.4.5}$$

式中   $d$——水深,$\mathrm{m}$;

     $\eta$——波面高,$\mathrm{m}$;

     $z$——深度,$\mathrm{m}$。

# 7.5　海冰及地震载荷

### 7.5.1　冰载荷

位于寒冷地区的海域的平台要考虑冬季海面结冰造成的影响。海冰载荷的作用可表现为因海水的流动携带冰块对平台局部的撞击,也可表现为巨大冰块对平台的整体挤压,平台的局部强度和整体强度都会带来较大影响。对处于极地海域作业的平台,海冰载荷可能成为平台设计的控制载荷。海冰的破坏力还有海冰膨胀时造成的"胀压力"。海冰的温度每降低1.5 ℃,1 000 m长的海冰就能膨胀0.45 m,这种"胀压力"可以使被冰冻住的船只变形受损。海冰受潮汐的升降引起的向上的竖压力可以破坏被冻结的海上建筑物。

海冰很结实,它的抗压强度由海冰的含盐度、海水的温度和海冰的"年龄"决定。海水中含盐量越低,海冰抗压强度越大。所以,海冰比淡水冰的坚硬程度要差,一般在淡水冰坚固程度的75%左右。温度越低,海冰的抗压强度越大;而新冰又比老冰的抗压强度大。1969年渤海特大冰封时,为解救被冰封的船只,在60 cm厚的堆积冰层上投放30 kg炸药,也没能把冰层炸破。

1. 冰载荷的成分

我国渤海和黄海北部,每年冬季都有不同程度的海水结冰现象。一般冰期长达2~3个月,其中辽东湾冰期最长,可达3~4个月。最大单个流冰冰块面积可达60~70 km²。每次冰封或严重冰情都会造成不同程度的损失,如船只被冻在海上、港湾及航道被封冻、海上建筑物遭到破坏等。渤海和黄海北部的冰情,虽不及寒冷地区严重,但遇到特殊严重的年份,会对海上钻井和平台作业带来十分严重的后果。据记载,1969年渤海曾发生罕见特大冰封,流冰边缘接近渤海海峡,冰封期间,海冰摧毁了由15根2.2 cm厚锰钢板卷成直径0.85 m、长41 m,打入海底28 m深的空心圆筒桩柱全钢结构的"海二井"石油平台,"海一井"平台支座钢缆也全部被流冰撞断,造成我国有记载以来最严重的一次海冰灾害。

海冰对海洋工程建筑物的作用力,习惯称为冰载荷。作用于建筑物的冰载荷的组成主要有以下几个部分。

(1)巨大的冰原包围了建筑物,整个海面处于冰层覆盖的状态。在潮流及风的作用下,大面积冰原呈整体移动,挤压平台。如果平台能承受,则冰原控桩柱切入或割裂。这种冰载荷呈周期性变化,并伴随着振动。大面积冰原在破碎前的瞬间,平台上的挤压力最大。

(2)流冰期间自由漂浮的流冰,冲击平台而产生的冲击力。

(3)在冬季气温剧变的情况下,整体冰盖层由于温度的变化引起膨胀而产生对平台挤压的膨胀力。

(4)平台周围的海冰因温度下降而结成一体,冻结成的冰盖因潮流和风的变化而移动,产生对平台的曳力。由于水位的波动而产生垂直作用力(水位下落时冰的重力,水位上升时冰块得到浮力)。

(5)流冰期冰块对平台的摩擦作用力。

一些国家修建海上孤立建筑的实践经验表明,在上述各种可能产生的冰载荷中,前两种冰载荷是主要的,是使平台倾覆或结构损坏的主要原因。从我国渤海湾地区实际观察冰对建筑物的作用来看,主要是大面积冰原在风和潮流的作用下,对桩基式钻井平台产生周期性的挤压力,并有强烈的振动。

2. 冰载荷挤压力计算

冰载荷的挤压力是由大面积冰原挤压孤立垂直桩柱所产生的冰载荷 $P$,根据中国船级社《海上平台状态评定指南》,有

$$P = mK_1K_2R_cbh \ (\text{kN}) \tag{7.5.1}$$

式中　$K_1$——局部挤压系数 $K_1 = (1 + \dfrac{h}{b})^{1/2}$;

　　　$K_2$——桩柱与冰层的接触系数,建议取 0.3;

　　　$R_c$——冰块试验的极限抗压强度($\text{kN/m}^2$);

　　　$b$——桩柱宽度或直径,m;

　　　$h$——冰层计算厚度,m,按国家主管部门提供的实测资料。

当计算桩群上的冰载荷时,应考虑桩群的遮蔽作用。

从上面的公式可以看出,要正确地计算作用于桩柱上的冰压力,合理地根据平台作业地区的实际情况决定 $K_1$ 和 $K_2$ 是十分重要的。上式中各主要参数应尽量通过长期观测,经分析后确定。

在实测资料不足的情况下,可取下列数值:$K_1$ 取 2.5 ~ 3.0;$K_2$ 取 0.3 ~ 0.45。

对渤海和黄海北部沿海,$R_c$ 取 1 470 $\text{kN/m}^2$($150 \text{ t/m}^2$)。

关于冰层计算厚度,辽东湾 $h = 1$ m;渤海湾 $h = 0.8$ m;莱州湾 $h = 0.7$ m;黄海北部沿海 $h = 0.8$ m。

3. 冰载荷冲击力计算

如图 7.5.1 所示为冰块冲击在平台上时的示意图。

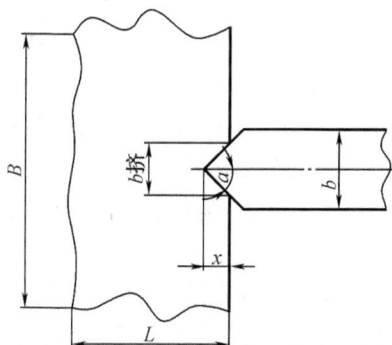

**图 7.5.1**

根据动能守恒,冲击平台的动能是不变的,由此我们可知

$$\Delta E = W \tag{7.5.2}$$

式中

$$\Delta E = \frac{1}{2}(\rho BLh)v^2 \tag{7.5.3}$$

$$P(x) = mK_1K_2R_cbh, \ \text{取} \ K_2 = 1 \tag{7.5.4}$$

$$b = 2x\tan\alpha \tag{7.5.5}$$

$$W = \int_0^x P(x)\,\mathrm{d}x = \frac{1}{2}Px \tag{7.5.6}$$

式中　$B \times L \times h$——冰的面积。

由上式可以得出

$$x = v \sqrt{\frac{\rho BL}{2mK_1 R_c \tan \alpha}} \qquad (7.5.7)$$

将 $x$ 代入 $P(x)$ 我们可以得到冲击力的大小

$$P = vh \sqrt{2mK_1 R_c \tan \alpha \rho BL} \qquad (7.5.7)$$

若取 $K_1 = 2.5$ $\rho = 0.9$ t/m³，则

$$x = 0.424v \sqrt{\frac{BL}{mK_1 R_c \tan \alpha}} \qquad (7.5.8)$$

$$P = 2.12vh \sqrt{mR_c \tan \alpha BL} \qquad (7.5.9)$$

### 7.5.2　地震载荷

1. 地震与地震载荷

同在陆地上一样，在海底也会发生地震，这种在海底的地震又称为海震。海底地震多数是由海底两个板块之间的相对错动引起的，因为地下岩石突然断裂而发生的急剧运动，所以地震的发生往往与已知的构造断裂系统有关。海底地震主要分布在活动大陆边缘和大洋中脊，分别相当于洋壳的俯冲破坏与扩张新生地带。两带的地震活动性质截然不同。

活动大陆边缘地震带位于板块俯冲边界，主体是环太平洋地震带，此外还包括印度洋爪哇海沟附近，大西洋波多黎各海沟及南桑威奇海沟附近的地震带。环太平洋地震带释放的地震能量约占全球总量的 80%。这里既有浅源（<70 km）地震，也有中源（70～300 km）地震和深源（300～700 km）地震，地震带较宽。震源深度通常从洋侧（海沟附近）向陆侧加深，构成一倾斜的震源带，称贝尼奥夫带。全球几乎所有的深源地震，以及大多数的中、浅源地震都发生在板块俯冲边界，全球最大震级（8.9 级）就发生在这里。

大洋中脊地震带为分离型板块边界，该处只有浅源地震且其地震带狭窄、连续，宽度仅数十千米，释放的地震能量占全球总量的 5%。

地震载荷不同于风、浪、流、冰等环境载荷，它不直接作用在结构物上，而是由于地震引起结构物的基础运动而产生的。由此，地震引起的结构振动称为地震响应。地震引起平台振动，平台还要带动地基和周围的水随之振动，即平台结构和地基之间存在相互作用，平台桩柱和水之间也存在相互作用。在发生地震时，由于平台内部分布的惯性力将作为剪切力使平台与地震基之间产生滑动而导致平台倾覆。海洋平台与陆地建筑物之间的区别之一是平台具有附加质量。

我国是一个多地震国家，多次发生 8 级地震。从大的范围来说，我国东北地区处于北美板块插入欧亚板块的俯冲带（最深大约 600 km）之上，东南沿海及我国台湾地区处于菲律宾板块和欧亚板块交接（上述两个交界为环太平洋地震带西线区域），我国西南地区处于印度板块和欧亚板块以及澳大利亚板块和欧亚板块交界以及延伸带，此为地中海 – 喜马拉雅地震带部分。因此在设计上述地区作业平台时应该考虑地震载荷。

2. 地震载荷计算

工程抗震计算理论从实用出发，利用惯性力的概念，把平台结构各质点地震响应中最大的惯性力作为质点上的地震载荷，运用响应谱和动力放大系数的概念，画出计算地震载荷的标准响应谱曲线，用这种方法来确定地震载荷。

地震响应谱,就是单自由度弹性系统对于某个实际地震加速度的最大反应(可以是加速度、速度和位移)和体系的自振特征(自振周期或频率和阻尼比)之间的函数关系。任何复杂的结构对于地震响应都可以由若干单质点体系的响应和叠加得到。地震响应谱的主峰位置和顶峰锐度与地表刚度有关,地表土质越软,主峰位置越向右(周期增大方向)移动。

图7.5.2和图7.5.3分别给出了中国船级社《海上移动式平台入级与建造规范》和美国石油协会(API)的地震响应曲线。

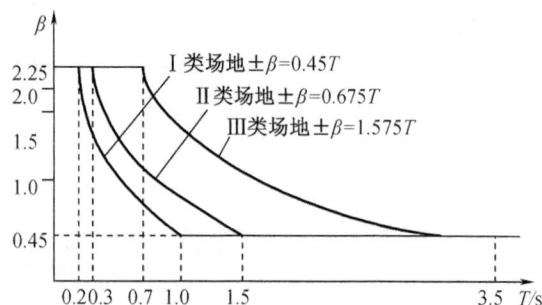

图7.5.2 中国船级社的地震响应曲线

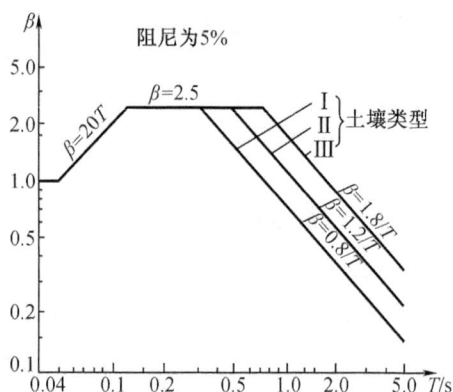

图7.5.3 美国石油协会(API)的地震响应曲线

CCS给出的响应曲线有三种类型的场地土(平台工作位上的土质)。Ⅰ类为微风化和中等风化的基岩;Ⅱ类为饱和松散的砂类土,软塑和极软状态的黏类土;Ⅲ类为Ⅰ、Ⅱ类场地外的一半稳性土。API地震响应谱也将场地土分成三类,与CCS分类相似。

动力放大系数$\beta$,就是单质点弹性系统在地震作用下的最大加速度响应与最大底面加速度的比值,可由响应谱曲线查得。当已知结构自振周期$T$时,可以从地震响应谱曲线中查得,或由曲线不同类型场地图$\beta$的计算公式求得。图7.5.3为CCS地震响应谱中,对不同场地土,自振周期$T$与放大系数关系如下。

对Ⅰ类场地土:当$T \leqslant 0.2$ s时,$\beta = 2.25$;当$T > 0.2$ s时,$\beta = 0.45/T$。

对Ⅱ类场地土:当$T \leqslant 0.3$ s时,$\beta = 2.25$;当$T > 0.3$ s时,$\beta = 0.675/T$。

对Ⅲ类场地土:当$T \leqslant 0.7$ s时,$\beta = 2.25$;当$T > 0.7$ s时,$\beta = 1.575/T$。

按照不同的场地图,根据平台自振周期,即可求出对应的$\beta$值,从而得到地震响应谱的数据,对平台进行地震响应分析。

地震惯性力,就是发生地震时由地震加速度和建筑物质量引起的惯性力。地震惯性力可根据平台质量分布进行计算,在计算时可将平台简化成单质点系统或多质点系统。

(1)按单质点系统计算地震惯性力

当平台按单质点系统计算,平台甲板出水平向总的地震惯性力

$$P_H = CK_H\beta \cdot mg \quad (\text{KN}) \tag{7.5.10}$$

式中　$C$——综合影响系数,0.35 ~ 0.5;

　　　$K_H$——水平地震系数,与地震烈度有关;

　　　$\beta$——相应于平台计算方向自振周期为$T(S)$时的动力放大系数;

　　　$m$——位于甲板平台处的质量以及甲板下部结构质量和其他结构的质量对于平台甲板处的折算质量;

$g$——重力加速度。

（2）按多质点系统计算地震惯性力

平台是复杂的空间结构,当平台按多指点体系计算时,平台质点 $i,j$ 阵型水平方向的地震惯性力

$$P_H = CK_H \gamma_i \varphi_{i,j} \beta_i \cdot m_i g \quad (\text{KN}) \tag{7.5.11}$$

式中　$C$——综合影响系数,$0.35 \sim 0.5$;

　　　$K_H$——水平地震系数,与地震烈度有关;

　　　$\gamma_i$——结构振型参与系数;

　　　$\gamma_i = \sum_{}^{n} \varphi_{i,j} m_i / \left| \sum_{}^{n} \varphi_{i,j} m_i \right| n$——质点数;

　　　$\varphi_{i,j}$——$j$ 振型,质点 $i$ 处的相对水平位移;

　　　$\beta_i$——$j$ 振型,自振周期为 $T(S)$ 时的动力放大系数;

　　　$m_i$——堆积在质点 $i$ 处的质量。

**表 7.5.1　水平地震系数**

| 地震烈度 | 7 | 8 | 9 |
|---|---|---|---|
| $K_H$ | 0.1 | 0.2 | 0.4 |

（3）地震引起的动水压力计算

地震时,任意方向细长杆的水下部分所受动水压力为

$$P = CK_H \beta C_m V \gamma \sin^2 \varphi(i,j) \tag{7.5.12}$$

式中　$C$——综合影响系数,$0.35 \sim 0.5$;

　　　$K_H$——水平地震系数,与地震烈度有关;

　　　$\beta$——相应于平台计算方向自振周期为 $T(S)$ 时的动力放大系数;

　　　$C_m$——附连水质量系数,应由试验确定,在试验资料不足时,可以查相关表确定;

　　　$V$——浸水部分构件的体积。

对于圆柱体

$$V = (1/4)\pi D^2 l$$

式中　$l$——构件浸水部分长度,m;

　　　$D$——构件直径,m;

　　　$\gamma$——海水容量;

　　　$\varphi(i,j)$——地震震动方向与构件之间的夹角。

应该强调的是,这里给出的地震载荷计算只适用于地震烈度为 7,8,9 度的情况,对设计烈度高于 8 度的地震载荷应进行专门研究。

## 7.6　载荷的组合

根据结构的几何特点确定环境载荷的作用方向。对平面几何特点为左右对称的规则矩形结构,环境载荷方向在 0 到 180°范围内至少取 5 个方向,其中包括几何形状最弱轴的垂直方向;如果平面几何特点为几何不对称,则环境载荷方向应在 0°到 360°范围内至少取 8

个方向,其中包括几何形状最弱轴的垂直方向。

对平台进行评估校核时,需要考虑如下载荷组合工况。

(1)作业环境载荷+固定载荷+正常作业状态最大活载荷;

(2)作业环境载荷+固定载荷+正常作业状态最小活载荷;

(3)极限风暴环境载荷+固定载荷+自存状态最大活载荷;

(4)极限风暴环境载荷+固定载荷+自存状态最小活载荷。

组合系数的选取如下。

(1)固定载荷组合时,考虑到计算模型和设计重量之间的误差,以及一些不可见因素,一般组合系数为1.1;

(2)最大活载荷组合时,组合系数取1.0;

最小活载荷组合时,组合系数取0.25;

(3)环境载荷组合时,一般组合系数取1.05;

如果导管架附属构件(如登船平台、靠船护舷、走道、灌浆管线、阳极块等)未建立计算模型,环境载荷在组合时一般取1.2的组合系数。

# 第8章　锚泊定位系统

在海洋环境中,海洋平台在风、浪、流的作用下会产生位移,为了将平台运动限定在一定范围内以保证正常工作,必须设计合适的定位系统,它与平台的运动性能有直接关系,是平台初步设计中的重要内容。目前常用的定位方式有动力定位和锚泊定位两种,由于动力定位的购买成本、运营成本、维修成本等要远远高于锚泊定位,在作业水深不大于 1 500 m 的海域海洋平台经常采用锚泊定位方式。

锚泊系统是海上浮动型平台不可缺少的组成部分,该系统的可靠性是极为重要的。锚泊系统包括锚、锚链、锚机和其他设备,如锚架、锚浮标等。本章主要讨论其中的锚、锚链部分。

钻井平台与钻井船可有两种锚泊系统,即临时锚泊系统和定位锚泊系统。对于浮在水面进行作业的钻井船和半潜式平台一般用锚泊定位系统。锚泊定位系统一般应满足规范对临时锚泊系统的要求,这样就可互相兼备。

船级社规范及工业规范准则对锚泊系统设计的特殊要求进行了定义,如,API RP 2SK,挪威船级社和科技局。另外,Lloyds、NMD、NPD 和 IACS 也提供类似的标准和设计信息。

对浮式生产系统的特殊要求在不同的规范中是不同的。海上漂浮钻井设备规范没有清楚地涉及锚泊系统,而是将安全系数的选取和其他对工况的说明留给了船东。

在欧洲和美国现有的《锚泊系统规范》中,设计标准存在着较大的差异,例如,挪威船级社规范规定锚泊定位系统安全系数的选择要根据生产的危险程度来决定。安全系数的选择是不同的。挪威船级社规范分别为平均计算载荷和动态载荷提供了不同的安全系数。而美国石油协会规范采取的做法是为所有的锚泊系统提供在最大载荷情况下的安全系数,如锚链的安全系数取 1.67。欧洲的准则允许采用定量的风险评估的方法来选择合适的设计载荷。

## 8.1　锚泊系统的布置形式

### 8.1.1　锚泊定位系统简介

锚链和锚索经常用于系泊浮式平台,锚泊线经常是围绕着船体对称布置。每一条链都形成悬链线形状,依靠上升或下降的线拉力形成回复力,由锚泊线产生非线性回复力的传递提供了保持位置不动的功能。回复力随着船体水平位移的增加而增加,同时平衡了船体准静态的环境载荷。虽然低频慢漂力激励能够使浮式结构水平运动动态扩大,并使线拉力出现高峰值,但锚泊线提供的等效回复强度较小,不至于影响到船体波频运动。锚泊线纵向横向运动会影响船体响应。

根据在较深水中进行操作的要求,控制锚泊线的重量成了关键。特别是,锚链在深水中的应用越来越少。近些年来,人造张紧锚索技术越来越多地应用于深海系泊系统。使用人造张紧锚索技术能够降低锚泊线的长度、导缆器张力及整个系泊系统的成本。

系泊系统设计需要平衡两个方面,一个是使系统能够避免过度受力,另一个是使系统具有足够的强度来避免一些损伤,例如由过度位移引起的钻井或生产立管的损伤。水深较浅时进行系泊系统设计较容易,然而当水深较大时就变得困难了。

过去,大多数的浮式生产系统的锚泊线是被动系统,然而现在,锚泊线被用来保持船体在运动过程中的位置。这有助于减小锚泊线的受力及船体准静态的位移。

系泊系统的功能是用系泊线将水面平台与固定于海底的基底设备连接起来,限制平台的位移,保证平台的钻、采器械能够正常工作。目前系泊系统按照系泊线的几何形状主要可分为悬链线系泊系统和张紧式系泊系统。

单体船和半潜平台经常应用悬链线系泊系统,连接点在船主体的多个位置,这使得船首被固定了。当环境导致船体位移较大时,在一些位置上,锚泊线受力较大。为克服这些弱点,发展了单点系泊系统,锚泊线与船体之间以一个单独的连接点连接,这个点在船体纵向中心线上,能够降低由风浪流引起的环境载荷对船体的影响。

1964年,第一个单点系泊系统在阿拉伯海安装,一些系统现在仍在使用。一些典型的早期设备包括作为锚泊线终端设备的浮筒。它以悬链线形式或张紧锚泊线形式或刚性柱体形式接触海底。船体以合成缆系在浮筒处,转盘和浮筒上的流体旋转减小锚泊线拉力。

虽然,单点系泊系统有很多好的设计特性,但系统包括很多复杂的部分,同时受到很多制约。最近,用于单体浮式生产储油船的塔式锚泊系统(图8.1.1)已经发展起来了,它比单点锚泊系统更经济、更可靠,目前应用较广泛。转塔可以设在内部也可以设在外部,内部转塔经常设在船首舱,也有一些设在船中,锚泊线由转塔连接到海底。

为了进一步降低极限海况下作用在锚泊系统上的环境载荷,可断开的转塔锚泊系统也被开发出来。连接系统在不太恶劣的海况下持续工作,在海况较恶劣如台风的情况下断开。

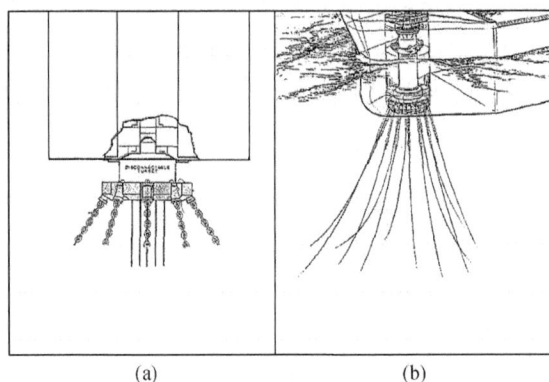

(a)                    (b)

**图8.1.1  塔式锚泊系统**
(a)解脱式;(b)固定式

### 8.1.2  锚泊定位系统的布置形式及其设计参数

锚泊定位系统的布置形式是由环境载荷的大小、方向、出现的频率以及平台的结构型式来决定的。在定位过程中,平台受的风、浪袭击可能来自任何方向,因而常将定位系统的多根锚链拉向四面八方,即采用辐射状的布置,以便在各个方向都能给平台定位提供回复力。通常矩形的平台采用8根锚链,三角形的采用9根,五角形的采用10根(图8.1.2),它们大多具有不同程度的对称性。

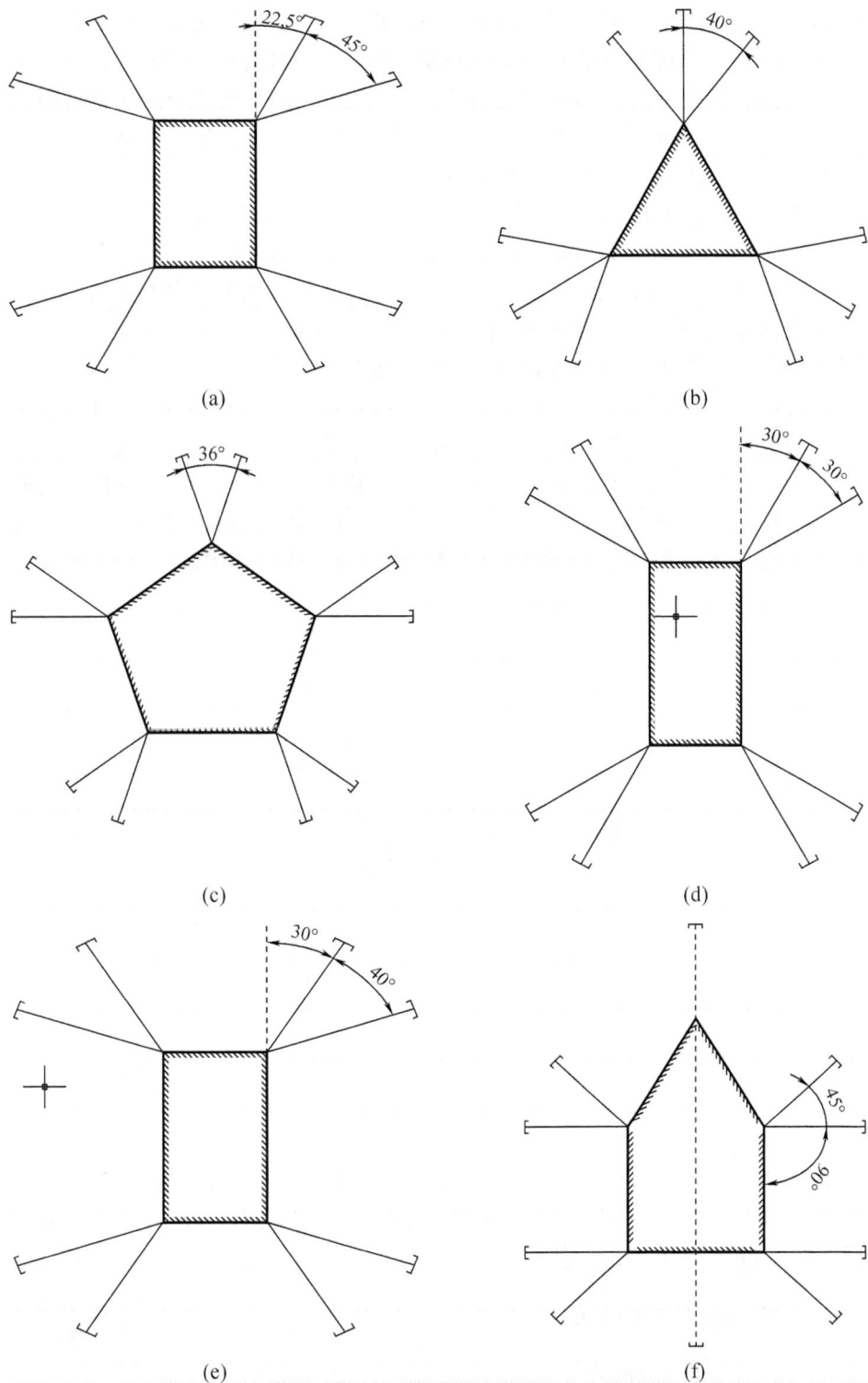

(a)

(b)

(c)

(d)

(e)

(f)

**图 8.1.2　典型的辐射状布锚形式**

(a) 八锚均布式；(b) 九锚均布式；(c) 十锚均布式；

(d) 30°~60°对称式；(e) 30°~70°对称式；(f) 15°~30°对称式(八锚或十锚)

为了提高锚泊定位系统的定位能力,漂浮于海上作业的钻井船或半潜式平台,在使用中需加预张力,即在系统的每根索链上施加一相同的预张力。锚泊定位系统必须具有足够的回复力,保证平台的水平位移不超过某一限度,才能使平台定位于井口上方,顺利地进行钻井工作;即使被迫停止钻采作业而隔水管尚未脱开时,锚泊系统亦应能将平台限制在一定的运动范围内;当平台遇到极恶劣的海况,隔水管被迫与井口上的防喷器脱开而处于所谓的自存状态时,平台的运动半径虽可不受限制,但仍须确保平台能够自存。

临时系泊用的锚泊系统一般设于平台首部,系泊时将平台首部拉住。这样不论风浪来自哪个方向,平台首部始终迎着波浪方向,而保持受力较小,活动范围较大。

在锚泊定位系统中,锚泊线一般为均匀分布。但有时考虑到该平台所受的风或流力在某一方位较大,则采用不均布的形式,但此时还必须是对称的,这样才能保证平台在没有外载荷作用下,各锚泊线的预张力大小相等时保持平衡。

在锚泊定位系统中的预张力愈大,平台受风浪而引起的水平位移愈小。因此,应该在锚链的许用强度下尽量提高锚链的预张力。锚链的许用强度应能承受得起平台发生最大位移后的锚链最大张力,即在钻井作业时取为锚链断裂强度的1/3,而在自存时取为断裂强度的1/2。许用强度规定得太小不利于定位,定得太大又容易引起锚链的断裂,因为锚链的疲劳破坏是和它所承受的载荷变化的幅值有关,载荷越大或其变化幅值越大,则其使用寿命就越短。图8.1.3所示为有档锚链的重量及其断裂强度。

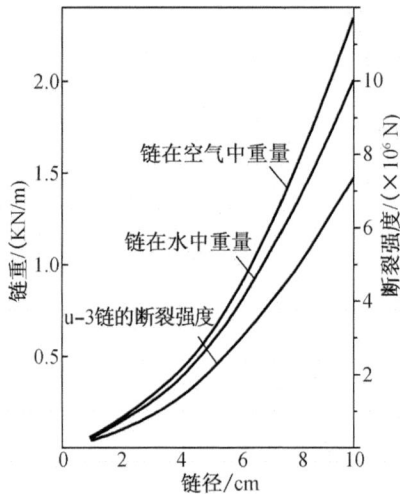

**图8.1.3 有档锚链的重量及其断裂强度**

当平台处于"停钻"与"自存"状态时,平台受到的风、浪、流等外力的作用甚为严重,上风一侧的锚链张力很大,此时若将下风一侧的锚链完全放松或部分放松,不仅能减少链上所受的张力,也能减少平台的最大位移。

### 8.1.3 锚泊定位系统的组成

锚泊系统包括以下组成部分:
(1)锚链、锚索或它们的混合结构;
(2)锚或桩;
(3)导缆器;

（4）起锚机；

（5）绞盘、链式顶重器；

（6）电源。

下面就锚泊线及锚的特征、分类等内容进行简单介绍。

1. 锚泊线

锚泊线指的是锚链、锚索以及它们配上各种样式的块重和浮力器件的组合。链的优点是耐磨，能收藏在锚链舱里，吸收动载荷大；缺点是重量大。

锚索的优点是重量轻，同样的断裂强度，锚索重仅约为链重的 1/4 ~ 1/5。但是锚索容易被擦伤，易出现扭结，容易被海水腐蚀并发生疲劳破坏。而且锚索是不好续接的，一旦中间断掉，就等于整根报废。锚索还有一个大缺点是它只能绕在卷筒上，而卷筒是随同绞车布置在甲板上的。这样不仅重心高，而且占用甲板面积。

在锚泊线中设置块重的作用主要在于控制锚泊系统的响应。一般来说，锚泊系统的刚度随块重的单位长度增加而增加，而锚泊线的最大张力则随块重的总重而增加。

锚泊线上设置浮力器件的作用主要是提供浮力以支持接于其上的仪器装置，链和锚索加强了锚泊系统的强度。

（1）锚链

锚链由许多链环连接而成。链环分有挡链环与无挡链环两种，同样链径的有挡链环强度约比无挡链环高 20%。有挡链（图 8.1.4（a））经常被应用于浅海海上漂浮钻井设备和浮式储油船的锚泊系统。其强度和可靠性较好，并且易于操纵。链挡能够提供链环的稳定性，并使链式结构的拆卸更加容易。

在离岸作业锚泊系统中，大都采用 64 ~ 102 mm（2.5 ~ 4 in）直径的有挡锚链。

永久性的锚泊系统目前常使用开放链或者无挡锚链（图 8.1.4（b））。去除链挡，减小了单位强度的重量，同时也增加了锚链的疲劳寿命，但是代价是使得锚链线不易于操作。

锚链线的尺寸用图 8.1.4（a）和（b）所示名义直径 $D$ 来定义。至今为止建造的最大的锚链线是北大西洋 Schiehallion 浮式储油船的无挡锚链，为 159 mm（6.25 in）。

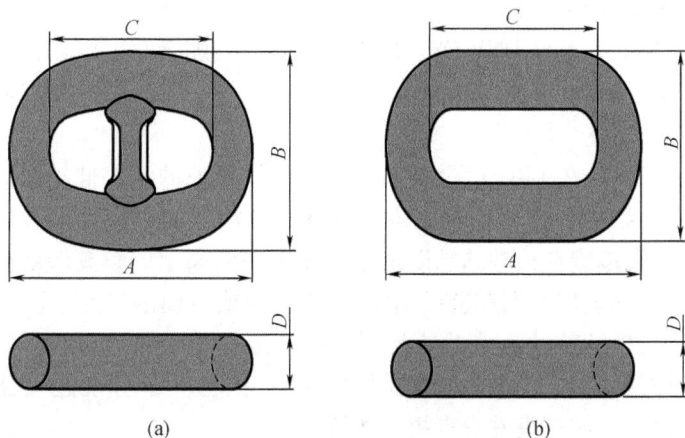

图 8.1.4　有挡链链环和无挡链链环

（a）有挡链链环；（b）无挡链链环

在锚泊系统的设计中，锚链线的属性说明非常重要。市场上锚链线等级种类繁多，第四等级(K4)是现今可用的最高等级的锚链线。钻井商通常情况下会使用钻井等级的锚链线,在 API Specification 2F 中有详细介绍。

(2)锚索

锚索一般都使用钢缆,它是由若干根钢丝先拧成股,再由若干股拧成绳,股与绳拧的方向相同叫顺绕,拧向相反叫交叉绕。钢缆的中心有一纤维芯,芯是钢缆的基础,当钢缆承受载荷时,芯的作用是支持其他的股,使其保持在原位上。芯中油脂使钢缆在工作时内部得到润滑,从而减小钢丝间的摩擦。芯的另一作用是使索容易弯曲。海洋工程中所用钢缆通常选用高强度钢制造,也有用不锈钢和各种合金制造的。

独立的缆线以螺旋状的方式缠绕形成缆绳。螺旋的螺距决定了缆绳的柔韧性和轴向刚度。用于系泊的锚索可以是多缆绳的,也可以是单缆绳的。海洋工程中用到的主要锚索构造类型见图 8.1.5。

螺栓连接锚链线和多缆绳钢缆在海上浮式钻井设备系泊系统和其他临时锚泊系统中最常用,因为它们容易操作,多采用六缆绳钢缆。锚泊线缆通常每根缆绳由 12 根、24 根、37 根或更多根的缆线组成。为了达到更高的强度,缆线有交错的尺寸大小。多缆绳钢缆通常的等级包括 6 * 7 等级:每根缆绳由七根缆线组成,柔性较差,疲劳寿命较短,但是有优良的耐磨属性,最小的盘面直径与缆绳直径比($D/d$) = 42。

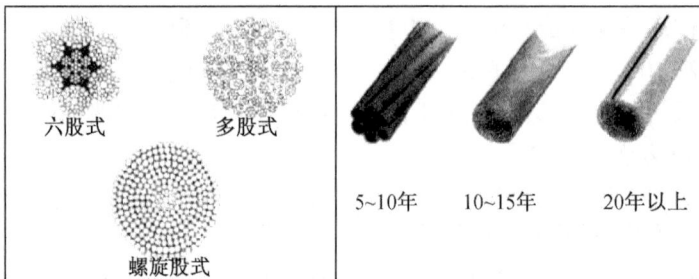

六股式  多股式

螺旋股式

5~10年  10~15年  20年以上

图 8.1.5  锚索构造

(3)锚链和锚索的属性

表 8.1.1 和表 8.1.2 摘自 DNV OS – E301,给出了常规等级的锚链和锚索的金属属性。$d$ 是公称直径,单位是 mm。表 8.1.3 和表 8.1.4 给出了最常见的锚链和锚索的金属特性。$d$ 是公称直径,单位是 ft。

图 8.1.6 给出了一个在 140 m 深水中,采用悬链线系泊的浮式储油单元的典型锚泊线构成。底部和顶端的终止装置用来避免锚链或钢线和海底的磨损以及过度弯曲。在一些锚泊系统中,锚链在底端或者顶端的结以及包围在中间断面上的螺旋缠绕的线并不和海底接触。连接器用来把锚链连接到锚链或锚索上,以及锚或者船的吊点上。DNV – OS – E301 定义了有挡链或者无挡链普通连接器的类型。依据能够承受锚链或锚索的全断裂载荷来设计连接器。但是对它们的疲劳属性需要特别注意,因为关于标准连接器的疲劳数据很少,因此对永久性锚泊系统这里并没有提供建议。

对于永久性锚泊系统的连接,需要按特殊的要求设计。图 8.1.7 给出了一个三角板的例子。

表 8.1.1　工业用锚链属性(DNV OS – E301)

| 等级 | 最小屈服强度 /(N/mm²) | 最小拉力强度 /(N/mm²) | 最小拉长比 /% | 最小变形比 /% |
|---|---|---|---|---|
| NV R3 | 410 | 690 | 17 | 50 |
| NV R3S | 490 | 770 | 15 | 50 |
| NV R4 | 580 | 860 | 12 | 50 |

| 等级 | 最小 V – 槽能量/J | | | | |
|---|---|---|---|---|---|
| | 温度/℃ | 平均 | | 单一 | |
| | | 底 | 焊缝 | 底 | 焊缝 |
| NV R3 | 0 | 60 | 50 | 45 | 38 |
| | – 20 | 40 | 30 | 30 | 23 |
| NV R3S | 0 | 65 | 53 | 49 | 40 |
| | – 20 | 40 | 33 | 34 | 25 |
| NV R4 | 0 | 70 | 56 | 53 | 42 |
| | – 20 | 50 | 36 | 38 | 27 |

表 8.1.2　校验和破坏试验载荷(DNV OS – E301)

| 锚链形式 | 等级 | 校验测试载荷/kN | 破坏测试载荷/kN |
|---|---|---|---|
| 有挡链 | NV R3 | $0.0156d^2(44 – 0.08d)$ | $0.0223d^2(44 – 0.08d)$ |
| 有挡链 | NV R3S | $0.0180d^2(44 – 0.08d)$ | $0.0249d^2(44 – 0.08d)$ |
| 有挡链 | NV R4 | $0.0216d^2(44 – 0.08d)$ | $0.0274d^2(44 – 0.08d)$ |
| 无挡链 | NV R3 | $0.0156d^2(44 – 0.08d)$ | $0.0223d^2(44 – 0.08d)$ |
| 无挡链 | NV R3S | $0.0174d^2(44 – 0.08d)$ | $0.0249d^2(44 – 0.08d)$ |
| 无挡链 | NV R4 | $0.0192d^2(44 – 0.08d)$ | $0.0274d^2(44 – 0.08d)$ |

这些系数对于不同的项目也有所不同。

由图 8.1.8 可以看出,连接插孔可以是开放式的,也可以是封闭式的。

表 8.1.3　锚链和钢缆的属性

| | K4 无挡链 | 螺旋绳 | 6 串 IWRC |
|---|---|---|---|
| 钢筋截面积/in² | $2.64d^2$ | $0.58d^2$ | $0.54d^2$ |
| 水中重量/(lb/ft) | $7.83d^2$ | $1.74d^2$ | $1.59d^2$ |
| 破坏强度/kip | $3.977d^2(44 – 0.08d)$ | $126d^2$ | $93.2d^2$ |
| 硬度/kip | $10\ 827d^2$ | $13\ 340d^2$ | $8\ 640d^2$ |

表 8.1.4　锚泊数据

| 直径 | K4 无挡链 | | | 螺旋线 | | | IWRC 绳 | | |
| --- | --- | --- | --- | --- | --- | --- | --- | --- | --- |
| | 水中重量 | 破坏强度 | EA | 水中重量 | 破坏强度 | EA | 水中重量 | 破坏强度 | EA |
| in | lb/ft | kip | kip | lb/ft | kip | kip | lb/ft | kip | kip |
| 2.5 | 48.9 | 968 | 67 667 | 10.9 | 788 | 83 375 | 9.9 | 583 | 54 000 |
| 2.75 | 59.2 | 1 155 | 81 876 | 13.2 | 953 | 100 884 | 12.0 | 705 | 65 340 |
| 3 | 70.5 | 1 357 | 97 440 | 15.7 | 1 134 | 120 060 | 14.3 | 839 | 77 760 |
| 3.25 | 82.7 | 1571 | 114 356 | 18.4 | 1 331 | 140 904 | 16.8 | 984 | 91 260 |
| 3.5 | 95.9 | 1 791 | 132 626 | 21.3 | 1 544 | 163 415 | 19.5 | 1 142 | 105 840 |
| 3.75 | 110.1 | 2 035 | 152 250 | 24.5 | 1 772 | 187 594 | 22.4 | 1 311 | 121 500 |
| 4 | 125.3 | 2 283 | 173 226 | 27.8 | 2 016 | 213 440 | 25.4 | 1 491 | 138 240 |
| 4.25 | 141.4 | 2 541 | 195 556 | 31.4 | 2 276 | 240 954 | 28.7 | 1 683 | 156 060 |
| 4.5 | 158.6 | 2 808 | 219 239 | 35.2 | 2 552 | 270 135 | 32.2 | 1 887 | 174 960 |
| 4.75 | 176.7 | 3 083 | 244 276 | 39.3 | 2 843 | 300 984 | 35.9 | 2 103 | 194 940 |
| 5 | 195.8 | 3 366 | 270 666 | 43.5 | 3 150 | 333 500 | 39.8 | 2 330 | 216 000 |
| 5.25 | 215.8 | 3 655 | 298 409 | 48.0 | 3 473 | 367 684 | 43.8 | 2 569 | 238 140 |
| 5.5 | 236.9 | 3 950 | 327 506 | 52.6 | 3 812 | 403 535 | 48.1 | 2 819 | 261 360 |
| 5.75 | 258.9 | 4 251 | 357 956 | 57.5 | 4 166 | 441 054 | 52.6 | 3 081 | 285 660 |
| 6 | 281.9 | 4 556 | 389 759 | 62.6 | 4 536 | 480 240 | 57.2 | 3 355 | 311 040 |
| 6.25 | 305.9 | 4 864 | 422 916 | 68.0 | 4 922 | 521 094 | 62.1 | 3 641 | 337 500 |
| 6.5 | 330.8 | 5 176 | 457 426 | 73.5 | 5 324 | 563 615 | 67.2 | 938 | 365 040 |
| 6.75 | 356.8 | 5 490 | 493 289 | 79.3 | 5 741 | 607 804 | 72.4 | 4 246 | 393 660 |
| 7 | 383.7 | 5 805 | 530 505 | 85.3 | 6 174 | 653 660 | 77.9 | 4 567 | 423 360 |

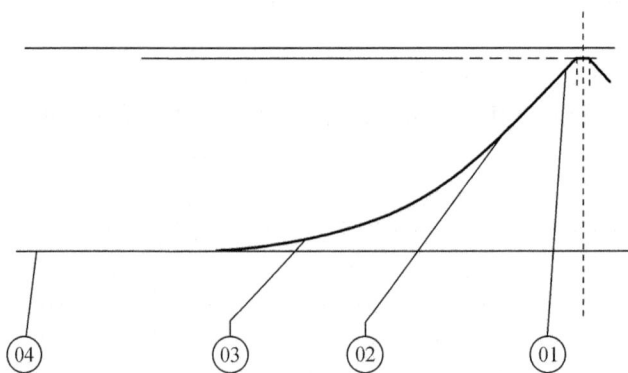

| 04 | 5" 1/4 | 锚链 | $L$=320 m |
|---|---|---|---|
| 03 | 5" 1/3 | 锚链 | $L$=300 m |
| 02 | 螺旋股式锚索 | | $L$=100 m |
| 01 | 6" | 锚链 | $L$=27.5 m |

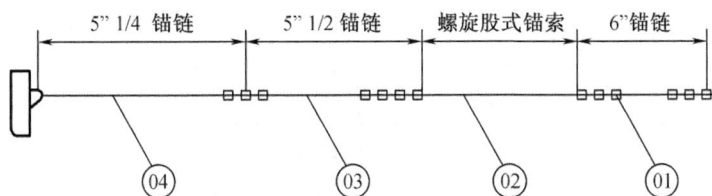

图 8.1.6　典型锚泊线的组成

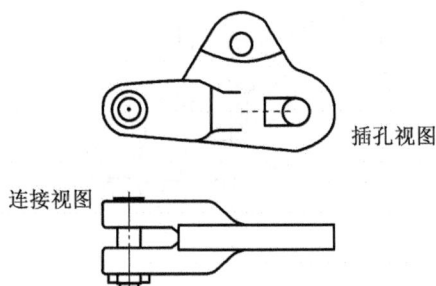

图 8.1.7　DNV OS－E301 三角板实例

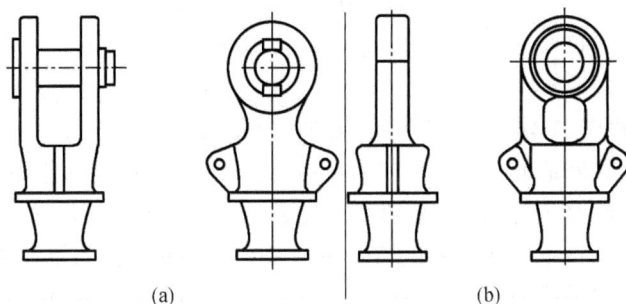

图 8.1.8　开、闭式插孔

(a)开放式插孔；(b)闭合式插孔

2. 锚

　　锚的种类繁多,移动式平台所常用的是大抓力锚如转爪锚(图 8.1.9)。锚爪、锚杆与锚冠连为整体,锚柄与锚冠之间用销轴连接,这样锚爪与锚柄之间可以张开形成锚爪角。这种锚的重要特点就是它的抓力只有当拉力为水平时才能有保证,拉力具有垂向分力时,抓力减小,锚爪会被拉出土。试验表明:当锚柄上抬 6°时,抓力即开始下降;当锚柄上抬 12°时,抓力即显著下降。因此要求设计、使用锚泊系统时必须保持锚索链的下端与海底相切,否则就有走锚的危险。起锚也就是利用这一特征,收进锚索链让锚柄抬起,锚丧失抓力,最后破土而出。锚的选择要考虑便于操作,便于存放和经济性,但最主要的是锚的抓力。锚的抓力一方面因锚的类型而不同,而另一方面又与海底土质有关。各类型锚的抓力与重量之比(简称抓重比)大致为一个常数,但不完全如此,大锚的抓重比比小锚小。普通型锚的抓重比为 2.5 ~ 6;而大抓力锚的抓重比为 10 ~ 16。

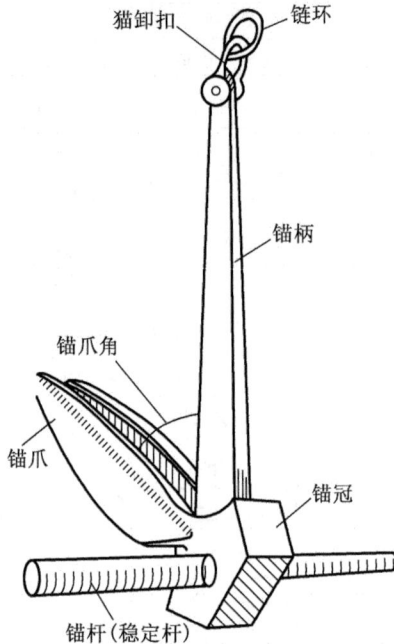

**图 8.1.9　锚的结构图**

起决定性作用的是锚爪角 $\alpha_0$,试验表明,对不同土壤,锚爪角存在一个临界范围,超过此范围,锚爪就不能顺利入土。一般地,$\alpha_0$ 在粒状土壤(沙)中为 30° ~ 35°,在软土壤中约为 50°,在硬黏土中为 25° ~ 30°。

在锚的入土过程中,要求不出现侧躺、滚翻,为此通常设置锚杆。实践证明,只要锚杆的尺寸适当,其稳定效果是很好的。但是有了锚杆,锚就不易深埋入土中。

简单地说,锚的抓力就是拖锚时能在锚链上施加的最大牵引力,它与土壤的机械特性、锚的埋藏深度、锚爪有效面积与爪面粗糙度等因素有关。锚的抓力随着作用在锚柄端部的拉力提升角(拉力与水平线的夹角)变化。当提升角为零时,抓力最大;提升角增大,抓力下降。试验表明,在沙质土壤中,提升角 10° 时的锚抓力为最大抓力的 75% ~ 80%,提升角 90° 时,只要用最大抓力 20% 大小的垂向拉力就可将锚拔出土。因此在悬链锚泊系统中,为使锚抓力得以充分发挥,必须拖出足够长度的锚泊线,保证提升角为零。

一般地,锚如何由最小的锚重而取得最大的抓力具有重要意义,锚的抓力与锚的重量比称抓重比(亦称抓力系数),抓重比高的锚可以在相同锚重的条件下提高锚泊能力,此外还应具有良好的使用性能,如抛锚和起锚以及在某些特种条件下的适应性能。另外锚还应具有足够的强度、构造简单、制造容易且成本低廉等基本要求,锚的式样很多,其性能也各有特点。

锚按锚杆分为有杆锚和无杆锚;按锚爪数目分则有独爪、二爪、三爪、四爪和多爪锚;按用途分则有停泊锚、固定锚、深水锚、定位锚等。根据海床的状况和系泊性能要求不同,可以采用不同类型的锚。

根据承受载荷的机理不同,主要有以下几种类型的锚。

（1）重力锚：是最早使用的锚，主要靠材料本身重量来抵抗外力，部分靠锚与土壤之间的摩擦力来抵抗；材料为钢和混凝土。

（2）拖曳嵌入式锚：是目前最受欢迎、使用最多的一种锚，部分或全部深入海底，主要靠锚前部与土壤的摩擦力来抵抗外力；能承受较大的水平力，但承受垂向力的能力不强。

（3）桩锚：中空的钢管通过打桩安于海底，靠管侧与土壤的摩擦力来抵抗外力。通常需要将锚埋入较深的海底，以抵抗外力；能承受水平力和垂向力。

（4）吸力锚：类似于桩锚，但中空的钢管直径要大得多。通过安于钢管顶部的人工泵使管内外出现压力差，当管内压力小于管外，钢管即被吸入海底，然后将泵撤走。吸力锚主要靠管侧与土壤的摩擦力来抵抗外力，能承受水平力和垂向力。

（5）垂向载荷锚：是最新发展的一种锚，与传统的嵌入式锚一样，而且深入的更深；可以承受水平力和垂向力。

## 8.2　锚泊系统设计及衡准

### 8.2.1　设计工况

锚泊分析应考虑下述设计工况：

（1）作业工况：在规定的作业环境条件下，系泊船能进行预定作业，而不使平均偏移及锚索张力超过规定值。作业工况视具体情况可分为钻井作业工况和生产作业工况。

（2）极端工况：在规定的极端环境下，系泊船的最大偏移及锚索张力不超过规定值。

极端环境条件的重现期一般不小于 100 年。

对设计寿命较短的或无人居住的单点系泊，可采用较短的重现期，但应考虑失效后果，重现期可由风险分析确定，且不小于 50 年。

对风暴来临以前可迅速解脱的系泊船，极端工况为该船处于锚泊状态下的最大环境条件（也可称为最大连接工况），但无船连接的单点系泊装置仍应按永久性锚泊考虑其相应的极端环境条件的作用。

（1）破损作业工况：当锚泊系统中任一根锚索失效时的作业工况。

（2）破损极端工况：当锚泊系统中任一根锚索失效时的极端工况。

必要时，应对系泊船在破损作业工况下的瞬态运动性能进行分析。该分析应包括系泊船在达到新平衡位置以前瞬态运动过程中船移动路径、船方位以及锚索张力。

### 8.2.2　锚泊定位系统设计

1. 锚泊定位系统的设计要求与参数

漂浮于水上作业的钻井船和半潜式平台的锚泊定位系统必须具有足够的回复力，以保证平台位于井口上方顺利地进行工作。在外载荷的作用下，它们的活动半径（即水平偏移）不超过某一限度。其次，在停止钻井工作而隔水管尚未脱开时，锚泊系统仍应将平台的偏移控制在一较大的范围内。在自存状况下，隔水管和水底防喷器已与平台脱开，此时不存在限位问题，但应考虑减小锚索链上所受的张力，确保平台安全。表 8.2.1 列出了锚泊定位系统在各种工况下的设计参数。

许用强度也就是锚索链上允许所受的最大张力。由于锚泊定位系统预张力越大则平台受风浪而引起的位移越小,因此在锚索链的许用强度下应尽量提高其预张力。许用强度应包括平台最大位移时锚链上的张力,通常设计时按该表选用。许用强度定得太小不利于定位,定得太高又易引起锚链索断裂。因为锚索链的疲劳破坏与它所受的载荷变化的幅度有关,载荷越大或其变化幅度越大,则其使用寿命就越短。

由于定位锚泊系统呈多锚辐射状分布,且为了增大系统的回复力,每根锚链索上都加了预张力。当平台受到大风浪而处于停钻或自存状态时,上风一侧锚索链的张力很大,此时若放松下风一侧锚索链,可减小锚索链上所受的张力且减小平台的最大位移。

锚缆最小长度的确定取决于锚缆静平衡时的长度,可以通过悬链线方程计算得出。对于移动式平台,一般采用悬链线式系泊系统,按经验取水深的 $1.8 \sim 2.0$ 倍。对于深水固定式平台,多采用永久的张紧式系泊系统,初步设计时取水深的 $1.5 \sim 2.0$ 倍。

通常规定平台在正常钻井作业时的水平位移不大于工作水深的 5%(最大达到 6%),锚缆在作业状态时的最大张力不得超过锚缆的许用张力,最大水平拉力不得超过锚的最大抓力,最大允许的抛锚长度亦受到锚缆可存储长度的限制。因此当平台处于不同水深,受到风、浪、流诸外力作用时,为满足上述要求,应选择适合的预张力。在初步设计时,按经验可取锚缆破断强度的 $15\% \sim 18\%$。

**表 8.2.1　锚泊定位系统在各种工况下的设计参数**

| 操作状况 | | 正常钻井 | 钻井 | 停钻 | 风暴自存 |
|---|---|---|---|---|---|
| 锚泊线 | 许用强度 | $< \frac{1}{3}$ 断裂强度 | $= \frac{1}{3}$ 断裂强度 | $\frac{1}{3} \sim \frac{1}{2}$ 断裂强度 | 断裂强度、走锚 |
| | 下风松弛链 | — | — | 至少两根完全松弛 | 至少两根完全松弛 |
| | 最大位移(水深%) | $2\% \sim 3\%$ | $5\% \sim 6\%$ | $8\% \sim 10\%$ | 无限制 |
| 隔水管的情况和操作 | 条件 | 连接 | 连接 | 连接 | 连接 |
| | 球形接头的最大偏角 | 4° | $< 10°$ | 10° | — |
| | 泥浆 | 钻井泥浆 | 钻井泥浆 | 水代泥浆,必要时用海水 | |
| | 操作 | 钻井 | 钻井,同时做停钻准备 | 停钻,准备起隔水管 | 除锚泊系统外完全无作业 |

2. 锚泊定位系统的预张力和回复力计算

锚泊的平台受到的外载荷中包括静态和周期性的动载荷,相应的平台位移也包括静态部分和往复振动的动态部分。平台的最大位移就是指这两个部分之和的最大值。计算要求通常是,在平台达到最大偏移量时,锚泊线的最大张力达到最大许用值 $T_K = T_b/K$($T_b$ 为锚泊线破断强度,$K$ 为最小安全系数)。平台偏移方向可按单根锚线受力最大或整个锚泊系统系泊能力来确定。

在已知锚泊线的根数与分布形式,每根锚线的组成成分、长度、重量、破断强度($T_b$)、水深,以水深百分数表示的平台最大偏移量 $(\delta/h)_m$(取值范围见表 8.2.1)的情况下,计算锚泊系统特性曲线的步骤如下。

(1) 计算与 $T_K$ 相应的悬垂线松弛度 $\left(\dfrac{l-S}{h}\right)_K$;

(2) 根据 $\left(\dfrac{l-S}{h}\right)_K$ 及 $(\delta/h)_m$ 计算预张状态的松弛度 $\left(\dfrac{l-S}{h}\right)_P$(取 $\cos(180°-\alpha_i+\varphi)=1$);

(3) 根据 $\left(\dfrac{l-S}{h}\right)_P$ 计算预张力 $T_P$;

(4) 确定偏角 $\varphi$ 值;

(5) 确定偏移量 $(\delta/h)$ 值;

(6) 根据 $\alpha_i$ 计算 $\left(\dfrac{l-S}{h}\right)_i$;

(7) 根据 $\left(\dfrac{l-S}{h}\right)_i$ 计算 $Q_i$ 与 $\alpha_i'$;

重复第 (6)(7) 两步,算出各锚线上的 $Q_i$ 与 $\alpha_i'$;

(8) 计算锚泊系统回复力 $Q$ 及其方向角 $\beta$。

给出一组偏移量值,重复第 (6)(7)(8) 步就可得出某一水深时,偏角为 $\varphi$ 的锚泊系统特性曲线:$\delta/h-Q$ 曲线。如给出一组偏角 $(\varphi_i, i=1,2,3\cdots N)$,则同样可得出不同偏角下的锚泊系统特性曲线。实际计算表明,对于八根锚线均布系统来说,任何偏角下的锚泊系统特性曲线都比较接近,这意味着在任何方向的抗偏移能力是接近的,而且回复力的方向角 $\beta$ 与平台的偏移角 $\varphi$ 也非常接近。

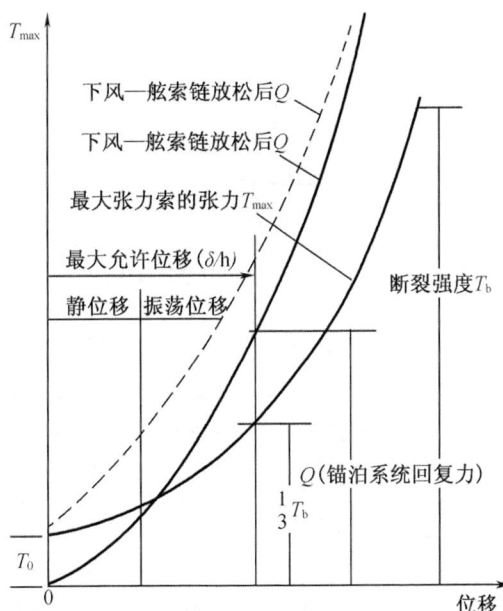

图 8.2.1　锚泊系统的回复力及其中最大张力索的张力曲线

手工计算平台锚泊定位系统的特性曲线需要大量的工作。一般在平台设计中总是用计算机程序进行分析计算。图 8.2.1 是某平台锚泊系统的回复力及其中最大张力索的张力曲线,后者是在预张力 $(T_0)$ 确定以后,通过一系列改变 $(\delta/h)$ 值而得出的。图中的虚线还表明,当下风一舷索链 $(90°>\alpha_i-\varphi>-90°)$ 被放松时,则可使回复力增大,或使位移减小。如果逐渐改变水深 $h$ 而重复上面的计算,则可确定该锚泊系统在不同水深时所需的预张力,锚链的悬垂长度 $l_{max}$、抛锚的横距($S_{max} - \delta$)等,这些对于制订平台操作手册都是有用的。

## 8.3 单根锚链特性分析

### 8.3.1 单链悬链线的基本方程

锚链的静力计算目前有多种方法,其中悬链线分析法的演算最简单。它虽有若干假定,且计算结果也不够精确,但在锚泊定位系统的初步设计阶段,它的准确性还是完全够用的,因此得到了广泛应用。

悬链线是指一种具有均质,完全柔性而无延伸的链或索自由悬挂于两定点时所形成的曲线。一般移动式平台的锚链,由于自身的拉伸和海流力的作用,与理论上的悬链线并不完全吻合。但实际应用上仍常用悬链线来描述锚链特性而略去海流力和弹性伸长的影响。

图 8.3.1 所示为一单根锚链,它的下端与海底相切于 $O$ 点。上端着链点 $A$ 受到平台拉力 $T$,其水平分力与垂直分力分别为 $T_H$ 与 $T_V$。水深为 $h$(这里是指平台下着链点至海底的距离)。$l$ 为链长,$s$ 为链的水平投影长度,$\theta$ 为悬链线上端切线方向与水平面的夹角。

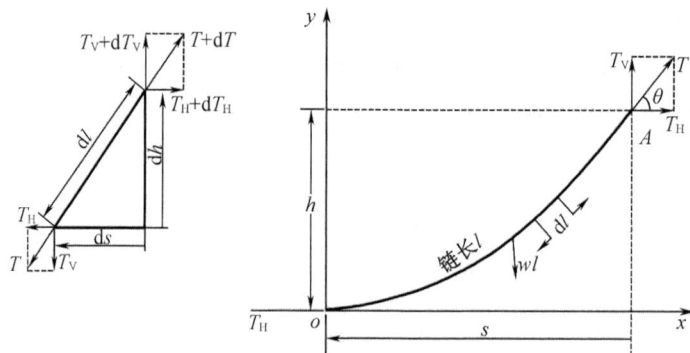

**图 8.3.1 单根锚链的静力图**

因 $T_V$ 等于锚链总重量(扣除浮力),而 $T_H$ 等于海底锚的水平抓力,它在锚链各点为常值,故有

$$\left.\begin{array}{l} T\sin\theta = wl = T_V \\ T\cos\theta = T_H \end{array}\right\} \tag{8.3.1}$$

式中 $w$——锚链在水中的单位跨度的重量。

取锚链一截段 $dl$,则

$$dT_V = wdl \tag{8.3.2}$$

$$T_V = T_H \frac{dh}{ds} \tag{8.3.3}$$

将上式对 $s$ 微分,则得

$$T_H \frac{d^2h}{d^2s} = w\frac{dl}{ds} = w\sqrt{1 + \left(\frac{dh}{ds}\right)^2} \tag{8.3.4}$$

$$\frac{(d^2h/d^2s)}{\sqrt{1 + (dh/ds)^2}} = \frac{w}{T_H} \tag{8.3.5}$$

将上式积分二次可得到锚链曲线方程,即为悬链线方程:

$$h = a\left(\mathrm{ch}\,\frac{s}{a} - 1\right) \tag{8.3.6}$$

式中　悬链线参数 $a = \dfrac{T_\mathrm{H}}{w}$。

根据式(8.3.6),并通过力的平衡分析和演算可得到给定状态下锚链各状态参数之间的一组关系式

$$T_\mathrm{H} = aw = \frac{wh}{2}\left[\left(\frac{l}{h}\right)^2 - 1\right] \tag{8.3.7}$$

$$s = a\,\mathrm{ch}^{-1}\left(1 + \frac{h}{a}\right) \tag{8.3.8}$$

$$l = a\,\mathrm{sh}\,\frac{s}{a} = h\sqrt{1 + \frac{2a}{h}} \tag{8.3.9}$$

$$T = w(h + a) \tag{8.3.10}$$

$$l - s = h\sqrt{1 + \frac{2a}{h}} - a\,\mathrm{ch}^{-1}\left(1 + \frac{h}{a}\right) \tag{8.3.11}$$

在水深 $h$ 和锚链的单位长度重量 $w$ 给定情况下,给出悬链线参数 $a$ 便可决定全部锚链状态参数。

例如,求锚泊线长度的最小值时,可先联立式(8.3.6)和(8.3.9)得

$$l_s^2 = h^2 + 2ha \tag{8.3.12}$$

由式(8.3.7)和(8.3.10)可得缆的最大张力,写作

$$T_\mathrm{max} = T_\mathrm{H} + wh \tag{8.3.13}$$

联立式(8.3.6),(8.3.12)和(8.3.13)可得锚泊线长度的最小值

$$l_\mathrm{min} = h\left(2\,\frac{T_\mathrm{max}}{wh} - 1\right)^{\frac{1}{2}} \tag{8.3.14}$$

设 $T_\mathrm{max}$ 等于 $T_\mathrm{br}$,即锚泊线的断裂长度。当 $T_\mathrm{br} = 1\ 510\ \mathrm{kN}$,$w = 828\ \mathrm{N/m}$,$h = 25\ \mathrm{m}$ 时,$l_\mathrm{min} = 301\ \mathrm{m}$。

确定浮体在风浪流中的平衡位置时,必须知道浮体上锚泊线的水平力,它是关于锚点和锚泊线与船体的连接点之间的水平距离 $S$ 的函数(图8.3.2),水平距离 $S$ 可写作:

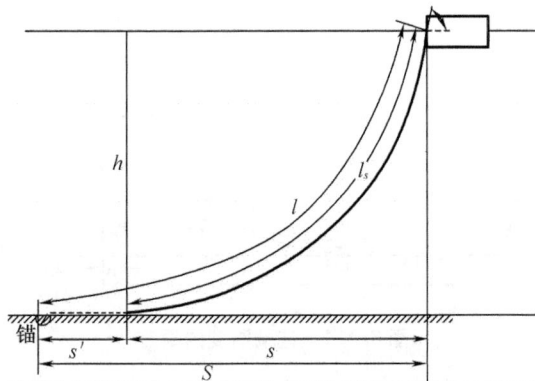

**图 8.3.2　采用一根锚泊线系泊的浮体**

$$S = s' + s = l - l_s + s \tag{8.3.15}$$

利用式(2.12)表示 $l_s$,式(8.3.6)表示 $s$,可得 $S$ 和 $T_H$ 之间的如下关系:

$$S = l - h\left(1 - 2\,\frac{a}{h}\right)^{\frac{1}{2}} + a\operatorname{ch}^{-1}\left(1 + \frac{h}{a}\right) \tag{8.3.16}$$

式中   $a = T_H/w$。

基于式(8.3.16)的计算结果见图8.3.3。锚链单位长度的湿重为 $w = 828$ N·m$^{-1}$,水深 $h = 25$ m 且锚链在船外的长度 $l$ 为 100 m。

为了得到 $S$,就必须知道作用在船上的环境载荷。假设作用在船上的风、浪、流载荷在 $X$ 方向的平均力为 50 kN。从图8.3.3或方程(8.3.16)可以发现,锚点和锚线与船体的连接点在 $S$ 方向的距离为 93 m。

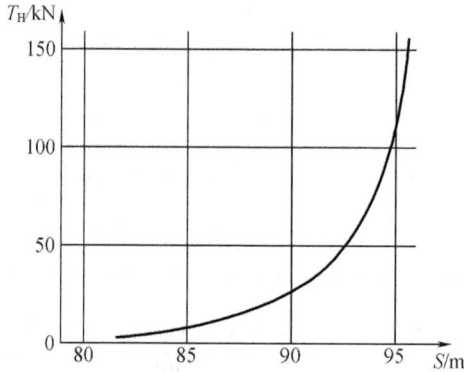

**图8.3.3　锚链链端水平力 $T_H$ 随水平位移变化曲线**

### 8.3.2　单链的链端刚度

在某一水平拉力 $T_H$ 状态下,当链端产生水平位移 d$x$ 时,则 $T_H$ 也随即出现一个增量 d$T_H$,就好像一根弹簧一样,d$T_H$/d$x$ 即为该状态下链的链端水平位移刚度,由于 $T_H$ 与 $s$ 之间为双曲函数关系,且当链端产生 d$x$ 时,链与海底的切点 $o$(见图8.3.4)亦将后移至 $G$ 所以链端位移刚度必然是 $T_H$ 的非线性函数。下面就推导水平位移刚度 $k_{xx}$ 与 $T_H$(或 $a$)的关系。

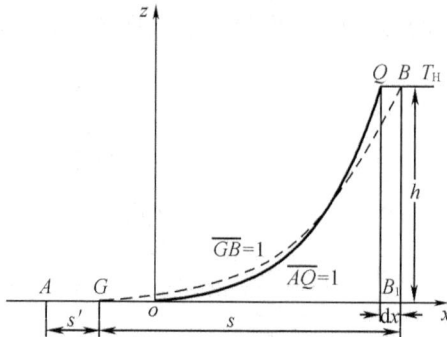

**图8.3.4　链端刚度的确定**

在海底平面上任取一点 $o$,建立 $xoz$ 坐标系。设锚固定于 $A(-p,0)$ 处,原锚链与海底相切于原点 $o$,当 $Q$ 点的水平力增至 $T_H$ 时,$Q$ 点移至 $B$ 点,并且部分锚链被抬起,链与海底的

新切点变为 $G$ 点。

设锚链总长(即 $\overset{\frown}{AGB}$ 或 $\overset{\frown}{AoQ}$)为 $l_A$,$AG$ 长为 $s'$,$GB_1$ 为 $s$,链的悬起部分长(即 $\overset{\frown}{GB}$)为 $l$,$BB_1$ 为水深 $h$。

令计算 $B_1$ 的坐标为 $(x,0)$,由(8.3.8)式可见

$$x = -p + s' + s = -p + (l_A - l) + s = c + s - l \tag{8.3.17}$$

式中 $c = l_A - p$——常数。

将式(8.3.7),(8.3.8)代入式(8.3.17)得

$$x = c + a\,\mathrm{ch}^{-1}\Big(1 + \frac{h}{a}\Big) - a\,\mathrm{sh}\Big\{\frac{1}{a}\Big[a\,\mathrm{ch}^{-1}\Big(1 + \frac{h}{a}\Big)\Big]\Big\}$$

$$= c + a\,\mathrm{ch}^{-1}\Big(1 + \frac{h}{a}\Big) - a\,\mathrm{sh}\Big[\mathrm{ch}^{-1}\Big(1 + \frac{h}{a}\Big)\Big] \tag{8.3.18}$$

按定义,锚链在水平方向的刚度系数

$$k_{xx} = \frac{\mathrm{d}T_\mathrm{H}}{\mathrm{d}x} = w\frac{\mathrm{d}a}{\mathrm{d}x} \tag{8.3.19}$$

由式(8.3.18)得

$$\frac{\mathrm{d}x}{\mathrm{d}a} = \mathrm{ch}^{-1}\Big(1 + \frac{h}{a}\Big) + \frac{a}{\mathrm{sh}\Big[\mathrm{ch}^{-1}\Big(1 + \frac{h}{a}\Big)\Big]} \cdot \Big(-\frac{h}{a^2}\Big) - \mathrm{sh}\Big[\mathrm{ch}^{-1}\Big(1 + \frac{h}{a}\Big)\Big] -$$

$$a\,\mathrm{ch}\Big[\mathrm{ch}^{-1}\Big(1 + \frac{h}{a}\Big)\Big]\frac{1}{\mathrm{sh}\Big[\mathrm{ch}^{-1}\Big(1 + \frac{h}{a}\Big)\Big]}\Big(-\frac{h}{a^2}\Big)$$

$$= \mathrm{ch}^{-1}\Big(1 + \frac{h}{a}\Big) - \mathrm{sh}\Big[\mathrm{ch}^{-1}\Big(1 + \frac{h}{a}\Big)\Big] + \frac{h^2}{a^2}\frac{1}{\mathrm{sh}\Big[\mathrm{ch}^{-1}\Big(1 + \frac{h}{a}\Big)\Big]} \tag{8.3.20}$$

将

$$\mathrm{ch}^{-1}\Big(1 + \frac{h}{a}\Big) = \frac{s}{a} \text{ 及 } 1 + \frac{h}{a} = \mathrm{ch}\,\frac{s}{a}$$

得

$$\frac{\mathrm{d}x}{\mathrm{d}a} = \frac{s}{a} - \mathrm{sh}\,\frac{s}{a} + \frac{h^2}{a^2}\frac{1}{\mathrm{sh}\,\dfrac{s}{a}} = \frac{1}{\mathrm{sh}\,\dfrac{s}{a}}\Big(\frac{s}{a}\mathrm{sh}\,\frac{s}{a} - \mathrm{sh}^2\,\frac{s}{a} + \frac{h^2}{a^2}\Big) \tag{8.3.21}$$

因为

$$-\mathrm{sh}^2\,\frac{s}{a} = 1 - \mathrm{ch}^2\,\frac{s}{a} = 1 - \Big(1 + \frac{h}{a}\Big)^2 = -2\frac{h}{a} - \Big(\frac{h}{a}\Big)^2$$

代入式(8.3.21)得

$$\frac{\mathrm{d}x}{\mathrm{d}a} = \frac{1}{\mathrm{sh}\,\dfrac{s}{a}}\Big(\frac{s}{a}\mathrm{sh}\,\frac{s}{a} - 2\frac{h}{a}\Big) = \frac{1}{\mathrm{sh}\,\dfrac{s}{a}}\Big[\frac{s}{a}\mathrm{sh}\,\frac{s}{a} - 2\Big(\mathrm{ch}\,\frac{s}{a} - 1\Big)\Big] \tag{8.3.22}$$

令 $E = \dfrac{s}{a}$,则得

$$\frac{\mathrm{d}a}{\mathrm{d}x} = \frac{\mathrm{sh}\,E}{E\,\mathrm{sh}\,E - 2(\mathrm{ch}\,E - 1)} \tag{8.3.23}$$

所以得

$$k_{xx} = \frac{\mathrm{d}T_{H}}{\mathrm{d}x} = w\frac{\mathrm{d}a}{\mathrm{d}x} = \frac{w\,\mathrm{sh}\,E}{F(E)} \qquad (8.3.24)$$

式中 $F(E) = E\,\mathrm{sh}\,E - 2(\mathrm{ch}\,E - 1)$，或令 $D = \dfrac{s}{2a} = \dfrac{E}{2}$ 得

$$k_{xx} = \frac{w}{E - 2\dfrac{\mathrm{ch}\,E - 1}{\mathrm{sh}\,E}} = \frac{w}{E - 2\tanh\dfrac{E}{2}} = \frac{w}{2(D - \tanh D)} \qquad (8.3.25)$$

以工作水深 $h = 150$ m，锚链在水中的单位长度重量 $w = 1.074$ kN/m 的情况为例。可算出 $k_{xx}$ 与锚链张力水平分量 $T_{H}$ 的关系曲线，如图 8.3.5 所示。

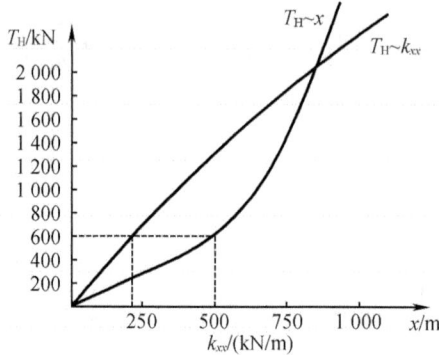

图 8.3.5　$k_{xx}$ 与 $T_{H}$ 的关系图

### 8.3.4　锚链位移后的链态变化

如图 8.3.6 所示，当平台受外力作用而变动到虚线位置时，各锚链下部切点 $A, B, C, D$ 的位置亦将发生相应的变动。现在讨论链端离开原悬链平面作水平位移时的链态变化，此时锚链的俯视图如图 8.3.7(a)所示。

设锚链原为 $OP_0$，现上链端位移至 $P_1$ 点，下链端改变为 $O_1$ 点，$O_1P_1$ 为锚链的新状态，现将 $O_1P_1$ 悬链线平面绕点转动与 $OP_0$ 悬链线平面重合则锚链位移前后的悬链线如图 8.3.7(b)所示。

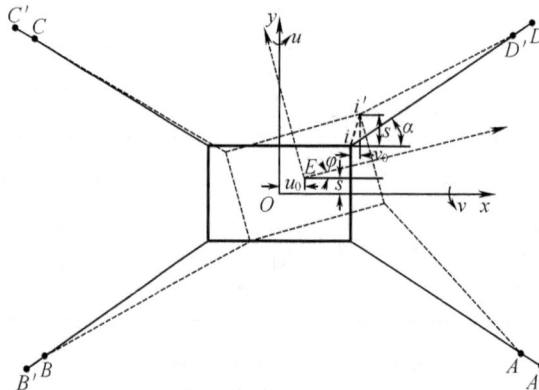

图 8.3.6　平台锚泊系统

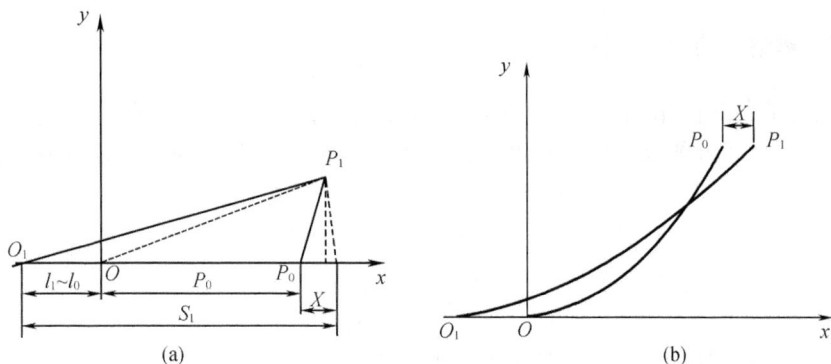

**图 8.3.7　链端水平位移时链态的变化**

设位移前链线长度为 $l_0$ 链端 $P_0$ 离切点 $O$ 的水平距离为 $s_0$，位移后的悬链线长度为 $l_1$，水平距离为 $s_1$，则链端位移前后的悬链线长度增量 $l_1 - l_0$ 就是悬链线在海底提上或落下的那部分 $O_1O$。

即

$$O_1O = l_1 - l_0 \qquad (8.3.26)$$

若链端在悬链线平面内的水平位移为 $x$，则

$$(l_1 - l_0) + s_0 + x = s_1 \qquad (8.3.27)$$

即有

$$l_1 - s_1 - (l_0 - s_0) \qquad x \qquad (8.3.28)$$

假若平台的水平位移不是很大，由图 8.3.7(a)，可确认

$$x = OP_1' - s_0 \approx OP_1 - s_0 = \sqrt{s_0^2 + d^2 - 2s_0 d\cos(\angle OP_0P_1)} - s_0 \qquad (8.3.29)$$

式中

$$\angle OP_0P = \tan^{-1}\left(\frac{u}{v}\right) + \frac{\pi}{2}$$

当平台位移前锚链的预张力给定时，$l_0$ 及 $s_0$ 为已知值，将式 (8.3.29) 代入式 (8.3.28) 则可求得平台位移后悬链线的 $l_1 - s_1$ 值。由于 $l - s$ 值与悬链线张力的水平分量 $T_H$ 存在着唯一对应关系，所以根据 $l_1 - s_1$ 值即可算出 $T_H$ 值及全部新的悬链线状态参数。

事实上，由于船舶在波浪中的自身运动，图 8.3.3 中锚点和锚泊线与船体的连接点在 $S$ 方向的距离在 93 m 左右，锚链作用在船上的水平力也是在一定范围内左右摆动的。如果水平运动不是很大，可以写成

$$T_H = (T_H)_M + C_{11}x$$

式中　$(T_H)_M$——锚链作用在船上的水平方向平均受力。

取 $(T_H)_M = 50$ kN 为例，$x$ 是锚点和锚泊线与船体的连接点的 $s$ 方向的水平位移。根据 $(T_H)_M$，$s$ 和 $T_H$ 可以求解出 $C_{11}$。根据方程 (8.3.16) 可以得到

$$C_{11} = \frac{dT_H}{ds} = \omega\left[\frac{-2}{\left(1 + 2\dfrac{a}{h}\right)^{\frac{1}{2}}} + \mathrm{ch}^{-1}\left(1 + \frac{h}{a}\right)\right]^{-1} \qquad (8.3.30)$$

其中 $a = (T_H)_M / w$。上述例子充分证明了锚链是以跳跃式的力作用于船上。

### 8.3.5　锚泊力的静力计算

从锚链对平台的作用而言,每根锚链可看作是连接在平台着链点上的一根非线性弹簧,整个锚泊平台系统的计算模型可看作由若干按一定方向布置的非线性弹簧支持的刚体平面运动体系(这里只考虑水平方向的力)。

建立固定坐标系 $OXY$,并在平台上任取一点 $E$ 作为位移参考点,将作用于平台各部位的已知水平力对 $E$ 点合成。可得到平台外力在 $E$ 点处的静力等效值。

$$\boldsymbol{F}_E = \left[\, F_X, F_Y, F_Z \,\right]^{\mathrm{T}}$$

设此外力导致平台参考点 $E$ 的位移分量为

$$\boldsymbol{D}_E = \left[\, u_X, v_Y, \psi_Z \,\right]^{\mathrm{T}}$$

着链点 $i$ 将获得位移分量为

$$\boldsymbol{D}_i = \left\{ \begin{matrix} u_i \\ v_i \end{matrix} \right\} = \left[\, \lambda_i \,\right] \left[\, D_E \,\right]$$

式中

$$\left. \begin{aligned} \lambda_i &= \begin{bmatrix} 1 & 0 & -\Delta Y_i \\ 0 & 0 & \Delta X_i \end{bmatrix} \text{为坐标转换矩阵} \\ \Delta X_i &= X_i - X_E, \Delta Y_i = Y_i - Y_E \end{aligned} \right\}$$

对于连接于第 $i$ 点的第 $j$ 根锚链,由于链端移动而向平台提供了附加的单链回复力 $\boldsymbol{F}_{ij}$,利用前节给出的刚度系数,并考虑到锚链悬链线平面坐标系与固定坐标系之间的转换关系,可得

$$\boldsymbol{F}_{ij} = \left\{ \begin{matrix} f_{xi} \\ f_{yi} \end{matrix} \right\}_j = \boldsymbol{K}_i \left\{ \begin{matrix} u_i \\ v_i \end{matrix} \right\}_j \tag{8.3.31}$$

式中　$\boldsymbol{K}_j$ 为第 $j$ 根锚链对平台的刚度贡献。

$$\boldsymbol{K}_j = (k_{zz})_j \begin{bmatrix} l_j^2 & l_j m_j \\ l_j m_j & m_j^2 \end{bmatrix}$$

式中　$(k_{zz})_j$——第 $j$ 根锚链在其悬链线平面内的刚度系数。

$$\left. \begin{aligned} l_j &= -\cos \alpha_j \\ m_j &= -\sin \alpha_j \end{aligned} \right\} \tag{8.3.32}$$

式中　$\alpha_j$——第 $j$ 根锚链的布锚方向角。

对于同一着链点 $i$ 上 $m$ 根锚链所提供的回复力合成则有

$$\boldsymbol{F}_i = \boldsymbol{K}_i \boldsymbol{D}_i \tag{8.3.33}$$

式中

$$\boldsymbol{K}_i = \sum_{r=j}^{j+m+1} \boldsymbol{K}_r$$

将 $\boldsymbol{F}_i$ 向平台运动参考点 $E$ 简化为静力等效力 $\boldsymbol{F}_i^e$,其关系为

$$\boldsymbol{F}_i^e = \left\{ \begin{matrix} F_{xi}^e \\ F_{yi}^e \\ F_{zi}^e \end{matrix} \right\}_j = \boldsymbol{\lambda}_i^{\mathrm{T}} \boldsymbol{F}_i \tag{8.3.34}$$

将式(8.3.31)与式(8.3.33)代入式(8.3.34)得

$$F_i^e = K_i^e D_e \tag{8.3.35}$$

式中

$$K_i^e = \lambda_i^T K_i \lambda_i$$

在平台位移后处于静止时,所有着链点的系渡力应与外力平衡,则

$$F_e = \sum_{i=1}^{n} F_i^e = \sum_{i=1}^{n} K_i^e D_e = K_e D_e \tag{8.3.36}$$

在给定预张力的情况下,根据各链的初态算得 $K_e$ 后便可由上式计算 $D_e$。如前所述,$K_e$ 的值依赖于链张力 $T$,而 $T$ 又随 $D_e$ 而变化,所以系泊力合力不可能一次与外力 $F_e$ 平衡,式(8.3.36)的求解是一迭代的逐次近似过程,一旦得到满足某一精度要求的 $D_e$ 值,便可定出平台上各着链点 $i$ 的新位置 $D_i$,从而逐一求出各锚链的新链态系数。

### 8.3.6　锚系的阻尼

对于锚泊系统的总体阻尼分析需要考虑很多方面。

水动力阻尼由水深、预张力、重量和相位角来决定。给船体一个小的平移可以导致对于中心部分的一个横向移动,而这个移动往往比船体本身的移动大很多倍(图8.3.8)。相应地,横向阻尼力代表着每一个振动周期的能量损耗,因此也就可以用来量化线阻尼大小。WEBSTER 在 1995 年提出了一个有关线阻尼的全面的参数变量法的研究,量化了线预张力、振幅和周期等参数。

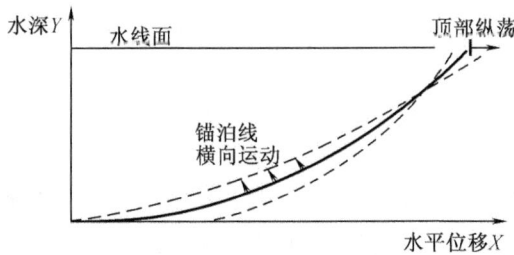

**图 8.3.8　船体平移引起的锚泊线横向运动**

1.涡激振动

漩涡是在一个物体后面形成并提供不稳定的力,这个力的频率与此物体的固有频率十分接近。这就令此物体在向前的方向上产生了共振现象。这种现象对于阻力方向的拉力有一个明显的增益。这种现象对于缆线和锚链来说有重大的影响。

2.锚线内部阻尼

主要是指由于线与线之间的摩擦力产生的,在这方面的研究还比较少。

3.来自河床的冲刷

管土耦合会导致力的起伏减小,增加锚线的硬度。表 8.3.1 给出了水下 200 m 深,120 000 t DWT 油轮的阻尼分布情况。此表来自 Huse 和 Matsunoto 在 1989 年给出的数据。锚泊系统的阻尼占据总阻尼的 80% 以上,波浪和黏性力在中远海域起到有限的作用。锚泊线的阻尼作用原理由 Huse 的方法展开。

表 8.3.1　水下 200 m 深 120 000 t DWT 油轮的阻尼分布

| 最大波高/m | 峰值周期/s | 阻尼所占百分比/% | | |
| --- | --- | --- | --- | --- |
| | | 锚泊 | 波浪力 | 黏性力 |
| 8.6 | 12.7 | 81 | 15 | 4 |
| 16.3 | 16.9 | 84 | 12 | 4 |

锚泊线阻尼值会受其他浮力罐作用,在有些海况下会很大。图 8.3.9 带给了我们对于水下 200 m DWT 油轮由于浪漂力、主体黏性阻尼和锚泊线阻尼等因素产生的能量损失。悬链线巨大的横向运动会导致其较大振幅时阻尼的增加。

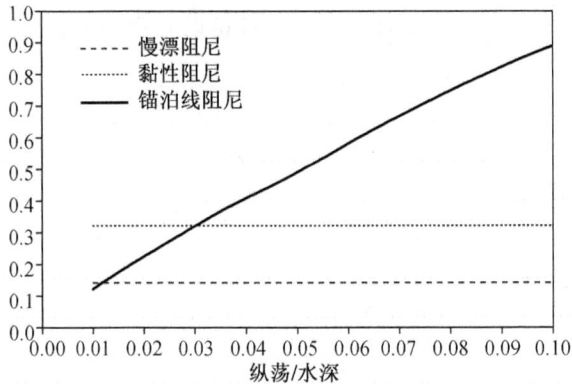

图 8.3.9　由振荡阻尼产生的能量损失

### 8.3.7　计算实例

漂浮在水面的浮筒(图 8.3.10),用一重量为 2.8 lb/ft(浸没于水中的重量)的链条系泊在 185 ft 的水中,浮筒的阻力是 275 lb,试确定保持锚处的角度为 25°或更小时,所需的链条长度。试估算浮筒向下游移动与锚的距离,并确定浮筒和锚处的张力。

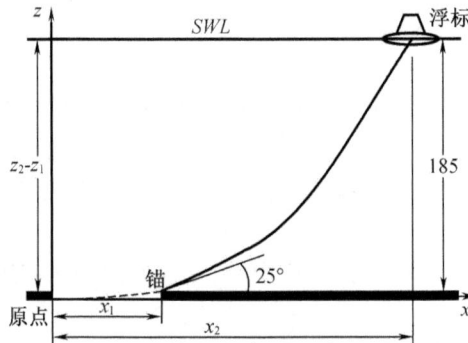

图 8.3.10　浮筒的重链条系泊

已知:$W_1 = 2.8$ lb/ft,水深 = 185 ft,浮筒阻力 = 275 lb,锚处锚链角 = 25°。求:$T_A$、$T_B$、$x_z$。

解答:锚处的张力的水平分量 $T_{HA}$ 等于浮筒阻力,$T_{HA} = 275$ lb

锚处的张力的垂直分量 $T_{VA}$ 等于锚和原点之间的虚拟链长($s_1$)的重量。

锚处的张力 $T_A$

$$T_A = 275/\cos 25 = 303.4 \quad \text{lb}$$

$$T_{VA} = T_{HA}\tan 25/128.2 \quad \text{lb}$$

$$s_1 = 128.3/2.8 = 45.8 \quad \text{ft}$$

$$x = \frac{T_0}{W_1}\text{arsinh}\left(\frac{W_1 s}{T_0}\right)$$

$$x_1 = \frac{275}{2.8}\text{arsinh}\left[\frac{2.8(45.8)}{275}\right] = 44.3 \quad \text{ft}$$

$$z = \frac{T_0}{W_1}\left[\cosh\left(\frac{W_1 x}{T_0}\right) - 1\right]$$

$$z_2 - z_1 = \frac{275}{2.8}\frac{T_0}{W_1}\left[\cosh\left(\frac{2.8}{275}x_2\right) - \cosh\left(\frac{2.8(44.3)}{275}\right)\right]$$

求解,得

$$x_2 = 172.4 \quad \text{ft}$$

$$s = \frac{T_0}{W_1}\sinh\left(\frac{W_1 x}{T_0}\right)$$

$$s_2 = \frac{275}{2.8}\sinh\left[\frac{2.8(172.4)}{275}\right] = 275.6 \quad \text{ft}$$

所需的链条长度为

$$s_2 - s_1 = 275.6 - 45.8 = 229.8 \quad \text{ft}$$

下游移动与锚的距离为

$$x_2 - x_1 = 172.4 - 44.3 = 128.1 \quad \text{ft}$$

浮筒处的垂向张力等于链条重量与锚处张力的垂直分量之和

$$T_{VB} = 2.8(229.8) + 128.2 = 773.4 \quad \text{lb}$$

浮筒处张力为

$$T_B = \sqrt{275^2 + 773.4^2} = 820.9 \quad \text{lb}$$

## 8.4　锚泊系统静力分析

### 8.4.1　准静力分析

如果由于锚索动力效应产生的附加锚索张力对安全系数的影响,比已结合在准静力法安全系数中动载分项安全系数所计及的影响为小时,准静力分析法可用于所有的水深。动载分项安全系数定义为准静力法安全系数除以动力法安全系数所得的商。

一般对锚泊系统的最终设计,不采用准静力分析,然而因为其简单,准静力分析法常用于初步设计。

图 8.4.1 是对一个典型例子进行分析后得到的示意图。静力分析中,在水平方向和垂直方向上主要把流力、平均风力、平均波浪漂移力作为静力考虑。

在准静力分析法中,先静态偏移系泊浮体,再在承载最大锚索的导索点处施加合适的波浪运动,以考虑波浪动力载荷。在该法中,可忽略导索点的垂直运动,以及与锚索质量、阻尼、流体动力等有关的动力效应。并且需要检查一下海底管线对于锚来说是否有向上的分力,如果线的长度不够,需要重新用加长的长度来计算。承载最大锚索的张力需要跟线的破坏强度相比较,如果差距太大,则需要校正线的预张力,改变线的参数或个数,并重新计算。系统一旦建立,就需要开始进行相关的计算和检查。

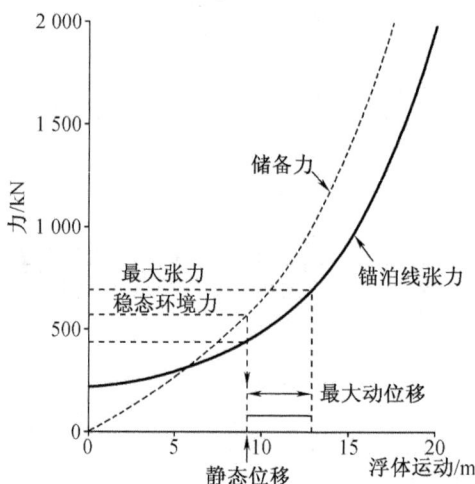

**图 8.4.1 锚泊系统恢复力和锚泊线张力示意图**

准静力分析法的一般程序简述如下。

(1)确定锚泊系统静刚度特性。锚泊系统的刚度特性可按公认的理论、数值分析或模型试验来确定。悬链线方程通常可用于由单一材料组成的锚索段。应考虑锚索的弹性伸长,特别对浅水中绷得较紧的锚泊系统尤应予以考虑。此外,视具体情况,也应计及海流、海底倾斜以及海底与锚索之间摩擦等的影响。

(2)确定系泊船的平均偏移 $\overline{X}$。把流力、平均风力、平均波浪漂移力作为静力考虑,确定作用在系泊船上稳态环境力。再根据锚泊系统静刚度特性,确定系泊船偏离其原始位置的静偏移,或平均偏移 $\overline{X}$。

(3)确定平均偏移处的锚泊刚度,根据此锚泊刚度,进行系泊船低频运动分析,以确定系泊船低频运动有效及最大单幅值。

(4)确定系泊船波频运动有效及最大单幅值。

(5)确定船最大偏移和锚索最大张力。应按照相关的规定适当组合船波频和低频运动,确定船最大偏移,根据锚索静刚度特性确定锚索最大张力。

(6)确定锚索最大悬挂长度,对不能承受上拔力的锚设备,最大悬挂索长应小于舷外索长。

(7)确定锚最大载荷。锚承受的最大载荷 $P$ 应按下式确定:

$$P = T_{max} - Wh - F$$

式中 $T_{max}$——锚索最大张力,kN;

$W$——锚索单位长度水中重量,kN·m$^{-1}$;

$h$——水深,m;

$F$——锚索与海底间摩擦,kN。

(8)按照锚泊系统设计衡准,校核锚索张力、船平均偏移及最大偏移、锚最大载荷。

此种方法的缺点是计算结果有比较大的裕度,需要应用很多的安全系数,并且忽略了很多与动态特性有关的系数。

### 8.4.2 锚索特性

锚索有效弹性模量 $E$ 可按下式计算:

对锚链:

$$E = (6.8 \sim 7.0) \times 10^7$$

$$A = \frac{\pi}{4} d^2$$

对六股锚索:

$$E = (6.8 \sim 7.0) \times 10^7$$

$$A = \frac{\pi}{4} d_c^2$$

式中　$E$——锚索有效弹性模量;

　　　$A$——与 $E$ 相对应的锚索面积,$m^2$;

　　　$d_c$——锚链公称链径,m;

　　　$d$——钢缆公称直径,m。

对其他形式的钢缆,如螺旋股钢缆,上述弹性模量公式不适用。

如有文件证实,且船级社满意,也可采用其他数值。

锚索与海底间的摩擦力可按下式估算:

$$F = fLW$$

式中　$F$——锚链或钢缆与海底间的摩擦力,kN;

　　　$f$——锚链或钢缆与海底间的摩擦系数,取决于锚泊点实际海底状况。当无确切数据供使用时,可按表8.4.1取用;

　　　$L$——锚链或钢缆与海底的接触长度,m;

　　　$W$——锚链或钢缆单位长度的水中重量,$kN \cdot m^{-1}$。

表8.4.1　锚链或钢缆与海底间的摩擦系数

|  | 静摩擦系数 | 动摩擦系数 |
|---|---|---|
| 锚链 | 1.0 | 0.7 |
| 钢缆 | 0.6 | 0.25 |

注:(1)静摩擦系数用于上面8.4.1中(7)锚最大载荷计算中。

(2)动摩擦系数用于锚索敷设过程中锚索上作用力的计算。

锚链和锚索单位长度的水中重量 $W$ 可按下式计算:

$$W = \beta W_a \ kN \cdot m^{-1}$$

式中　$\beta = 0.87$,对锚链;

　　　$\beta = 0.83$,对钢缆;

　　　$W_a$——锚链或钢缆单位长度的空气重量,$kN \cdot m^{-1}$。

# 8.5 锚泊系统的动力分析

### 8.5.1 动力设计方法以及主要问题

动力分析法可适用于所有的锚泊系统分析。在动力分析中,应考虑质量、阻尼和流体加速度等随时间变化的效应。

对锚泊线阻尼值虽然没有一个统一的认识,但全动力分析在锚泊设计时仍然得到了广泛的使用。动力分析对船的响应以及锚链线的载荷会产生很大影响。这种影响在深水领域显得尤为突出。在整个设计过程中,动力分析方法如下。

首先依据初始状态的非线性时域解创建一个静力模型。普遍采用的做法是,将锚链线划分为一系列线形函数的细长杆。这些细长杆原本分散的质量以及附加质量集中在细长杆两端的节点上。通常情况下,平台的运动响应和对锚线的动态计算是分开进行的。然而对于深水来说,锚泊线与平台之间的相互作用不可忽视,平台和锚泊线之间的耦合分析也就显得尤为重要。在这种情况下,锚泊线与平台间的相互作用须包含在时域解里。

重要的是,除了回复力,动力分析的方法还包括其他的附加载荷。特别是由锚泊线和流体之间相互运动引起的水动力阻尼效应。以及锚泊线和流体之间的惯性效应(虽然这种效应并不明显)。

采用集中质量法的有线元或有限差分方法模拟锚泊线的片段时,因为受到水的阻力,锚泊线的组成已经改变了初始时的静悬链线状态。

动力分析在能够收敛的时域内集中进行。问题在于:

(1)时间步长必须足够小,从而能包含水波引起的振动;

(2)时间跨度必须足够长,从而能够包含船体摆动的周期(在深水中步长约为五分钟);

(3)一个典型的系泊系统设计,环境载荷是全方位的,需要考虑一系列的测试工况。

锚泊线顶端和终端的振动必须包含在动力分析里面,因为船舶以及浪和流的运动是共同作用的,否则将会导致对构件的张力估计不足或者忽略了锚泊线的阻尼项。需要注意的是,在一些情况下,动力产生的张力是静态时的几倍。同时,由于水深、锚泊线的组成,以及型值的不同,阻尼水平也有显著差别。

在时域分析中,混合方法针对锚泊线的瞬时状态提供了一系列的简化假设,这些假设正在进行验证。同时,还有一些未成熟的、将来能够实现的方法在设计中得到了应用。

### 8.5.2 规范中关于动力设计的一般要求

通常可采用频域分析法或时域分析法确定锚索对导索点运动的响应。导索点运动应根据系泊船纵荡、横荡、垂荡、纵摇、横摇和艏摇运动通过转换求得。通常可只考虑锚平面内导索点垂直和水平运动。

在动力分析中,应考虑下述对锚索性态有重要影响的非线因素。

(1)锚索应变或切向拉伸与张力间的非线性。锚链和锚索可认为是线性的,这仅出现在合成纤维缆中(如尼龙缆),可采用有代表性的切线或割线模量予以线性化。

(2)锚索几何非线性,与锚索形状的变化有关。

(3)作用在锚索上流体载荷非线性。当采用莫里逊公式计算作用在锚索上的流体载荷时,由于曳力正比于流体和锚索间相对速度的平方,造成流体载荷非线性。

(4)海底效应非线性。锚索与海底间相互作用是非线性摩擦过程。此外,着地索长度经常在变化,这又引起几何非线性。

可忽略浮体运动和锚索动力位移间的动力耦合作用。

在动力分析法中,先静态将泊船移到与平均偏移加上有效或最大低频运动相应位置处,再把波频导索点运动加到拟分析的锚索上,采用动力锚泊分析程序计算波频响应。锚索动力分析模型为由一系列质量、弹簧、阻尼器组成的二维平面模型。

### 8.5.3　频域动力分析法

在频域分析中,所有非线性项必须通过直接法或迭代法予以线性化。对 8.5.2 中所述非线性项,建议按下述方法线性化。

(1)锚索拉伸非线性。通过在锚索各点处假定一个确定的模量予以线性化。

(2)锚索几何非线性。由于系泊船动力运动引起悬链线形状变化一般不大,所以可在系泊船平均位置(由稳态环境力确定的位置)处进行线性化。

(3)流体载荷非线性。应将相对速度平方项用随机等价线性关系替代。

(4)海底效应非线性。在频域法中,不能精确表达着地索与海底间摩擦性态,可采用着地索"平均"或等效性能予以线性化。

各非线性的影响与许多参数有关,特别与水深、锚索组成及运动幅值有关。在频域法中近似处理非线性的方法应能反映出各参数的重要性。

对高度非线性的锚泊系统,例如很大一部分锚索与海底接触,重块或弹性浮筒接近锚索着地起始点,弹性浮筒接近水面,或垂直载荷作用在锚上等,频域分析法可产生很大的误差,应采用时域法进行动力分析。

频域动力分析法的一般程序简述如下。

(1)确定锚泊系统静刚度特性。锚泊系统的刚度特性可按公认的理论、数值分析或模型试验来确定。悬链线方程通常可用于由单一材料组成的锚索段。应考虑锚索的弹性伸长,特别对浅水中绷得较紧的锚泊系统尤应予以考虑。此外,视具体情况,也应计及海流、海底倾斜以及海底与锚索之间摩擦等的影响。

(2)确定系泊船的平均偏移 $\overline{X}$。把流力、平均风力、平均波浪漂移力作为静力考虑,确定作用在系泊船上稳态环境力。再根据锚泊系统静刚度特性,确定系泊船偏离其原始位置的静偏移或平均偏移 $\overline{X}$。

(3)确定平均偏移处的锚泊刚度,根据此锚泊刚度。进行系泊船低频运动分析,以确定系泊船低频运动有效及最大单幅值。

(4)确定系泊船波频运动有效及最大单幅值。

(5)确定船最大偏移和锚索最大悬挂长度。应按照相关规定适当组合船波频和低频运动,以确定船最大偏移及锚索最大悬挂长度。

(6)确定锚索最大张力和锚最大载荷,应采用下述步骤确定锚索最大张力和锚最大载荷。

①将船移到与平均偏移加上有效低频运动相应位置处,计算锚泊系统在此位置的静响应。然后把波频导索点运动施加于拟分析的锚索上,采用频域动力锚泊分析程序计算锚索

张力的波频响应,从而求得锚索波频张力均方根、最大波频张力、最大张力及锚最大载荷。

②将船移到与平均偏移加上最大低频运动相应位置处。计算锚泊系统在此位置的静响应,然后把波频导索点运动施加于拟分析的锚索上,采用频域动力锚泊分析程序计算锚索张力的波频响应。从而求得锚索波频张力均方根、有效波频张力、最大张力及锚最大载荷。

③分别比较①和②求得的最大张力及锚最大载荷,取较大值作为锚索最大张力及锚最大载荷。

(7)由上述得到的船平均偏移及最大偏移,锚索最大张力及锚最大载荷应符合规范的要求。

除(6)中①和②里锚索最大张力或有效波频张力应采用时域动力锚泊分析程序予以确定外,时域动力锚泊分析法其余计算程序与频域法相同。

在按时域法确定锚索波频张力时,应先按照海浪谱,产生一个至少 $3h$ 的波高程时历。根据导索点波频运动响应幅值算子将波高程时历转换为在锚索平面内导索点的水平和垂直运动时历。采用时域动力分析计算程序按此导索点运动时历,计算张力响应时历。最后,确定最大波频张力、有效波频张力。

为产生一个实际的时历,至少需要 50 个波频。在产生波浪高程时,应使时间序列不会过早重复。通常可采用不同的频率间距来满足此要求,如图 8.5.1 所示。图中,$S(\omega_j)$ 是波频 $\omega_j$ 处波的谱密度,单位是 $m^2 \cdot s$;$\Delta\omega$ 是频率间距。

波高程时历可按下述方法产生:

$$h_{(t)} = \sum_{j=1}^{N} A_j \cos(\omega_j t + \varphi_j) \tag{8.5.1}$$

式中　$h_{(t)}$——波高程时历,m;

　　　$\varphi_j$——$[0,2\pi]$ 间随机相位。

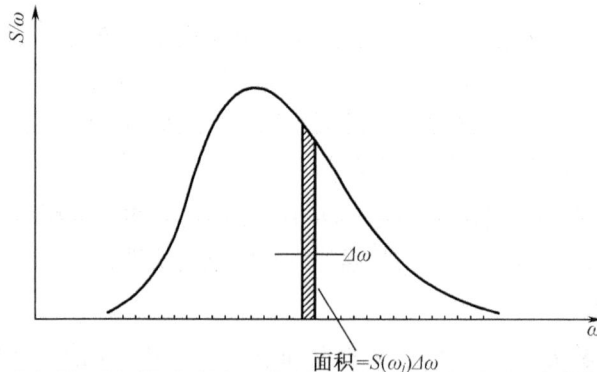

**图 8.5.1　波谱密度 $S(\omega_j)$ 与波频关系图**

由于按不同的随机相位,可产生不同的波高程时历,因此对相同的导索点运动响应幅值算子可产生无数个不同的导索点时历,并得到极不同的最大或有效波频张力。建议采用下述近似法求得合理近似值。

对锚索最大波频张力,有:

(1)方法 A——对一些导索点运动时历,反复计算最大波频张力,直至最大波频张力平均值达到一个稳值。

（2）方法 B——对按一次计算运行得到的最大波频张力予以修正。具体过程如下。

①产生规定风暴期内一个导索点运动时历，计算导索点切向运动的最大值 $X_m$ 与均方根 $X_{max}$ 的比值 $R$，即 $R = X_m / X_{max}$。

②在上述风暴期内，导索点运动时历中选取一段导索点运动时历，该段时历中心位于切向运动最大值附近。该段时历的长度应足以消除动力锚泊分析中的瞬态效应在。

③根据该段导索点运动时历，采用时域动力锚泊分析程序，求得最大波频张力。

④按式（8.5.2）对③中得到的最大波频张力进行修正：

$$T_{max,wf} = T'_{max,wf} \frac{\sqrt{2\ln N}}{R} \tag{8.5.2}$$

式中　$T_{max,wf}$——修正后最大波频张力，kN；

　　　$T'_{max,wf}$——③中求得的最大波频动力，kN；

　　　$R$——比值，按①确定；

　　　$N$——风暴期内波浪循环次数。

（3）方法 C——根据一个导索点运动时历，采用时域动力锚泊分析程序得到一个张力时历，再按此张力时历得到张力谱，并据此谱计算张力均方根。最后按（8.5.3）式计算最大波频张力：

$$T_{max,wf} = T_{rms} \sqrt{2\ln N} \quad kN \tag{8.5.3}$$

式中　$T_{rms}$——波频张力均方根，kN。

本方法中的张力时历应足够长，以能对所有重要的频率提供相应的张力分量。对高度非线性锚泊系统，按本法求得的最大波频张力可能估计不足。

对锚索有效波频张力：

（1）方法 A——按照一个张力时历计算有效张力，但该时历应足够长以能产生一个稳定的有效值；

（2）方法 B——除计算最大波频张力方法 B 中④外，其余过程均应与该法相同。有效波频张力应按式（8.5.4）进行修正：

$$T_{1/3,wf} = T'_{1/3,wf} \frac{2}{R} \quad kN \tag{8.5.4}$$

式中　$T_{1/3,wf}$——修正后有效波频张力，kN；

　　　$T'_{1/3,wf}$——由最大波频张力方法 B 中③求得的有效波频张力，kN；

　　　$R$——比值，按锚索最大波频张力方法 B 中①确定。

（3）方法 C——与计算最大张力方法 C 相同，除了应按式（8.5.5）计算有效波频张力外：

$$T_{1/3,wf} = 2T_{rms} \quad kN \tag{8.5.5}$$

经船级社批准，也可采用其他计算最大或有效波频张力的方法，但应有文件证实这些方法确能在统计上给出实际响应水平。

# 8.6　锚泊系统的疲劳分析

### 8.6.1　疲劳分析一般要求

可采用 $T-N$ 曲线进行锚泊系统的疲劳校核。$T-N$ 曲线应由试验得到,当无有效试验数据供使用时,可采用 $T-N$ 曲线。不应采用准静力分析法来计算锚索张力范围,应采用动力分析法或模型试验来确定。在动力分析法中,通常采用频域法进行。可靠性试验为锚泊设计提供了一种选择。进行可靠性分析时,标准为年度失效概率分析提供了指导。

长期环境分布是长期内预期会在单点系泊装置所在海域出现的所有环境条件的集合。长期环境分布能用一些离散设计条件来表征。每个设计条件由一个基准方向和一个基准海况组成,基准海况可用波谱、流速和风速,以及它们的出现概率来表示。

通常 $8 \sim 12$ 个基准方向能很好地表示长期环境分布的方向分布。所需基准海况个数一般应大于 10。具体基准海况个数最好由敏感性分析决定。

### 8.6.2　疲劳累积损伤和设计疲劳寿命

对每一根锚索,应计算它在每一设计条件下的张力响应,并按式(8.6.1)计算疲劳累积损伤率 $D$:

$$D = \sum \frac{n_i}{N_i} \tag{8.6.1}$$

式中　$n_i$——第 $i$ 张力范围的循环作用次数;

$N_i$——在第 $i$ 张力范围下,$T-N$ 曲线给出的许用循环次数。

锚泊系统的设计疲劳寿命至少应为锚泊系统使用寿命的三倍(即安全系数为3)。对设计疲劳寿命,$D$ 应不大于 1。

本疲劳分析法适用于按照频域动力分析法计算疲劳累积损伤。可采用两种方法来组合低频和波频张力疲劳损伤,即简单相加法和组合谱法。但由于按简单相加法估算的疲劳损伤可能偏小,而组合谱法的结果可能偏大。因此建议疲劳损伤估算值取上述两种方法的平均值。

详细疲劳分析程序建议如下。

(1)对每个设计条件,按照下述步骤确定低频及波频张力均方根:

①确定锚泊系统在稳态环境力作用下的平均位置及导索点低频和波频运动。

②确定波频张力均方根。对处于平均位置的锚泊系统,将导索点波频运动施加于锚索上。按频域动力锚泊分析计算波频张力均方根。

③确定低频张力均方根。对处于平均位置的锚泊系统,将导索点低频运动均方根施加于锚索上及计算相应低频张力均方根。如果锚泊系统是高度非线性或是主要为低频效应时,则一个较保守的方法是将最大低频运动加到平均位置上,计算相应最大低频张力并据此最大张力按照相关公式计算低频张力均方根。

(2)$T-N$ 曲线应按下述形式确定:

$$NR^M = K \tag{8.6.2}$$

式中　$N$——失效时循环次数;

*R*——张力范围与基准拉断强度之比；

*M*——*T* - *N* 曲线斜率；

*K*——*T* - *N* 曲线截距。

表 8.6.1 提供了 *M* 和 *K* 的值。

**表 8.6.1　系泊缆和钢链的疲劳曲线参数（摘自 API RP 2SK）**

| 组成 | *M* | *K* |
|------|-----|-----|
| 普通锚链连接 | 3.36 | 370 |
| Baldt 或 Kenter 连接 | 3.36 | 90 |
| 六股或多股式 | 4.09 | $10(3.20 \sim 2.97L_{\mathrm{m}})$ |
| 六股或多股式，$L_{\mathrm{m}} = 0.3$ | 4.09 | 231 |
| 螺旋股式 | 5.05 | $10(3.25 \sim 3.43L_{\mathrm{m}})$ |
| 螺旋股式 $L_{\mathrm{m}} = 0.3$ | 5.05 | 166 |

API RP 2SK 提供数据主要针对有挡链。DNV OS - E301 采用公式（8.6.3）：

$$n_{\mathrm{c}}(s) = a_{\mathrm{D}}s^{-m} \tag{8.6.3}$$

式中　$n_{\mathrm{c}}(s)$——应力范围的数；

$s$——应力范围，MPa；

$a_{\mathrm{D}}$——*S* - *N* 曲线的截距；

$m$——*S* - *N* 曲线的斜率。

表 8.6.2 提供了 $a_{\mathrm{D}}$ 和 $m$ 的值。

**表 8.6.2　疲劳曲线参数（摘自 DNV OS - E301）**

| 类型 | $a_{\mathrm{D}}$ | $m$ |
|------|-----|-----|
| 有挡链 | $1.2 \times 10^{11}$ | 3.0 |
| 无挡链 | $6.0 \times 10^{10}$ | 3.0 |
| 六股式 | $3.4 \times 10^{14}$ | 4.0 |
| 螺旋股式 | $1.7 \times 10^{17}$ | 4.0 |

DNV 提供的疲劳曲线如图 8.6.1 所示。图表显示的曲线关系与 API 提供的曲线相似。不同的是它基于锚链所受到应力的而不是张力。要将张力转化为应力，可采用 API RP2SK 所提供的一个钢材公称面积的表格。

弯曲引起的附加应力导致锚缆和锚链在轮槽和导缆孔处的疲劳比单纯的由张力引起的疲劳小得多。因此除需考虑由张力引起的疲劳外，还要针对锚缆和锚链因弯曲导致的疲劳以及纤维缆因拉压所导致的疲劳进行进一步的考虑（例如进行试验测试等）。

（1）计算一个设计条件下由低频和波频张力引起的年疲劳损伤。

（2）简单相法年疲劳损伤率按式（8.6.4）计算：

$$D = D_{\mathrm{wf}} + D_{\mathrm{Lf}} \tag{8.6.4}$$

$$D_{wf} = N_{wf}(\sqrt{2}R_{rms,wf})^M \Gamma \frac{\left(1 + \frac{M}{2}\right)}{K}$$

$$D_{Lf} = N_{Lf}(\sqrt{2}R_{rms,Lf})^M \Gamma \frac{\left(1 + \frac{M}{2}\right)}{K}$$

$$N_{wf} = 3.155\,76 \times 10^7 v_{wf}P$$

$$N_{if} = 3.155\,76 \times 10^7 P/T_e$$

式中　$D$——某设计条件下年疲劳损伤率;

　　　$D_{wf}$——某设计条件下年波频疲劳损伤率;

　　　$D_{Lf}$——某设计条件下年低频疲劳损伤率;

　　其中　$N_{wf}$——年波频张力次数;

　　　　$v_{wf}$——波频张力谱上跨零频率,Hz;

　　　　$P = P_d \cdot P_z$——该设计条件出现概率;

　　　　$P_d$——该方向出现概率;

　　　　$P_z$——该方向下该海况出现概率;

　　　　$R_{rms,wf}$——波频张力范围均方根与基准拉断强度之比值,波频张力范围均方根应取为波频张力均方根的两倍;

　　　　$M$、$K$——分别为 $T-N$ 曲线斜率及截距;

　　　　$\Gamma(.)$——伽马函数;

　　　　$N_{Lf}$——年低频张力次数;

　　　　$T_e$——系泊船固有周期,按系泊船平均位置计算。如可能,应取为低频张力谱上跨零周期;

　　　　$R_{rms,lf}$——低频张力范围均方根与基准拉断强度之比值,低频张力范围均方根应取为低频张力均方根的两倍。

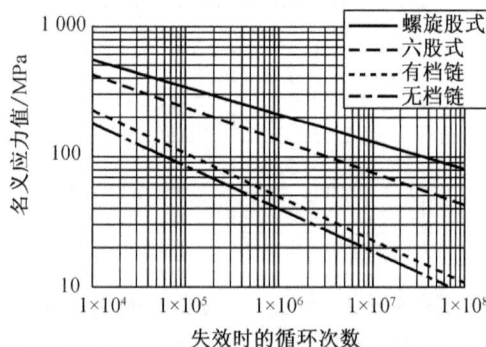

**图 8.6.1　DNV 提供的缆绳疲劳曲线**

①组合谱法

年疲劳损伤率按式(8.6.5)计算:

$$D = N(\sqrt{2}R_{rms})^M \Gamma(1 + M/2)/K \tag{8.6.5}$$

式中　$N$——按组合谱计算年总循环次数,$N = 3.155\,76 \times 10^7 v_0 p$;

　　　$R_{rms}$——组合的张力范围均方根与基准拉断强度之比值,$R_{rms} = \sqrt{R_{rms,wf}^2 + R_{rms,lf}^2}$;

$v_0$——组合张力谱上跨零频率，$v_0 = \sqrt{\dfrac{R_{rms,wf}^2 v_{wf}^2 + R_{rms,lf}^2 v_{lf}^2}{R_{rms,wf}^2 + R_{rms,lf}^2}}$；

$v_{lf}$——低频张力谱上跨零频率，Hz。

（1）对所有设计条件重复步骤（3），及按式（8.6.6）确定年总疲劳损伤率 $D_t$：

$$D_t = \sum_{i=1}^{r} \sum_{j=1}^{l} D_{ij} \tag{8.6.6}$$

式中　$r$——基准方向个数；

　　　$l$——基准海况个数；

　　　$D_{ij}$——在第 $i$ 个基准方向，第 $j$ 个基准海况下的年疲劳损伤率。

（2）疲劳寿命应按式（8.6.7）计算，并应不小于锚泊系统的设计疲劳寿命：

$$L = \frac{1}{D_t} \tag{8.6.7}$$

式中　$L$——锚泊系统的疲劳寿命。

# 第9章  半潜式平台

半潜式平台的抗风浪能力强(抗风 100~120 kn,波高 16~32 m);甲板面积和可变载荷大(达 10 000 t);适应水深范围广(深达 3 000 m);钻机能力强(钻井深度达 10 000 m)。由于半潜式平台的这些优点,在海洋工程中它不仅可用于钻井,也可用于其他如生产平台、铺管船、供应船和海上起重船等。同时,能应用于多井口海底井和较大范围内卫星井的采油是它的另一优点。另外,半潜式平台作为生产平台使用时,可使开发者在钻探出石油之后迅速转入采油阶段,特别适用于深水下储量较小的石油储层。随着海洋开发逐渐由浅水向深水发展,它的应用将会日渐增多,诸如建立离岸较远的海上工厂、海上电站等,对防止内陆和沿海的环境污染有很大的好处。

## 9.1  半潜式平台简介

### 9.1.1  半潜式平台的组成

半潜式平台由上部结构、立柱和下浮箱组成,是从坐底式钻井平台演变而来的,属于立柱稳定式平台。早期的半潜式平台在下浮体、立柱与上部结构之间还有一些支撑与斜撑连接。在下体间的连接支撑,一般都设在下体的上方,这样,当平台移位时,可使它位于水线之上,以减小阻力;平台上设有钻井机械设备、器材和生活舱室等供钻井工作用。上部结构高出水面一定高度,以免波浪的冲击。下体或浮箱提供主要浮力,沉没于水下以减小波浪的扰动力。半潜式平台上部结构与下体之间连接有立柱,具有小水线面的剖面,主柱与主柱之间相隔适当距离,提供作业所需的稳性。半潜式钻井平台的类型有多种,其主要差别在于水下浮体的式样与数目,按下体的式样,大体上可分为沉箱式和下体式两类。

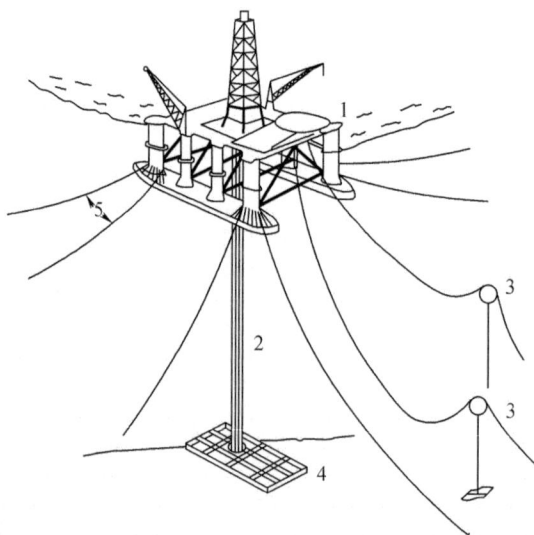

**图 9.1.1  浮式生产系统中的半潜式平台**
1—平台本体;2—钻井立管与生产立管;3—柔性立管;4—海底设备;5—锚泊线

　　下体式中最常见的是两根船形的下体分列左右,每根下体上的立柱数可以有 2 根、3 根、4 根。下体的剖面有圆形、矩形或四角有圆弧的矩形。为了减小平台在移位时的水阻力,将下体的首尾两端做成流线型体。最常见的是双下体型和环型下体式,是用四根立柱支承上部结构,立柱下方支承于一个圆形剖面有十二边的环形下体上。模型试验表明此种型式耐波性较好,但阻力较大。

　　由于半潜式平台下体都浸没在水中,其横摇与纵摇的幅值都很小,有较大影响的是垂荡运动。由于半潜式平台在波浪上的运动响应较小,在几种平台中得到很大发展。随着海洋开发逐渐由浅水向深水发展,这类平台的应用将会日渐增多,诸如油与气的贮存,离岸较远的海上工厂,海上电站等都将是半潜式平台的发展领域。

　　自 1961 年美国生产了第一艘半潜式平台"蓝水 1 号"以来,半潜式平台的结构形式历经了多次演变,外形趋向简单,最终发展成现今的下浮体—立柱—上甲板结构。巨大的下浮体提供迁航和作业时所需的浮力,内设舱室,可装载油水、压载水、系泊等设备。立柱连接下浮体和上部甲板,工作时,下浮体和部分立柱沉入水下,大大减小了水线面积及波浪作用在船体上的载荷,其较大的水线面惯性矩提供了平台工作时所需的稳性。为考虑破舱稳性和经济性,立柱的数目一般为 4 个或 6 个,内设舱室,可装压载水和工作设备。其截面一般为圆形或矩形,近来新造的半潜式平台多采用方形截面,使得建造更加简便,排水和舱容增大。布置立柱时应尽量使平台具有相近的横稳心高和纵稳心高。上甲板是设备存放、人员居住工作的主要场所,主要的钻井器材和材料都堆放在甲板上,甲板中间开有月池,以方便平台钻井采油。上甲板有框架型和箱型两种形式。框架型甲板由承载甲板及其余甲板组成,箱型甲板则包括具有双层底的下甲板结构、一层或多层中间甲板和一层主甲板。很多平台在立柱间设置横向支撑构件以保证船体产生类似的"中拱"和"中垂"现象时甲板的结构安全。

　　半潜式钻井平台在深水区域作业时,需依靠定位设备,其定位方式主要有三种:锚泊定位、动力定位(图 9.1.2)以及锚泊 + 动力定位。锚泊定位系统结构简单、可靠、经济性好,在水深不大的情况下,一般采用锚泊系统定位。但随着水深的增加,锚泊系统布置安装变得困难,造价和安装费用猛增。相反,动力定位的定位成本不会随着水深增加而增加,可以在锚泊有极大困难的海域进行定位作业,如极深海域、海底土质不利抛锚的区域等。动力定位机动性能好,一旦到达作业海域,可以立即开始工作,遇有恶劣环境突袭时,又能迅速撤离躲避。但是全动力定位系统初始投资和运营成本都比较高,因此常采用的是锚泊系统与动力定位系统联合定位的方式,这样既能在一定程度上减小锚链的应力,又降低了动力定位时的燃油消耗。

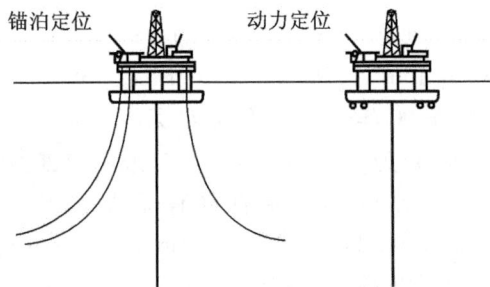

图 9.1.2　锚泊定位与动力定位

### 9.1.2 半潜式平台发展的历史

自 1961 年世界上首座半潜式钻井平台诞生到目前,半潜式钻井平台经历了六个发展阶段,见表 9.1.1。

表 9.1.1 半潜式钻井平台发展历程

| 技术水平 | 主要建成时间 | 额定作业水/m | 钻探能力/ft | 定位方式 | 备注 |
|---|---|---|---|---|---|
| 第一代 | 20 世纪 60 年代中后期 | 90 ~ 180 | | 锚泊定位 | |
| 第二代 | 20 世纪 70 年代 | 180 ~ 600 | 以 25 000 和 20 000 为主 | 锚泊定位 | |
| 第三代 | 1980 年至 1985 年 | 450 ~ 1 500 | 以 25 000 为主 | 锚泊定位 | |
| 第四代 | 1985 年至 1990 年 1998 年至 2001 年 | 1 000 ~ 2 000 | 以 25 000 和 30 000 为主 | 以锚泊 定位为主 | |
| 第五代 | 2000 年至 2005 年 | 1 800 ~ 3 000 | 主要范围 25 000 ~ 37 500 | 以动力 定位为主 | 能适应更加 恶劣的海况 |
| 第六代 | 2007 年以后 | 2 500 ~ 3 600, 以 3 048 m 为主 | ≥30 000 | 动力定位 | 能适应极其 恶劣的海况 |

第一代半潜式钻井平台出现在 20 世纪 60 年代中后期,由座底式平台演变而来,这个时期平台作业水深为 90 ~ 180 m,采用锚泊定位。1961 年诞生的 Ocean Driller 为 3 立柱结构,甲板呈"V"字形;BlueWater 钻井公司拥有的 Rig NO.1 半潜式平台为 4 立柱结构,该平台为 Shell 公司设计;1966 年,Sedco135 半潜式平台为 12 根立柱,由 Friede Goldman 公司设计,这个时期的平台结构布局大多不合理,设备自动化程度低。

20 世纪 70 年代,出现了以 Bulford Dolphin、Ocean Baroness、Noble Therald Martin 等为代表的第二代半潜式钻井平台,这类平台作业水深 180 ~ 600 m,钻深能力以 6 096 m(20 000 ft)和 7 620 m(25 000 ft)两种为主,采用锚泊定位,设备操作自动化程度不高。

1980 年至 1985 年,以 Sedco714、Atwood Hunt2er、Atwood Eagle、Atwood Falcon 等为代表的第三代半潜式钻井平台出现,此时平台作业水深 450 ~ 1 500 m,钻深以 7 620 m(25 000 ft)为主,采用锚泊定位,结构较为合理,操作自动化程度不高。这类平台是 20 世纪 80 ~ 90 年代的主力平台,建造数量最多。同期平台还有 F&G Enhanced Pacesetter 公司设计的 Pride Venezuela;Pride South Atlantic 以及 Aker H23 设计的 Ocean Winner 和 Deepsea Ber2gen 等。

以 Jack Bates、Noble Amos Runner、NoblePaul Romano、Noblemax Smith 为代表的第四代半潜式钻井平台出现在 20 世纪 90 年代末,其作业水深达 1 000 ~ 2 000 m,钻深以 7 620 m(25 000 ft)和 9 144 m(30 000 ft)为主,锚泊定位为主,采用推进器辅助定位并配有部分自动化钻台甲板机械,设备能力与甲板可变载荷都有提高。DeHoopMegathyst 公司设计的 Pride Brazil、Pride CarlosWalter、Pride Portland、Pride Rio de J aneiro 均属于此级别平台。

2000 ~ 2005 年期间,出现了以 Ocean Rover、Sedco Energy、Sedco Express 为代表的第五代半潜式钻井平台,其作业水深达 1 800 ~ 3 600 t,钻深能力在 7 620 ~ 11 430 m(25 000 ~ 37 500 ft)之间,采用动力定位为主,锚泊定位为辅的定位方式,能适应更加恶劣的海洋环境。由 Sedco Forex 公司设计的第五代半潜式平台采用模块化的甲板构件和两台独立的管道垂直移运排放机等自动化设备,提高了钻管移放速度。同期平台有 Friede & Goldman 设计的 GSF Development Driller I & II 和 Reading & Bates RBS28D and RBS28M 设计的 Deepwater Horizon、Deepwater Nautilus。

21 世纪初,作为目前世界上最先进的第六代半潜式钻井平台相继诞生,如 Scarabeo 9、Aker H26e、GVA 7500、MSC DSS21 等。第六代半潜式钻井平台作业水深达 2 550 ~ 3 600 m,多数为 3 048 m,钻深大于 9 144 m(30 000 ft),采用动力定位,船体结构更为优化,可变载荷更大,配备自动排管等高效作业设备,能适应极其恶劣的海洋环境。

第六代平台比以往钻井平台更先进的设计在于采用了双井口作业方式,即相对于陆地钻机而言,该平台钻机具有双井架、双井口、双提升系统等。主井口用于正常的钻进工作,辅助井口主要完成组装、拆卸钻杆及下放、回收水下器具等离线作业,虽然平台的投资有所增加,但是对于深海钻井作业,效率的提高是显著的,据相关资料介绍,双井口钻井作业在不同的作业工况下可以节省 21% ~70% 的时间。

随着作业水深的逐渐加大,半潜式钻井平台钻机能力也逐渐加大,需要的绞车、泥浆泵、顶驱、转盘能力均相应提高。目前,半潜式钻井平台顶驱以美国国民油井 Varco 公司、加拿大 Canrig 以及 Ma2time Hydraulics 公司的产品为主,仅就技术和使用情况来说,Varco 公司一直处于行业的领先地位,泥浆泵主要生产厂家为 NOV、Wirth、Lewco,绞车主要生产厂家为 NOV、Emsco、Wirth。

我国海洋油气开发已有近 40 年的历史,但从海洋工程装备和技术角度看,与世界先进国家仍存在较大差距,尤其是半潜式平台技术方面的差距更为明显。

1984 年,我国第 1 台半潜式平台——勘探 3 号诞生,由中国船舶与海洋工程设计研究院、地质矿产部海洋地质调查局和上海船厂联合设计,由上海船厂建造。该平台为非自航半潜式钻井平台,工作水深 35 ~200 m,最大钻井深度 6 000 m,井架由宝鸡石油机械有限责任公司制造,高 49 m,钻井设备主要由美国大陆 EMSCO 公司供应,泥浆泵为 2 台 FB21300 型三缸单作用泵。

近年来,通过购买旧船方式,我国新增了数座半潜式钻井平台。中海油拥有南海 2 号、南海 5 号、南海 6 号;中石化的勘探 4 号为 Aker H23、Friede &Goldman 公司设计的第三代半潜式平台,这几座平台的工作水深除勘探 4 号为 600 m 左右,其余均小于 500 m,钻井深度为 7 620 m(25 000 ft),服役均在 20 年以上。

目前我国南海深水区域已有重大的油气发现,为此,我国中海油和美国 F&G 公司联合研制了海洋石油 981 号半潜式钻井平台,该平台最大作业水深 3 000 m,最大钻井深度 10 000 m,属于第六代半潜式平台。

### 9.1.3　半潜式平台发展的趋势

半潜式钻井平台的发展方向朝着深水、高科技含量、高附加值方面发展。表 9.2.1 中给出了部分半潜式钻井平台的主要技术参数。最新的深水半潜式钻井平台虽然形式各异,但是它们有一些相似的重要特征。

1. 工作水深较大、成本高昂

现有在建的 214 座半潜式钻井平台中,有 16 座的最大作业水深大于 3 000 m。预计在不久的未来,最大作业水深超过 4 000 m 甚至 5 000 m 的半潜式钻井平台也将出现。我国南海大部分海域水深都属于深水范畴,最大水深超过 3 000 m。根据目前掌握的地质资料,南海海域的绝大部分油气资源主要蕴藏在水深超过 1 500 m 的深海海域。深水半潜式钻井平台的设计建造成本十分高昂,通常达到上亿美元。因此,设计和建造深水半潜式钻井平台风险较高,需要一定的资金保障。

2. 运动性能优良、适合恶劣海域

只有少数半潜式钻井平台的立柱暴露在波浪环境中,受波浪力作用较小,具备优良的垂荡运动性能。钻井作业要求浮体垂荡运动幅度越小越好,因此现代半潜式钻井平台在设计时都十分注意提高平台的垂荡运动性能。半潜式钻井平台在一般海况下,垂荡运动幅度小于 2 m,摇摆运动幅度小于 4°,水平位移幅度小于水深的 5%。半潜式钻井平台抗恶劣风浪能力比较强,稳性也比较好,因此大部分深水半潜式钻井平台能够经受百年一遇风浪环境的考验,即能够承受风速 100 ~ 120 kn、波高 16 ~ 32 m、流速 2 ~ 4 kn 的环境载荷作用。

3. 锚泊定位和动力定位方式相结合

新型的半潜式钻井平台从安全作业和经济效益相结合的角度出发,一般都采用锚泊定位和动力定位相结合的定位方式。排水量较大的钻井平台,会自带一部分锚链。在水深不大的海域作业时,采用自抛锚的方式;在中等水深海域作业时,可以采用预抛锚方式,也可以采用动力定位与锚泊相结合的方式;在深水海域作业时,则采用动力定位方式。

4. 可变载荷增大

要让一艘半潜式钻井平台具备装载一次完整的深水钻井作业所需要的全部物资的装载能力是不现实的,因此在深水钻井作业中,需要供应船配合作业。由于南海海域远离我国大陆海岸线,供应船航线很长,因此,从经济性和安全角度考虑,需要半潜式平台自身具备较大的可变载荷。可变载荷与平台排水量的比值,简称可变载荷系数,是衡量半潜式平台可变载荷性能的重要参数之一。目前,新型半潜式钻井平台的可变载荷系数都大于0.2,甲板可变载荷(包括立柱内部分)可以达到万吨以上。新型半潜式钻井平台都具有较大的甲板面积,以方便钻井作业和甲板布置。

5. 外形简化、采用高强度钢

半潜式钻井平台的外形趋于简化,立柱和撑杆的数目减少,节点也减少。半潜式钻井平台立柱的数量从早期的 8 立柱、6 立柱和 5 立柱形式,逐渐简化到 6 立柱和 4 立柱形式,并且多为圆立柱或圆方角立柱。平台的撑杆数量更是从早期的 14 ~ 20 根大幅度减少到目前的 2 ~ 4 根横撑,并且有取消所有撑杆的趋势。半潜式钻井平台的下浮体趋向采用简单箱形,平台甲板主体也趋向于采用规则的箱形结构,并且甲板结构出现层高 1 ~ 2 m 的双层底。在建造半潜式钻井平台中正越来越多地使用高强度钢。由于高强度钢材强度高、韧性好、可焊性好,采用高强度钢可以减轻平台钢结构重量、提高可变载荷与排水量的比值参数。

6. 装备先进化

深水半潜式钻井平台装备了新一代的钻井设备、动力定位设备和电力设备,监测报警、救生消防、通信联络设备、辅助设施和居住条件都有了明显的增强和改善,平台钻井作业的自动化效率、安全性和舒适性都有明显的提高。深水半潜式钻井配备超深井海洋钻机,具有更大的提升能力和钻深能力,电动绞车功率大,新一代的交流变频顶驱系统、大功率的主动力系统和高精度的动力定位系统(DPS - 3)、性能优越的电力设备,使半潜式钻井平台的装备更加先进。

# 9.2　半潜式平台的典型设计工况

半潜式平台作为常年作业于海上油田的海洋工程结构物,在其寿命期内所遭受的载荷除了自重和静水载荷之外,还将遭受风载荷、流载荷和波浪载荷,以及地震、海啸等偶然性载荷。规范规定,在采用百年一遇的最大规则波对半潜式平台进行波浪载荷计算与结构总强度评估时,可以忽略流载荷和风载荷的影响。在设计波分析中,假定平台在规则波上处于瞬时静止状态,其不平衡力由平台运动加速度引起的平台惯性力来平衡,进而计算平台主体结构的应力水平,并根据规范的强度要求校核平台的结构安全性。

## 9.2.1　波浪载荷的预报方法

在直接计算法中,波浪载荷的确定十分重要。二维切片法能较好地预报波浪载荷而且要比三维方法省时省力,特别是在用谱分析方法进行强度评估,需要大量的波长与浪向组合的载荷预报时,切片法很有效。

三维方法对于求解有航速载荷分布沿船长方向有变化的船体水动力问题很有效。典型的三维方法有格林函数法和 Rankine 源方法。格林函数方法满足除物面条件以外的所有边界条件,只需在物面布置奇点。这种方法的困难在于找到有效而可靠的格林函数计算方法。Rankine 源方法通过在物面以及自由表面布置奇点来解决边值问题,缺点是如何满足远方的辐射条件,但是应该说三维方法较切片法更为实用。

无论是二维切片方法还是三维方法,考虑到结构应力是各种具有一定的相位关系的不同载荷成分共同作用的结果,所以要准确计算载荷之间的相位关系。另外,一个重要的问题就是非线性波浪载荷对结构的影响。目前,不少学者对非线性波浪载荷作用下的浮式结构物强度进行了探讨,研究和分析工作尚处于起步阶段,得出的结论差异较大。所以,目前切实可行的做法还是应该以线性波浪载荷为基础。但是应该指出的是,未来的强度评估方法必然要考虑到非线性及水弹性的影响。

## 9.2.2　横向载荷与扭转载荷

从环境载荷考虑,结构的总强度存在两种波浪载荷的情况。一个是压缩/分离载荷,另一种是扭转(Racking)载荷。

图 9.2.1 系统地解释了半潜式平台的压缩/分离的情形。这个载荷系统有两个阶段。分离阶端波峰在船中,波浪力有从里向外把结构分开的趋势。压缩阶段波谷在船中,波浪力把结构由外向里挤压。这些影响包括所有的浪向,但结构很容易受到横浪时破坏。波长和周期相对浮筒和立柱的空间位置非常重要。

图 9.2.2 所示为更复杂的情况——倾斜载荷的状态。每一个浮筒和立柱都可以看作为一个独立的系统。当处于斜浪状态时,作用在浮筒上的垂向力在一端,作用在另一个浮筒上的垂向力在另一端。这样力的组合导致平台的总体的扭转,或称为扭矩效应。浮筒上垂向力的分布如图 9.2.2 所示,这个弯矩可能有由横向力的作用位置的改变和增大而扩大。

表 9.2.1 部分深水半潜式钻井平台主要技术参数

| 平台名称 | 建造年份 | 改装年份 | 入级 | 作业海域 | 最大作业水深/ft | 最大钻井深度/ft | 拖航吃水/ft | 作业吃水/ft | 平台长/ft | 平台宽/ft | 可变载荷/t | 井架/ft | 大钩载荷/kips | 总功率/hp | 最大航速/kn | 推进器功率/hp | 定位方式 |
|---|---|---|---|---|---|---|---|---|---|---|---|---|---|---|---|---|---|
| MitsubishiMD503 | 1982 | 1998 | ABS | 巴西 | 3 937 | 29 520 | 22 | 66 | 343 | 220 | 3 283 | 40×40 | 1 000 | 7 800 | 7 | 2×3 000 | 常规锚泊 |
| CS45 | 1999 | — | DNV | 北海 | 5 000 | 30 000 | 32 | 77 | 386 | 229 | 5 800 | 84×36 | 1 300 | 44 000 | 11 | 8×4 350 | 动力定位 |
| Odyssey | 1988 | 1999 | ABS | 墨西哥湾 | 5 500 | 30 000 | 26 | 80 | 390 | 233 | 7 835 | 40×40 | 1 800 | 18 120 | 12 | 4×2 700 | 常规锚泊 |
| Victory | 1973 | 2002 | ABS | | 7 000 | 35 000 | 41.5 | 74.5 | 324 | 327 | 5 500 | 48×46 | 2 000 | 12 940 | 4 | — | 常规锚泊 |
| Trendsetter | 1986 | 1997 | ABS | 英国西海岸 | 7 500 | 30 000 | 29 | 80 | 370 | 255 | 6014 | 40×40 | 2 000 | 20 000 | 7 | 2×7 000 | 常规锚泊 |
| Modified Enhan Pacesetter | 1981 | 1999 | DNV | 巴西 | 7 500 | 30 000 | 23 | 60 | 417 | 233 | 5 500 | — | 1 500 | 50 400 | 6 | 4×3 200 4×4 800 | 动力定位 |
| AkerH-3.2 Mod | 1988 | 2000 | DNV | 墨西哥湾 | 7 500 | 30 000 | 26 | 75 | 320 | 238 | 6 600 | 50×50 | 2 000 | 53 083 | 10 | 8×4 300 | 动力定位 |
| Development driller | 2004 | — | ABS | — | 7 500 | 37 500 | 26.9 | 49.2 | 324 | 258 | 7 716 | 52×57 | 3 000 | 40 766 | 8 | 8×4 300 | 动力定位 |
| Ensco 7500 | 2000 | — | ABS | 墨西哥湾 | 8 000 | 35 000 | 23 | 60 | 240 | 248 | 8 000 | 40×46 | 1 928 | 30 000 | 8.3 | 8×3 000 | 动力定位 |
| Sedco Express | 2001 | — | ABS | 西非 | 8 500 | 25 000 | 29.5 | 65.5 | 349 | 226 | 11 464 | 167×39 | 2 057 | 35 700 | 10 | 4×9 383 | 动力定位 |
| EVA-4000TM | 1982 | 1998 | ABS | 巴西 | 8 900 | 30 000 | 32.3 | 79 | 342 | 328 | 5 500 | 40×40 | 1 928 | 43 000 | 6 | 6×5 000 | 动力定位 |
| Bingo9000 | 2002 | — | DNV | 加拿大 | 10 000 | 30 000 | 39.4 | 77.9 | 397 | 279 | 7 400 | 40×40 | 2 000 | 61 200 | 7 | 6×7 375 | 动力定位 |
| IHI-RBF Exploration | 2001 | — | ABS | 墨西哥湾 | 10 000 | 30 000 | 28.9 | 75.5 | 396 | 256 | 8 000 | 48×48 | 2 000 | 56 323 | 7.5 | 8×7 345 | 动力定位 |

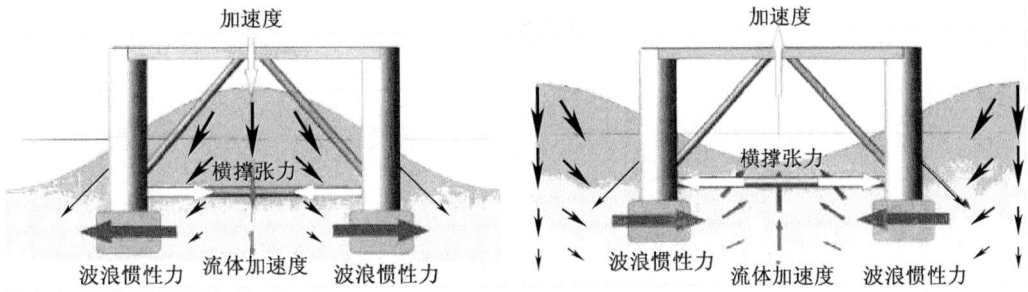

**图 9.2.1　半潜式平台的分离/压缩载荷**

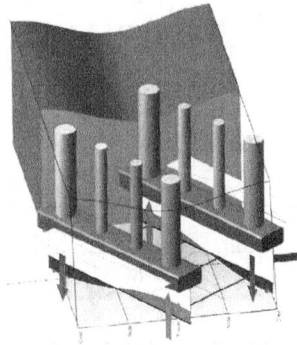

**图 9.2.2　半潜式平台的扭转载荷**

正如压缩/分离载荷　样,扭矩载荷也有两个阶段。斜浪时,波谷位于结构的一角,另一种则是相对的,波峰位于一角。图 9.2.2 中为中垂阶段的情况。波浪力把平台从一边向另一边交替扭转。扭矩发生于任何斜浪情况下,关键的浪向和波长每个位置稍有不同。传统的方法使用单个的波浪,一般是浪向沿平台对角线方向。另外,相对于立柱和浮筒的波长非常重要,这种情况波长比压缩/分离载荷更长一些。

### 9.2.3　半潜式平台的典型设计工况

半潜式平台的总强度分析应包括静水、正常工作和风暴自存 3 种状态。对于静水工况,计算载荷只计入工作载荷;正常工作状态下的计算载荷为一年无风暴的环境载荷和钻井、吊钩等工作载荷;风暴自存状态下的计算载荷为百年一遇的风暴状态时的环境载荷。对于正常工作和风暴自存状态,还应该按照海况(一般由业主给出)的不同,进一步划分为不同的计算工况,采用业主给定的海况资料,按正常工作及风暴自存状态,共划分为多种计算工况。工作状态下的计算环境载荷见表 9.2.2 的实例,风暴自存状态下的计算环境载荷见表 9.2.3。

**表 9.2.2　工作状态下的计算环境载荷**

| 计算工况 | 浪向 | 波浪参数 | | 风速 |
| --- | --- | --- | --- | --- |
| | | 波高/m | 周期/s | |
| 0 - 1 | 静水 | — | — | — |
| 0 - 2 | 迎浪/中拱 | 6.4 | 8.7 | 32 |

表 9.2.2（续）

| 计算工况 | 浪向 | 波浪参数 | | 风速 |
| --- | --- | --- | --- | --- |
| | | 波高/m | 周期/s | |
| 0－3 | 迎浪/中垂 | 6.4 | 8.7 | 32 |
| 0－4 | 迎浪/中拱 | 6.4 | 9.4 | 32 |
| 0－5 | 迎浪/中垂 | 6.4 | 9.4 | 32 |
| 0－6 | 迎浪/中拱 | 6.4 | 10.8 | 32 |
| 0－7 | 迎浪/中垂 | 6.4 | 10.8 | 32 |
| 0－8 | 横浪/分离 | 11.6 | 8.7 | 32 |
| 0－9 | 横浪/压缩 | 11.6 | 8.7 | 32 |
| 0－10 | 横浪/分离 | 11.6 | 9.4 | 32 |
| 0－11 | 横浪/压缩 | 11.6 | 9.4 | 32 |
| 0－12 | 横浪/分离 | 11.6 | 10.8 | 32 |
| 0－13 | 横浪/压缩 | 11.6 | 10.8 | 32 |
| 0－14 | 横浪/分离 | 11.6 | 12.7 | 32 |
| 0－15 | 横浪/压缩 | 11.6 | 12.7 | 32 |
| 0－16 | 135°/扭矩 | 7.3 | 8.7 | 32 |
| 0－17 | 136°/扭矩 | 7.3 | 9.4 | 32 |
| 0－18 | 137°/扭矩 | 7.3 | 10.8 | 32 |

表 9.2.3  风暴自存状态下的计算环境载荷

| 计算工况 | 浪向 | 波浪参数 | | 风速 |
| --- | --- | --- | --- | --- |
| | | 波高/m | 周期/s | |
| S－1 | 迎浪/中拱 | 11.9 | 8.7 | 82 |
| S－2 | 迎浪/中垂 | 11.9 | 8.7 | 82 |
| S－3 | 迎浪/中拱 | 13.7 | 9.4 | 82 |
| S－4 | 迎浪/中垂 | 13.7 | 9.4 | 82 |
| S－5 | 迎浪/中拱 | 18.3 | 10.8 | 82 |
| S－6 | 迎浪/中垂 | 18.3 | 10.8 | 82 |
| S－7 | 迎浪/中拱 | 20.4 | 12.6 | 82 |
| S－8 | 迎浪/中垂 | 20.4 | 12.6 | 82 |
| S－9 | 横浪/分离 | 20.4 | 15.1 | 82 |
| S－10 | 横浪/压缩 | 20.4 | 15.1 | 82 |
| S－11 | 横浪/分离 | 11.9 | 8.7 | 87 |
| S－12 | 横浪/压缩 | 11.9 | 8.7 | 87 |
| S－13 | 横浪/分离 | 13.7 | 9.4 | 87 |

表 **9.2.3**(续)

| 计算工况 | 浪向 | 波浪参数 | | 风速 |
| --- | --- | --- | --- | --- |
| | | 波高/m | 周期/s | |
| S－14 | 横浪/压缩 | 13.7 | 9.4 | 87 |
| S－15 | 横浪/分离 | 18.3 | 10.8 | 87 |
| S－16 | 横浪/压缩 | 18.3 | 10.8 | 87 |
| S－17 | 横浪/分离 | 23.8 | 13.4 | 87 |
| S－18 | 横浪/压缩 | 23.8 | 13.4 | 87 |
| S－19 | 横浪/分离 | 23.8 | 15.9 | 87 |
| S－20 | 横浪/压缩 | 23.8 | 15.9 | 87 |
| S－21 | 45°/扭矩 | 11.9 | 8.7 | 87 |
| S－22 | 45°/扭矩 | 13.7 | 9.4 | 87 |
| S－23 | 45°/扭矩 | 18.3 | 10.8 | 87 |
| S－24 | 45°/扭矩 | 21.9 | 13.4 | 87 |
| S－25 | 45°/扭矩 | 21.9 | 15.9 | 87 |
| S－26 | 135°/扭矩 | 11.9 | 8.7 | 75 |
| S－27 | 135°/扭矩 | 13.7 | 9.4 | 75 |
| S－28 | 135°/扭矩 | 18.3 | 10.8 | 75 |
| S－29 | 135°/扭矩 | 23.5 | 13.4 | 75 |
| S－30 | 135°/扭矩 | 23.5 | 15.9 | 75 |

### 9.2.4　半潜式平台的典型波浪工况

半潜式钻井平台在波浪中的载荷与平台的装载工况、波浪的波高、周期和相位以及浪向角都有密切的关系,而且在平台的使用过程中,这些因素有多种不同的组合状态。所以进行平台的总强度校核时,需要对平台的多个典型波浪工况进行分析。根据工程实践和规范(ABS 2006)的要求,半潜式钻井平台的典型波浪工况包括:

(1)最大横向受力状态;

(2)最大扭转状态;

(3)最大纵向剪力状态;

(4)最大垂向弯曲状态;

(5)甲板处纵向和横向加速度最大状态。

DNV 规范(DNV2000)中除了要求以上 5 项典型波浪工况外,还要求对平台的垂向加速度最大状态进行分析。对于各典型波浪工况,需要采用三维水动力理论分别计算相应特征波浪载荷的传递函数(包括幅频响应和相频响应),从而确定特征波浪载荷最大时的设计波参数(包括设计波的周期、波幅、相位和浪向)。此处以前 4 个波浪诱导载荷工况为研究对象,建立响应面模型,省略了加速度工况,因为实际工程应用表明根据加速度确定的工况结构应力水平比较低。

1. 最大横向受力状态

半潜式钻井平台所承受的最大横向受力是垂直于平台中纵剖面上的作用力,即外开力。该波浪诱导作用力使平台的两个下浮体成分开的趋势,从而使箱型甲板和水平横撑构件承受较大的载荷。图 9.2.3 为某半潜平台原始设计方案的最大横向受力响应幅算子。从图中可以看出,当浪向为 270°,平台所承受的横向受力达到最大值,对应波浪周期为 10 s。因此,在进行短期预报分析时,选取浪向 270°的横向受力进行预报。

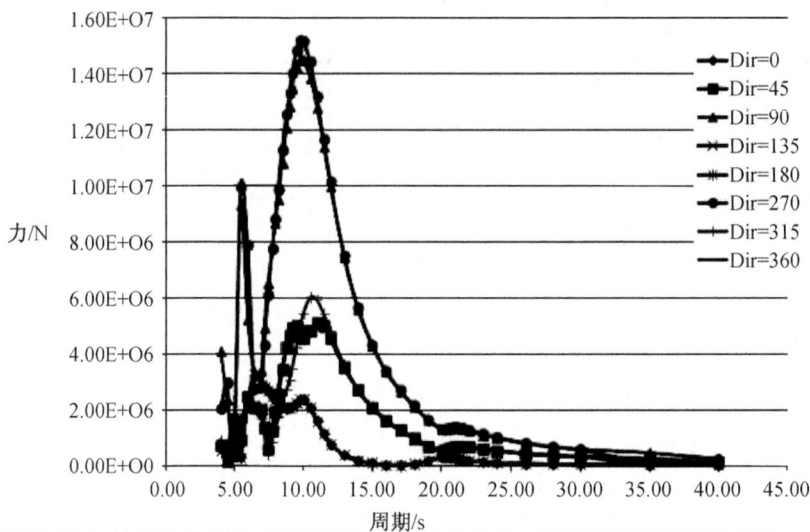

图 9.2.3 原始设计方案,工况 1,横向受力响应幅算子

2. 最大扭转状态

根据半潜式钻井平台的形式特点,当其承受的扭矩载荷作用在中纵剖面上时,对平台整体结构的影响较为明显。图 9.2.4 为某半潜平台原始设计方案的最大扭矩响应幅算子。从图中可以看出,当浪向为 315°,即斜浪条件下,平台所承受的扭矩达到最大值,对应波浪周期为 10 s。因此,在进行短期预报分析时,选取浪向 315°的扭矩进行预报。

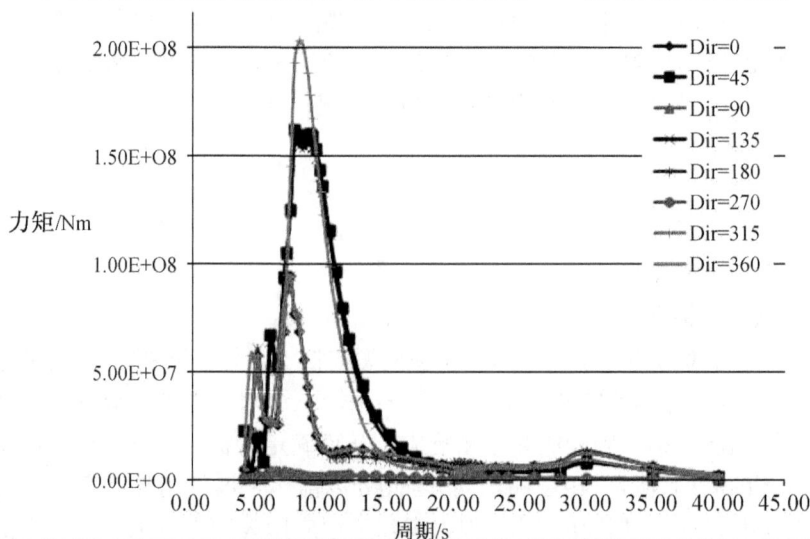

图 9.2.4 原始设计方案,工况 1,扭矩响应幅算子

### 3. 最大纵向剪力状态

由于半潜式钻井平台结构形式的特殊性,在开展整体结构性能分析时,需要考虑其作用在中纵剖面上的纵向剪力。这个剪力载荷使平台左右部分呈前后分开的变形趋势,在进行整体强度分析时需要考虑。图 9.2.5 为某半潜平台原始设计方案的最大纵向剪力响应幅算子。从图中可以看出,当浪向为 45°,平台所承受的纵向剪力达到最大值,对应波浪周期 7 s。因此,在进行短期预报分析时,选取浪向 45°的纵向剪力进行预报。

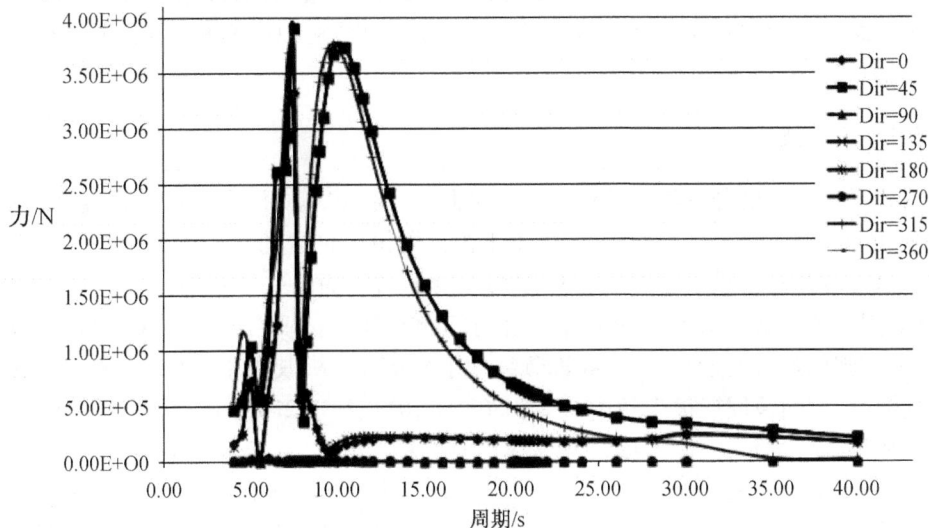

**图 9.2.5　原始设计方案,工况 1,纵向剪力响应幅算子**

### 4. 最大垂向弯曲状态

长度超过 100 m 的海洋工程结构物所承受的波浪诱导垂直弯矩是作用在结构物上的重要载荷。在开展整体结构性能分析时,通常都要考虑这个载荷。图 9.2.6 为某半潜平台原始设计方案的最大垂直弯矩响应幅算子。从图中可以看出,波浪诱导垂直弯矩呈明显的双峰值特点。当浪向为 0°,平台受到的垂向弯矩最大,因此,在进行短期预报分析时,选取浪向 0°的垂直弯矩进行预报。

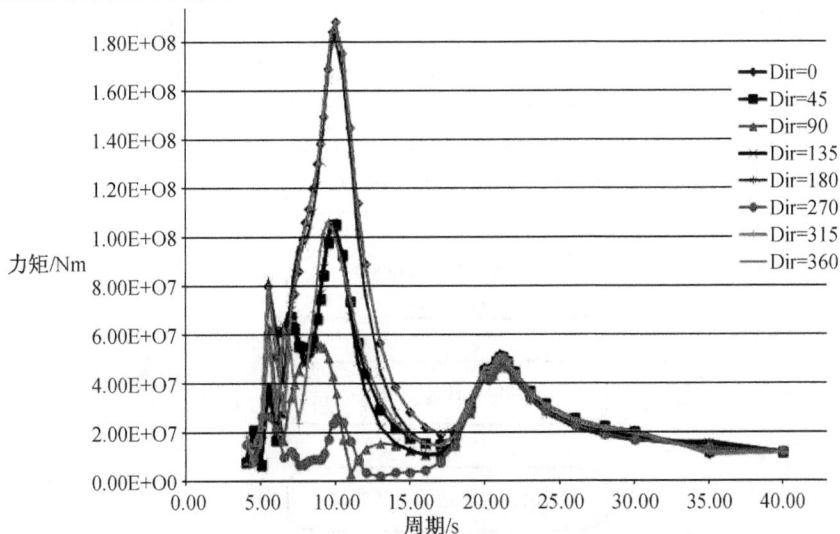

**图 9.2.6　原始设计方案,工况 1,垂向弯矩响应幅算子**

## 9.3 半潜式平台强度分析的设计波法与设计谱法

根据各种规范指南和工业界的实际做法,海洋平台结构的强度分析主要采用直接计算法,这类方法是直接由波浪载荷计算程序得到环境载荷,并进而通过结构有限元分析或其他方法得到结构的应力响应。在实际应用中,直接计算法可以有多种形式,主要有设计波法和设计谱法。

### 9.3.1 设计波法

半潜式平台总强度分析的设计波计算法是假定平台在规则波上是瞬时静止的,但作用在平台上的外力却不是一个平衡力系,其不平衡力则由平台运动加速度引起的平台惯性力来平衡。这种计算方法只考虑了平台运动加速度的影响而略去了平台运动速度与位移的影响,从而把一个复杂的动力问题简化为静力问题来处理。根据统计,在欧洲北海海区风浪较大,但波浪的最大周期小于 16 s(即频率大于 0.06 Hz,波长小于 400 m),在风浪较小的世界其他海区,则波浪周期很少超过 12 s(0.08 Hz,波长小于 225 m)。对于半潜式平台,其运动固有周期一般都较长,例如横摇及纵摇固有周期常在 25~40 s 的范围,大多数在 30 s 左右;垂荡自然周期一般也在 20 s 以上。也就是说,平台运动的固有频率往往在所遇到的波浪频率范围以下,即可避免与波浪发生共振。在这种情况下,把平台的动力问题化为准静力问题来处理不至于引起较大的误差,而计算却要简单得多。因此,从工程使用角度出发,目前仍普遍采用设计波法。

1. 基本原理

采用设计波法时,关键的问题是如何确定设计波的参数,使得按它计算出来的船体应力范围能代表实际船体航行过程中一定超越概率水平的应力范围。正确的途径是通过船体波浪载荷的长期分析,得到规定超越概率水平或重现期的船体弯矩、扭矩等有代表性的控制参数值,然后选择典型的规则波,使之产生与长期预报值相等的波浪载荷,由此来确定设计计算用的波浪参数。

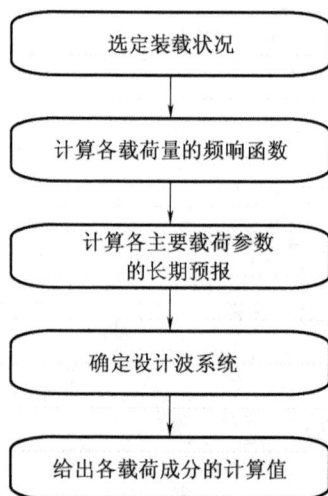

图 9.3.1　设计波确定的流程图

2. 载荷参数及其确定

目前,ABS、DNV、GL 等已在船舶直接计算中采用设计波法来对各种载荷分量进行组合,但在如何选择和确定装载工况与等价波高、波长和航向角时,各船级社的做法是不完全相同的。

根据设计波法的原理,海浪和其诱导的浮体响应可以通过一个或几个主要的载荷参数来反映。主要载荷参数指的是:载荷影响、浮体运动以及局部动力响应等,考虑以其中的最有影响的参数来建立用于浮体结构分析的计算载荷。ABS 规范中考虑的主要载荷参数有:垂向波浪弯矩(VBM)、垂向波浪剪力(VSF)、水平波浪弯矩(HBM)、水平波浪剪力(HSF)、扭矩(TM)。其中五个载荷控制参数幅频响应为最大值(包括正负两个最大值)的时刻取为计算瞬时。DNV 提出的几个主要载荷参数为:舯横剖面最大波浪诱导垂直弯矩、最大水平弯矩、最大扭矩、艏柱最大垂向加速度、在船舯剖面附近板格的最大波动压力。需注意的是,DNV 提出的主要载荷控制参数对油轮、散货船和集装箱船等是一样的,并没有针对特定的船型提出特定的载荷控制参数。实际上,主要载荷控制参数的选取与要考察的船体构件有关。对于船体,存在很多的重要构件,如甲板、横舱壁、外底板、内底板、纵桁、纵骨等。根据某一载荷控制参数选定的设计波,一般只能考察其中一部分构件在船舶寿命期内的受力状况。例如,迎浪时的中垂和中拱状态只能考察甲板、底部等部位构件的应力水平,而对舷侧构件则作用不明显。因此需要有效地选择多个典型的设计波,才能全面地考察船体各个主要构件在航行过程中的可能恶劣海况下的应力水平。不同的载荷控制参数,其考察的结构构件的侧重点是不同的。设计波系统的确定就是各主要载荷对应的设计波参数因素的确定。

一般情况下,设计波各要素的定义如下。

(1)选择典型的波浪环境参数,通常取全球波浪散布图,用线性切片理论或三维方法计算船体在单位波幅规则波下的运动和波浪载荷传递函数,运用概率论和数理统计理论,对以上所列举的主要载荷控制参数进行长期预报。取一定概率水平或重现期的预报值作为设计值。按照 DNV 的船体强度疲劳评估方法,这一概率水平取为 $10^{-4}$,也即重现期内的应力循环次数为 $10^4$。为了简便起见,有时也可用规范中给出的相应概率水平下的波浪载荷设计值代替长期预报值。

(2)设计波的浪向和频率根据主要载荷控制参数的传递函数最大值决定。

(3)设计波的波幅等于主要载荷控制参数的设计极值除以对应的传递函数的最大幅值。

(4)等效设计波的相位应取在使所考虑的主要载荷控制参数在余弦波作用下达到最大的相位或位置。

确定了波幅、浪向、频率和相位,我们就可以得到等效设计波的形式,具体过程如下。

(1)设计波的频率和浪向

在给定的工况下,应用波浪载荷线性切片理论或三维方法计算船舶在单位规则波中的响应。计算中应考虑各个浪向和足够范围内的波频,一般推荐的做法是:从迎浪(0°)到随浪(180°)以 15°步长递增浪向角,波浪频率的范围是从 0.2 r/s 到 1.8 r/s 以 0.05 r/s 步长递增。根据选定工况的主要载荷控制参数,对计算的该载荷参数的频率响应函数,在浪向和波频范围内搜索,其中幅频响应最大值对应的波向和波频,即为设计波的波向和波频。用每个主要载荷参数的频率响应函数达到最大值时的波频,计算设计波的波长:

$$\lambda = (2\pi g)/\omega^2 \tag{9.3.1}$$

式中   $\lambda$——设计波的波长；

      $\omega$——设计波的圆频率。

（2）设计波的波幅

设计波的波幅是这样确定的：所考虑的主要载荷参数的长期值除以该载荷参数幅频响应的最大值。即

$$a_w = \text{主要载荷参数的长期值/该载荷参数幅频响应的最大值} \tag{9.3.2}$$

式中   $a_w$——设计波的波幅。

（3）各载荷成分的相位关系

由于等效设计波是简谐变化的，不同瞬时各载荷分量的组合是不同的，因此在确定完设计波系统的各要素后，要进一步给定计算瞬时。计算瞬时一般取为主要载荷参数达到最大值（可正可负）的时刻，并且要同时规定此工况下的船舶受力状态（垂向波浪弯矩是中垂还是中拱），否则问题的解答将是不唯一的。计算瞬时各载荷分量的组合原理如图 9.3.2 所示：

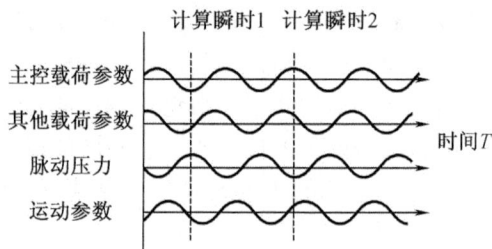

**图 9.3.2   各载荷分量相位关系示意图**

由于采用的是线性理论，在简谐变化的波浪力作用下，船舶的剖面载荷、运动和局部的动态响应等也是简谐变化的：

$$M_j = A_j a\cos(\omega_e t + \varepsilon_j) \tag{9.3.3}$$

式中   $M_j$——第 $j$ 载荷分量（剖面载荷、运动等）的瞬时值；

      $A_j$——第 $j$ 载荷分量频响函数的幅值；

      $a$——设计波波幅；

      $\omega_e$——与设计波波频对应的遭遇频率。

3. 计算方法

设计波参数计算方法包括确定性方法和谱分析方法，其中确定性方法是较为常用的计算方法。设计波参数计算的确定性方法通过极限规则波波陡来确定设计波波幅，其分析步骤如下：

（1）根据平台尺度确定各典型波浪工况下的浪向和特征周期。

（2）计算平台在典型波浪工况下特征波浪载荷的传递函数，波浪周期范围取为 3 ~ 25 s，在特征周期附近步长取 0.2 ~ 0.5 s，在其他区域可取 1.0 ~ 2.0 s。

（3）按照下式计算各波浪周期所对应的极限规则波波高 $H$：

$$S = \frac{2\pi H}{gT^2} \tag{9.3.4}$$

ABS 规范推荐的极限规则波波陡 $S$ 为 1/10，而 DNV 规范规定的极限规则波波陡为

$$S = \begin{cases} \dfrac{1}{7} & (T \leqslant 6) \\[3mm] \dfrac{1}{7 + \dfrac{0.93}{H_{100}}(T^2 - 36)} & (T > 6) \end{cases} \tag{9.3.5}$$

式中　$H_{100}$——百年一遇的最大极限波高,一般取 32 m。

（4）将各特征波浪载荷响应的传递函数与其波浪周期所对应的极限规则波波幅（极限波高的一半）相乘。

（5）计算结果中最大值所对应的周期和波幅即为设计波的周期和波幅,进而可以在特征波浪载荷相频响应中得到该设计波的相位。这样,可以进一步进行设计波浪载荷计算和结构强度评估。

### 9.3.2　设计谱法

在半潜式平台的结构强度分析中,主要采用上述的设计波法。但是随机性响应分析,即谱分析方法正逐渐推广到设计工作中。特别是针对结构的疲劳强度分析,谱分析方法已经作为与实际接近的直接计算方法。

谱分析法是船舶与海洋工程中一种常用的研究载荷和结构响应的方法,它的理论基础是随机过程理论中的线性系统变换。船舶与海洋工程结构是一种典型的动力系统,作用在结构上的波浪过程 $\eta(t)$ 是系统的输入,结构内由于波浪作用引起的交变应力 $X(t)$ 则是系统的响应,这一关系可用图 9.3.3 表示。

在一般情况下,系统的响应过程与输入过程之间的关系可写成

$$X(t) = L[\eta(t)] \tag{9.3.6}$$

式中　$L$——把 $\eta(t)$ 变换成 $X(t)$ 的算子。

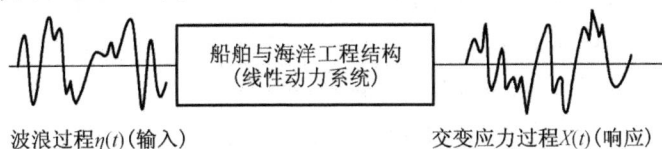

**图 9.3.3　谱分析法基本原理示意**

当 $L$ 为一线性算子的时候,就称系统是线性的。

这里讨论的海洋平台结构强度分析,所应用的波浪载荷计算和结构分析都是基于线性理论。在这个条件下,波浪若是一个平稳的随机过程,经过变换得到的应力响应也是一个平稳的随机过程。由随机过程理论,上述两个平稳随机过程的功率谱密度之间有下列关系:

$$G_{XX}(\omega) = |H(\omega)|^2 G_{\eta\eta}(\omega) \tag{9.3.7}$$

式中　$H(\omega)$——线性动力系统的传递函数或频率响应函数,称为响应幅值算子（RAO）。

传递函数 $H(\omega)$ 的物理意义是,它是在线性动力系统做圆频率为 $\omega$ 的简单谐振时,响应过程的振幅与输入过程的振幅之比。当输入过程为波浪,响应过程为应力时,传递函数就是结构在圆频率为 $\infty$ 的规则余弦波作用下,应力幅值与波幅之比。由于经线性系统变换得到的结构内的应力过程也是平稳的,由式(9.3.7)得到功率谱密度后,它的统计特性就完全确定了。

半潜式平台谱分析方法的实施通常可以分为以下四个部分。

(1)波浪外力分析；

(2)波浪载荷作用下的空间钢架计算；

(3)响应函数计算；

(4)短期与长期统计预报。

由于海洋石油钻井用的半潜式平台结构的整体刚性都比较大,所以在计算中可以不必一开始就把平台作为弹性体看待。就是说,在进行波浪中的运动响应分析、计算波浪动载荷时,假定平台的整体结构是刚体,知识载荷确定以后进行结构响应分析时才把平台结构看作弹性体。

下面就上述的四部分计算内容分别叙述。

1. 波浪外力分析

应用线性叠加原理,平台在不规则波中的运动响应和受到的动力载荷,可以认为是无数不同频率的规则波中的运动响应和动力载荷分量的叠加。这是因为,假定平台的运动是微幅运动,各构件之间的流体动力干扰是可以忽略不计的。

平台的运动方程式

$$\sum_j \left[ (M_{ij} + A_{ij})\ddot{J} + (B_{ij} + D_{ij})\dot{J} + C_{ij}\ddot{J} \right]$$
$$= F_{DFI}^G + F_{FKI}^G + F_{VPI}^G (I = x,y,z,\varphi,\theta,\psi; J = x,y,z,\varphi,\theta,\psi) \tag{9.3.8}$$

式中　$M_{ij}$——平台质量及质量惯性矩；

$A_{ij}$——平台附加质量及附加质量惯性矩；

$B_{ij}$——线性兴波阻尼系数；

$D_{ij}$——黏性阻尼系数；

$C_{ij}$——静复原系数和系泊弹簧刚度之和；

$F_{DFI}^G$——平台的绕射干扰力；

$F_{FKI}^G$——平台的傅汝德—克雷洛夫力；

$F_{VPI}^G$——与水质点速度有关的平台的黏性阻尼力。

上述运动方程的解为平台重心 $G$ 的运动位移分量 $J$：

$$J = J_a \cos(\omega t + \varepsilon_{jt}) \tag{9.3.9}$$

式中　$J_a$——运动位移分量的幅值 $x_a,y_a,z_a,\varphi_a,\theta_a,\psi_a$；

$\varepsilon_{jt}$——运动位移分量 $J$ 与波浪的相位角；

$\omega$——平台运动的圆频率,也就是波浪的圆频率。

平台重心 $G$ 的运动速度分量 $\dot{J}$ 和加速度分量 $\ddot{J}$ 各为

$$\dot{J} = -\omega J_a \sin(\omega t + \varepsilon_{jt}) \tag{9.3.10}$$

$$\ddot{J} = -\omega^2 J_a \cos(\omega t + \varepsilon_{jt}) = -\omega^2 J \tag{9.3.11}$$

已知平台的运动位移、速度和加速度就可以计算出平台构件受到的波浪外力;惯性力、复原力、辐射力、傅汝德－克雷洛夫力、绕射干扰力和黏性阻力等。

这些波浪外力与波浪的圆频率 $\omega$ 和波浪的入射角 $\chi$ 有关。不同的 $\omega$ 或 $\chi$,就有不同的一组波浪外力。为了能求得波浪外力和频率 $\omega$ 及波向角 $\chi$ 的关系曲线,往往需要3~4种波向或每隔30°选取一种波向,波周期在5~30 s 之间选取15~20个。因此一种频率、一种波向就要建立一次运动方程,计算一组波浪外力。

　　2. 波浪载荷下的空间钢架计算

　　在动力分析中,半潜式平台结构几乎都理想化为空间钢架,因为需要计算的载荷工况很多,不得不在力学模型上简化以节省计算费用。钢架计算中的主要问题是确定各梁元的应力。在平台运动分析中,一种波浪频率(周期)就有相应的一组波浪外力。按照这一组波浪外力可以进行平台的钢架计算,求出各个梁元在节点或任一点上的断面力(6 个分量)。这样,有一种波浪频率,也就有一组所有梁元的断面力。所以平台结构动力分析中钢架计算的特点是计算工况非常多。

　　按照微幅波概念和力幅值与波幅值的现行关系,每根梁元的载荷 $P$ 可表示为

$$P = P_a \cos(\omega t + \varepsilon_p) \tag{9.3.12}$$

式中　$P_a$——载荷 $P$ 的幅值;

　　　$\varepsilon_p$——载荷 $P$ 与波浪的相位角。

　　式(9.3.12)的载荷可以分为两个分量

$$P = P_c \cos \omega t - P_z \sin \omega t \tag{9.3.13}$$

　　因此可以看出,所有梁元的两个载荷分量分别作用在钢架上,可得梁元任意点的断面力 $F_c$ 和 $F_z$ 分量,于是断面力 $F$ 为

$$F = F_c \cos \omega t - F_z \sin \omega t \tag{9.3.14}$$

或

$$F = F_a \cos(\omega t + \varepsilon_f) \tag{9.3.15}$$

式中断面力幅值

$$F_a = \sqrt{F_c^2 + F_z^2} \tag{9.3.16}$$

断面力相位角

$$\varepsilon_f = \tan^{-1}\left(\frac{F_z}{F_c}\right) \tag{9.3.17}$$

　　同样,按照断面力分量 $F_c$ 和 $F_z$,也可以计算出相应的应力分量 $\sigma_c$ 与 $\sigma_z$,即

$$\sigma = \sigma_c \cos \omega i - \sigma_z \sin \omega i \tag{9.3.18}$$

或

$$\sigma = \sigma_a \cos(\omega i + \varepsilon_\sigma) \tag{9.3.19}$$

式中应力幅值

$$\sigma_a = \sqrt{\sigma_c^2 + \sigma_z^2} \tag{9.3.20}$$

应力相位角

$$\varepsilon_\sigma = \tan^{-1}\left(\frac{\sigma_z}{\sigma_c}\right) \tag{9.3.21}$$

　　在平台结构响应分析中,通常计算的是轴向动应力和轴向力与弯曲力矩引起的合成动应力。

　　为了求得一个断面上最大应力幅值与频率的关系曲线,同样也需要对所选定的所有频率和波向角做重复的钢架计算工作。显而易见,如果需要计算的断面较多,计算工作量是相当可观的。

　　3. 频率响应函数计算

　　用设计谱法计算平台在不规则波中的结构应力时,假定平台是一个稳定线性系统。根

据随机过程理论,当对一个线性系统的输入是一个平稳随机过程,那么输出也是一平稳随机过程。通常假定波浪是平稳随机过程,所以可认为平台在波浪扰动力作用下的运动和引起的结构应力也是一平稳随机过程。

根据谱分析原理可知,平稳随机过程经线性系统变换之后,输出的谱密度 $S_{xx}(\omega)$ 等于输入的谱密度 $S_\zeta(\omega)$ 乘以系统的频率响应函数模的平方 $|H_{x\zeta}(\omega)|^2$,$|H_{x\zeta}(\omega)|$ 常称为响应幅值算子,而 $H_{x\zeta}(\omega)$ 为系统的频率响应函数或传递函数。

因此当平台受海浪扰动时,就平台的机构应力而言,应力幅值的谱密度 $S_{xx}(\omega)$ 应该是波幅的谱密度 $S_\zeta(\omega)$,乘上应力响应幅值算子的平方 $|H_{x\zeta}(\omega)|^2$。

$$S_{xx}(\omega) = |H_{x\zeta}(\omega)|^2 S_\zeta(\omega) \tag{9.3.22}$$

如果知道了 $S_\zeta(\omega)$ 与 $|H_{x\zeta}(\omega)|^2$ 就可求得平台的应力谱密度 $S_{xx}(\omega)$。根据如下关系可以得到应力幅值的方差 $m_{ox}$ 和相应的统计特征。

$$m_{ox} = \int_0^\infty S_{xx}(\omega)\,\mathrm{d}\omega \tag{9.3.23}$$

应力响应幅值算子可以通过规则波下的船模试验或理论计算求得。根据定义,应力响应幅值算子

$$|H_{x\zeta}(\omega)| = \frac{\sigma_a}{\zeta_a} \tag{9.3.24}$$

式中　$\zeta$——规则波的幅值;

$\sigma_a$——平台在规则中波浪载荷引起的动应力幅值。

从物理意义上看,应力响应幅值算子可以看作是单位波幅的应力幅值。

对于在规则波 $\zeta = \zeta_a \cos(K_x \cos x + K_y \sin x - \omega t)$ 中运动的平台,可以求出平台构件断面上的应力幅值 $\sigma_a$ 与频率 $\omega$ 的关系曲线。利用这个曲线,式(9.3.24)的应力响应幅值算子就很容易求得。

图9.3.4(a)所示为某半潜式平台计算模型,图9.3.4(b)为模型的水平横撑终点的轴向应力的响应幅值算子曲线。

表 9.3.1

| 项目<br>构件 | 构件厚度/mm | 直径/mm |
|---|---|---|
| 下浮体 | 12 000 | 20 |
| 立柱 | 10 000 | 20 |
| 撑材 | 1 400 | 20 |

4. 短期与长期统计预报

半潜式平台强度计算的设计谱法是一种采用预报技术估算结构的载荷极值的方法。

在特定的海况下,平台响应的峰值假定遵循雷利分布。从对大量的实船短期(通常指30 min 以内)应力记录的分析,也证明波浪应力两倍峰值的统计分布是符合雷利分布的。但对于结构设计而言,更有兴趣的是长期(通常指一年或更长)的分布预报,即用波浪应力的长期分布来预报在平台使用寿命内应力最大值的期望值。至于波浪应力的长期分布可

以看成是很多短期雷利分布的总和。

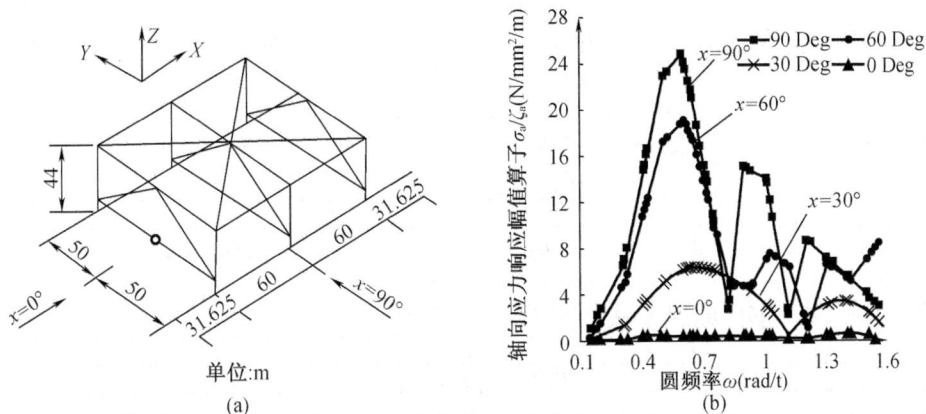

**图 9.3.4　水平横撑轴向应力响应**
(a)半潜平台计算模型;(b)水平横撑轴向应力幅值响应算子曲线

(1)短期预报

海洋工程结构响应的预报通常是在特定的单个海况中进行的,而波浪的严重程度以有义波高来表示。在短期预报中采用的波谱有几种。1964 年国际船舶结构会议(ISSC)建议如下的波谱密度公式:

$$S_\zeta(\omega) = 0.11 H_{\frac{1}{3}}^2 \omega_T^{-1} \left(\frac{\omega}{\omega_T}\right)^{-3} \exp\left[-0.44\left(\frac{\omega}{\omega_T}\right)^{-4}\right] \qquad (9.3.25)$$

式中　$S_\zeta(\omega)$——长峰波谱;

$\omega_T = \dfrac{2\pi}{T_1}$, $T_1$——表观平均波浪周期;

$H_{\frac{1}{3}}$——有义波高。

$$H_{\frac{1}{3}} = 4\sqrt{m_0} \qquad (9.3.26)$$

$$T_1 = 2\pi\left(\frac{m_0}{m_1}\right) \qquad (9.3.27)$$

$$m_0 = \int_0^\infty S_\zeta(\omega)\,\mathrm{d}\omega \qquad (9.3.28)$$

$$m_1 = \int_0^\infty \omega S_\zeta(\omega)\,\mathrm{d}\omega \qquad (9.3.29)$$

上述二因次的长峰波波谱所代表的不规则海面,如同在一个固定点所观测那样,没有指明成分波的方向,然而平台在实际海面上所遭遇的主要是短峰不规则海浪。在一个短峰海浪中,其成分波在接近于主风向两边的角度范围内朝外各个方向扩散。为了表达这样的短峰海浪的谱,假定方向谱 $S_\zeta(\omega,\phi)$ 为

$$S_\zeta(\omega,\phi) = S_\zeta(\omega)M(\phi) \qquad (9.3.30)$$

式中　$M(\phi)$——扩散函数。

按照 ISSC 建议,它的形式为

$$M(\phi) = \frac{8}{3}\pi\cos^4\phi \qquad (9.3.31)$$

式中　$\phi$——平均波向与所要求的分量谱波向之间的夹角,$\phi \leqslant \pi/2$

于是短峰波的方向波谱为

$$S_\zeta(\omega,\phi) = 0.11 H_{\frac{1}{3}}^2 \omega_T^{-1} \left(\frac{\omega}{\omega_T}\right)^{-3} \exp\left[-0.44\left(\frac{\omega}{\omega_T}\right)^{-4}\right] \cdot \frac{8}{3}\pi\cos^4\phi \quad (-\pi/2 \leqslant \phi \leqslant \pi/2)$$

$$(9.3.32)$$

以式(9.3.30)的 $S_\zeta(\omega,\phi)$ 代替式(9.3.22)的 $S_\zeta(\omega)$，而频率响应函数 $H_{x\zeta}(\omega)$ 也改为考虑平均波向 $x$ 与分量谱波向 $\phi$ 的形式 $H_{x\zeta}(\omega,x-\phi)$，于是应力幅值方差 $R_x^2$ 可写成

$$R_x^2 = \frac{8\pi}{3} \int_{-\pi/2}^{\pi/2} \int_0^\infty \cos^4\phi S_\zeta(\omega) \cdot |H_{x\zeta}(\omega,x-\phi)|^2 d\omega d\phi \tag{9.3.33}$$

前已述及，结构响应的短期概率密度符合雷利分布

$$p(a) = \frac{a}{R_x^2} \cdot \theta^{-\frac{a^2}{2R_x^2}} \tag{9.3.34}$$

式中　$a$——应力幅值。

那么应力幅值超过某一数值 $a_0$ 的概率 $q(a>a_0)$ 由下式求得

$$q(a>a_0) = \int_0^\infty p(a)\mathrm{d}a = \exp\left(-\frac{a_0^2}{2R_x^2}\right) \tag{9.3.35}$$

(2)长期预报

上述短期预报是在指定的海况下估计的，因为时间较短，平台的装载条件、海况等基本上没有变化，所以只要描述海况的参数、所选用的波谱与实际的工作海域的情况一致，短期预报的计算还是比较准确的。但长期预报要考虑在平台的使用寿命期中可能遇到的所有海况、装载情况作业状态等因素，每一种因素必须以其发生的频率进行处理，所以长期预报与短期预报有很大的不同。

这里介绍的是考虑遭遇不同海况下预估波浪应力长期分布的方法。

大家知道，平台使用中将遭遇许多不同的风浪，因此要预报平台的波浪应力的长期分布，就必须要获得代表产生不同程度风浪的平均波谱或者按照波浪高度 $T$ 分组的资料(称之为波浪长期出现频度或波浪散布图)。因为可以把长期分布看作为很多的短期雷利分布的总合，而在每一个短期分布中，波浪应力的变化取决于按雷利分布密度函数，可用下式表示：

$$f(a_0,\chi) = q(a>a_0)p(H,T) \tag{9.3.36}$$

式中　$p(H,T)$——该海域的波浪长期出现概率密度；

　　　$q(a>a_0)$——短期累积概率。

因此平台波浪应力幅值超过某一数值 $a_0$ 的长期累积概率

$$F(a_0,\chi) = \int_0^\infty \int_0^\infty q(a>a_0)p(H,T)\mathrm{d}H\mathrm{d}T \tag{9.3.37}$$

将式(9.3.35)代入式(9.3.37)得

$$F(a_0,\chi) = \int_0^\infty \int_0^\infty p(H,T)\exp\left\{-\frac{a_0^2}{2[R_x(H,T)]^2}\right\}\mathrm{d}H\mathrm{d}T \tag{9.3.38}$$

利用这一关系式可估算出达到某一概率水平的波浪应力最大值。如果以纵坐标表示应力幅值，横坐标以对数坐标表示概率水平，就可以表示波浪应力极值的长期分布曲线，图9.3.5为图9.3.4的计算模型的水平横撑中点的轴向应力长期分布。计算中选取了北大西洋波浪长期频度资料。

图9.3.5上的曲线表明对任一应力循环超出给定的应力量级的概率。这个循环超越概率可应用于设计应力的确定和疲劳分析。例如,$10^{-8}$的超越概率就意味着在应力$10^8$循环中有一个循环可能会超过所对应的应力值,按照图中下面的横轴的比例尺,就表示波浪应力在$10^8$次循环中有一次超过对应应力值,这就相当于平台使用20年间将有一次应力超过240 kN/$mm^2$。

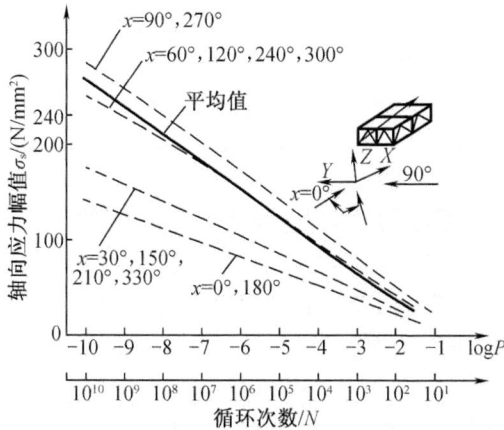

**图9.3.5  水平横撑中点轴向应力的长期分布**

### 9.3.3  半潜式平台主体结构强度评估方法

在设计波参数确定以后,就可以采用三维水动力理论计算半潜式平台在该设计波中的运动和载荷,进而采用准静态方法对平台整体结构进行有限元分析和强度评估。

1. 结构分析模型和载荷施加

各船级社都对半潜式平台结构总强度分析方法做了要求。ABS船级社规范规定,半潜式平台结构总强度评估用于考核平台沉垫、立柱和撑杆等结构的屈服强度,必须采用有限元方法进行分析。有限元分析模型中,对于外板、甲板板和舱壁等主要承载结构可以采用粗网格的壳单元,主要结构连接区域(应力敏感区)要采用较细网格的壳单元,所有的第二类承载构件(如扶强材和桁材)可以采用梁单元。水动压力、静水压力以及惯性加速度要施加到整体有限元模型上,并确保有限元模型的平衡,计算得到的沉垫、上甲板、立柱和撑杆等结构的总应力用于屈服强度校核。

2. 位移边界条件

为了避免结构模型发生刚体位移,必须在模型中施加一定的位移边界条件。根据实际情况,位移边界条件可以是弹性固定或刚性固定。通常在结构强度较大并且远离结构强度评估区域选取3个不共线的节点,每个节点施加如下的位移边界条件。

节点1:限制$X$、$Y$、$Z$三个方向的位移;

节点2:限制$Y$、$Z$两个方向的位移;

节点3:限制$Z$方向的位移。

3. 应力衡准

屈服应力和等效应力的安全因子选取标准见表9.3.2和表9.3.3。

**表9.3.2 屈服应力安全因子**

| 工况 | 静水工况 | 波浪组合工况 |
|---|---|---|
| 轴向拉伸、弯曲 | 1.67 | 1.25 |
| 剪切 | 2.50 | 1.88 |

**表9.3.3 等效应力安全因子**

| 工况 | 静水工况 | 波浪组合工况 |
|---|---|---|
| 等效应力 | 1.43 | 1.11 |

4.半潜式平台波浪载荷预报与结构强度评估常用分析软件

目前,半潜式平台波浪载荷预报一般采用三维线性频域水动力理论。基于该理论的商业软件有美国麻省理工学院开发的 WAMIT、DNV 船级社开发的 SESAM/WADAM、BV 船级社开发的 HydroStar 等。对于结构有限元分析,可以选用的商业软件也比较多,如 MSC 公司的 MSC/NASTRAN、ANASYS 公司的 ANASYS,以及 ABAQUS 软件等。各个船级社也相应开发了自己的有限元分析程序,如 DNV 船级社的 SESAM/SESTRA 等。在用设计波方法对半潜式平台进行波浪载荷预报和结构强度评估时,需要将平台湿表面的水动压力、液舱载荷以及惯性载荷施加到有限元模型上,并且要确保模型的静力和动力平衡。如果完全靠手工加载,工作量将异常繁重,而且容易出错。因而,能够实现波浪载荷计算结果的自动加载是非常重要的。值得庆幸的是,DNV 船级社在这方面做了许多卓有成效的工作,其 SESAM 软件包可以将波浪载荷预报和结构有限元分析无缝地衔接起来,从而大大减少工作量。

### 9.3.4 分析实例

为了进一步研究半潜式平台波浪载荷预报与结构强度评估的方法和规律,并指导平台结构设计,对某半潜式钻井平台在各典型波浪工况下的载荷进行了计算,在确定设计波参数之后,进一步对平台整体结构进行了有限元分析与强度校核。波浪载荷预报和强度评估是按照 ABS 规范的要求进行的,采用的计算软件为 DNV 船级社开发的 SESAM 软件包。

1.目标平台主尺度

该深水半潜式钻井平台为钢质全焊接结构,包括 2 个沉垫、4 根圆角方立柱、1 个箱形封闭式上平台、2 根水平撑杆及上层建筑和直升机平台。目标平台的主尺度参数见表9.3.4。

**表9.3.4 目标平台主尺度参数**

| | | | |
|---|---|---|---|
| 沉垫 | 106.05 m×18 m×9 m | 沉垫间距 | 63.75 m |
| 横撑 | 48.75 m×3.75 m×2.25 m | 立柱(圆角半径) | 15×15(2.5) m |
| 立柱纵向间距 | 63.75 m | 立柱横向间距 | 63.75 m |
| 中间甲板/下甲板 | 78.75 m×78.75 m | 主甲板 | 78.75 m×78.75 m |
| 主甲板距基线 | 49.5 m | 中央月池开口 | 43 m×9 m |
| 作业吃水/排水量 | 24 m/46.865 t | 生存吃水/排水量 | 18 m/41.482 t |
| 拖航吃水/排水量 | 8.5 m/31 109 t | 最大作业水深 | 3 000 m |

**2. 目标平台波浪载荷预报**

鉴于半潜式平台在生存装载工况时将会遭受百年一遇的极限波浪载荷,对平台结构强度的要求最大,因而这里针对平台生存装载工况下的各典型波浪工况进行波浪载荷计算和设计波参数搜索。对于其他装载工况,可采用类似的方法。设计波参数计算采用确定性方法,极限规则波波陡按 ABS 船级社规范取为 1/10。

**3. 三维水动力模型**

采用 SESAM/PatranPre,根据平台型线建立三维湿表面模型。三维湿表面模型划分到立柱顶端,共 11 024 块面元。此外,对于横撑类小构件建立莫里森模型,采用莫里森方程计算波浪载荷。三维湿表面模型和莫里森模型如图 9.3.6 所示。对应于目标平台生存装载工况,采用 SESAM/PREFEM 建立了相应的质量模型。质量模型确保与实际平台的总重、重心位置和惯性半径一致。

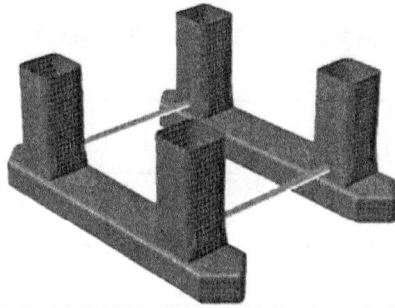

**图 9.3.6　目标平台三维湿表面模型和莫里森模型**

**4. 临界阻尼修正**

通过对目标平台水池模型试验数据结果的分析,确定目标平台的垂荡临界阻尼为 6%。修正后目标平台垂荡、横摇和纵摇传递函数理论计算与模型试验结果的对比如图 9.3.7 ~ 图 9.3.9 所示。

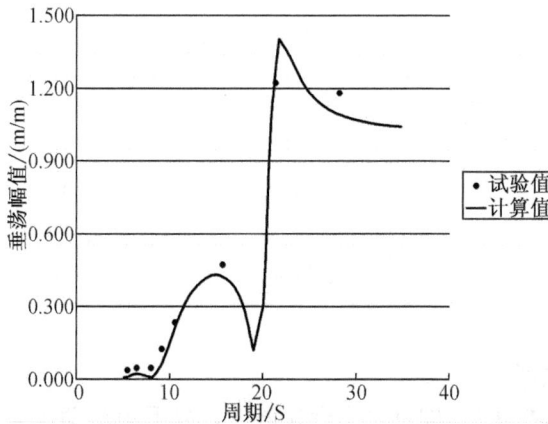

**图 9.3.7　目标平台垂荡传递函数**

**5. 设计波参数计算**

分别对目标平台的水平分离力、扭矩、纵向剪力和垂向弯矩的传递函数进行了预报,并根据按极限波陡 1/10 算得的波幅进一步计算了相应的响应载荷,进而确定了各典型波浪工况的设计波参数,见表9.3.5。

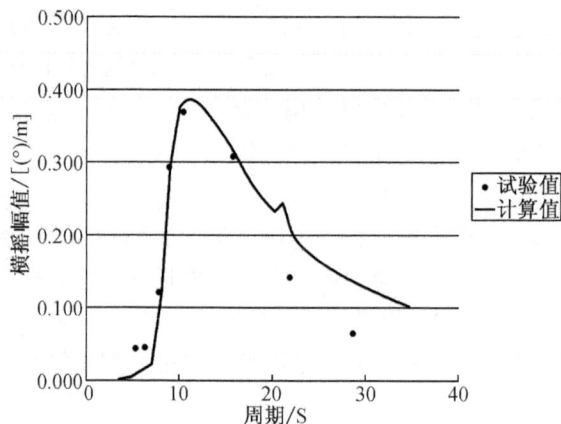

图9.3.8　目标平台横摇传递函数

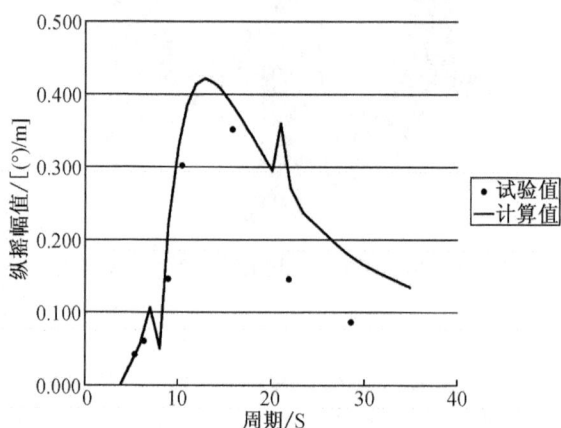

图9.3.9　目标平台纵摇传递函数

表9.3.5　设计波参数

| 典型波浪工况 | 波浪周期/s | 浪向/(°) | 波幅/m | 相位/(°) |
|---|---|---|---|---|
| 横向分离力 | 10.5 | 90 | 8.61 | 341.82 |
| 扭矩 | 9.5 | 135 | 7.05 | 172.85 |
| 纵向剪力 | 11.5 | 135 | 10.32 | 176.33 |
| 垂向弯矩 | 10 | 180 | 7.81 | 158.94 |

6. 目标平台结构强度评估

在确定了设计波参数之后,即可将平台在该设计波下的水动压力和惯性加速度施加到平台结构有限元模型上,进行平台结构总强度的计算与评估。

采用 SESAM/PatranPre 建立了目标平台结构的空间板梁组合力学模型,其中节点总数为 173 508 个,单元总数为 407 214 个,如图 9.3.10 所示。

**图 9.3.10 目标平台整体有限元模型**

由于有限元模型的简化所引起的模型重量和平台结构实际重量的差别通过调整材料密度来修正。设备和钻井材料等重量以质量单元的形式加在有限元模型中相应的位置上。货油和压载水载荷通过在有限元模型中定义液舱的形式实现,SESAM 程序可以自动将该液舱内液体的静载荷和由于运动引起的惯性载荷加在有限元模型上。对于水动压力载荷,SESAM 程序可以从三维水动力模型中读取数据自动施加到有限元模型上。并且,还将施加平台 6 个自由度的惯性加速度,以保证有限元模型的平衡。

在上甲板纵桁与横梁相交区域选取 3 个不共线的节点,每个节点按照前面介绍的规则施加位移约束。

目标平台主体结构(沉垫、立柱、上甲板和横撑)采用 HS36 高强度钢,其屈服极限为 355 MPa,由应力衡准的计算式(9.4.1)和表 9.3.3 可以得到 Von Mises 应力的许用应力见表 9.3.6。

**表 9.3.6 Von Mises 应力许用应力**

| 工况 | 静水工况/MPa | 波浪组合工况/MPa |
| --- | --- | --- |
| Von Mises 应力 | 248 | 320 |

采用 SESAM/SESTRA 对目标平台主体结构进行了有限元分析。计算结果显示,平台主体结构应力分布较为均匀,结构设计合理,平台主体结构基本能够满足强度要求。然而,在最大纵向剪切状态下,横撑与立柱连接肘板处应力水平较高,稍稍超出许用应力标准,需要对结构适当加强,并进一步作精细网格有限元分析和疲劳寿命分析。

图 9.3.11 给出了目标平台结构各部位壳单元 Von Mises 应力在不同工况下的变化曲线,其中工况序号 1~5 分别代表静水工况、最大横向受力状态、最大扭转状态、最大纵向剪切状态和最大垂向弯曲状态。

### 9.3.5 疲劳评估

疲劳评估的直接计算法是相对于其简化方法而言的,这类方法是直接由波浪载荷计算程序得到疲劳载荷,由于直接计算法大多通过有限元分析得到结构的应力响应,所以这类方法能够更好地反映结构的细节。在实际应用中,直接计算法可以有多种形式,通常主要包括基于谱分析的方法和设计波方法。

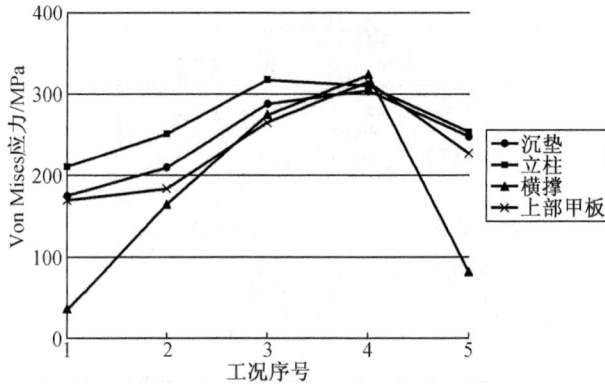

**图 9.3.11　目标平台各部位壳单元 Von Mises 应力随工况变化曲线**

1. 疲劳评估的设计谱方法

疲劳评估谱分析方法的主要思想和基本内容是：

（1）应力范围的长期分布采用分段连续型模型，其中每个连续模型对应于一个航行工况，即短期分布。

（2）船舶在波浪中的运动响应及载荷响应按线性理论得到。对于每个短期分布，应力范围采用 Rayleigh 分布，其中的统计参数用谱分析方法得到。

（3）主要通过结构有限元分析计算应力响应。

（4）寿命期的疲劳损伤是各短期疲劳损伤的组合。

2. 疲劳评估的设计波方法

目前一般认为基于谱分析的疲劳评估直接计算法是比较精确的方法，但是实践表明，基于谱分析的直接计算法，在计算应力响应时，需要对波浪谱有效波浪频率范围的多个规则波和多个浪向角分别进行计算，因而计算工作量相当大，给实际应用带来很大的不便。鉴于谱分析法存在计算工作量大的问题，设计波法是值得考虑的方法。这种方法将简化方法中采用的 Weibull 分布作为长期分布，其形状参数按近似公式或按谱分析结果拟合得到，尺度参数由一个确定的规则波（包括波高和周期）中的船体结构应力响应得到。所确定的规则波中的结构应力响应可采用有限元分析技术，因此设计波法的优点在于，能够反映结构的细节，计算工作量又相对较小。设计波方法的内容一般包括以下几个方面。

（1）设计响应的确定

选择设计波首先主要是判断引起疲劳损伤的设计响应。设计响应一般可分为两类，一类是载荷响应，一类是运动响应。在实际应用中，设计响应可以取为载荷响应中的垂向弯矩、水平弯矩、扭矩以及海水动压力等，也可以取为运动响应中的横向加速度、垂向加速度、海水动压力等。对于不同部位的不同构件，其设计响应的选择也会有所不同，如对于甲板结构，往往以垂向弯矩或水平弯矩作为设计载荷，而对于外底的纵骨而言，往往会选择海水动压力作为设计响应。

（2）波长和波高的选择

在选择波长的时候，一般是先选择出设计载荷响应幅算子最大值所对应的圆频率，然后根据圆频率与波长的关系，得到设计波的波长。另外一种选择波长的方法，即在海浪散布图中求出平均跨零周期 $T_z$ 的概率分布，选择出现概率最大的 $T_z$，然后将 $T_z$ 转换成峰值周期,使用峰值周期计算出相应的波长。对于波高的选择一般是用某一概率水平下设计载荷的长期值除以设计载荷响应幅算子的最大值得到。

(3)选择浪向

在选择浪向的时候,一般是将设计载荷响应幅算子最大值所对应的浪向作为设计波的浪向。有多种方法,其中一种是计算每个浪向下的响应幅算子 RAO,然后用响应幅算子乘以浪向出现的概率,最大值所对应的浪向即为设计波的浪向。第二种方法是基于短期分布的,计算每一浪向下的均方根,然后乘以 $LnN$($N$ 是某一周期内遭遇的波浪数),之后再乘以浪向出现的概率,最大值所对应的浪向即为设计波的浪向。

(4)应力的长期分布

应力响应的长期分布用 Weibull 分布处理,应力计算一般按照实部虚部的方法进行。在水线附近压力的非线性影响亦可以考虑计入。

结构疲劳评估的设计波法的应力是用有限元分析得到的,应力计算要较简化方法更为合理。另外与谱分析法相比,工作量大为降低,这些都是他的优点。但是设计波的缺点也是显而易见的,设计波的选择可能会因为不同人的主观判断的不同而引起巨大的差异。更重要的是,疲劳评估的设计波法并没有直接的理论依据,只是一种工程上的处理方法。

## 9.4　深水半潜式钻井平台的设计

### 9.4.1　半潜式钻井平台的关键性能

深水半潜式钻井平台有许多关键性能,其中一部分是必须在概念设计阶段认真考虑并加以把握的。这些性能指标在平台概念设计方案确定后,就大致确定下来了。在后续的设计过程中,这些关键性能指标,仅能小范围地调整,要进行较大幅度的修改是十分困难的。如果必须修改,由此带来的人力物力消耗是比较大的。因此,在概念设计阶段把握住关键性能,对提高设计效率,节约设计成本,都是十分重要的。

深水半潜式钻井平台的关键性能指标主要包括以下几点。

(1)垂荡运动性能;

(2)横摇运动性能;

(3)气隙性能;

(4)稳性;

(5)定位性能;

(6)结构性能;

(7)可变载荷性能;

(8)系泊系统安全性能;

(9)平台建造成本。

在概念设计阶段,钻井平台主尺度的调整变化直接影响平台这些性能指标。因此,概念设计阶段是决定平台这些性能的关键阶段,也是调整性能,获得最佳设计参数组合的理想阶段。

(1)垂荡运动性能

垂荡运动性能是作业者最关心的钻井平台性能之一,深水钻井作业要求钻井平台的垂荡运动幅度越小越好。钻井作业时,钻井平台的垂荡运动要由钻井绞车来补偿,方能安全顺利地作业。

目前,先进的深水钻井平台都配备有主动补偿绞车(Active Heave Draw Work,AHD)。该项技术是浮式钻井装置钻机的一项重要革新,除了具有传统绞车的提升功能外,还具有主动补偿浮式钻井装置的垂荡运动对钻柱影响的功能。但是,该项设备也有一定的使用限制,一般要求钻井平台在钻井作业时,平台的垂荡运动幅度不要超过 2 m。

(2)横摇运动性能

横摇运动性能是作业者关心的另一个性能。钻井平台横摇运动幅度过大,不利于隔水管的下放作业以及平台上许多设备的正常运转。当钻井平台的横摇运动幅度过大时,平台上的多数设备工作效率会大打折扣,人员也会感觉到不舒服,影响工作效率和安全作业。此外,钻井平台横摇运动幅度过大,还会影响直升机起降等相关作业的顺利进行。

(3)气隙性能

气隙性能是作业者关心的又一个性能。气隙是波面与钻井平台下甲板之间的距离。如果钻井平台的气隙性能不佳,会产生波浪砰击下甲板的状况。这种波浪砰击现象会导致下甲板结构承受相当大的载荷,对平台结构安全产生不小的隐患。同时,波浪砰击现象,也对在钻井平台上作业的工作人员的安全产生威胁。所以,钻井平台的设计中,对气隙性能有一定的要求。

(4)稳性

稳性是半潜式钻井平台概念设计中必须仔细考虑的关键性能之一。由于平台甲板高度比较大,而且甲板上设置有高达几十米的钻井架,重量大、重心高。此外,箱型甲板内布置有大量的管柱和钻井器材,以及若干储存物品等。这些因素导致半潜式钻井平台的重心会相对较高,如果稳性控制不当,将严重影响正常的生产作业和平台安全。所以,在半潜式钻井平台的概念设计阶段,就必须充分考虑其稳性性能,确保有较理想的稳性安全系数。

(5)定位性能

在深水条件下进行钻井作业的半潜式平台,一般都采用锚泊定位、动力定位或动力定位加锚泊定位的组合定位方式。锚泊定位方式在水深不大的情况下使用比较合适,以平台水平位移来衡量锚泊定位系统的定位性能。动力定位的优点是投入作业快,无须锚泊定位时间,同时定位效果也比较理想,适合于钻井作业。目前,先进的半潜式钻井平台动力定位都采用吊舱推进器。但是,平台动力定位设备的功率与平台在一定环境条件下所承受的环境外力密切相关。这里的环境外力(工业界俗称"环境阻尼")包括风力、流力和波浪慢漂力。半潜式钻井平台的主尺度决定着这些外力的大小,同时也决定了平台动力定位设备的选型。合理的设备选型,既能保证足够的功率,具备在一定环境条件下保持良好定位效果的能力,又能合理节省设备成本。所以,准确估算半潜式钻井平台所承受的环境外力,是保证平台动力定位性能的关键技术之一。

(6)结构性能

在概念设计阶段,虽然无法获得具体的钻井平台详细结构设计方案,但是可以获得大致的平台主要结构设计方案。利用这些结构设计方案,可以初步估算平台的总体结构强度。

作用在半潜式钻井平台上的波浪诱导载荷,与作用在普通船体上的波浪诱导载荷有所不同。由于半潜式钻井平台的结构形式特殊,在波浪中的载荷与平台的装载工况、波浪的波高、周期和相位以及浪向角都有密切的关系。所以,采用设计波法在进行平台整体强度估算时,需要对平台的多个受力状态进行分析。

根据工程实践和规范的要求,半潜式平台的典型波浪工况通常包括以下几种状态。

①最大横向受力状态;

②最大扭转状态;

③最大纵向剪切状态;

④最大垂向弯曲状态。

平台主尺度的变化,都会影响这些波浪工况下平台所承受的波浪诱导载荷。

(7)可变载荷性能和系泊系统安全性能

半潜式钻井平台的可变载荷性能直接关系到钻井作业效率和成本,是业主十分关心的性能指标之一。平台主尺度的变化直接影响着平台排水量的变化,也影响了平台的可变载荷性能。平台的可变载荷与平台主尺度有一定的关系,通过主尺度的研究,可以近似推算平台可变载荷大小,在概念设计阶段把握好平台的可变载荷性能。系泊系统安全性能一般要求半潜式平台在系泊定位情况下,能够承受住百年一遇海况环境载荷的作用,而不发生锚链断裂的情况。

(8)平台建造成本

影响平台建造成本的因素十分多,包括钻井作业设备、生产设备、平台主体钢材、系泊定位设备、运输和安装等多个因素。大都由船东、船厂、设计单位和供应商通过商务谈判的方式决定平台上产品的选择和具体成本,因此研究中将其作为固定参数看待。与平台主尺度相关的建造成本主要是平台主体钢材的成本。

### 9.4.2　半潜式钻井平台性能分析方法

在半潜式钻井平台概念设计过程中,针对平台的性能分析内容,可以采用的分析方法主要有以下几种。

(1)规范分析法;

(2)简化公式法;

(3)数值分析法;

(4)模型试验法。

首先,规范分析法是我国船舶与海洋结构物设计单位所使用的最主要的分析设计工具之一。目前,针对半潜式钻井平台,多家船级社都出版了各自的设计规范,这其中应用较广、也为业内大多数学者所认可的是美国船级社 ABS 出版的《Mobile Offshore Drilling Unit》规范。

其次,简化计算公式是人们根据多年的研究经验总结出来的易于快速计算获得分析结果的方法。虽然计算精度不及数值分析和模型试验方法,但是依靠其计算成本低的特点,该方法依然是多学科设计优化技术的关键学科分析方法之一。在设计优化技术中,迭代计算是重要的一个步骤,因此需要进行大量重复的分析工作,这是目前数值分析方法和模型试验方法所难以完成的工作,必须依靠简化计算方法。

再次,在计算机技术突飞猛进发展之后,数值分析方法逐渐成为性能分析的重要手段之一。与模型试验技术相比,数值分析方法的成本还是相对较低的。在半潜式钻井平台概念设计中,数值分析方法可以应用到水动力性能分析、稳性分析和结构性能分析中。目前,在海洋工程界,较为成熟的数值分析软件有挪威船级社开发的 SESAM。SESAM 软件已经为国内多家设计研究单位所拥有。SESAM 软件有多个功能强大的模块,可以针对海洋工程结构物的多个不同性能分别进行分析。

模型试验方法是船舶与海洋工程结构物设计中的重要分析技术之一。由于船舶与海洋工程结构物的水动力性能中,还有许多科研人员尚未掌握的现象和难点,目前还无法依靠数值分析技术或其他分析技术准确把握。因此,模型试验技术是新型海洋工程结构物设计中不可缺少的手段之一。在半潜式钻井平台设计研究中,模型试验包括水池模型试验和风洞试验等。水池模型试验可以获得较为准确的平台主要水动力性能参数,风洞试验可以获得较为准确的平台风载荷参数。但是,模型试验成本高、耗时长,在半潜式钻井平台概念设计阶段不可能开展过多的模型试验。

### 9.4.3 半潜式平台结构的规范设计准则

半潜式平台的设计需要考虑以下方面。

(1)重量和重心;

(2)静水压力;

(3)结构完整性和损伤程度;

(4)风力;

(5)流力;

(6)压载系统性能;

(7)运动性能;

(8)整体强度;

(9)疲劳。

美国船级社 ABS 出版的《Mobile Offshore Drilling Unit》规范对移动式钻井平台的设计与分析做出了详细指导,其中就包括对立柱稳定式平台设计的建议。

1. 结构分析

对关键工况中的主要构件进行分析并确定其合成应力。为了确定关键的工况,需要对众多典型的工况进行筛选,并使用公认的计算方法对关键的工况进行分析。确定每个考虑的载荷工况中的下述应力,这些应力不允许超过要求的许用应力:

(1)静平衡(仅静态载荷)时的应力。静态载荷包括作业重力载荷、结构重量、静水浮力。

(2)组合载荷应力,其中包括上述的静态载荷和相关的环境载荷,包括加速度和倾斜力。

局部应力应该与总应力叠加确定总的应力水平。构件尺寸的设计应基于认可的标准,这些标准对作用在构件上的各种应力分量给出建议,同时应考虑结构构件屈曲的可能性。

确定弯曲应力时计算有效的面板面积。用来支撑横梁和骨材的桁材、肋板等构件剖面模数的计算基于规范中带板有效宽度的算法。带板的有效宽度在构件两侧不超过构件间距的一半,或者是 33% 的未支撑跨距,选择两者之间的小者。对于布置在舱口附近的桁材,有效宽度取为构件间距的一半或 16.5% 的未支撑跨距,两者之间选取小者。横梁和骨材的剖面模数由骨材及其附着的间距范围内的板来确定。有些时候,当处理偏心轴向载荷的影响时,偏心导致的弯矩应与其他载荷产生的弯矩叠加。

当计算结构构件的剪切应力时,仅构件的腹板的面积作为有效剪切面积。在这种情况下,构件的总高度可以作为腹板的高度。切口、应力升高和局部应力集中应在承载构件中考虑。当某些构件发生高度的应力集中时,可接受的应力水平需要特殊考虑。

除非结构构件间明确制订采用铰接方式,结构分析时要考虑合适的自由度约束。结构的连接应保证构件间应力的过渡,使应力集中最小。此外,还需考虑因循环载荷作用引起结构主要构件产生的疲劳损伤。疲劳分析的类型取决于失效模型和考虑的作业区域。通常可以根据相关的理论选择合适的载荷谱进行疲劳分析,但计算的疲劳寿命不应小于 20 年。

单个应力分量的直接组合不超过许用应力 $F$,由下式给出:

$$F = F_y/F.S. \qquad (9.4.1)$$

式中　$F_y$——屈服应力或屈服强度;

　　　$F.S.$——安全系数。静载荷:轴向或弯曲应力取 1.67;剪应力取 2.50;联合载荷:轴向和弯曲应力取 1.25;剪应力取 1.88。

对于承受压缩、剪切及其组合的构件,压缩或剪切应力不应超过相应的许用应力 $F$,由下式给出。

$$F = F_{cr}/F.S. \qquad (9.4.2)$$

式中　$F_{cr}$——构件的临界压缩或剪切屈曲应力,与结构的几何尺寸、边界条件、载荷形式、材料等有关;

　　　$F.S.$——安全系数。静载荷取 1.67,动载荷取 1.25。

当受压的柱体结构整体失稳时,临界屈曲应力通过如下方程得到:

$$
\begin{aligned}
F_{cr} &= F_y - (F_y^2/4\pi^2 E)(Kl/r)^2 \quad &\text{当 } Kl/r < \sqrt{2\pi^2 E/F_y} \\
F_{cr} &= \pi^2 E/(Kl/r)^2 \quad &\text{当 } Kl/r \geqslant \sqrt{2\pi^2 E/F_y}
\end{aligned}
\qquad (9.4.3)
$$

式中　$F_{cr}$——总体屈曲应力;

　　　$F_y$——屈服应力或屈服强度;

　　　$E$——杨氏模量;

　　　$l$——立柱无加筋的长度;

　　　$K$——考虑加筋时的有效长度系数,不应小于 1.0。

柱体总体失稳的安全系数如下。

静载荷时:

$$
\begin{aligned}
F.S. &= 1.67\left[1 + 0.15\frac{Kl/r}{\sqrt{2\pi^2 E/F_y}}\right] \quad &\text{当 } Kl/r < \sqrt{2\pi^2 E/F_y} \\
F.S. &= 1.92 \quad &\text{当 } Kl/r \geqslant \sqrt{2\pi^2 E/F_y}
\end{aligned}
\qquad (9.4.4)
$$

联合载荷时:

$$
\begin{aligned}
F.S. &= 1.25\left[1 + 0.15\frac{Kl/r}{\sqrt{2\pi^2 E/F_y}}\right] \quad &\text{当 } Kl/r < \sqrt{2\pi^2 E/F_y} \\
F.S. &= 1.44 \quad &\text{当 } Kl/r \geqslant \sqrt{2\pi^2 E/F_y}
\end{aligned}
\qquad (9.4.5)
$$

受到轴向压缩或弯曲压缩的构件应当考虑局部屈曲的可能性。在非加筋或环肋加筋的柱壳结构,如果壳的比例符合如下的关系,应考虑局部屈曲的可能性。

$$D/t > E/9F_y \qquad\qquad (9.4.6)$$

式中　$D$——柱壳的平均直径；

　　　$t$——柱壳的厚度；

　　　$E$ 和 $F_y$ 的定义同上。

板结构可以根据 von Mises 等效应力的准则进行设计，等效应力不能超过 $F_y/F.S.$，定义如下：

$$\sigma_{eqv} = \sqrt{\sigma_x^2 + \sigma_y^2 - \sigma_x\sigma_y + 3\tau_{xy}^2} \qquad\qquad (9.4.7)$$

式中　$\sigma_x$——平板 $x$ 方向的平面应力；

　　　$\sigma_y$——平板 $y$ 方向的平面应力；

　　　$\tau_{xy}$——平面剪应力。

2. 半潜式钻井平台的设计

半潜式钻井平台的结构设计需要对关键区域进行特殊的考虑，如横撑结构和节点。对可能发生高度应力集中的部位进行细致的调查，评估其疲劳特性，为保证安全性，可适当降低许用应力值。考虑导缆器和绞盘等系泊系统设备的局部强度，保证其能够承受住与系泊线断裂力等效的载荷。

（1）上部结构

平台甲板板的厚度应足够厚，以使甲板能够满足总体强度和局部强度的要求。甲板梁和桁材的剖面模量不应小于按规范所给公式的计算结果。上部结构中支柱的许用载荷应不小于计算载荷。

（2）立柱与横撑

对立柱和横撑进行分析时应用柱壳结构分析的方法，考虑为保持柱壳形状和刚度而布置的加强构件。设计的立柱应能满足对静水载荷承载能力的要求，由于波浪和流载荷的叠加作用，可以对柱壳结构予以必要的局部加强，尤其在可能遭受波浪抨击、半压载舱室和易造成损伤的部位，应特别考虑采取加固措施。

（3）甲板室

对于不与上甲板构成一体的甲板室需要予以特别考虑，尤其是放置有重要机械设备的处所。应使其具有足够的强度承受可能遭遇的环境载荷（一般情况包括风力、惯性力、固定重量和平台倾斜施加的力）。此外，对于可能遭遇波浪载荷的甲板室，还需考虑波浪抨击对其产生的影响。

（4）结构余量

即使在某横撑或立柱破损而导致浮力失效时，半潜式平台总体不会发生结构的坍塌。

# 第 10 章　SPAR 海洋平台

Spar 平台又称立柱式平台或筒型平台,20 世纪 80 年代以来,由于优越的性能,Spar 平台已经广泛地应用于开发深海油气资源的开发,成为海洋油气开发的热门平台,特别是经典 Spar 平台更是被冠以"Simply Perfect for All Risers"的绰号,可见其运动性能的优越性。

## 10.1　SPAR 平台简介

在人类的海洋开发工作中,早期的 SPAR 平台不是直接作为生产系统,只是作为辅助系统来使用,被用作浮标、海洋科研站、海上通信中转站,有时作为海上装卸的仓储中心使用。1961 年,在欧洲北海海域建造了一座浮式仪器平台(Floating Instrument Platform,FLIP),主要用于海洋研究工作。20 世纪 70 年代,Royal Dutch Shell 公司在欧洲北海的中等水深海域建造了一座名为 Brent SPAR 的平台,用来储藏和装卸海上石油。

1987 年,Edward E. Horton 在柱形浮标和张力腿平台概念的基础上,提出一种新的深水采油平台,它具有钻探、钻井、完井、采油和储油等多种功能,也可设计成井口平台,与浮式生产储卸油装置(FPSO)配合使用。Horton 设计的这种 SPAR 平台特别适合深水环境作业,被公认为现代 SPAR 平台的鼻祖。

1996 年,在美国墨西哥湾水深 588 m 的 Neptune 油田成功安装了世界上第一座 SPAR 生产平台,标志着 SPAR 平台开始正式应用于海上油气生产领域。第一代 SPAR 平台主体为深吃水单圆柱结构,称为 Classic SPAR(经典式 SPAR)。

2002 年,在经典 SPAR 的基础上,美国 Kerr – McGee 石油公司提出了第二代 SPAR 平台的概念:Truss SPAR(桁架式 SPAR)。第一座 Truss SPAR 平台 Nansen 由此诞生,并应用于1 121 米水深的墨西哥湾海域,这是 SPAR 平台发展的又一个里程碑。Truss SPAR 以开放型的桁架结构来代替传统 SPAR 的下部圆柱体,减小了平台重量和涡激运动。

2004 年,Kerr – McGee 公司又提出了第三代 SPAR 平台 Cell SPAR(多柱式 SPAR)的概念,这种平台形式的主体部分由多个小圆柱组成,降低了建造难度。Kerr – McGee 公司的 Red Hawk 是目前世界上唯一的一座 Cell SPAR 平台,它于 2004 年 7 月被安装于墨西哥湾并投入运营。

根据 SPAR 平台结构形式的演变与发展,可将目前世界上所有的 SPAR 平台分为三代,按照其产生的时间先后顺序依次是:Classic SPAR、Truss SPAR 和 Cell SPAR,它们之间的区别集中在主体结构。三代不同的 SPAR 对比如图 10.1.1 所示。

截至 2014 年,全球 SPAR 平台运营 19 座,在建 2 座,退役 1 座,除 1 座名叫 Kikeh 的 Truss SPAR 在东南亚马来西亚海域外,其余全部分布在墨西哥湾海域运营,如图 10.1.2 所示。SPAR 平台的发展情况如图 10.1.3 所示。

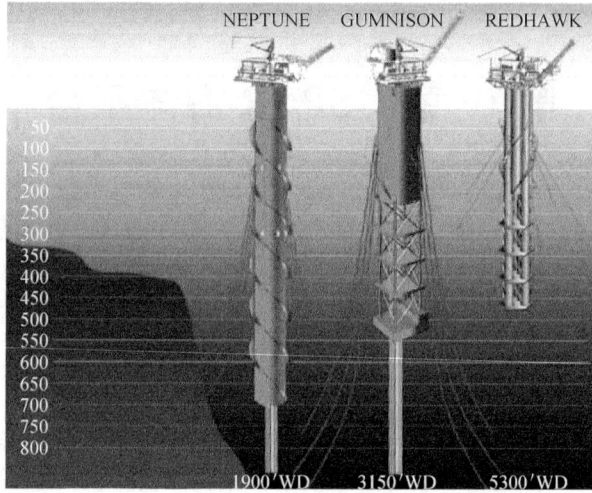

**图 10.1.1 三代不同的 SPAR 平台示意图**

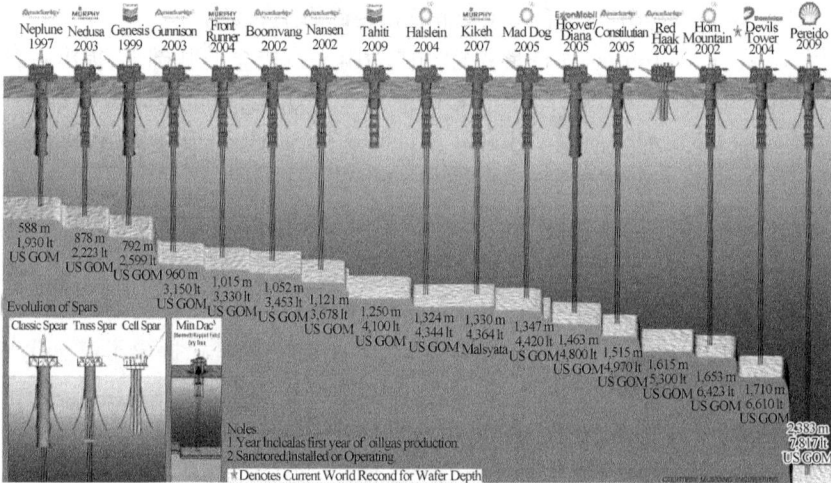

**图 10.1.2 SPAR 平台在世界范围内的应用情况**

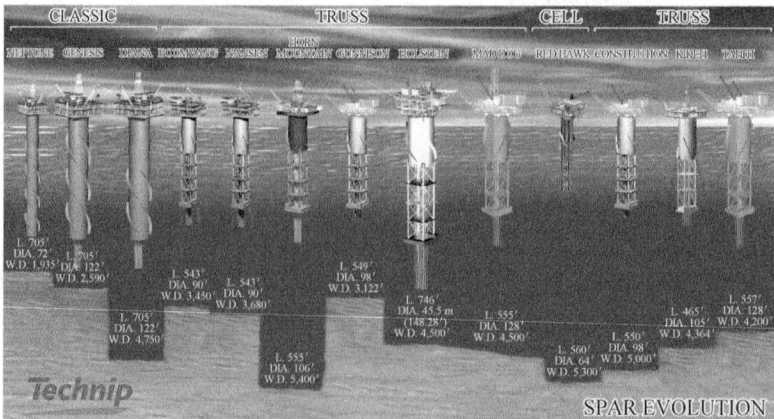

**图 10.1.3 SPAR 平台发展**

虽然三代 SPAR 平台结构形式有一些不同,但都具备以下几个特征。

(1)现代 SPAR 生产平台的主体是单圆柱体结构,竖直悬浮于水中。SPAR 平台主体有多种形式:全封闭式结构和开放式结构,但是各部分的横截面都具有相同的直径。由于主体吃水很深,平台的垂荡和纵荡运动幅度很小,这使得 SPAR 平台能够安装刚性的垂直立管系统,承担钻探、生产和油气输出工作。

(2)现代 SPAR 生产平台采用半张紧的系泊缆定位,系泊缆与平台主体的连接处位于平台重心附近,该点处的运动幅度较小,能够保证平台在钻探、完井、修井和生产过程中具备良好的稳定性。海底基础大多采用抓力锚、桩基或是吸力锚固定。

(3)平台上体位于主体的顶端,甲板上安装了全套的钻探和生产处理设施。

(4)绝大多数 SPAR 生产平台是干树平台,采油树位于水面之上的平台上体。

(5)SPAR 平台的中心处开有中央井,中央井内安装有独立的立管浮筒,这些浮筒用来支持刚性生产立管,生产立管上部与平台上体的控井和生产处理设施相连,向下一直延伸到海底油井。

(6)SPAR 平台的油气产品有两种输出方式,既可以通过柔性输油管、钢悬链线立管(SCR)或顶部张力立管(TTR)将油气产品直接输送到海底管道系统,也可以先将石油储藏在 SPAR 平台的主体中,然后使用油轮将石油向岸上运输。

(7)SPAR 平台的主体建造采用了船舶制造的组装和设计方法,平台上体甲板的建造和安装也充分借鉴了海洋设施生产应用的实践经验。

另外,这些 SPAR 平台的功能与早期的 SPAR 辅助仪器平台相比有了很大的扩展,其主要功能大致可以分为五方面。目前已投入使用的 SPAR 平台,都具有以下这五大功能中的一项或数项功能的综合。这五种功能是:钻探作业;修井和完井作业;采油生产作业;与FPSO 系统配合,作为井口平台使用;作为石油储藏和装卸中心使用。

## 10.2　SPAR 平台结构特点

目前投入生产的 SPAR 平台主要由四个系统组成:平台上体、平台主体、系泊系统和立管系统。

### 10.2.1　平台上体

SPAR 平台的平台上体也称为上部模块、顶部甲板模块。平台上体是平台生产和生活的中心,一般为二层或三层甲板的一个多层桁架结构,用于进行钻探、油井维修、产品处理或其他组合作业。生产钻探甲板及中间甲板用来支撑钻探和生产设备,井口布置在中部。甲板上一般设有油气处理设备、生活区、直升机甲板以及公共设施等。根据作业要求,也可以在顶层甲板上安装重型或轻型钻塔以完成平台的钻探、完井和修井作业。各层甲板之间采用立柱和斜撑结构连接固定。SPAR 平台的甲板布置以及整个平台上体与平台主体之间的固定方式,与传统的导管架平台类似。为消除甲板上浪对生产活动的不良影响,目前已投入使用的 SPAR 平台的整体干舷(顶部模块的底层甲板到静水线面的距离)一般都在20 m 以上。

### 10.2.2 平台主体

SPAR 平台的主体是一个在水中垂直悬浮的圆柱体，整体直径较大，一般在 20～40 m 之间，主体吃水在 100 m 以上，重心位于水线面以下很深的位置。庞大的主体内部采用垂直隔水舱壁和水平甲板分隔成多层多舱结构，并具有各自功能。平台主体主要由硬舱(Hard Tanks)、中段(Midsection)、软舱(Soft Tanks)三个部分构成。

#### 1. 硬舱

SPAR 平台主体从主体顶甲板至可变压载舱底部之间的部分称为硬舱。硬舱位于主体的上部，是整个 SPAR 平台系统的主要浮力来源。这一部分中的舱室分为固定浮舱和可变压载舱两部分。

固定浮舱位于硬舱上部，使用防水板分隔成多个小舱室，用以提高主体的抗沉性。固定浮舱中充满了空气，产生的浮力能够支持主体本身、平台上体模块、各种设施和附件、压载物的重量和系泊力的垂直分力。

可变压载舱位于硬舱的最下部，底部有开口，压载物为海水。一方面它能起到辅助压载的作用，能为整个 SPAR 平台系统提供稳定性；另一方面，可变压载舱还能够调节平台的压载量，可以根据实际需要，灵活地调整 SPAR 平台的吃水和浮力。可变压载舱中装有压缩空气传输管道，当向其冲入空气时，压载海水从底部开口中排出，使 SPAR 平台吃水减少、浮力增加；当从舱中排出空气时，海水就从底部开口进入舱内，增加平台的压载。

在 SPAR 平台主体与水线面的交界处，有舷梯连接平台上体，用于运送给养、设备和人员的小型船舶挂靠停泊。在靠近水线面处的浮舱外层还布置有双层防水壁结构，在平台发生撞击损坏时能够起到保护的作用。

#### 2. 中段

SPAR 平台主体从可变压载舱底部至临时浮舱顶甲板之间的部分称为中段。中段的功能是刚性连接 SPAR 平台主体的硬舱和软舱，并且保护中央井中的立管系统不受海流力的影响。Classic SPAR 的中段是封闭式圆柱体结构，而 Truss SPAR 和 Cell SPAR 的中段是开放式桁架结构。对于 Classic SPAR 来说，中段部分最主要的两个结构是外壳体和内壳体。外壳体位于平台主体的最外侧，负责保护主体内的舱室；内壳体则围成了中空的中央井结构，在内外壳体之间形成一个环状横截面的大舱室，贯穿整个中段部分，这就是 SPAR 平台的储油舱，当工作区域缺乏海底管道系统时，SPAR 平台可以先将生产出来的石油暂时存放在这个储油舱里，然后再用油轮进行转运。另外，SPAR 平台的系泊缆与平台主体的连接点也位于中段，在中段的主体外壳外侧装有定滑轮结构的导缆器。

#### 3. 软舱

SPAR 平台主体中段以下部分称为软舱。SPAR 平台的压载大部分由软舱提供。软舱中的舱室可以分为固定压载舱和临时浮舱两部分。

固定压载舱位于平台主体的最底部，整个平台系统很大部分的压载是由固定压载舱提供的。固定压载舱中充满了压载海水，也可以根据设计要求加固体压载物以提高平台的稳定性。

在固定压载舱上部还有一组临时浮舱，临时浮舱的外部设有海水门。在平时的生产过程中，临时浮舱里充满了海水，与固定压载舱一起为 SPAR 平台系统提供必要的压载。而当 SPAR 平台需要转移时，可以向其中充入压缩空气，排出压载海水，主体就由垂直悬浮状态变为水平漂浮状态,以便于拖航。当主体被拖航到安装地点时,再打开海水门向临时浮舱中放入海水,同时向上部的可变压载舱中压入空气,SPAR 平台主体在力矩的作用下自行转为垂直悬浮状态,这一过程称为 SPAR 平台主体的自行竖立(Upending)过程。

4. 螺旋形侧板

除了以上所述的三个主要部分外,在 SPAR 平台主体的外壳还装有两列侧板结构,沿整个主体的长度呈螺旋线纵向布置。螺旋形侧板能对经过平台圆柱形主体的水流起到分流作用,从而减小平台的涡激运动。实践证明,这种纵向分布的螺旋形侧板能够显著改善平台在涡流中的运动性能。

### 10.2.3　立管系统

SPAR 平台的中央井自下而上贯穿整个主体,其中充满了海水。SPAR 平台的立管系统位于中央井内,向上与平台上体的生产设备相连,向下深入海底。立管系统主要分为顶部张力立管(TTR)、钢悬链线立管(SCR)、柔性立管(FR)、塔式立管(HTR)和钻井立管(DR)等。因为 SPAR 的主体为封闭式或半封闭式结构,而且主体吃水都在百米以上,因此中央井内立管几乎不受波浪及海流的影响。立管在主体的屏障作用下不受表面波的影响,海流对其作用也大大减小,这是 SPAR 平台设计的一大优点。

SPAR 平台的立管张紧装置是一组独立的浮筒,浮筒位于中央井内,浮筒中充满了空气,它们连接在垂直立管上,以自身的浮力作为立管张力,使垂直立管始终保持张紧状态。因为浮筒与平台主体是分离的,因此立管张力不会给 SPAR 平台带来额外的负载,同时,SPAR 平台主体的垂荡运动也不会引起立管张力的突变。为了避免浮筒和主体内壳发生碰撞,在中央井内安装有浮筒的固定框架,限制立管浮筒的侧向运动。

在中央井的中部和主体底部龙骨处,安装有立管导向框架,其作用是将立管所受到的水平载荷传递给主体,并且将立管的水平运动转为垂直运动,以避免垂直立管与中央井壁发生碰撞。在中央井内,立管所受到的唯一的轴向力就来自于立管导向框架与立管之间垂直和水平摩擦力。

因为 SPAR 平台主体在底部龙骨处的运动幅度很小,对立管产生的动力载荷也很小,良好的受力条件使得 SPAR 的立管系统能采用成本相对较低的套管接头设计。由于立管的龙骨接头所处位置的特殊性,其设计上也有一些特殊的要求。首先,因为立管在主体底部龙骨处存在着较高的弯曲应力,所以龙骨接头的设计强度必须要足以承受这一应力;其次,由于立管与主体之间有一定的相对运动,因此龙骨接头还需要具备足够的耐磨损性能。

### 10.2.4　系泊系统

SPAR 平台的系泊方式与张力腿平台不同,它的设计采用了半张紧的悬链线系泊系统,下桩点在水平距离上远离平台本体,由多条系泊缆构成的缆索系统覆盖了很宽阔的区域。SPAR 平台的系泊缆索不像 TLP 平台一样具有很大预张力、始终处于完全垂直张紧的状态,而是在一定预张力作用下形成了一种半张紧半松弛的状态,因此能够在其自身重力作用下自然悬垂形成悬链线形。平台的定位力主要由各条系泊缆索的位能和平台主体的惯性力来提供。SPAR 平台的系泊系统一般分为以下四个部分:系泊缆索、导缆器、起链机和海底基础。

1. 系泊缆索

系泊缆索是整个系泊系统最主要的部分。系泊缆是半张紧的,在预张力和自身重力的作用下形成悬链线形。SPAR 平台采用了分段式系泊缆。系泊缆一般分为三段,最上段和最下段都由锚链组成,中间部分由钢缆组成。实验证明,分段式系泊缆索的定位性能优于全缆或全链式构成的系泊缆索。系泊缆最上段是船体链段,它通过主体中段外壁上的导缆器(Fairlead)与上部的起链机(Chain Jack)相连;位于系泊缆中段一般是由螺旋钢缆组成的,它是各段系泊缆内长度最大的一段,根据实际需要,可在中段加装一段比重较大的压载链,以提高系泊系统的回复刚度;海底链段位于系泊缆的最下段,海底链段的末端与海底基础相连接,在一般情况下,海底链段部分平放于海底,部分悬垂在水中,这样是为了尽量使SPAR 平台的运动不带给海底基础向上拔的力。

2. 导缆器

导缆器位于整个 SPAR 平台的重心附近,安装在平台主体中段的外壁上。将导缆器安装在这一位置的主要目的就是尽量减少系泊缆的动力载荷。另外,由于导缆器位于静水面下较深的位置,因此系泊缆索所受表面波影响较小。导缆器为定滑轮结构,是系泊缆索与平台主体的连接点。系泊缆索通过导缆器后,转为沿与主体平行的方向,一直延伸到安装在主体顶甲板的起链机上。

3. 起链机

起链机是 SPAR 平台对系泊系统进行操控的重要设备。它们位于主体顶甲板上,一般分为数组,分布在主体顶甲板边缘的各个方向上。起链机与船体链段的上端相连,负责提供给系泊缆一定的预张力,从而使 SPAR 的系泊系统处于一种半张紧状态。起链机由计算机自动控制,能够控制系泊缆的长度和预张力。即使平台处于下桩状态,也能通过起链机对锚链进行收放,而在一定范围内调整平台的定位位置,使之准确地停在海底作业井口的正上方,以便于进行钻探、完井、修井和立管对接等工作。

4. 海底基础

可供 SPAR 平台选择的海底基础种类很多,如抓力锚等都可以作为 SPAR 平台的海底基础。但是目前投入应用的 SPAR 平台,其海底基础主要有两类,一种是传统的桩基,一种是吸力式基础。

# 10.3  SPAR 平台的总体结构设计

## 10.3.1  SPAR 平台总体尺度设计原则

SPAR 平台总体尺度设计需要考虑到如下因素。

(1)平台需要支撑的上部结构重量和立管载荷;

(2)甲板的偏心情况和相应的载荷平衡条件;

(3)容纳立管及浮力筒的中心井口区面积要求;

(4)纵摇角在一年重现期环境条件下应小于5°,在百年重现期环境条件下小于10°;

(5)一年重现期环境条件下平台最大垂荡幅度为 1.2 m(4 ft),百年重现期环境条件下最大垂荡幅度为 3 m(10 ft);

(6)应考虑运输方式。

### 10.3.2　SPAR 平台总体尺度设计方法

1. 中心井口区

SPAR 平台的尺度设计除了受上部结构重量和有效载荷的影响,还取决于中心井口区的尺度。中心井口区一般是正方形,井口可以按照 $3 \times 3$, $4 \times 4$ 或 $5 \times 5$ 的方式排列,如图 10.3.1 所示,井口区通常位于中心位置。

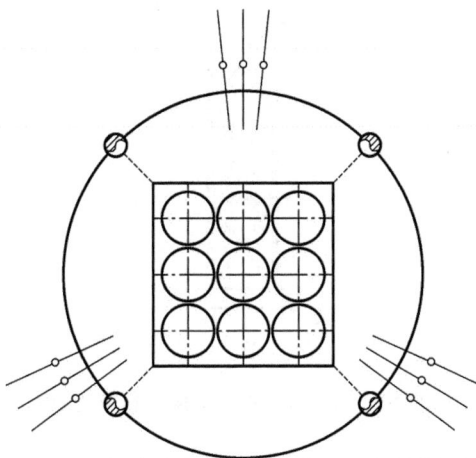

图 10.3.1　SPAR 平台中心井口区示意图

井口区的尺度通常取决于浮力罐的直径,这些浮力罐用来支撑立管站立,因而在 SPAR 平台的设计工作初期应对立管需求进行分析,并确定所需的最大张紧力,从而确定浮力罐的尺寸。目前,投入使用的 SPAR 平台的井槽间距范围是 $2.4 \sim 4.3$ m($8 \sim 14$ ft),不同水深的推荐尺寸如下。

(1)水深小于 915 m(3 000 ft)时,浮力罐直径约 3.7 m(12 ft);

(2)水深在 $915 \sim 1\,525$ m($3\,000 \sim 5\,000$ ft)时,浮力罐直径约 4 m(13 ft);

(3)水深大于 1 525 m(5 000 ft)时,浮力罐直径大于或等于 4.3 m(14 ft)。

2. 浮体

SPAR 平台浮体尺度设计参数包括:硬舱直径、硬舱高度、固定压载、吃水、导缆器标高等。

在早期设计中,一般将 SPAR 平台吃水设定为 200 m(650 ft)左右,而近期的设计中,则将吃水减少至 150 m(500 ft)左右。

SPAR 平台的建造和运输方案应当在进行尺度设计之初就确定下来。如果采用干拖运输方式,则还应在尺度设计的过程中检查平台在空船条件下是否满足装载的要求。

桁架式 SPAR 的承载重量包括空船重量、上部甲板操作重量、立管载荷、压载和系泊系统重量,如图 10.3.2 所示。

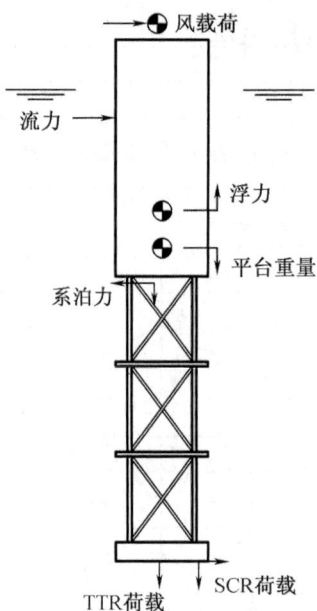

图 10.3.2 桁架式 SPAR 承载示意图

3. 尺度设计方法

SPAR 的尺度决定平台的纵摇响应和静倾角,在墨西哥湾百年一遇的飓风条件下,SPAR 的最大静倾角为 5°。其中静倾角还取决于稳态环境载荷(包括风力、流力和波浪漂移力)与系泊系统载荷所构成的力矩,用式 10.3.1 表示为

$$M_{\text{env}} = F_{\text{env}} \left( KF_{\text{env}} - KF_{\text{moor}} \right) \tag{10.3.1}$$

式中　$M_{\text{env}}$——环境载荷产生的力矩;

　　　$F_{\text{env}}$——风力、流力和波浪漂移力的总和;

　　　$KF_{\text{env}}$——浮体基线至环境载荷作用中心的距离;

　　　$KF_{\text{moor}}$——浮体基线至导缆器的距离。

上述力矩与平台浮体的回复力矩平衡,回复力矩刚度表达式为

$$K_{\text{pitch}} = GM \cdot V = \left( KB - KG + I/V \right) Vg \tag{10.3.2}$$

式中　$K_{\text{pitch}}$——初始回复力矩刚度,N·m/rad;

　　　$GM$——静稳性高,m;

　　　$V$——浮体排水体积,m³;

　　　$KB$——船基线至浮心的距离,m;

　　　$KG$——船基线至重心的距离,m;

　　　$I$——水线面积惯性矩,m⁴;

　　　$g$——重力加速度,m/s。

SPAR 平台尺度设计流程图如图 10.3.3 所示。

SPAR 平台浮体尺度设计的步骤如下。

(1)确定上部结构重量和所需最大数量的立管重量;

(2)确定平衡上部结构重量偏心所需的可变压载;

(3)根据立管浮力筒尺度估算中心井尺寸;

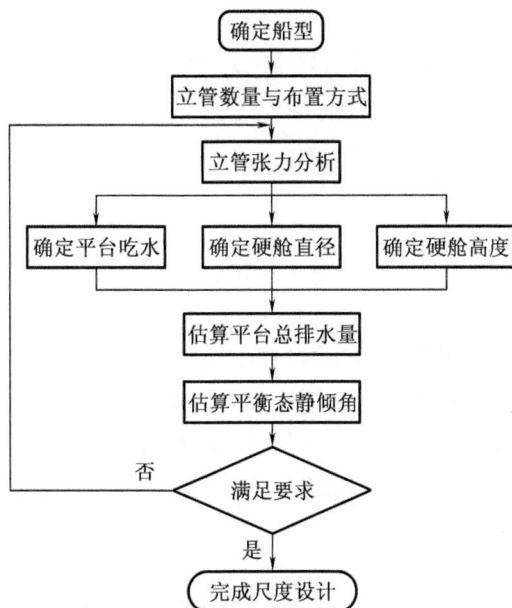

**图 10.3.3　SPAR 平台尺度设计流程图**

（4）指定硬舱直径、高度和吃水；

（5）估算平台重量和重心位置；

（6）估算排水量和浮心位置，并确定固定压载；

（7）计算平衡状态的静倾角 $\theta_{env} = M_{env}/K_{pitch}$；

（8）返回第（4）步，指定不同的平台直径、硬舱高度和吃水，再次计算直到获得满意结果。

表 10.3.1 中列出了一些 SPAR 平台的主尺度数据作为参考。

**表 10.3.1　SPAR 平台的主尺度参考数据**

| 上部结构质量/t | 吃水/m(ft) | 中心井口区尺度/m(ft) | 平台直径/m(ft) | 硬舱高度/m(ft) |
|---|---|---|---|---|
| 5 500 | 198(650) | 10(32) | 22(72) | 67(220) |
| 7 700 | 150(493) | 12(40) | 27(90) | 57(188) |
| 8 800 | 150(493) | 12(40) | 27(90) | 57(188) |
| 9 300 | 154(505) | 16(52) | 32(106) | 54(176) |
| 18 500 | 154(505) | 18(60) | 39(128) | 59(195) |
| 19 800 | 198(650) | 18(60) | 37(122) | 67(220) |
| 24 000 | 198(650) | 13(44) | 37(122) | 90(295) |
| 28 000 | 211(691) | 23(75) | 45(149) | 72(236) |

# 10.4  SPAR 平台的强度分析

### 10.4.1  平台总体结构强度分析

总体结构强度分析的主要目的是校核浮体壳体、内部平板、舱壁、立柱、立柱舱壁等结构单元的名义应力,并根据相应载荷组合工况的结构许用应力,来评估浮体结构规划设计的可行性,或根据应力分布和大小对结构进行设计优化。

在进行深水浮式平台总体结构强度的分析之前,首先要确定作用在平台结构上的外载荷。由于深水浮式平台在风浪作用下始终处于运动状态,因此浮式平台的载荷计算是一个非常复杂的动力问题,难以精确计算。目前比较普遍使用的方法是将动力问题转化为准静力问题进行处理,即把平台运动产生的惯性力考虑在内,认为所有外载荷保持静力平衡,从而转化为静力问题来简化计算。

1. 组合载荷工况

进行深水浮式平台总体结构强度分析的第一步是选择组合载荷工况,各种载荷的作用位置会随着深水浮式平台的总体结构形状的不同而发生改变。尤其是在波浪载荷的作用下,不同的平台结构,其内力和变形响应的差别很大。因此选择组合载荷工况时应考虑平台的结构特点。

深吃水立柱式平台的浮体部分是一个长柱体(Truss SPAR 中间一段是桁架结构),在波浪载荷作用下或安装扶正时,会遭受弯矩、剪力和轴向拉力的作用。一般采用设计波法确定计算载荷,即根据一年一遇(或十年一遇)的波浪条件和百年一遇的波浪条件搜索设计波,然后按一年一遇设计波、十年一遇和百年一遇的设计波与其他载荷(如风力、流力、自重、活载荷、立管和系泊载荷等组合),形成组合载荷工况,并根据设计基础的要求列出载荷工况表。

2. 分析方法

深水浮式平台的结构强度计算方法根据使用软件的不同,采用的方法和步骤有所区别,主要在于水动力载荷向结构模型的传递方法上。目前水动力载荷的计算软件包括 HYDROSTAR、WAMIT、MOSES 等;结构分析的软件包括 ANSYS、ABQUS 等。其中,水动力载荷向结构模型传递的一种方法是利用计算软件计算得到分布在水动力模型湿表面单元上的面载荷,通过载荷传递函数,把水动力模型湿表面上的面载荷直接施加到结构模型的面单元上,然后按照载荷工况组合,利用有限元法进行结构分析。SESAM 是由 DNV 开发的适用于海洋工程结构分析的软件系统。该软件系统由多个程序模块组成,各个程序模块之间通过界面文件传递数据,可以进行水动力载荷计算、结构强度和疲劳计算,以及浮体的全耦合分析等。

应用 SESAM 软件深水浮式平台的结构强度计算中,首先用前处理模块 Patran – Pre 建立水动力计算模型和平台的有限元结构模型,利用水动力分析模块 WADAM 计算水动力载荷,然后把水动力载荷传递给有限元结构模型,再利用结构分析模块 Sestra 进行结构分析,并使用后处理模块 Xtract 查看结构求解结果。深水浮式平台的结构强度计算的另外一种方法是直观方法,即按照计算确定的设计波用水动力分析软件计算出作用在浮体上的总载荷,然后采用通用有限元分析软件建立结构模型,根据组合载荷工况给结构模型施加波浪载荷以及其他载荷的边界条件,求解后可获得计算结果。

3. 结构有限元模型的建立

平台主体是一种板、梁组合结构,由于板、梁、筋和肘板等构件的尺度差别较大,受单元网格划分的限制,要在整体结构模型中完全模拟所有的构件是困难的,因此在建立结构有限元模型时一般要如实地模拟主要结构构件和单元。为了简化模型,提高计算效率,可以忽略一些小的构件,但决不能对结构有限元模型随意简化,要符合规范的有关规定。

深吃水立柱式平台整体结构为圆柱壳体或圆柱壳体与桁架的组合结构。建立有限元结构模型的重点是圆柱壳体结构模型的建立。在此过程中,板和壳采用板单元;硬舱中环向加强结构及软舱中的纵向加强框架及甲板的腹板采用板单元;面板采用梁单元;上部组块所有设备采用质量单元模拟。

在建立平台总体结构模型的过程中,由于有限元模型的简化,模型的重量与实际结构的重量相比必然有所差别,所以要通过调整平台材料的密度来改变模型的重量,使模型重量与实际结构的重量相等。

4. 载荷施加与边界条件

在建立起浮式平台的总体结构模型后,必须对模型施加外载荷和边界条件。在施加外载荷的过程中,其中直观的方法是把水动力分析求解出的总载荷施加到结构的相应位置上。如横浪时使半潜式平台发生挤压或分离的载荷一般施加在浮箱侧板的中部,同时还要考虑上部甲板结构所受的重力和垂荡加速度产生的惯性力,以及横撑的浮力等。

根据载荷工况的不同,如拖航、安装和就位,需要把平台结构各种受力状态下的载荷组合列举出来,分别施加到结构模型上,求解并获得各个载荷组合下的结构应力分布。考虑水动力载荷直接面对面的传递法,此时只需把水动力载荷以外的外载荷如重力、立管载荷和系泊力等施加到相应的作用位置即可。目前程序分析技术已能实现水动力载荷在结构模型上直接施加。

在有限元结构模型求解前,还必须施加边界条件。实际上作用于浮体结构的外载荷是平衡力系,理论上不需要边界条件,但为了消除其刚体位移,保证有限元结构求解的收敛,需要施加边界条件。采用不同的结构分析软件以及不同的结构边界,会有不同的边界条件施加位置,一般要求施加边界的节点要远离结构连接部位,以免影响连接区域的应力分布。

在深吃水立柱式平台的总体模型中,使用弹簧模拟锚链对整个结构的约束作用并使其作为整体强度分析的边界条件,每一个平移自由度需使用一个弹簧单元。弹簧单元的刚度为

$$K_X = K_Y = \frac{F_H}{X} \tag{10.4.1}$$

$$K_Z = \rho g A_w \tag{10.4.2}$$

式中　$F_H$——锚链的水平方向张力;

　　　$X$——锚链系泊点到其末端的水平距离;

　　　$A_w$——深吃水立柱式平台的水线面面积;

　　　$K_X$、$K_Y$、$K_Z$——分别表示 $X$、$Y$、$Z$ 方向上的刚度;

　　　$\rho$——海水密度;

　　　$g$——重力加速度。

浮式平台在漂浮状态下,所承受的所有外载荷包括惯性力与作用在浮体上的静水压力所构成的平衡力系。外载荷施加得是否合理或有无遗漏,可通过输出的支反力的大小来判断,正常情况下,支反力的大小为总重量的 0.1%。

5. 计算结果的处理与分析

浮式平台总体结构分析的目的是对浮体所有主要板、梁进行强度校核,以确保最大应力小于许用应力,并为局部分析选择合适的局部结构和控制工况。

浮式平台总体结构分析结果以单元结果列表、节点结果列表等形式输出计算数据,检查浮式平台总体结构应力分布最直接的形式是查看输出的结构 Von – mises 应力分布云图,观察找出应力值较大的位置,并从单元或节点结果的列表中获得 Von – mises 应力值。重点应检查结构的连接部位,确定是否要建立局部模型。如果需要,则通过在局部模型上进一步细化有限元网格,把连接处的应力集中现象反映出来,并为改进局部连接结构和疲劳强度分析提供依据。

深吃水立柱式平台结构的总体结构强度应力云图显示,在硬舱外壳顶部与上部组块、硬舱与桁架部分相交处、软舱外壳与桁架相交处会产生应力集中,这些区域应力大于其他区域的应力。一般要对这些部位进行局部有限元分析。

浮式平台的总体结构强度分析在结构设计中起着重要的作用,通过各个工况下的有限元强度分析,检查平台整体应力分布是否比较均匀,以判断结构设计的合理性,同时也为结构的疲劳分析奠定基础。因此,在总体结构强度分析完成后,需要对各个载荷工况计算结果进行分析,以评估浮式平台的总体结构强度是否满足设计规范要求。

### 10.4.2 平台的局部结构强度分析

在浮式平台的总体结构强度分析完成后,根据计算结果,对重要结构连接位置或应力集中严重的区域,需要进一步进行局部强度分析,校核结构的局部强度是否满足要求,并为改进局部结构提供依据。

1. 结构局部位置的选取

浮式平台的结构形式不同,需要做局部强度校核的位置也不同。一般是选取重要的连接部位进行局部强度分析。

对于深吃水立柱式平台,局部结构分析位置选在硬舱外壳顶部与上部组块及桁架部分相交处、硬舱和软舱外壳与桁架相交处,这些位置既是应力集中区域,又是关系到整体结构失效的关键位置。

2. 局部结构模型的建立与边界条件

局部结构分析采用圣维南原理,即利用等效载荷代替实际分布载荷,这样应力和应变只在载荷施加位置的附近有改变。局部有限元模型较整体结构模型更为详细,模型中包括了与关键部位相连的板、壳、肘板及加强筋,各几何体均采用壳单元进行模拟。

建立局部模型是为了获取连接部位的真实应力分布和大小,因此必须细化连接处的有限元网格,以反映连接区域的应力变化梯度。局部模型可由整体结构模型上截取后细化。为保证局部模型的受力和变形与在整体结构模型上的受力和变形一致,必须对局部模型施加外载荷和边界条件。施加在局部模型上的外载荷包括重力、惯性力、静水压力以及水动力载荷,这些载荷的大小按照总体结构强度确定的载荷工况决定。局部模型的边界条件为位移边界条件,一般从总体结构分析结果中获取。

3. 局部结构计算

通过对局部结构模型求解计算,可以获取结构的应力、位移等计算结果,把单元结果列表、节点结果列表与应力分布云图结合起来,从中找到最大应力值及其发生的位置。在总体结构强度计算中,某些部位的应力可能满足强度要求,但局部结构分析所得到的最大应力值可能不满足强度要求。局部结构的应力分析可以为改进局部结构提供指导,但更重要的作用是为疲劳寿命计算提供应力水平的基础数据。

### 10.4.3　许用应力

通过深水浮式平台的结构有限元分析计算,可获得结构的应力分布和最大应力值。平台结构是否满足设计要求,要依据《深水浮式平台设计规范》所规定的准则去评估和判断。深水浮式平台的浮体结构一般采用高强度钢材制造,钢材的最小屈服强度为 355 MPa。按照 ABS 规范:一年一遇操作工况的许用应力系数为 0.6,许用应力为 213 MPa;百年一遇极端工况的许用应力系数为 0.8,许用应力为 284 MPa。根据 ABS 规范的规定,在给定的载荷工况下浮体结构的最大应力值小于相应的许用应力值才能满足规范要求。

## 10.5　深水典型 SPAR 平台总体强度分析

在目前的深水油气田开发中,桁架式 SPAR 平台是广泛应用的一种。桁架式 SPAR 平台主体由上部的硬舱、下部的软舱以及中间连接两者的桁架组成,采用多根锚链系泊。SPAR 平台是一种在技术上较为成熟的深水平台,由于其优良的整体运动性能,在深水,尤其在超过 2 000 m 水深的油气开发中具有较大应用潜力。

SPAR 总体结构强度计算涉及波浪载荷的计算分析与结构模型的传递、总体结构模型的建立以及总体结构强度的评定等。要获得较为准确的结构总体应力分布趋势和应力水平,就必须把握好建模、波浪载荷计算与传递这两个重要环节,这样才能对总体结构强度有一个合理判断。以下是一个深水 SPAR 平台的计算实例。

### 10.5.1　SPAR 平台的主尺度参数

根据 SPAR 平台的功能设计完成了 SPAR 平台,确定了 SPAR 的硬舱、软舱和桁架的结构尺寸。SPAR 平台的主尺度参数见表 10.5.1。

**表 10.5.1　SPAR 平台主尺度参数**

| | | | |
|---|---|---|---|
| 钻井甲板尺寸/m×m | 64.08×50.29 | 中间甲板尺寸/m×m | 64.08×50.29 |
| 下甲板尺寸/m×m | 64.08×50.29 | 下甲板距硬舱顶部距离/m | 7.62 |
| 下甲板到中甲板距离/m | 8.53 | 中甲板到钻井甲板距离/m | 7.3 |
| 硬舱直径/m | 39 | 软舱高度/m | 6.401 |
| 硬舱长度/m | 72.542 | 软舱尺寸/m×m | 39×39 |
| 中心井尺寸/m×m | 15.39×15.39 | 浮舱高度/m | 5.791 |
| Truss 长度/m | 90.221 | 浮舱尺寸长×宽/m×m | 39×11.804 |
| Truss leg 中心距/m | 27.587 | 吃水/m/排水量/t | 153.92/85 784.3 |
| 可变压载量/t | 8 478.4 | 固定压载物重量/t | 11 221.4 |
| 垂荡板个数 | 2 | 垂荡板尺寸/m×m | 39×39 |

### 10.5.2　SPAR 平台总体强度计算方法

SPAR 平台的总体结构强度计算区别于半潜式平台或 TLP 平台,后者可根据 ABS 规范规定的做法,即设计波法来确定目标平台的波浪载荷,对平台主体结构进行准静态的有限元分析,进而评估平台主体结构的总强度。而 SPAR 平台是一个细长的结构物,不但要考虑波频载荷作用,低频载荷、风力和流力的作用同样必须考虑在内,以便于模拟 SPAR 平台的实际状态。

波频的波浪载荷计算是基于三维绕/辐射势流理论,通过波频的波浪载荷计算可完成海上结构物的运动响应与波浪载荷预报。计算中建立了 SPAR 平台的三维水动力分析模型,按照三维绕/辐射势流理论,计算作用在平台上的流体动压力,从而获得平台各特征载荷响应的传递函数。根据规范规定的波浪工况确定设计波参数,然后,建立了 SPAR 平台总体结构的有限元分析模型,将各典型波浪工况的湿表面水动压力、惯性加速度施加到整体有限元模型上,进行准静态的有限元分析,完成波频部分的结构分析。低频部分的分析需要计算出平台的最大倾斜状态时的系泊力以及倾角,利用同样的 SPAR 平台总体结构模型施加各种低频载荷及静水压力,再进行静态的有限元分析。最后,将波频和低频部分的有限元结构分析结果迭加起来,获得总的计算结果。在获得了总的计算结果后,再根据 ABS 规范规定的应力衡准对 SPAR 平台主体结构进行强度校核。

### 10.5.3　SPAR 平台总体结构应力计算

1. SPAR 平台承受的载荷类型

SPAR 平台在安装就位以后,长期在固定的海域作业,所承受的外载荷主要是风、浪、流等环境载荷,其中波浪载荷为深水浮式生产平台设计的控制载荷。作用在平台上的波浪载荷的大小取决于浪向、周期及波高。波浪载荷由波频分量和低频分量构成,波频分量可以采用设计波法确定。所谓设计波法是按照规定工况,对波浪周期、浪向进行搜索,最后确定一个能在结构上产生最大载荷的规则波,然后把这个规则波施加在结构上进行平台结构强度计算。

风、流以及二阶低频载荷对 SPAR 平台的作用也必须考虑在内。由于 SPAR 平台是一个细长结构,在风、流以及二阶低频载荷作用下,倾斜了一个角度,浮体倾斜角度后波浪力的变化并不大,但对 SPAR 整体的弯曲和剪切力影响很大,而 SPAR 的危险位置不是硬舱和软舱,而是两者与桁架的连接位置。因此在风、浪、流的作用下,当 SPAR 倾斜到最大角度时,SPAR 受力最大,其总体强度计算条件按这一工况进行。

其他载荷包括静水压力、立管及系泊载荷、自重、操作载荷和惯性载荷。

2. 作用在 SPAR 平台上波频与低频载荷计算

作用在 SPAR 平台上波频、低频载荷和 SPAR 平台的最大倾角要分别计算,分别施加在 SPAR 平台上进行结构有限元分析。

SPAR 平台在波浪载荷作用下可能发生弯曲、横向剪切和轴向拉压作用,因此要分别对其承受的弯矩、横向剪切力和轴向拉压力的传递函数进行预报,并根据规范和载荷工况计算相应的载荷,进而确定典型波浪工况的设计波参数。

根据 ABS 规范对 SPAR 平台进行设计波的分析。计算沿轴向选取 9 个截面,编号顺序自 SPAR 顶部至基线分别为截面 1 至截面 9。按照规范,进行波浪搜索,分析海况取极限生存海洋环境条件(百年一遇的环境条件)。根据计算结果,最大剪力和水平弯矩的最大值并不出现在波浪波高最大的环境条件下,而是出现在波浪周期为 10 ~ 11 s 附近;轴向力随着波高的增加,而增加最终设计波参数计算结果见表 10.5.2。

**表 10.5.2　设计波参数计算**

| 内力 | 截面 | 载荷 | 设计波参数 | | | |
|---|---|---|---|---|---|---|
| | | | 波向/° | 波幅/m | 波高/m | 周期/s |
| 水平剪力/N | 截面 8 | $5.18 \times 10^7$ | 0 | 11.67 | 23.34 | 10 |
| 弯矩/N·M | 截面 7 | $1.99 \times 10^9$ | 0 | 11.83 | 23.65 | 11 |
| 轴向力/N | 截面 2 | $1.08 \times 10^8$ | 90 | 9.35 | 18.70 | 24 |

低频载荷包括:风力、流力、系泊力,在低频分析时,同样要考虑 SPAR 平台倾角的影响,计算时按最大倾角考虑。风力的计算是根据上部模块的总体布置估算受风面积,按照《API RP2A - WSD 规范》计算风力大小,速度按百年一遇的风速计算。该 SPAR 平台的风力大小是采用 SPAR 平台总体规划所给出的计算值,并把风力施加在风力作用中心。流力计算采用表 4 - 4 给出的流剖面计算流力。

**表 10.5.3　百年一遇海况不同水深海流速度($h$:水深 1 500 m)**

| 水深/m | 海流速度/(cm/s) |
|---|---|
| 0.1 $h$ | 184 |
| 0.3 $h$ | 132 |
| 0.5 $h$ | 93 |
| 0.7 $h$ | 71 |
| 0.9 $h$ | 54 |

流力计算公式为

$$F_C = \frac{1}{2} C_D \rho A V_C^2 \tag{10.5.1}$$

式中　$C_D$——拖曳力系数;

　　$\rho$——海水密度;

　　$A$——计算结构在垂直流向上的投影面积;

　　$V_C$——流速。

SPAR 平台硬舱外表面的 $C_D$ 计算公式(DNV - RP - F205 规范):

$$C_D = C_{D0} + 2C_{Strake} \frac{h}{D} \tag{10.5.1}$$

式中　$C_{D0}$——不加螺旋板带时硬舱外表面拖曳力系数;

　　$C_{Strake}$——螺旋板带拖曳力系数;

　　$h$——螺旋板带高度;

　　$D$——硬舱直径。

计算得 $C_D = 1.1 \sim 1.5$。

系泊力和平台最大倾角由总体性能组合给出,一般 SPAR 的最大倾角在 $8° \sim 12°$ 之间,总体性能计算给出的 SPAR 整体的最大倾角为 $10.63°$。

3. SPAR 平台总体结构模型建立

SPAR 平台由上部模块、硬舱、软舱和桁架结构组成,硬舱、软舱采用板架结构,板采用环向 T 型截面梁和纵向扶强材加强。

建立 SPAR 的整体结构模型,在模型中所有的板及壳采用板单元;硬舱中环向 T 型截面梁、软舱中的纵向加强框架及横向甲板的腹板采用板单元,面板采用梁单元;纵向扶强材采用梁单元全部模拟,上部组块所有设备采用质量单元模拟。

另外,总体模型中模拟了 SPAR 内井中所包围的水的质量。总体模型中,没有模拟具体的结构细节,如次要构件的肘板、加强筋等。总体模型共包括单元 134 799 个,节点 173 599 个。

4. 边界条件及外载荷施加

SPAR 的结构分析按承受的载荷类别划分成波频结构分析和低频结构分析。在波频情况下,$x$、$y$、$z$ 方向的惯性力和波浪力,重力和浮力是平衡的。在低频情况下,风力、流力和系泊力,重力和浮力也是平衡的,在理论上不需要边界条件。但在结构计算中需要约束 SPAR 平台的 6 个刚体自由度,限制其刚体位移。整体结构分析各种载荷工况下,要求 6 个约束反力均为零。模型边界条件施加在两个系泊点和硬舱顶部上一点。

5. 波频总体结构分析

波频总体结构分析只考虑波浪产生水动压力对结构的影响,水动压力载荷可直接传递并施加到结构模型上。另外,还要将平台 6 个自由度的惯性加速度施加到有限元结构模型上,以保证与水动力载荷平衡。由于结构有限元模型的简化,模型的重量与实际平台重量有差别,这可以通过调整材料密度使结构重量与浮力达到平衡。另外,SPAR 平台整体依靠调整平台不同部分的材料密度,使其重量重心位置与设计位置一致。

作用在桁架上 Morison 力也可以直接传递到相应的结构构件上。在将水动力载荷传递到 SPAR 结构模型后,可对其进行结构有限元分析,获得在波频载荷作用下的 SPAR 结构有限元分析结果。

6. 低频总体结构分析

SPAR 平台的低频总体结构分析是考虑低频载荷与静载荷联合作用,即在 SPAR 平台总体结构上施加风力、流力和系泊力,以及静水压力和浮力,进行有限元结构分析。施加在 SPAR 平台总体结构上的所有外力构成平衡力系。在对 SPAR 结构模型施加低频载荷后,同样可以对其进行结构有限元分析,获得在低频载荷作用下的 SPAR 结构有限元分析结果。

7. 波频与低频计算结果叠加

在波频和低频有限元计算完成后,根据线性叠加的原理,波频和低频有限元计算结果迭加起来就可以获得总的计算结果。

### 10.5.4  总体结构强度分析

1. 许用应力

根据 ABS MODU 和 CCS 规范,许用 Von Mises 应力由下式计算:

$$F_\alpha = \frac{F_y}{F.S.}$$

式中　$F_y$——屈服应力；

　　　$F.S.$——安全系数。

表 10.5.4 给出了不同载荷情况下许用应力和应力安全系数。

**表 10.5.4　许用应力和安全系数**

| 载荷 | $F.S.$ | 许用应力/MPa<br>（$F_y = 355$ MPa） | 许用应力/Mpa<br>（$F_y = 550$ MPa） |
|---|---|---|---|
| 静力 | 1.43 | 248 | 385 |
| 联合载荷 | 1.11 | 320 | 495 |

注：联合载荷为静载荷和波浪载荷的联合。

2. 计算结果与应力分布

（1）载荷组合工况一：浪向 0°，周期 10 s

根据以上应力计算结果，在浪向 0°、周期 10 s 时，结构的最大应力为 428.351 MPa，显示最大应力的部位为硬舱中上部第二层甲板的方形孔的四个内角点，而其他部位的应力水平不高，SPAR 硬舱的中部以及硬舱与桁架，硬舱与上部模块连接处应力水平高于其他部位。

（2）载荷组合工况二：浪向 0°，周期 11 s

根据以上应力计算结果，在浪向 0°、周期 11 s 时，结构的最大应力为 430.664 MPa。显示最大应力的部位为硬舱与上部模块连接点附近和硬舱与桁架连接部位，而其他部位的应力水平不高。SPAR 硬舱中部的应力水平高于其他部位。对于软舱，其与桁架连接部位以及浮舱与压载舱的连接处应力水平高于其他部位。

（3）载荷组合工况三：浪向 90°，周期 24 s

根据以上应力计算结果，在浪向 90°、周期 24 s 时，结构的最大应力为 485.035 MPa。显示最大应力的部位为硬舱与上部模块连接点附近，硬舱与桁架连接部位稍低一些，而其他部位的应力水平不高。SPAR 硬舱中部的应力水平高于其他部位。对于软舱，整体应力水平不高，软舱与桁架连接部位以及软舱与浮舱外壳连接处的应力高于其他部位，软舱 Girders 的部分角点处应力水平较高。

## 10.6　SPAR 平台安装扶正过程强度分析

SPAR 平台属于顺应式平台的范畴，被很多石油公司视为下一代深水平台的发展方向。某研究单位中心参照中国南海水深条件和油藏条件提出了一种新型的四柱型 SPAR 平台，该平台定位服务于中国南海区域的浮式生产平台，有钻修井、完井功能。平台主体结构硬舱选用对称的四圆柱形式，两层的垂荡板，不对称结构的软舱，还有中央井以及 11 根生产立管，平台的主尺度见表 10.6.1。

表 10.6.1 平台主尺度

| 主尺度项目 | 数值 | 主尺度项目 | 数值 |
|---|---|---|---|
| 平台总长/m | 153.98 | 中心井井口尺寸/m×m | 16×16 |
| 硬舱总尺寸/m | 43×43 | 作业工况吃水/m | 137.98 |
| 中心井尺寸/m×m | 16.5×16.5 | 自存工况吃水/m | 137.98 |
| 平台垂荡板数量 | 2 | | |

多柱型 SPAR 平台在进行结构安装前,需要经历一个扶正过程,即将其由水平状态变为竖直状态。在 SPAR 平台被拖航至海上安装点后,应按照一定的设计顺序向软舱中相应的压载舱中注水,整个主体会在相应力矩作用下由水平自行扶正,此时需要合理设计加载方案以保证扶正过程顺利进行。SPAR 平台扶正属于结构大变位过程,此过程中所承受载荷与服役期完全不同,平台硬舱与桁架的连接处会产生较大的总纵弯矩,并且平台上部的出水处附近会产生较大剪力,因此需要在平台的结构分析过程中予以验证。此外,平台在扶正过程中可能会绕纵向轴线发生横摇转动,这也是安装扶正设计过程中需要特别注意的地方。

### 10.6.1 理论基础

由于 SPAR 平台扶正过程较为缓慢,可视为准静态过程,因此可采用准静态分析法进行模拟计算:主要通过改变软舱中压载水的重量,求解压载改变后 SPAR 整体的重量重心位置,再通过迭代计算调整结构的浮态,求得新的平衡位置,然后将一系列平衡位置组合,模拟整个扶正的准静态运动历程。

SPAR 平台的强度分析通过静力分析实现,根据扶正过程的典型倾斜工况,通过模拟平台的重量分布情况计算结构沿高度方向上的剪力及弯矩曲线,进行结构强度分析。

SPAR 平台的重量重心位置对于平台安装扶正分析至关重要,因为软舱加载过程中重量重心存在不确定性,而这种不确定性直接影响平台的稳性以及纵摇和横摇运动,因此需要对平台的重量重心进行准确模拟。

### 10.6.2 分析基础

1. SPAR 平台舱室布置

软舱是为平台提供主要压载的底部部分,硬舱是为平台提供浮力的上部部分,连接软舱和硬舱的中间结构部分称为桁架段。由于 SPAR 平台硬舱舱室数目较多,故按照长度划分组合相应舱室,如表 10.6.2 所示;软舱舱室分布如图 10.6.1 所示,装载量见表10.6.3。SPAR 平台舱室的渗透率设置为 0.95,水的密度为 $1.025 \text{ t/m}^3$。

表 10.6.2 硬舱舱室划分

| 分段压载名称 | 分段范围/m | 最大压载量/t | 重心位置/m |
|---|---|---|---|
| LC1 | 0～11.5 | 5 678.6 | (0,0,5.75) |
| LC2 | 11.5～23 | 5 678.6 | (0,0,17.25) |
| LC3 | 23～26 | 1 033.8 | (0,0,24.5) |

表 10.6.2（续）

| 分段压载名称 | 分段范围/m | 最大压载量/t | 重心位置/m |
|---|---|---|---|
| LC4 | 26～40 | 6 913.1 | (0,0,33) |
| LC5 | 40～51.5 | 5 678.6 | (0,0,45.75) |
| LC6 | 51.5～54.5 | 3 530.5 | (0,0,53) |
| LC7 | 54.5～69 | 7 160.0 | (0,0,61.75) |
| LC8 | 69～78 | 4 444.1 | (0,0,73.5) |
| LC9 | 78～83 | 2 468.9 | (0,0,80.5) |
| LC10 | 83～93 | 11 768.5 | (0,0,88) |

表 10.6.3　软舱舱室装载量

| 舱室名称 | 最大压载量/t | 舱室名称 | 最大压载量/t | 舱室名称 | 最大压载量/t |
|---|---|---|---|---|---|
| LC100 | 216.05 | LC110 | 299.14 | LC120 | 94.94 |
| LC101 | 299.14 | LC111 | 216.05 | LC121 | 96.89 |
| LC102 | 310.65 | LC112 | 299.14 | LC122 | 128.17 |
| LC103 | 299.14 | LC113 | 310.65 | LC123 | 98.59 |
| LC104 | 1 490.5 | LC114 | 1 490.5 | LC124 | 554.4 |
| LC105 | 299.14 | LC115 | 310.65 | LC125 | 98.59 |
| LC106 | 310.65 | LC116 | 299.14 | LC126 | 128.17 |
| LC107 | 299.14 | LC117 | 216.05 | LC127 | 96.89 |
| LC108 | 216.05 | LC118 | 299.14 | LC128 | 94.94 |
| LC109 | 1 490.5 | LC119 | 1 490.5 | | |

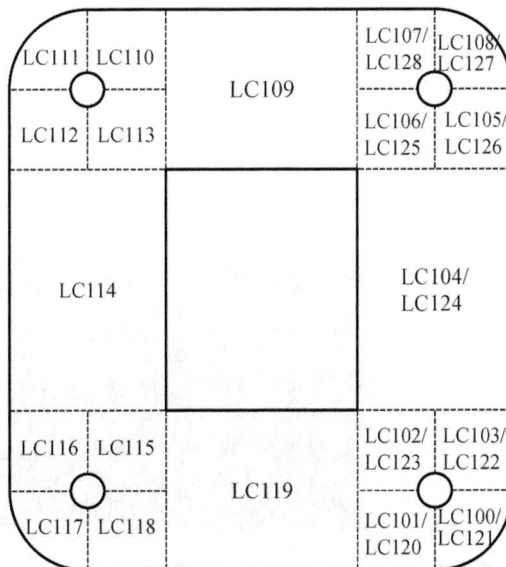

图 10.6.1　软舱舱室布置

**2. SPAR 平台建模**

根据 SPAR 平台的设计图纸建立平台的结构及舱室模型,如图 10.6.2 所示。

**图 10.6.2　SPAR 平台的有限元模型**

### 10.6.3　扶正方案设计

SPAR 平台通过改变硬舱、软舱中的压载重量实现对初始浮态的调整。分析可知,当平台的初始排水量达到一定重量时,扶正过程才能顺利实现。

**1. 平台初始浮态的调整**

通过分析一系列不同初始浮态的扶正设计,确定平台扶正的初始排水量为 51 705.7 t。定义平台局部坐标原点在平台硬舱顶部的中心处,$X$ 轴正向沿软舱不对称凸起方向,$Z$ 轴正向竖直向下,$Y$ 轴正向则由右手定则确定,如图 10.6.3 所示。

在此坐标系下,重心的坐标为(0.5 m, 0, 71.276 m),平台顶部中心位于水下 13.53 m 处,纵倾为 $-0.980°$(顶部下沉),此时 SPAR 平台基本接近正浮状态,如图 10.6.4 所示。

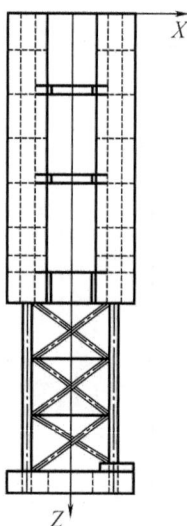

**图 10.6.3　局部坐标系定义**

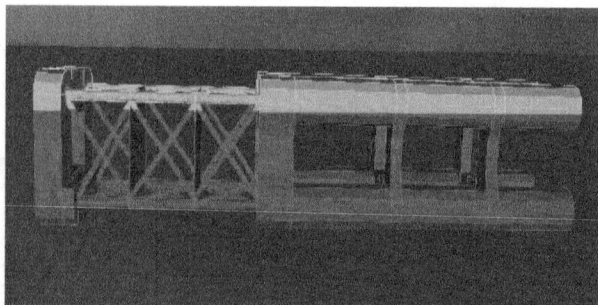

**图 10.6.4　平台初始浮态**

2. 加载方案设计

SPAR 平台扶正加载过程分为以下 4 步。

第一步：压载舱 LC104、LC109、LC114、LC119 同时加载直至满载；

第二步：压载舱 LC101、LC103、LC105、LC107、LC110、LC112、LC116、LC118 同时加载直至满载；

第三步：压载舱 LC100、LC108、LC111、LC117 同时加载直至满载；

第四步：压载舱 LC102、LC106、LC113、LC115 同时加载直至满载。

加载完成后，平衡状态下平台的纵倾已达 89.52°，已经满足 SPAR 平台扶正的要求。此时 SPAR 平台排水量为 62 167.6 t，重心 $Z$ 向坐标为 84.61 m，位于浮心之下 3.02 m 处，已处于直立状态。具体的安装过程中，可以通过在吊装之前改变软舱中的压载物来调整吃水及重心位置，以改善结构稳性。

3. 扶正过程运动预测

平台扶正过程的运动预测是通过迭代计算实现的，其运动变化是非连续的，只有当迭代计算后的平台处于新的平衡状态下时，平台的运动才发生改变，扶正运动才预测如图 10.6.5 所示。

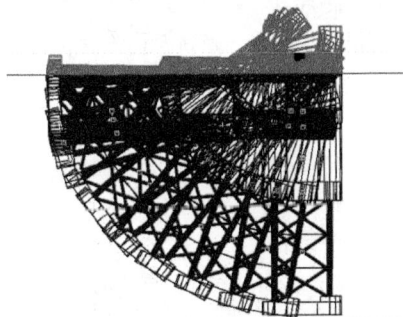

图 10.6.5　扶正运动预测

## 10.6.4　SPAR 平台强度分析

1. SPAR 平台重量分布

对 SPAR 平台关键结构进行强度分析时，需要在关键结构处将平台分段，计算关键结构处的结构剪力及弯矩极值。

根据平台初始浮态下的重量重心分布情况，定义平台整体的分段重量重心，确保通过分段重量重心计算得到的整体重量重心与实际一致。

2. 典型分析工况

根据平台扶正运动历程，在强度分析过程中，分别取纵倾值 -0.98°（初始浮态），0°，0.97°，3.8°，8.7°，15.7°，37.3°，40.4°，50.4°，60.3°为扶正过程的典型分析工况，分别计算得到相应工况下的剪力及弯矩分布情况。

初始浮态的剪力及弯矩分布曲线分别如图 10.6.6、图 10.6.7 所示，其中，剪力及弯矩曲线沿平台高度方向绘制（顶端取为 0），单位分别为 kN 及 t·m，仅关注分段之间关键结构处的剪力及弯矩情况。

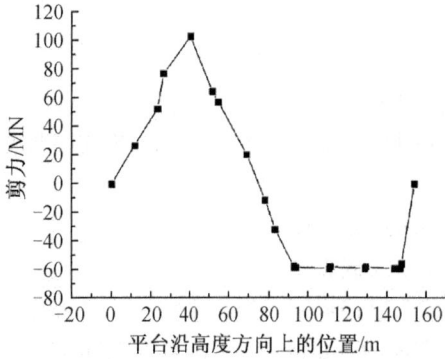

图10.6.6 初始浮态剪力分布

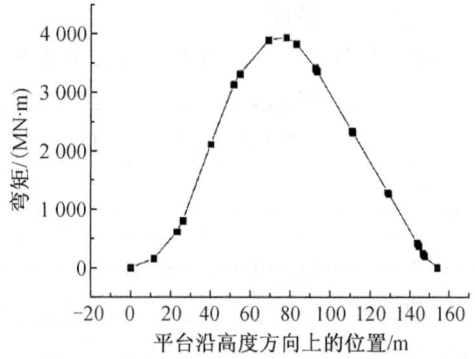

图10.6.7 初始浮态弯矩分布

3.平台强度分析

根据 SPAR 平台扶正过程中各典型工况下关键结构处的最大剪力及弯矩计算结果,绘制出平台扶正过程中最大剪力及弯矩的变化曲线,分别如图 10.6.8、图 10.6.9 所示。通过曲线可知,随着平台扶正过程的进行,其最大剪力及弯矩均逐渐变小并且整个过程中平台的最大剪力及弯矩均出现在初始浮态下,最大剪力值为 82 382.42 kN,位于顶部向下计算 29 m 截面处;最大弯矩值为 3 829 991 kN·m,位于平台顶部向下计算 83 m 截面处。

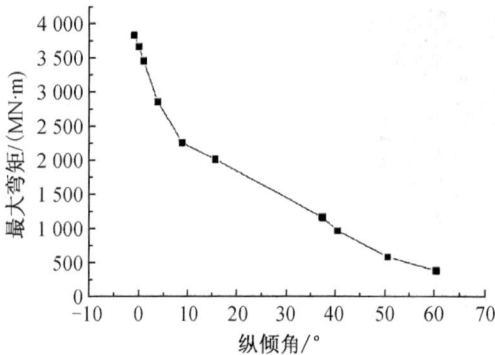

图10.6.8 扶正过程最大弯矩变化曲线

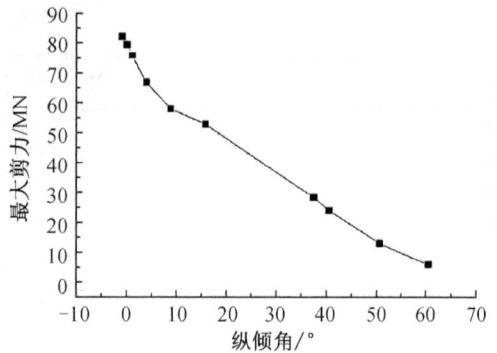

图10.6.9 扶正过程最大剪力变化曲线

## 10.7 Truss SPAR 平台总体结构强度分析

Truss SPAR 作为第二代 SPAR 平台,以其良好的运动性能和经济性能成了深海采油的主力军。Truss SPAR 平台各自由度运动周期较大,远离波频范围,但二阶波浪力的激励频率与结构固有频率接近,所以系统会有较大的运动响应。

考虑平台在多种环境载荷联合作用的基础上,以南海百年一遇环境载荷下的纵横摇为重点,在频域内进行了平台运动响应分析。以谱分析法确定的设计波参数,结合规范推荐的风、流载荷计算公式,以及运动响应分析输出的纵横摇位移、锚缆张力作为设计载荷,对平台结构强度进行有限元计算分析。

### 10.7.1 几何模型与平台尺寸

Truss SPAR 主体结构分为四部分,由下至上分别为软舱、中段、硬舱和上部模块,如图

10.7.1 所示。软舱存放固定压载,以降低平台重心。中段分为桁架和垂荡板,桁架在连接软舱和硬舱的同时由于其小投影面积降低了波浪及海流对平台的载荷,垂荡板提高系统附加质量和附加阻尼,减小了垂荡响应。硬舱是封闭式圆柱体,由方形中央井贯穿,分为多层舱结构,为主要的浮力来源。上部模块为安装采油设备、生活区、直升机甲板的重要生产模块。目标平台尺寸参数见表 10.7.1,坐标系位于软舱底部中心。

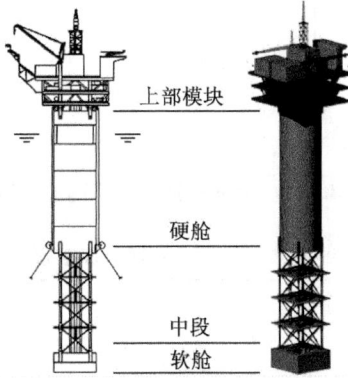

图 10.7.1　典型的 Truss SPAR 平台

表 10.7.1　目标平台尺寸

| | 主要参数 | 数值 | | 主要参数 | 数值 |
|---|---|---|---|---|---|
| 硬舱 | 顶部高度/m | 165 | 软舱 | 顶部高度/m | 12 |
| | 底部高度/m | 75 | | 外边长/m | 27.4 |
| | 直径/m | 27.4 | | 内边长/m | 13 |
| | 中央井边长/m | 13 | | 总排水量/t | 40 429 |
| 中段 | 垂荡板间距/m | 16 | | 重心/m | 87 |
| | 垂荡板边长/m | 27.4 | | 浮心/m | 92.5 |
| | 纵向桁架直径/m | 1.2 | | 横摇回转半径/m | 71 |
| | X 桁架直径/m | 0.6 | | 纵摇回转半径/m | 71 |
| | | | | 艏摇回转半径/m | 10 |

### 10.7.2　运动响应分析

1.环境载荷与锚泊系统参数

根据南海百年一遇海况条件参数和 JONSWAP 波谱公式(10.7.1)得到的波浪谱如图 10.7.2 所示。

$$S(\omega) = \alpha g^2 \omega^{-5} \exp(-1.25[\omega/\omega_p]^{-4})\gamma^\lambda \qquad (10.7.1)$$

式中　$\omega_p$——谱峰频率;

$\lambda = \exp\{-(\omega - \omega_p)^2/(2\sigma^2\omega_p^2)\}$;

其中 $\sigma$——谱宽参数,见表 10.7.2。

$\alpha = 5.058[H_s/T_p^2]^2(1 - 0.287Ln\gamma)$,广义菲利普常数;

其中 $H_s$——有义波高;

$\gamma$——峰值参数；

$T_p$——谱峰周期。

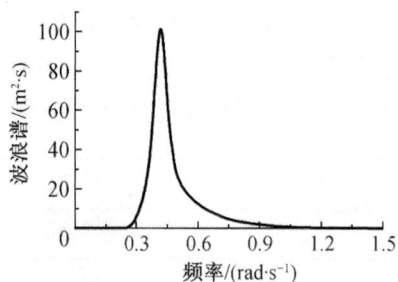

**图 10.7.2　百年一遇海况下的波浪谱**

**表 10.7.2　百年一遇台风海况**

| 环境参量 | | 数值 |
|---|---|---|
| 波浪 | 有义波高 $H_s/m$ | 15.0 |
| | 波峰周期 | 15.1 |
| | $\gamma$ | 3.55 |
| | $\sigma_a$ | 0.07 |
| | $\sigma_b$ | 0.09 |
| 风 | 风速/(m/s) | 39.0 |
| 流 | 海面流速/(m/s) | 1.95 |

风力和流力的计算采用规范推荐的公式：

$$F = 0.5\rho C_d C_s U^2 \tag{10.7.2}$$

式中　$\rho$——流体密度；

　　　$C_d$——拖曳力系数，取 1.2；

　　　$C_s$——形状系数；

　　　$U$——流速。

Truss SPAR 平台采用 3 组共 9 根系泊缆组成的悬链线系泊系统，如图 10.7.3 所示为系泊系统布置图。每根系泊线由三段系泊缆组成，各段的材料几何特性如表 10.7.3 所示。

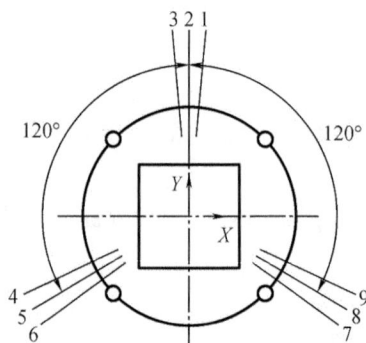

**图 10.7.3　系泊系统布置图**

表 10.7.3　系泊缆材料组成参数

| 分段号 | 1 | 2 | 3 |
|---|---|---|---|
| 锚链段 | 无档链 | 螺旋钢缆 | 无档链 |
| 直径/mm | 135 | 130 | 135 |
| 长度/m | 150 | 2 330 | 150 |
| 湿容重/(kg/m) | 326 | 69.8 | 326 |
| 破断载荷/kN | 17 200 | 15 500 | 17 200 |
| 轴向刚度/MN | 1 500 | 1 430 | 1 500 |

**2. 水动力模型与运动方程**

通过水动力软件对平台进行水动力计算和输出时,需根据平台构件尺寸大小来选择合适的单元类型。对于大尺度结构物($D/L > 0.2$,$D$ 为结构的特征长度,$L$ 为入射波长),如平台的下浮体和立柱,由于尺寸较大,其兴波辐射作用较为突出,故采用面单元进行建模,作用于其上的水动力根据三维势流理论进行计算获得;而对于小尺度构件($D/L < 0.2$),如 Truss SPAR 平台的桁架结构,黏性力在其水动力中占较大成分,故采用 Morison 单元进行建模,作用于其上的水动力采用 Morison 公式进行计算。

Truss SPAR 平台系统的运动方程为

$$M(s)\ddot{X} + M(a)\ddot{X} + C(s)\dot{X} + K(s)X = F \tag{10.7.3}$$

式中　$M(s)$——结构质量矩阵;

$M(a)$——水动力附加质量矩阵;

$C(s)$——系统线性阻尼矩阵;

$K(s)$——系统总体刚度矩阵;

$F$ 与 $X$——外部激振力和平台运动响应。

假设 $X(t) = X_0 e^{i\omega t}$,$F(t) = F_0 e^{i\omega t}$,则系统传递函数 $H$ 可以写为

$$H = [K(s) - M\omega^2 + iC\omega]^{-1} \tag{10.7.4}$$

系统响应可写为

$$S_{x_i x_j}(\omega) = \sum_r |\mathrm{mod}(H_{ir})^2 S_{F_r F_r}(\omega)| \tag{10.7.5}$$

式中　$S_{x_i x_j}(\omega)$——响应谱密度;

$H_{ir}$——传递函数;

$S_{F_r F_r}(\omega)$——激振力谱。

**3. 运动响应**

对 Truss SPAR 平台在风、浪、流联合作用下的总体运动响应进行数值模拟,得到不同风浪流入射方向及不同重现期下平台的运动响应谱。由于平台运动在摇动方向产生的位移会使平台发生倾斜,平台所受对称的浮力分布将发生变化。而上部模块、软舱有较大的集中质量,硬舱中的质量分布也不均匀,使倾斜的结构内部承受较大的弯矩,致使结构产生较大应力响应。因此,以纵摇和横摇的响应为例分析平台运动响应。

叠加风、流、平均漂移力下平衡位置的初始位移,平台纵横摇组合最大响应分别为 3.73° 和 5.48°,风流入射方向为 45°,波浪入射方向为 60°。不同风浪流来向组合下纵横摇

极值响应如图 10.7.4 所示,每根锚缆的张力如图 10.7.5 所示。

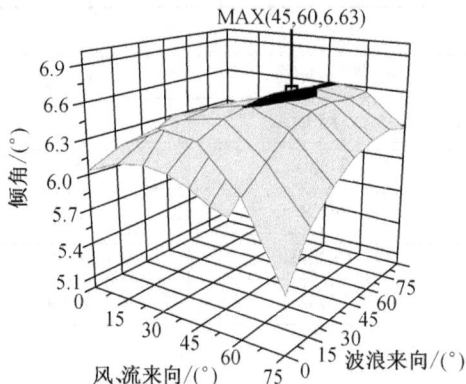

图10.7.4　不同风浪流来向组合下纵横摇极值响应

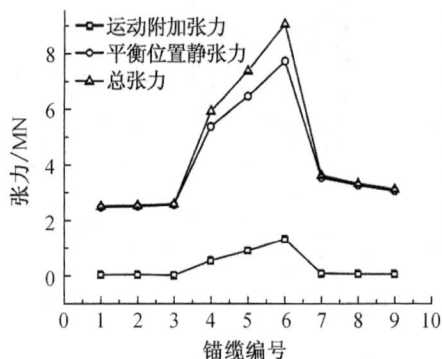

图10.7.5　单根锚缆张力图

### 10.7.3　设计波参数

除了得到定常力以及平台倾角的设计值,进行强度分析时,还必须确定一阶波浪力设计波参数。下面介绍平台结构有限元建模以及设计波参数的确定方法。

1. 结构有限元模型

将主体分为软舱、中段、硬舱和上部模块四个子结构,对于较为复杂的硬舱部分划分二级子结构,为外舱壁板、环形肋、普通甲板、顶(底)部加强舱层和双层防水舱层。四个主子结构组合总体模型如图 10.7.6 所示,每个模块材料均为钢材(弹性模量 $2.1 \times 10^{11}$,密度 7 850 kg/m$^3$,泊松比 0.3)。

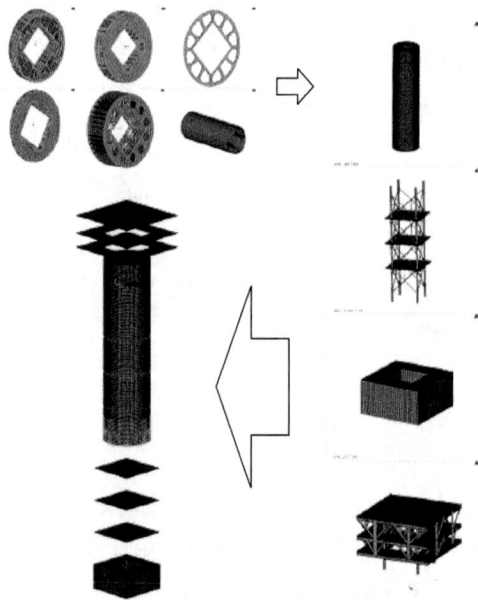

图10.7.6　主子结构组合总体模型

模型采用不同单元类型,用弹性壳单元来模拟硬舱外壁板、中央井壁板、隔舱壁板、加强板构件、垂荡板、软舱外壁板和上部甲板等厚宽比较小的构件。使用变截面梁单元来模拟附着在壳单元上起加强作用的桁材和骨材构件。

使用管单元来模拟水下桁架和上部模块的主体桁架。使用质量单元来模拟压载物及浮体存放设备的质量,这些单元在结构有加速度作用的情况下,会对耦合的节点产生惯性力,从而使其他单元产生变形。将桁架与软、硬舱连接处用壳单元替换后得到网格较细的混合模型,目的是得到这些关键位置的准确应力,同时也为疲劳分析做准备,壳单元和管单元相应节点采用约束方程的形式连接,如图 10.7.7 所示。

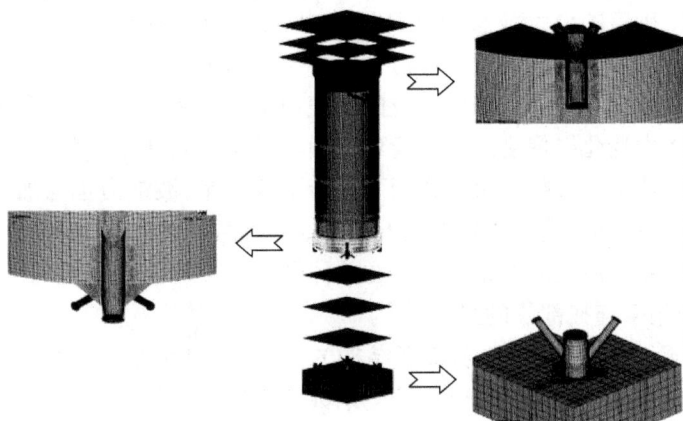

**图 10.7.7 SPAR 平台有限元模型**

2. 结构应力响应谱分析

根据准静力假设,计算平台在百年一遇海况下的结构响应,采用谱分析法得到结构分析设计波频率与波高。从 0~1.6 选取了 50 个频率点进行一阶波浪力的计算,完成水动力模型表面波浪压力到结构模型的匹配,经过有限元计算得到应力响应传递函数如图 10.7.8 所示。在 60°波浪角入射下,结构桁架与硬舱连接参考点处应力传递函数最大。取这点的与波谱运算求结构响应。结合百年一遇海况下的波谱得到该参考点应力响应谱如图 10.7.9 所示。

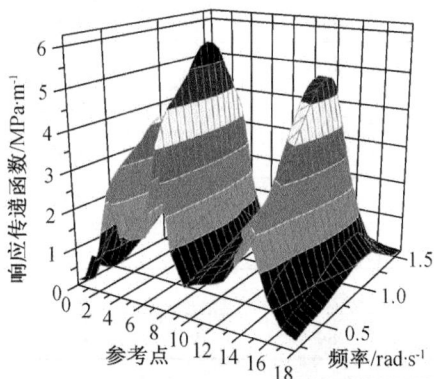

**图 10.7.8 60°波浪角下结构响应传递函数**

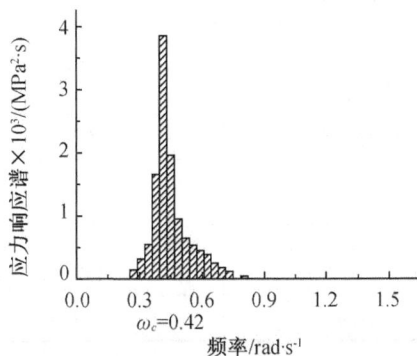

**图 10.7.9 百年一遇 60°波浪下应力响应谱**

波浪谱是窄谱,幅值符合瑞利分布,线性系统输出应力响应幅值也符合瑞利分布,根据极值响应和相对应的应力传递函数,求得设计波幅为

$$\sigma_{\max} = H(\omega_c)H_d \tag{10.7.6}$$

式中 $\sigma_{max}$——响应极值;

$\omega_c$ 和 $H(\omega_c)$——极值点频率和相对应的应力传递函数;

$H_d$——设计波高。

则得到设计波波高为 26.3 m,对应频率为 0.42 rad/s。

### 10.7.4 总体结构强度分析

根据以上方法确定的设计波参数计算波浪力。风力以集中力的形式加载到上部甲板上的质量单元,流力则以压力形式加载到壳单元上,锚泊力以集中力加载到相应的节点。平台所受浮力可以通过分布力加载到相应的湿表面单元。由风、流力以及平台运动引起平台倾角所产生的浮力变化以梯度压力载荷形式编写成命令流进行加载。

平台在风、流、锚泊力、浮力、重力作用下处于平衡状态,波浪力也与加载在模型上的惯性力平衡。因此,在计算时模型质量的误差主要通过惯性释放实现平衡,不用特意调平,在重心附近位置进行 6 自由度的约束即可。在总体分析中不考虑垂荡板的受力,主要考查软舱、硬舱以及其与桁架连接部位的强度。

根据 ABS 规范强度准则的规定,板形结构的 VON MISES 等效应力都不应超过许用屈服应力。在百年一遇设计环境工况下的安全系数取 1.25。则许用应力取为 284 MPa。对于杆单元分别计算许用弯曲应力,许用轴向压缩应力和组合应力系数。具体单元应力校核见表 10.7.4 和表 10.7.5,取各部位应力极值点,结构强度符合要求。

#### 表 10.7.4 壳单元应力校核

| 壳单元位置 | $\sigma_{eq}$/MPa | $\sigma$/MPa | 校核结果 |
|---|---|---|---|
| 上部、硬舱连接处 | 254 | 284 | 满足 |
| 硬舱顶部 | 267 | 284 | 满足 |
| 双层舱室 | 168 | 284 | 满足 |
| 第四层甲板 | 74.5 | 284 | 满足 |
| 第三层甲板 | 69.7 | 284 | 满足 |
| 第二层甲板 | 84.7 | 284 | 满足 |
| 硬舱底部 | 204 | 284 | 满足 |
| 硬舱外壁 | 267 | 284 | 满足 |
| 中央井壁 | 257 | 284 | 满足 |
| 硬舱、中段连接处 | 276 | 284 | 满足 |
| 软舱、中段连接处 | 282 | 284 | 满足 |
| 软舱舱壁 | 279 | 284 | 满足 |

#### 表 10.7.5 管、梁单元应力校核

| 管、梁单元位置 | $\sigma_a$/MPa | $\sigma_{bx}$/MPa | $\sigma_{by}$/MPa | $[\sigma_a]$/MPa | $[\sigma_b]$/MPa | 组合应力系数 | 校核结果 |
|---|---|---|---|---|---|---|---|
| 上部桁架 | −166.5 | 6.7 | 213 | 266.3 | 0.81 | | 满足 |
| | −84 | 35.9 | 213 | 266.3 | 0.53 | | 满足 |

表 10.7.5（续）

| 管、梁单元位置 | $\sigma_a$/MPa | $\sigma_{bx}$/MPa | $\sigma_{by}$/MPa | $[\sigma_a]$/MPa | $[\sigma_b]$/MPa | 组合应力系数 | 校核结果 |
|---|---|---|---|---|---|---|---|
| 硬舱骨材 | −89.2 | −113 | −145.6 | 213 | 266.3 | 0.92 | 满足 |
| | −93 | 183 | −55.6 | 213 | 266.3 | 0.91 | 满足 |
| | −108.5 | 87.4 | −96.1 | 213 | 266.3 | 0.95 | 满足 |
| 中段桁架 | −158.1 | 16.5 | | 213 | 266.3 | 0.80 | 满足 |
| | −72.3 | 42.8 | | 213 | 266.3 | 0.50 | 满足 |
| 软舱骨材 | −77.5 | 98.4 | −138.2 | 213 | 266.3 | 0.87 | 满足 |
| | −84.2 | −154.1 | 38 | 213 | 266.3 | 0.85 | 满足 |
| | −121 | 64.5 | −74.3 | 213 | 266.3 | 0.88 | 满足 |

# 第 11 章 张力腿平台

## 11.1 张力腿平台简介

张力腿平台上部类似于半潜式平台,整个平台通过张力腿(实为系泊钢管或钢索)垂直向下固定于海底,如图 11.1.1 所示。张力腿产生的张力使平台本体在波浪中的运动幅度远小于半潜式平台。TLP 平台具有运动性能好、抗恶劣环境作用能力强、可移动和经济性好等特点,为深海油气生产、开发提供了经济的解决方案,具有良好的发展势头。近几年来关于张力腿平台的型式以及相关理论的研究不断完善和成熟,在一定程度上促进了平台相关技术的发展。

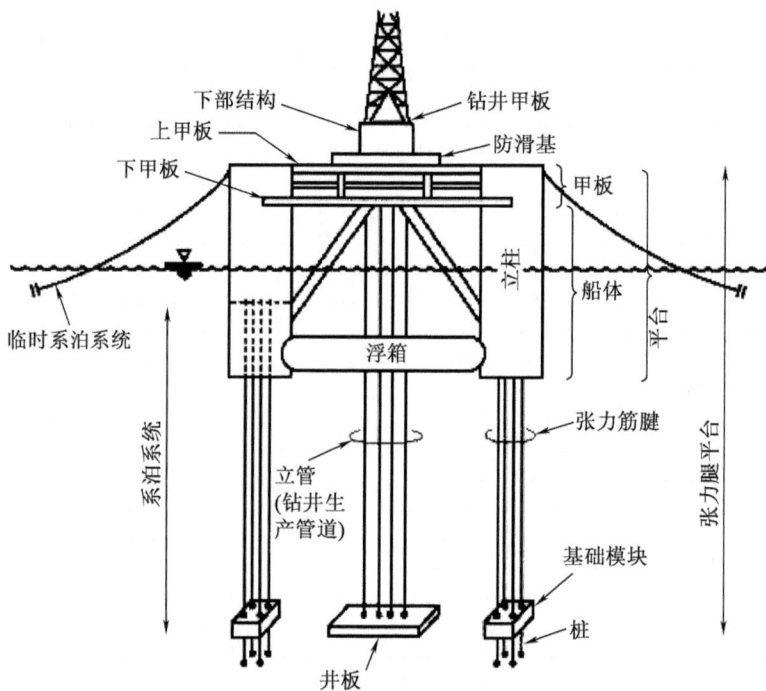

图 11.1.1 张力腿平台示意图

### 11.1.1 张力腿平台发展

1954 年,美国人 R. O. Marsh 率先提出了系泊索群固定的海洋平台模式,这一模式被公认为是张力腿平台的最早雏形。之后到 20 世纪 80 年代中叶,被认为是张力腿平台理论发展和工程酝酿以及论证的阶段。伴随着各种试验模型的出现,以及众多学者的努力,张力腿平台的理论研究以及试验研究迅速地发展起来。1962 年,英国石油公司建造的三角形张力腿平台在苏格兰水域的 30 m 深处进行了试验研究并进行了深入的理论分析,结果证明了张力腿平台性能上的优异性,从而推动了关于张力腿平台的相关研究和发展。

1984 年第一座张力腿平台在 Hutton 油田诞生,它隶属于 CONOCO 公司,它的诞生标志着张力腿平台从理论试验研究走向工程技术应用,是张力腿平台技术成熟化和工程技术化的一个标志,此后张力腿平台如雨后春笋般出现。

1998 年,第一座由 Atlantia 公司负责安装的海之星张力腿平台在墨西哥湾 Morpeth 油田投入使用,标志着第二代张力腿平台由理论走向实践。2001 年,隶属 El Paso 公司的 Prince Moses TLP 平台在墨西哥湾的 Ewing Bank Block 安装下水,标志着第一座 Moses TLP 的诞生,值得一提的是该平台是世界上第一座支持干树系统的 Minit – TLP。

2000 年左右,ABB 公司投资 400 多万美元,对延伸式张力腿平台(ETLP)进行了大量的理论研究和试验论证,计算了张力腿平台在各种特殊环境中,对于不同的上体载荷、立管数量以及水深下的响应,并且对此进行了诸多针对性的工程设计和模型试验。这种系统而又细致周密的研究为延伸式张力腿平台从理论走向实践奠定了坚实而有力的基础。2003 年是延伸式张力腿的工程建设阶段,Kizomba A ETLP 和 Kizomba B ETLP 以及 Magnolia 的相继建成,标志着 ETLP 时代的来临。

### 11.1.2　张力腿平台结构形式

虽然张力腿平台种类、形式繁多,但总体上仍可将其按结构分成四部分:平台本体、张力腿系统、锚固系统和立管系统。从结构特点上看,张力腿平台就像一个倒置的钟摆,是一个刚性系统和弹性系统综合的复杂非线性动力系统。下面以传统型张力腿平台为例,简要介绍张力腿平台的总体结构。

1. 平台本体

张力腿平台的平台本体部分主要由甲板结构、立柱、浮箱组成,其中立柱和浮箱的组合又称为平台主体。平台本体的主要作用是提供结构预张力并支撑上部甲板以及采油或者钻井设备的重力及载荷。作为平台上体的甲板结构上有生产、生活设备和设施,其形状主要有三角形、四边形、五边形。实验证明三角形上体安全性较差,五边形上体结构复杂,因此目前投入使用的平台上体多为四边形。平台的立柱大多采用较大直径的柱体,一般在十几米左右,为其提供浮力和保证平台的稳性,立柱的数目取决于平台上体的形状。为了保证强度,有的立柱间还设有横撑和斜撑。平台的下体主要由浮箱组成,按浮箱的型式可以将其分为整体式、组合式、沉垫式三大类。浮箱的作用是为平台提供大部分的浮力,与立柱一起保证平台的稳性和浮态,而平台剩余的浮力由张力腿系统的预张力提供。

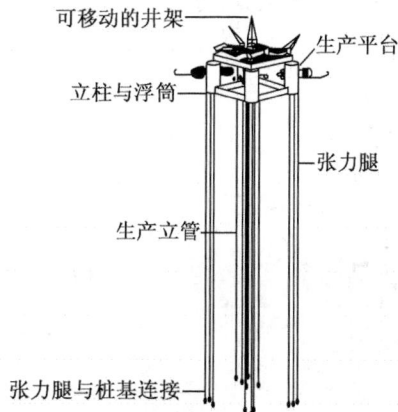

**图 11.1.2　张力腿平台结构组成示意图**

**2. 张力腿系统**

张力腿系统是连接平台本体以及海底的定位系统,可确保平台结构位置的相对固定,控制平台的运动响应,保证平台良好的运动性能,保证平台作业的顺利进行。张力腿系统由多根绷紧的钢制缆索组成,其数量亦与平台上体的形状有关。每组缆索又由若干根钢索(或钢筋束)组成,其下端直接固定在锚固基础上,内力与平台的剩余浮力相平衡。系泊方式主要有倾斜式系泊以及垂直系泊两种。由于垂直系泊施工方便,可合理地选择平台船型,而且只要设置合理的张力腿张力和刚度,就可以将平台的运动控制在允许的范围内,因此目前投入使用的张力腿平台都使用了垂直系泊方式。张力腿系统不仅控制着井口与平台的相对位置,还对其安全性起着决定性作用。

**3. 锚固系统**

石油开发工作要求锚固基础必须精确定位,站得稳、立得住。锚固基础是张力腿平台的一个重要组成部分,为张力腿平台提供强大的抗拔力,为整体结构提供良好的稳定性以及安全性,起到固定平台、精确定位的作用。目前锚固基础主要有以下几种。

(1)重力锚:最早使用的锚,主要靠材料本身重量来抵抗外力,部分靠锚与土壤之间的摩擦力来抵抗,材料为钢和混凝土。

(2)拖曳嵌入式锚:目前最受欢迎和使用最多的一种锚,部分或全部深入海底,主要靠锚前部与土壤的摩擦力来抵抗外力。能承受较大的水平力,但承受垂向力的能力不强。

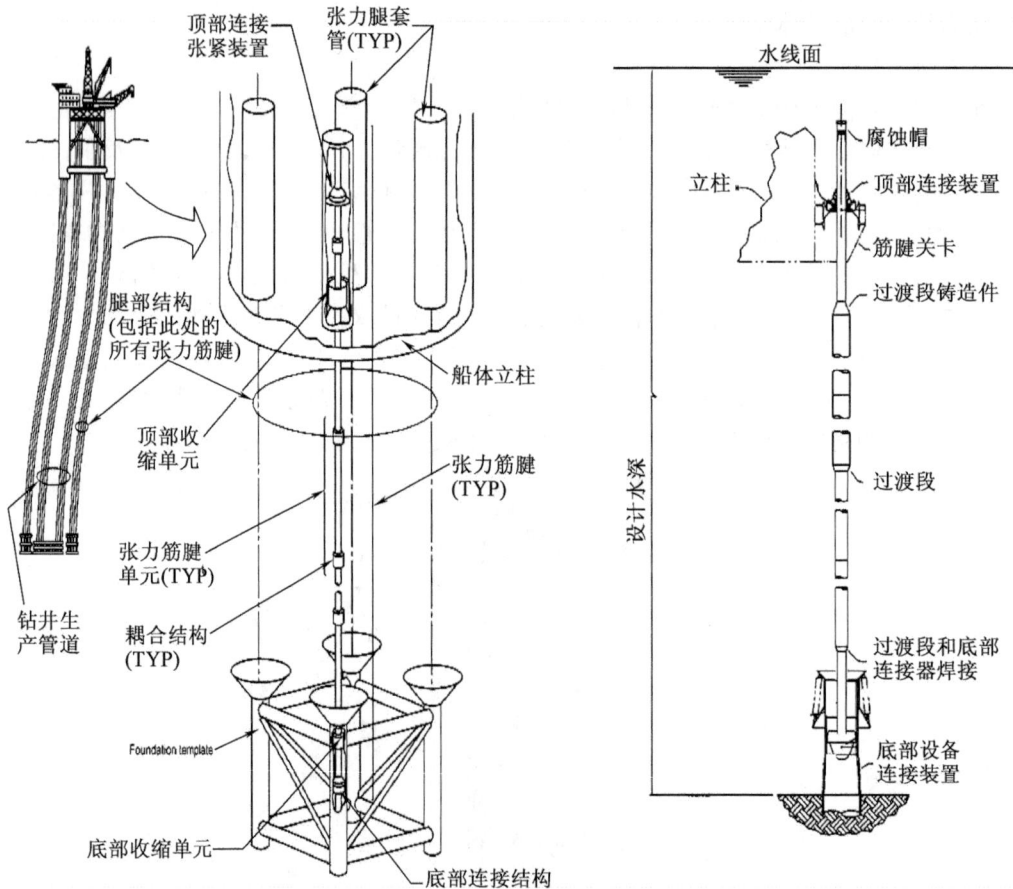

**图 11.1.3　张力腿平台系泊系统示意图**

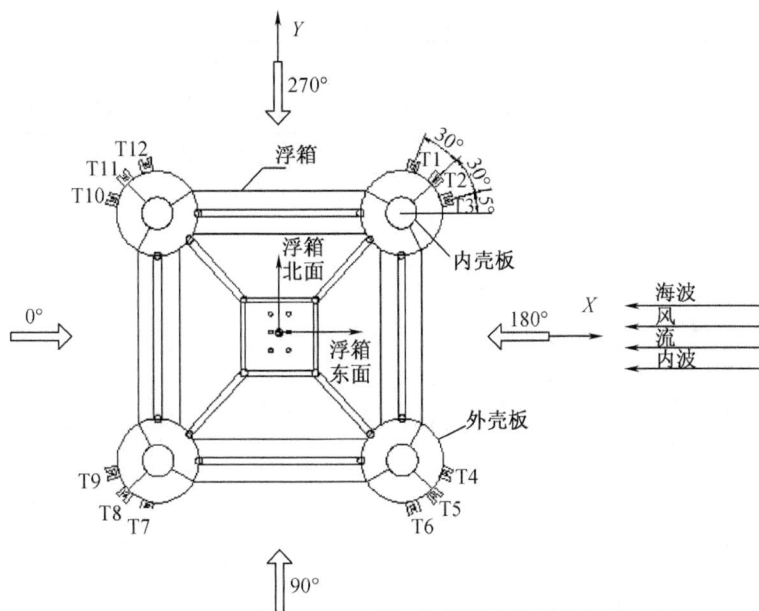

**图 11.1.4 张力腿平台系泊系统布置示意图**

(3)桩锚:中空的钢管通过打桩安于海底,靠管侧与土壤的摩擦力来抵抗外力。通常需要将锚埋入较深的海底以抵抗外力,能承受水平力和垂向力。

(4)吸力锚:类似于桩锚,但中空的钢管直径要大得多。通过安于钢管顶部的人工泵使管内外出现压力差,当管内压力小于管外,钢管即被吸入海底,然后将泵撤走。吸力锚主要靠管侧与土壤的摩擦力来抵抗外力,能承受水平力和垂向力。

(5)垂向载荷锚:最新发展的一种锚,与传统的嵌入式锚一样,而且深入地更深,可以承受水平力和垂向力。

目前在役的张力腿平台中普遍采用的锚为重力式锚、吸力锚以及桩锚,下表给出了在役张力腿平台锚固基础统计特征。

**表 11.1.1 张力腿平台锚固基础统计表**

| 平台名称 | 结构形式 | 工作水深/m | 张力腿参数 | | 海底锚固基础形式 | 海底桩基参数 | |
|---|---|---|---|---|---|---|---|
| | | | 数量 | 直径/m | | 数量 | 直径×长度/(m×m) |
| Hutton | 6 立柱传统 TLP | 147 | 16(4×4) | 0.26 | 重力式基础 | 4 | — |
| Jolliet | 4 立柱传统 TLP | 536 | 12(4×3) | 0.61 | 1 个基盘 + 桩基 | 16 | 1.542×91.44 |
| Snoorre A | 4 立柱传统 TLP | 335 | 16(4×4) | 0.813 | 重力式吸力锚(高强混凝土舱) | 4 | 每个基础底端截面积 720 m² |
| Auger | 4 立柱传统 TLP | 873 | 12(4×3) | 0.66 | 4 个基盘 + 桩 | 16 | 1.829×130 |

表 11.1.1(续)

| 平台名称 | 结构形式 | 工作水深/m | 张力腿参数 | | 海底锚固基础形式 | 海底桩基参数 | |
|---|---|---|---|---|---|---|---|
| | | | 数量 | 直径/m | | 数量 | 直径×长度/(m×m) |
| Heidrum | 4立柱传统TLP | 345 | 12(4×3) | 1.07 | 重力式吸力锚(高强混凝土舱) | 4 | 每个基础底端直径43~48 |
| Mars | 4立柱传统TLP | 894 | 12(4×3) | 0.711 | 直接与桩基相连 | 12 | 2.143×114 |
| Ram/Powell | 4立柱传统TLP | 980 | 12(4×3) | 0.711 | 直接与桩基相连 | 12 | 2.143×106 |
| Morpeth | 迷你TLP | 518 | 6(3×2) | 0.66 | 直接与桩基相连 | 6 | 2.143×104 |
| Ursa | 4立柱传统TLP | 1 159 | 16(4×4) | 0.813 | 直接与桩基相连 | 16 | 2.143×127 |
| Allegheny | 迷你TLP | 1 021 | 6(3×2) | 0.711 | 直接与桩基相连 | 6 | 2.143×— |
| Marlin | 4立柱传统TLP | 997 | 12(4×3) | 0.711 | 桩基 | 8 | 2.143×— |
| Typhoon | 迷你TLP | 963 | 6(3×2) | 0.813 | 直接与桩基相连 | 6 | 2.144×— |
| Brutus | 4立柱传统TLP | 910 | 12(4×3) | 0.610 | 直接与桩基相连 | 12 | 2.803×104 |
| Prince | 4立柱新型TLP | 454 | 8(4×2) | 0.66 | 直接与桩基相连 | 6 | 1.626×98 |
| West Seno "A" | 4立柱新型TLP | 1 021 | 8(4×2) | 0.813 | 直接与桩基相连 | 8 | 1.83×76.5 |
| Matterhorn | 迷你TLP | 859 | 6(3×2) | 0.203~0.711 | 直接与桩基相连 | 8 | 2.7×130 |
| Marco Polo | 4立柱新型TLP | 1 131 | 8(4×2) | 0.813 | 桩基 | 8 | 1.93×119 |
| Kizomba "A" | 4立柱新型TLP | 1 178 | 8(4×2) | 0.813 | 桩基 | 8 | 2.144×— |
| Magnolia | 4立柱新型TLP | 1 425 | 8(4×2) | 0.813 | 桩基 | 8 | — |
| Kizomba "B" | 4立柱新型TLP | 1 178 | 8(4×2) | 0.61 | 桩基 | 8 | — |
| Oveng | 4立柱新型TLP | 271 | 8(4×2) | 0.61 | 桩基 | 8 | 1.626×53 |
| Okume/Ebano | 4立柱新型TLP | 503 | 8(4×2) | 0.61 | 桩基 | 8 | 1.626×60 |
| Neptune | Mini-TLP | 1 290 | 6(3×2) | 0.914 | 直接与桩基相连 | 8 | 2.438×126 |

4. 立管系统

立管系统是张力腿平台的采油系统,按照采油树安装位置的不同,张力腿平台可以划分为湿树平台和干树平台两大类。

湿树平台的采油树位于海底,平台上安装有独立的全套生产处理设施以支持一定数量的海底油井。海底油井通过柔性输油管和钢制悬链线立管(简称 SCR)与平台上的生产设施相连,平台上的全部生产活动都要通过这些管线来进行。其优点是采油树位于海底,减少了平台上体的负载,不需要建造体积庞大的平台主体,因而降低了平台的总体造价,由于不安装垂直的张紧式立管,因此不需要考虑平台吃水变化对生产立管的影响,从而简化了平台的设计。湿树平台非常适用于分布面广、出油点分散的油田。它以柔性输油管和 SCR 组成分布广泛的海底管线系统,再以湿树平台作为管汇中心,便可以控制较广的区域。另外,湿树平台的生产储备能力具有很大的弹性,新增的设备和海底油井容易加装到现有的生产系统中,对油田的远期开发比较方便。

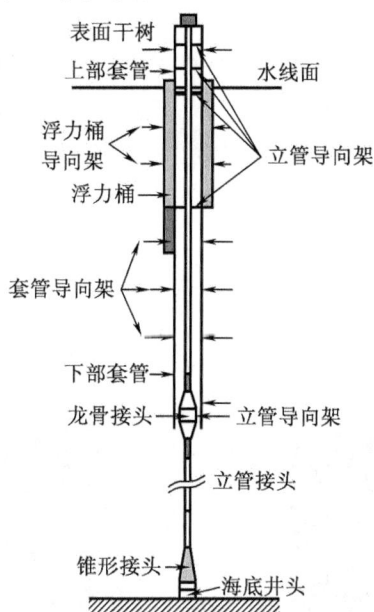

图 11.1.5　典型的立管结构示意图

干树平台的采油树位于平台之上,由垂直生产立管直接连接到位于平台井口甲板的采油树上。张力腿平台优良的运动性能,使其在安装干树系统方面具有很大的优势。因为平台与生产立管之间的相对运动量较小,所以可以采用结构简单、造价低廉的立管张紧装置。干树平台的生产活动主要通过顶张紧立管来进行,其优点是海底油井和表面干树直接通过生产立管垂直连接,可在平台上体安装钻塔,使张力腿平台自行实现钻井、完井功能,避免了远期油田开发中需要调用其他钻井设施而使平台生产中断的问题。另外,由于采油树位于平台之上,因此维修方便、易于管理,还省去了将海底采油树回接到平台上体的硬件费用。

### 11.1.3　张力腿平台分类

虽然张力腿平台的工作原理大体相似,但是结构形式却不尽相同。张力腿平台结构形式的发展主要经历了两个阶段,即第一代张力腿平台和第二代张力腿平台。第一代张力腿平台即传统型张力腿平台,自1894年问世以来,传统张力腿平台不断发展,技术日趋成熟。第二代张力腿平台出现在20世纪90年代,是对传统张力腿平台的改进和优化。它继承了传统张力腿平台优良的运动性能以及良好的经济效益,同时更加注重结构的优化和成本的控制,并在一定程度上突破了水深对张力腿平台的限制,使之更加适应深水条件。第二代张力腿主要包括海之星(SeaStar)张力腿平台、MOSES张力腿平台以及延伸式张力腿平台。

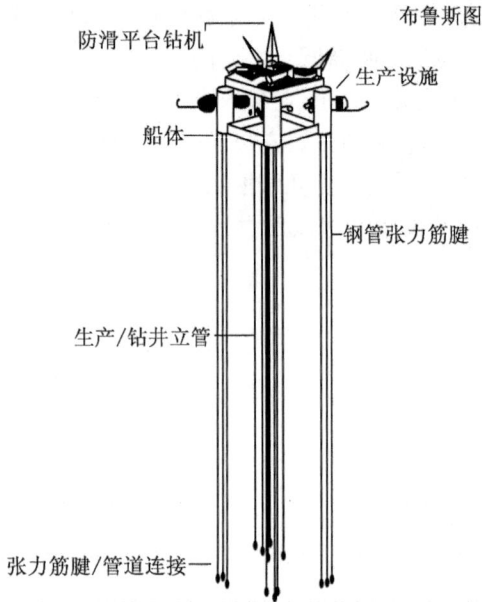

图11.1.6 传统式张力腿平台

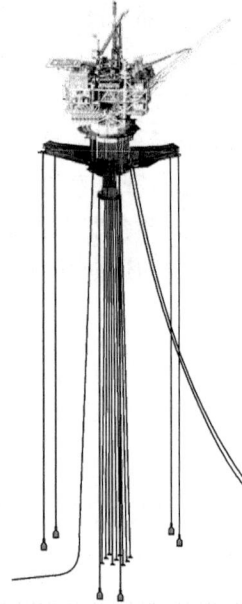

图11.1.7 SeaStar张力腿平台

图11.1.8 MOSES式张力腿平台

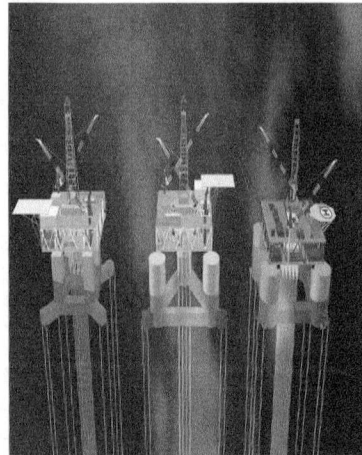

图11.1.9 延伸式张力腿平台

1. 传统型张力腿平台

传统型TLP平台主体一般都呈矩形或三角形,平台上体位于水面以上,通过4根或3根立柱连接下体,立柱为圆柱形结构,主要作用是提供给平台本体必要的结构刚度。平台的浮力由位于水面下的浮箱提供,浮箱首尾与各立柱相接,形成环状结构。张力腿系统由1~4根张力筋腱组成,上端固定在平台本体上,下端与海底基座模板相连或直接连接在桩基顶端。有时候为了增加平台系统的侧向刚度,还会安装斜线系泊索系统,作为垂直张力腿系统的辅助。海底基础将平台固定入位,主要有桩基或吸力式基础 2 种形式。中央井位于平台上体上,可以支持干树系统,生产立管通过中央井与生产设备相接,下与海底油井相接。

表 11.1.2　传统型张力腿平台统计表

| 平台 | 型式 | 水深/m | 年份 |
|---|---|---|---|
| Hutton | CTLP | 148 | 1984 |
| Jolliet | CTLP | 536 | 1987 |
| Snoorre A | CTLP | 335 | 1992 |
| Auger | CTLP | 872 | 1995 |
| Heidrum | CTLP | 350 | 1996 |
| Mars | CTLP | 896 | 1997 |
| Ram/Powell | CTLP | 980 | 1999 |
| Ursa | CTLP | 1 225 | 1999 |
| Marlin | CTLP | 979 | 1999 |
| Brutus | CTLP | 910 | 2001 |
| W. senoA | CTLP | 1 021 | 2003 |

2. Mini TLP

SeaStar TLP 的平台主体打破了传统类型 TLP 的 3 柱或 4 柱式结构,采用一种非常独特的单柱式设计。这一圆柱体结构称为中央柱,中央柱穿过水平面,上端支撑平台甲板,在接近下端的部位,通过内部的水平和斜拉牵条连接固定 3 根矩形截面的浮筒,各浮筒向外延伸成悬臂梁结构,彼此在水平面上的夹角为 120 度,形成辐射状,且浮筒的末端截面逐渐缩小。这 3 根浮筒向平台本体提供浮力,并且在外端与张力腿系统连接。中央柱包括外壳壁、月池或通道。平台内部空间被分割成一系列水密空间。张力腿从浮筒末端的连接头垂直延伸到海底桩基,浮筒浮力拉紧张力腿,中央柱浮力支持甲板载荷,保证平台抗颠覆的稳定性。

MOSES TLP 的平台主体仍然沿袭了传统 TLP 的四角柱结构设计。平台浮力主要由一个位于平台基座中的浮箱来提供,平台基座位于水面以下,形状比较特殊,基座中央为一正方体,每条棱沿对角线向外延伸形成悬臂梁结构,悬臂梁纵截面为三角形,张力腿系统就连接在这 4 条悬臂梁的顶端。立柱与基座连为一体,分别坐落在基座顶面的 4 个边角上。

表 11.1.3　Mini TLP 统计表

| 平台 | 型式 | 水深/m | 年份 |
|---|---|---|---|
| Morpeth | SeaStar TLP | 518 | 1998 |
| Allehgeny | SeaStar TLP | 1000 | 1999 |
| Typhoon | SeaStar TLP | 671 | 2001 |
| Matterhorn | MOSES TLP | 858 | 2003 |

**表 11.1.3（续）**

| 平台 | 型式 | 水深/m | 年份 |
|------|------|--------|------|
| Prince | MOSES TLP | 457 | 2001 |
| MarcoPolo | MOSES TLP | 1311 | 2004 |
| Oveng | MOSES TLP | 274 | 2006 |
| Okume/Ebano | MOSES TLP | 503 | 2006 |

3. 延伸式张力腿平台

ETLP 平台主体主要由立柱和浮箱 2 大部分组成。按照立柱数目的不同可以分为 3 柱式 ETLP 和 4 柱式 ETLP,立柱有方柱和圆柱 2 种形式,上端穿出水面支撑平台上体,下端与浮箱结构相连。浮箱截面形状为矩形,首尾相接形成环状基座结构,在环状基座的每一个边角上,都有一部分浮箱向外延伸形成悬臂梁,悬臂梁的顶端与张力腿相连接。

**表 11.1.4　ETLP 统计表**

| 平台 | 型式 | 水深/m | 年份 |
|------|------|--------|------|
| Kizomba A | ETLP | 1177 | 2003 |
| Kizomba B | ETLP | 1177 | 2003 |
| Magnoilia | ETLP | 1425 | 2004 |

不同结构形式的张力腿平台具有不同的特点,表 11.1.5 给出了第一代和第二代张力腿平台主要参数和性能特点的对比特性。

**表 11.1.5　不同型式张力腿平台参数对比**

| 比较项目 | 第一代张力腿平台 | 第二代张力腿平台 | | |
|------|------|------|------|------|
| | | SeaStar TLP | Moses TLP | ETLP |
| 特点 | 1. 垂荡固有周期 3～4 s;<br>2. 平面内运动(横摇,纵摇,垂荡)非常小;<br>3. 水平方向是顺应式的;<br>4. 重力敏感;<br>5. 水深限制在 5 000～6 000 ft;<br>6. 干树采油。 | 1. 单柱式平台主体容易建造;<br>2. 悬臂浮筒结构有效地降低了平台的运动;<br>3. 中浮性的张力键设计降低了张力键的数目;<br>4. 提高了平台的承载效率。 | 1. 高效的主题结构,提高了平台的承载效率,降低了平台的疲劳载荷;<br>2. 平台主题容易建造;<br>3. 降低了对锚泊系统的要求,减少了张力腿的建造和安装成本;<br>4. 偏心式井口设计降有利于平台的检修和维护。 | 1. 更高的承载效率;<br>2. 模块化设计,灵活的施工和组装过程;<br>3. 延伸的悬臂浮筒降低了平台的横摇和纵摇固有周期。 |

**表 11.1.5**(续)

| 比较项目 | 第一代张力腿平台 | 第二代张力腿平台 | | |
| --- | --- | --- | --- | --- |
| | | SeaStar TLP | Moses TLP | ETLP |
| 缺点和不足 | 1. 承载效率偏低；<br>2. 由于张力键自身的重力原因,对水深有一定的限制；<br>3. 在降低造价,改善受力情况和运动性能方面仍有待提高;4. 海底基础是固定入位的,随水深增加难度增大。 | 1. 井口的型号受到限制；<br>2. 自我漂浮,稳定性欠缺；<br>3. 上部的设备重量受限。 | 1. 井口的型号受到限制；<br>2. 自我漂浮,稳定性欠缺；<br>3. 上部的设备重量受限。 | 1. 井口的型号受到限制；<br>2. 自我漂浮,稳定性欠缺；<br>3. 上部的设备重量不能太重。 |
| 平台主体 | 四柱式 | 单柱式 | 由四根角柱和一个水下浮式基座构成 | 四柱式,立柱向平台重心靠拢 |
| 张力腿 | 12~16 根,受限制于水深 | 3~6 根,整根制造或分段制造 | 8~12 根 | 8 根 |
| 代表平台 | Hutton、Auger、Jolliet、Heidrum、Mars、Ram/Powell、Ursa、Ursa/Powell、Marlin、Brutus、West Snorre A、West Snorre B | Morpeth<br>Allegheny<br>Typhoon<br>Matterhorn | Prince<br>Marco Polo | Kizomba A<br>Kizomba B<br>Magnolia |

### 11.1.4　张力腿平台工作原理

　　张力腿平台的主要思想是使平台半刚性半顺应。自身结构产生的浮力远远大于自身的重力,抵消了自身重力以后所剩余的浮力称为剩余浮力。剩余浮力与张力腿提供的张力平衡。预张力作用在平台的垂直张力腿系统上,从而使平台始终处于张紧状态。巨大的预张力使张力腿的平面外运动响应(横摇、纵摇、垂荡)较小近似于刚性。张力腿将平台与海底锚固基础连接在一起,为生产提供一个相对平稳安全的工作环境。另一方面,张力腿平台主要是直立浮筒结构,一般浮筒所受波浪力的水平方向分力较垂直方向分力大,因而通过张力腿在平面内的柔性实现平台平面内的运动(横荡、纵荡、摇艏),即为顺应式。这样,较大的环境载荷能够通过惯性力来平衡,而不需要结构内力来平衡,张力腿平台特殊的结构形式使得结构具有良好的运动性能。

　　张力腿平台的张力腿系统在初始位置是直立的,平台的纵荡将不引起纵摇,但一般会和垂向运动耦合,即纵荡引起垂荡。在运动过程中不会有张力腿松弛,它始终保持等长度的平行状态。如果有一个张力腿未经过校核,则会破坏这种理想的平衡性质。因此在张力腿平台的设计中,张力腿锚固位置的容许偏差很重要,同时,设想使用非平行的张力腿,这样的张力腿虽然也可将平台固定于某一空间位置,但不平行的张力腿会在空间相交于一点,这一点将是平台横荡引起艏摇的旋转中心。张力腿平台在张力腿系泊系统张力变化和平台本体浮力变化控制下,水平面内的顺应式导致了纵荡、横荡、艏摇的固有低频,垂直面内的刚性特点导致了横摇、纵摇、艏摇的固有高频。

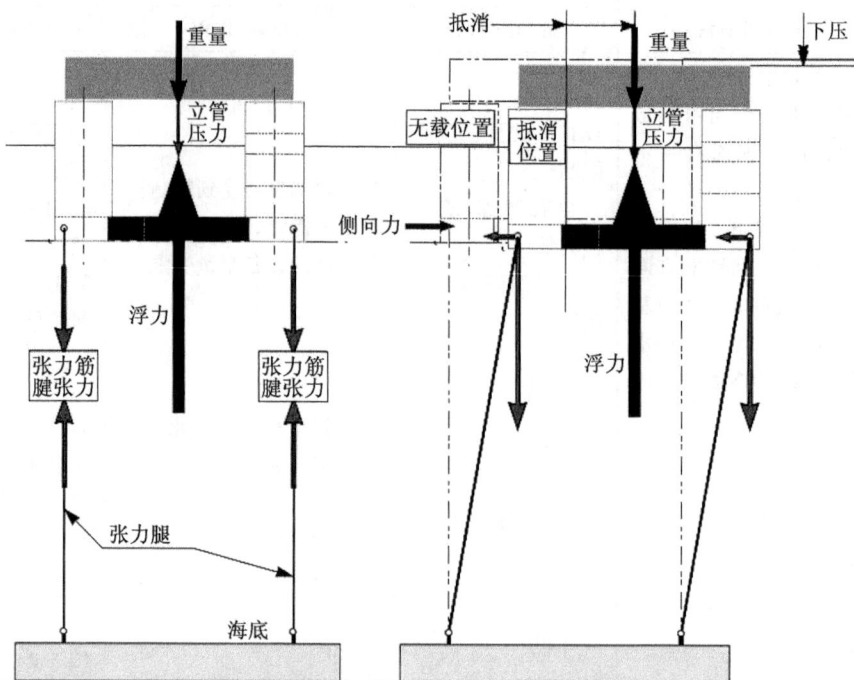

**图 11.1.10　张力腿平台工作原理示意图**

**表 11.1.6　张力腿平台各个自由度的固有周期**

| 张力腿平台固有周期 | | | | | |
|---|---|---|---|---|---|
| 运动 | 纵荡/s | 横荡/s | 垂荡/s | 纵摇/s | 横摇/s | 摇艏/s |
| 固有周期 | 130~160 | 130~160 | 2~4 | 2~4 | 2~4 | >40 |

# 11.2　张力腿平台设计

## 11.2.1　张力腿平台设计方法

根据给定的结构形式,在初始设计中首先要确定的就是壳体和甲板的负载与重量以及张力腿预张力的范围。张力腿预张力主要依赖于水深、稳定横向力的大小以及在稳定力作用下平台允许的偏移,当然它还与环境载荷息息相关。浮力($rg\,Ñ$)很简单,它就是总重量、张力腿张力和立管张力的合力。

如果采用张力腿张力衡量平台性能,那么可以给出确定最好的设计参数的参数化过程的大纲。首先在保证垂荡力最小的前提下,根据给定的张力腿预张力 $T_0$ 和立柱的吃水 $d_c$ 来确定立柱体积分布($\nabla_c$)和浮箱体积分布($\nabla_p$)。

然后,考虑到波浪垂荡力和纵摇力矩的影响,根据张力腿的张力增加最小原则确定吃水和立柱跨距的组合。然而在这个阶段,立柱的跨距和浮箱的长度都应该设定一个临时值,因为这些值与甲板系统的设计、运输和安装问题的联系更为密切。另外如果采用外浮箱的设计,那么应该设定好外浮箱体积占总浮箱体积的比例。净垂荡力依赖于立柱和浮箱之间的排水量的分配,即$\nabla_c:(\nabla_p + \nabla_e)$。一个波峰位于平台中部时简单的垂荡力的闭合表达式将会在后面给出,根据这个表达式,基于垂荡力最小的原则,就可以确定立柱和浮箱大小的组合。每种组合都应该考虑到两个或者更多的立柱吃水和一系列的张力腿预张力。每种情况立柱的截面面积$A_c$和浮箱的体积$\nabla_p$都可被确定,而立柱的跨距将会在后面说明。

张力腿张力的变化主要依赖于纵摇力矩和垂荡力。这个二阶闭合公式给出了张力腿张力随波峰位于中心节点时(node - centred wave)产生的纵摇力矩的变化量,此时可以根据这个张力腿张力对吃水、立柱的高度和跨距以及张力腿的分布等参数进行基础的评估。

通过这些分析,张力腿的最大张力为$T_0 + \max T$,其中第二项为对应于最大谱峰值点产生的张力。一个目标就是使得这个和值最小,同时保证$T_0 - \max T$不小于0也是很重要的。因此这个预张力$T_0$最初被设定时要控制平台的偏移,还要避免出现负张力和过程的反复。如果张力腿是中性浮力的,那么张力腿的最小张力应该与张力腿的湿重相等以保证在一定的海水层内有效张力为正值。这个标准是可以放松的,如果经过分析论证在危险区域出现负张力也不会导致张力腿的破坏,但是并不推荐在最初制订这个标准时放宽这个要求。

如上所述,这个闭合形式的公式仅仅是进行这些尺寸参数循环计算的一个工具,但是并不能精确代表张力腿的张力。$\max T$可能要比实际的最大值小$10\% \sim 20\%$,因此如果想要明确地看待张力腿的张力时,就应该考虑一个经验性系数$fac$,这样的话张力腿的张力可以写为$T_0 + fac \times \max T$。由于在初始设计阶段对稳定的载荷(如风、流和慢漂力)等估计不是特别精确,因此需要适当的重新计算和核实平台的最大偏移。正是由于这个原因,张力腿的最小张力才要求是正的,也就是预张力应该是一个范围。

在初始设计的后期,不用经过详细的计算,我们可以计算在极限海况下由于舱室进水导致的$T_0 + fac \times \max T$减小。通过这种方式,最小张力可以作为内部舱室划分的基础,最大舱室破损进水后造成的张力$T_{\min - damage}$可以为0。

通过定义上面提到的一系列参数可以对这个参数性的模型进行评估,下面给出了这个过程的大纲。一共有四个立柱参数($A_c$、$a_c$、$d_c$、$f_c$),四个内部浮箱参数($A_p$、$a_p$、$b_p$、$d_p$)和三个外部浮箱参数($A_e$、$l_e$、$r_e$)来定义整个壳体的几何特征,另外还有三个参数($T_0$、$s_t$、$n_t$)定义张力腿的特征。附加质量系数应该在横剖面形状和浮箱没有变化时临时设定一个具有代表性的数值。如下面所述,一些参数可能是互相依赖和通过其他参数计算得到的。

与平台位于静水中的重心一样,包括立管张力在内的载荷和其他重量参数都应该被给出并且作为输入参数。任何可预料到的偏心重量都应该通过放置在浮箱底部($d_p$)的压载物来平衡掉。钢材重量和壳体舾装重量可以通过与几何参数呈函数关系的公式计算得到。

有效载荷(包括提升张力)和其他重量数据与相对静水线位置的重心一样会给定,来作为输入量。任何重量造成的预期的重心偏移应该由位于立柱相应的舱室压载所平衡。平台钢料和设备的重量可以通过公式计算,该公式是由几何参数组成的函数。随着总重量和立管载荷的确定以及所要求的预张力$T_0$,所要求的排水量$\Delta_0$也会确定。建议把$\nabla_e/\nabla_p$、$a_e$、$l_e$和$r_e$这几个参数固定,而把立柱吃水$d_c$、张力要求$T_0$和立柱与浮箱位移比$\nabla_c:(\nabla_p + \nabla_e)$作为自变量。这样$A_c$、$A_p$和$A_e$可由$T_0$、$d_c$和$\nabla_c:(\nabla_p + \nabla_e)$构成的函数来计算。

最初,浮箱吃水$d_p$可以基于立柱吃水$d_c$减去一些可以反映浮箱截面积和预期形状的因数得到。同样,浮箱的截面积$a_p$和长度$2b_p$可由立柱的截面积和直径通过公式计算得到。而张力腿截面面积 $S_t$ 可由立柱间距和直径（$A_c$、$a_c$），浮箱长度 $l_e$ 和后续设置的关系通过公式算得。

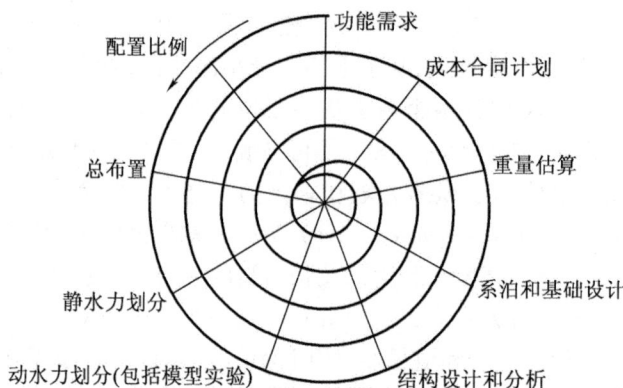

**图 11.2.1　张力腿平台的设计流程图**

### 11.2.2　张力腿平台的设计步骤

根据上面叙述的张力腿平台设计方法，下面给出张力腿平台设计步骤的大纲。

1. 初步确定张力腿平台主要设计参数

在张力腿设计开始之前，首先需要确定一些参数，作为不变量以用于计算后面的参数。这些在 TLP 设计时固定的参数主要有立柱临时间距 $a_c$，张力腿根数 $n_t$，外部浮箱长度 $l_e$ 和体积比 $\dfrac{\nabla_e}{\nabla_p}$。

2. 计算 $\nabla_c:(\nabla_p + \nabla_e)$ 最优值

首先输入所要求的张力 $T_0$ 和立柱吃水 $d_c$；对于每种组合情况，按照平衡准则计算考虑 3 ~ 5 组立柱与浮箱排水量比 $\nabla_c:(\nabla_p + \nabla_e)$；通过最小的垂荡力极值谱确定选择的 $T_0$ 及 $d_0$ 比值；

通过大量和反复的计算，得到一系列对应要求的张力 $T_0$ 和 $d_c$ 的排水量 $\nabla_0$ 和 $\nabla_c:(\nabla_p + \nabla_e)$ 的值，从中选出最优值，以及相应的立柱和浮箱的截面积 $A_c$、$A_p$ 和 $A_e$ 值。

3. 确定最优的 $T_0$，$d_c$ 和 $a_c$ 组合

首先根据初步确定的预张力 $T_0$ 和立柱吃水 $d_c$，选择在上一步所确定的最佳比值 $\nabla_c:(\nabla_p + \nabla_e)$，修正立柱与浮箱体积比。

然后根据每次组合情况，考虑 3 ~ 4 组立柱间距 $a_c$，即约束 $T_0$ 和 $d_c$ 值，改变 $a_c$ 值；约束 $T_0$ 值，$d_c$ 和 $a_c$ 值，改变浮箱形状 $C_{azp}$；选择 $C_{azp}$ 值，确定浮箱截面积。即确定满足几何形态的 $l_e$ 和 $\dfrac{\nabla_e}{\nabla_p}$，建议取 $\dfrac{\nabla_e}{\nabla_p} \approx 1:5$，而取 $l_e \approx 1.0 \sim 1.5$ 倍立柱直径 $D_c$，而张力腿间距通过立柱间距，立柱直径和外部浮箱长度组成的公式来确定。

最终根据每一步最佳 $\nabla_c:(\nabla_p + \nabla_e)$ 值、$\dfrac{\nabla_e}{\nabla_p}$ 和 $l_e$ 值确定最好的 $T_0$、$d_c$ 和 $a_c$ 组合。值得注意的是，每次计算（参数 $T_0$、$d_c$ 和 $a_c$）将有一个最大张力 $\max T$，其中含有最小 $\max T$ 的计算参数将成为初步设计的最佳参数。应反复考虑 $fac \times \max T > T_0$ 避免张力腿松弛。

4. 最终确定 TLP 方案设计参数

确定立柱吃水 $d_c$ 和间距 $a_c$；同时也确定立柱和浮箱的形状，即确定 $A_c$、$A_p$（深度、宽度

和角隅)和 $A_e$(长度、宽度、深度和锥度);如果 $a_c$ 不同,确定浮箱截面参数 $A_p$。修订 $d_p$ 和 $b_p$ 以匹配浮箱和立柱尺寸。这些输入量将决定排水量 $\Delta_0$ 和所要求的预张力 $T_0$,这一步需要考虑 2~4 个不同模型,每一个模型将产生一个 $T_0$ 和一个 max $T$,也将各有一个确定的钢量,然后做出最优选择。

### 11.2.3　张力腿平台筋腱设计

张力腿平台筋腱的静载设计一般遵循以下原则。

(1)当安全等级为 A 时,张力腿筋腱许用应力应满足有效截面的应力 $\sigma_p \le 0.6F_y$ 或者 $0.5F_u$,局部弯曲应力 $\sigma_s \le 0.9F_y$ 或者 $0.7F_u$。

(2)当安全等级为 B 时,张力腿筋腱的许用应力应满足有效截面的应力 $\sigma_p \le 0.8F_y$ 或者 $0.6F_u$,局部弯曲应力 $\sigma_s \le 1.2F_y$ 或者 $0.9F_u$。

式中　$F_y$——最小屈服应力;

　　　$F_u$——最小极限应力,kip(MPa)。

除了满足上述相关的应力条件外,张力腿筋腱的静载设计需要考虑张力腿筋腱的组合方式以及相关组合的自然特性。对于设计载荷状态下或者张紧状态下,局部弯曲载荷沿截面分布相同,当考虑整体弯曲力矩的时候,局部弯曲力矩沿轴向截面分布不同。

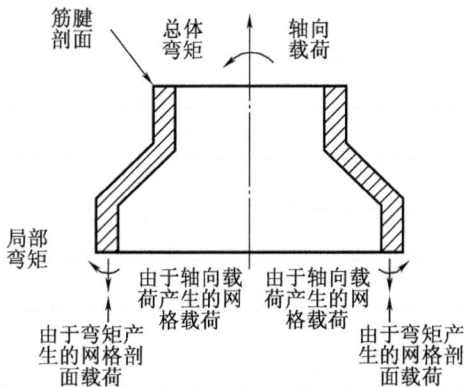

图 11.2.2　张力腿筋腱有效截面应力以及局部弯曲应力分布

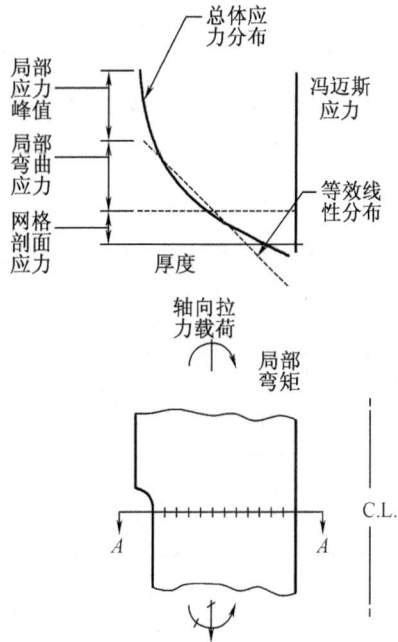

图 11.2.3　轴周对称交错截面 *A—A* 处的应力分布示意图

## 11.3 张力腿平台总体响应分析

### 11.3.1 张力腿平台响应计算方法

张力腿平台响应的计算过程大致可分为两个阶段,即采用频域分析的方法筛选控制工况阶段和采用时域方法求解控制工况阶段。平台在环境载荷作用下的特点,主要表现为载荷和平台响应都随时间长期变化。长期变化的环境条件可以用不同方向的波高、波周期及其出现概率的联合分布表格来描述。工程实践证明,波高最大的环境条件并不一定是引起平台最大响应的控制工况,而那些波高虽然不十分大,但频率与平台自振频率接近的波浪环境条件可以引起平台的最大响应。由于时域分析方法十分耗时,所以如果采用时域方法对每一组波高、波周期条件进行分析是很难实现的。尽管频域分析计算方法不如时域分析方法精确,但频域方法所需计算时间很短,并且对控制工况捕捉的准确度能够满足工程设计的需要。与大多数其他海洋结构和船舶一样,张力腿平台对环境的响应可简化为一个准静态随机过程。这表明将风、波和流考虑为准静态时,短期环境内产生的是短期静态响应。每个短期环境包括:有义波高,波浪谱峰周期,平均风速、流速,水位变化和环境作用的方向。通过对短期静态响应进行近似加权组合得到长期非静态响应。采用频域分析的方法筛选控制工况阶段所完成的计算工作就是将每个短期环境条件作为输入数据求解平台的短期静态响应,然后对短期静态响应进行近似加权组合得到长期非静态响应,最后通过长期非静态响应来反推出引起平台最大响应的控制工况,如图 11.3.1 所示为 TLP 响应曲线。

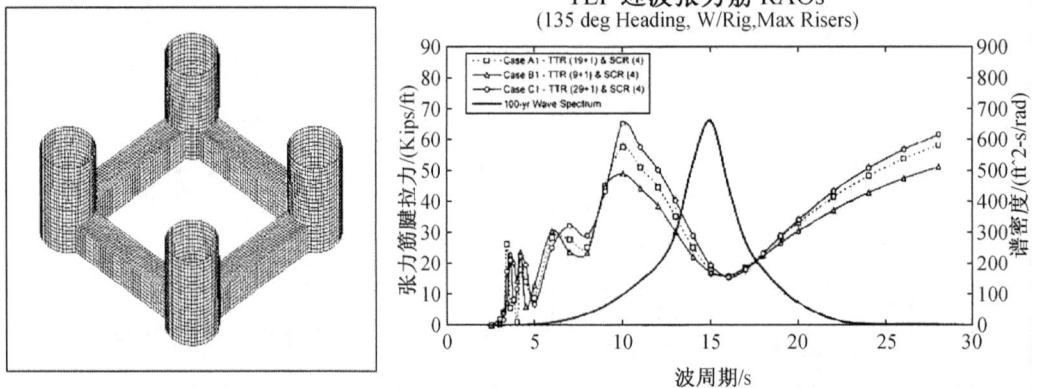

图 11.3.1　TLP 响应曲线

将平台的控制工况作为输入即可采用时域分析的方法推导出平台的最大响应。由于立管和系泊系统等柔性结构的存在,所以张力腿平台的低频运动受流载荷和阻尼的影响十分显著。为了对这些耦合效应进行统一的时域模拟,即进行浮箱/柔性结构的完全耦合分析。完全耦合分析采用了包括浮体结构、所有锚链和立管的柔性结构的整体有限元模型,为了对浮体/柔性结构耦合的动力响应有一个适当的模拟,需要针对不规则波波频和低频环境载荷条件进行非线性时域分析。应当指出的是,尽管这种方法的计算结果较为完整可靠,但由于所需的计算时间冗长,所以往往不能满足实际工程设计的需要,因而仅仅被作为一种对最终分析结果进行确认的手段。根据实际工程经验,平台响应计算推荐采用浮体运动耦合分析和柔性结构分析相结合的方式。在浮体运动耦合分析中,由于采用简化的柔性结构有限元模型,所以大大缩减了计算时间,并能有效地捕捉到主要的耦合效应。在随后的柔性结构分析中,通过建立详细的柔性结构有限元模型完成控制工况的计算。这种方法能达到令人满意的计算精度,同时又节省计算时间,所以为海洋工程业界所广泛采用。常用的商业化环境载荷及平台响应的计算软件包括 DNV 开发的 SESAM 软件包、麻省理工学院开发的 Wamit 软件和英国 Orcina Ltd. 开发的 Ocraflex 软件等。对深水浮式系统进行整体分析时,为了准确地模拟深水情况,有必要将模型试验与可靠的分析工具相结合。将模型试验中的环境条件作为模拟中的输入数据,对分析的结果和模型试验的结果数据进行比较,调整分析中的模型,使其结果与实际测量记录相一致。

### 11.3.2　张力腿平台响应耦合分析

张力腿平台总体响应分析技术关系到计算效率和相关耦合效应的处理,可以分为以下四种基本分析方法。

(1)系统耦合分析;

(2)船体运动耦合分析:

(3)船体运动非耦合分析;

(4)柔性结构分析。

系统耦合分析采用了包括所有锚链和立管的柔性结构的整体模型,系统耦合分析与船体运动的非耦合分析相比,其计算所花费的工作量是很大的,因此完全耦合分析应主要作为对分析结果进行最终确认的工具。这里所介绍的分析方法的共同点是将浮体运动和柔性结构分析分开进行。第一步是浮体运动分析,计算出的浮体运动作为载荷以强迫边界位移的形式施加于随后的柔性结构分析中。在柔性结构分析中对立管和处于临界载荷下的锚链进行逐一分析,从而提高计算的灵活性且使计算时间明显减少。

1. 船体运动耦合分析和柔性结构分析((2)+(4))

船体耦合分析的主要目的是对船体运动进行适当的模拟,其次是分析详细的柔性结构响应。因此在耦合分析中,只要模型仍能保留主要的耦合效应(回复、阻尼、质量),建议对柔性结构使用较为粗略的有限元模型。柔性结构动力分析是用一个详细的有限元模型来模拟柔性结构,这表明在柔性结构分析之前必须已知浮体运动。浮体运动以强迫边界位移的形式作为外部载荷进行施加。作用在柔性结构上的顺浪和流载荷也被包括在内。

这种分析方法是先由船体运动耦合分析计算出组合了船体波频和低频运动的时间历程,然后将此时间历程作为边界条件用于柔性结构分析中(如图 11.3.2 所示)。因此对于选定的立管和锚链,柔性结构分析的输出结果将是组合了波频 – 低频的响应。尽管这种方法总的结果与系统完全耦合分析的结果相似,但计算所需的工作量会明显减少。这种方法也将捕捉到柔性结构可能的低频动力和低频响应(可能是准静态)。对波频响应的影响对一些深水锚链和立管的设计非常重要,为此须进行相当长时间的模拟,以给出组合波频与低频响应的适当统计描述。

随后的柔性结构分析可做如下考虑:将船体波频运动作为动力激励,船体的低频运动用施加一个附加静力偏移的方式来模拟,这一偏移是从船体运动耦合分析中唯一所需得出的结果,如图 11.3.2 所示。因此可假定柔性结构对船体低频运动产生准静态响应。在这种情况下,因为仅需考虑较短的模拟长度即可获得所需的统计置信度,所以与柔性结构分析相关的计算工作将会进一步减少。

2. 船体运动耦合/非耦合分析和柔性结构分析((2)+(3)+(4))

船体运动非耦合分析目的是在考虑静力、低频和波频的环境载荷的条件下,计算浮体的刚体运动。柔性结构可以以一种简化的方式用静态回复力特性和不变的低频黏性阻尼来表示。回复力特性可以包括柔性结构上的流载荷的作用,如果不包括,则可以按照作用在船体上的等效恒定力来处理柔性结构上的流载荷。低频阻尼估计对于浮体低频运动分析是至关重要的。低频运动是通过在时域上进行逐步数值积分得出的,而波频运动一般是在频域上进行计算。

此方法是将船体运动分析分为一个相当"短"的耦合模拟和一个"长"的非耦合模拟,如图 11.3.3 所示。这种方法的思想是将船体运动耦合分析中得到的柔性结构低频阻尼用于船体运动的非耦合分析中,对耦合效应进行适当的模拟。

还应注意到,阻尼估算是需要从船体运动耦合分析中得出的唯一结果,在进行非耦合分析时,回复力特性包括作用在系泊/立管上的流力。因此船体运动耦合分析所需的模拟长度由阻尼估算中所需的统计置信度来控制,而所需的系统的特征周期(如纵荡特征周期)决定了模拟长度。从深水系统以往研究中得出的经验表明所需的模拟应该包括 20~25 个低频运动循环。柔性结构分析与上面讨论的方法一相似。

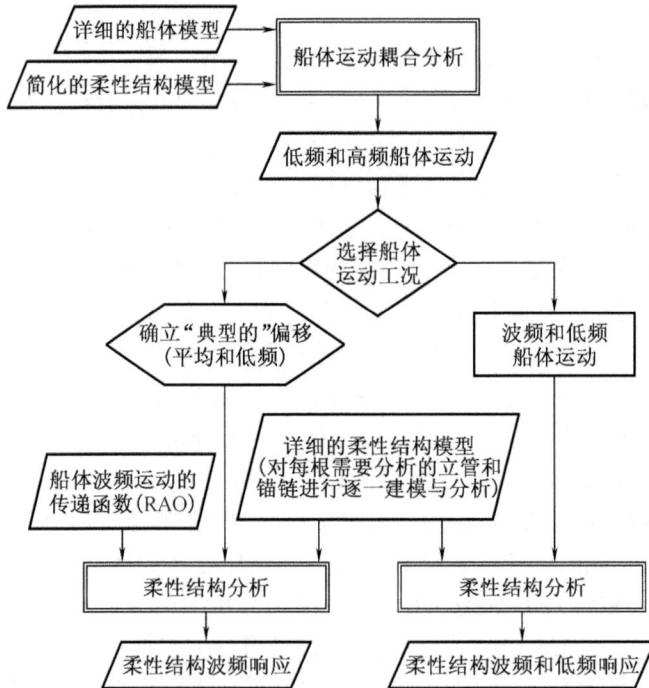

**图 11.3.2 张力腿平台耦合分析方法一的流程图(②+④)**

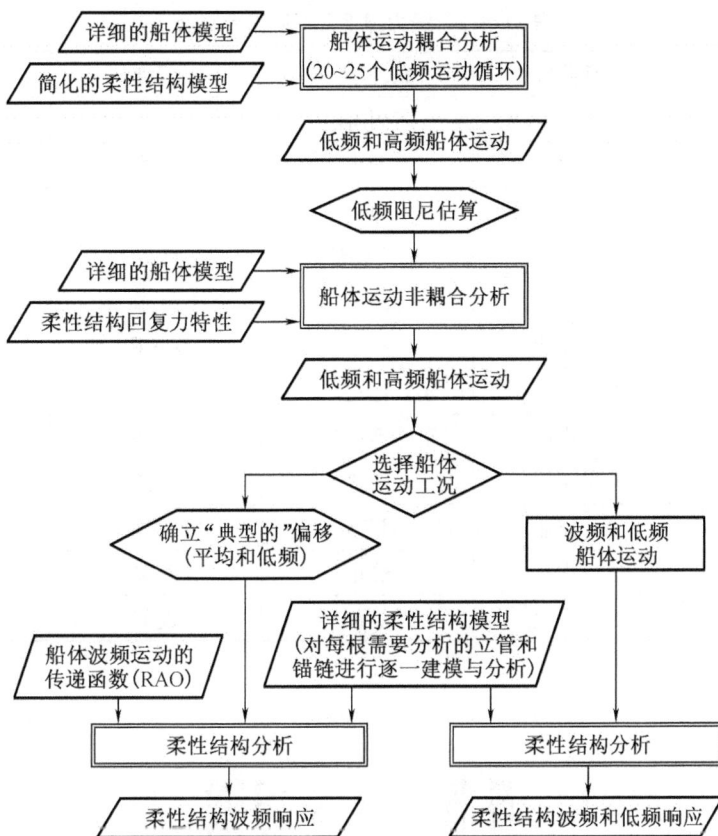

**图 11.3.3  张力腿平台耦合分析方法二的流程图**

# 11.4  张力腿平台载荷

海洋平台在建造和使用期间所承受的载荷主要分为环境载荷、使用载荷和施工载荷。

## 11.4.1  环境载荷

环境载荷是指由风、波浪、海流、海冰、水温以及气温、潮汐、地震等自然环境引起的载荷，主要有风载荷、波浪载荷、流载荷、地震载荷等。这些载荷可根据平台的设计环境进行计算，在计算时风速和设计波浪的重现期不小于 50 年。按照规范有关要求，计算环境载荷选取的基本原则如下。

（1）作业环境条件指平台在施工和使用期间经常出现的环境条件。作业环境条件的选定应以保证平台能正常施工和作业为标准。

（2）极端环境条件指平台在使用年限内，极少出现的恶劣环境条件。极端环境条件的选定应以保证平台的安全为标准。

（3）临时环境条件指平台在运输安装下水过程中遭遇的环境条件。这些环境条件在某种程度上影响着平台能否正常及时地投入作业。

（4）疲劳环境条件指平台长期海况下，环境对平台的累积效果效应。表 11.4.1 定义了张力腿平台的不同设计工况下的环境条件以及安全等级。

表 11.4.1　张力腿平台不同设计工况

| 设计工况 | 工程阶段 | 系统条件 | 环境 | 安全等级 |
|---|---|---|---|---|
| 1 | 建造 | 不同阶段 | — | A |
| 2 | 下水 | 静止 | 宁静 | A |
| 3 | 平台甲板对接 | 静止 | 适合 | B |
| 4 | 湿拖 | 静止/破损 | 常规 | B |
| 5 | 安装 | 静止 | 极端 | A |
| 6 | 在位作业 | 静止 | 次极限 | A |
| 7 | 在位作业 | 静止 | 正常 | B |
| 8 | 在位作业 | 静止 | 次极限 | B |
| 9 | 在位作业 | 筋腱移动 | 正常 | A |
| 10 | 在位作业 | 筋腱移动 | 次极限 | B |
| 11 | 在位作业 | 静止 | 地震 | B |
| 12 | 在位作业 | 静止 | 疲劳 | C |

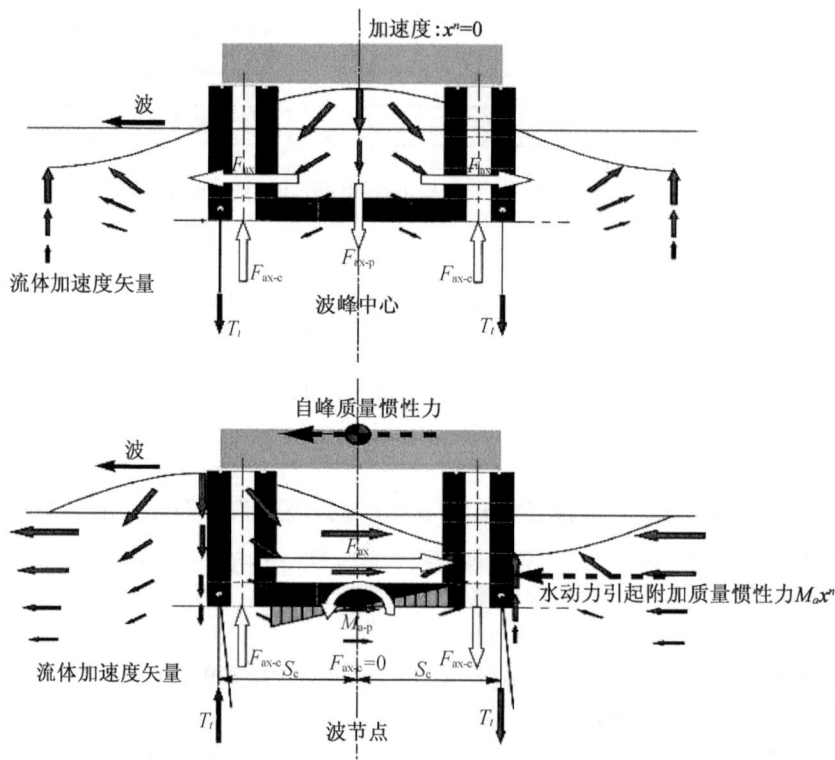

图 11.4.1　张力腿平台受到的环境载荷

1. 平均环境载荷

通常情况下,我们将来自流、平均风和平均波浪漂移力的载荷称为平均环境载荷。风力包括平均风载荷、阵风引起的波动风载荷;流力包括平均流力、波动流载荷和涡流引起的振动。在海洋工程设计中,重点要关注是极限情况,也就是环境力合力最大时风、浪、流的作用情况。这些载荷的存在会导致平台的水平方向的偏移以及作用在浮体上的倾覆力矩,这两者的存在均会导致张力腿上的轴向载荷。同时,平台的偏移还会导致下沉作用,下沉作用进一步导致了张力腿上的载荷。张力腿的水平回复特征并不是线性的,主要由张力腿和立管预张力、水线面刚度和张力腿/立管系统的重量控制。

平均环境载荷由风、流载荷以及波浪载荷中独立于时间的部分组成。波浪载荷中独立于时间的部分可通过势流理论计算得出。流载荷与风载荷可以选用合适的拖曳系数计算拖曳力来确定,也可以采用模型试验来获得。由于风载荷(包括平均风载荷和动力风载荷)的重要性,在基本设计和详细设计阶段一般需要进行风的模型试验。在这里需要特别指出的是,由于平均环境载荷与静水力载荷同属于静载荷,所以在分析中往往将平均环境载荷与静水力载荷进行组合,并将组合结果作为时域分析的初始条件。静水力载荷是在静水条件下,即在不存在风、波、流和潮汐作用的条件下,能够使张力腿漂浮在一个固定的、静水位置的载荷。静水力载荷作用是由重力、浮力、系泊预张力和立管预张力引起的。设计中一般将浮心和重心(由重力和预张力引起的)设置在通过浮体几何中心的垂线上。一般的平台操作包括移动设备,提供有效重量,这些操作会导致张力腿间整体预张力的一些重新分布。通过压载控制可使这些作用保持在可接受的限定范围内,即可以近似地认为平台自身的载荷是固定不变的。作用在张力腿浮体上的一阶波浪载荷可采用绕射/辐射理论、Morison 公式或试验方法进行估算。波频载荷随短期波浪工况的变化而变化,同时也随时间而变化,为随机过程。当需要进行张力腿动力分析时,也要采用线性化分析的形式。可以获得张力腿局部响应的传递函数,传递函数由轴向张力和两个横截面轴的弯曲力矩表示。张力腿响应由张力腿上端平台刚体运动的传递函数和作用在张力腿上的局部水动力控制。线性化的张力腿响应也可作为平台水平位移的函数。

2. 波频载荷

以波浪频率振荡的一阶力,能够引起平台一阶波浪运动并且直接作用在平台浮箱、张力腿和立管上的波浪载荷称为波频载荷。波频载荷的周期一般介于 5 ~ 20 s 之间。一般来说最大的波高不一定引起平台最大的响应,当波浪的频率与平台的固有周期相近时,平台容易发生共振,此情况下平台的响应反而剧烈。作用在张力腿浮体上的一阶波浪载荷可采用绕射/辐射理论、Morison 公式或试验方法进行估算。波频载荷随短期波浪工况的变化而变化,同时也随时间而变化,为随机过程。当需要进行张力腿动力分析时,也要采用线性化分析的形式。张力腿响应由张力腿上端平台刚体运动的传递函数和作用在张力腿上的局部水动力控制。

3. 低频载荷

低频载荷由波浪漂移力和阵风载荷所引起,这两种载荷的量级比较小。低频载荷的特征周期为 60 ~ 180 s,与张力腿平台平面内的固有周期接近,并且阻尼相对不高,因此会使结构产生慢漂振荡,所以影响不容忽略。如果不加以控制的话,会使平台的偏移超过许用范围。

不规则波中低频载荷可通过二阶势流理论来估算。低频载荷产生的响应受到阻尼水平的控制,在波浪周期范围内,势流阻尼可以忽略,黏性阻尼也可忽略(尤其是不存在海流的情况下)。因此,波浪漂移阻尼是控制缓慢变化的漂移运动的一个重要阻尼来源。从绕射程序中至少可以根据规则波中的平均漂移力形式得到慢漂激励力,即二次传递函数的主对角线上的数据。低频载荷取决于短期风和波的条件,短期风和波也是随机过程。

4.高频载荷

由二阶或者更高阶波浪使平台产生高频共振的载荷称为高频载荷。这类载荷主要包括弹振(Springing)和鸣振(Ringing)。两者都会导致张力腿在垂直面内的运动,这些运动反过来又会在张力腿系统中产生轴向的震荡。这两种共振的区别在于,弹振(Springing)具有相对稳定的特征,鸣振(Ringing)具有相对瞬时的特性。一般说来,Springing 是张力腿疲劳设计需要重点考虑的一个因素,而 Ringing 主要在设计张力腿和浮体/甲板结构加以考虑。张力腿平台固有周期与常见的海洋波频带并不重合,因此也就在一定程度上避免了共振现象的产生。但是这种避免并不是绝对的,在某些频段仍然有非线性响应的产生。这种响应对差频以及和频的响应都很敏感,频率过高和过低都会影响平台的响应进而威胁平台的安全。这种表现主要体现在高频会导致垂向方向上弹振现象的发生,使垂向产生过大的载荷,进而影响垂向构件(带缆)的周期。低频往往又会导致平台的水平漂移运动,对平台的响应不利。同时,相邻结构的衍射波浪场的非线性作用也对平台的响应产生巨大的影响。

通过数值分析可以确定弹振响应,数值分析是对二阶波浪力的响应的二次传递函数(QTF)进行计算,通常会涉及和频力(Sum Frequency Force)的计算。弹振响应主要取决于阻尼水平,即势流、黏性、土壤、结构和张力腿系统的阻尼。对弹振响应起作用的特征阻尼不到临界阻尼的1%。因此,张力腿的疲劳基本上由具有较低阻尼的弹振动力响应来控制。而在极端波浪条件下,对于以二次激励力的特征为基础的最终极限状态,弹振显得并不十分重要。现在还没有能够模拟张力腿弹振响应的商业的计算机程序,因此必须依靠模型试验来获得。控制弹振响应的重要因素有系统的特征周期(升沉、横摇、纵摇)、陡波的轮廓和水质点运动、平台与波浪间的相互作用、弹振力相对于张力腿转动中心的作用线。尽管弹振响应极少发生,但由弹振引起的张力腿张力与平台升沉、纵摇和横摇产生的一阶张力腿张力处于相同甚至更高的水平,所以弹振响应对于张力腿的设计而言是不容忽视的。

目前求解二阶漂移力的方法主要有三种,包括基于物体表面积分的近场积分理论、基于动量和能量守恒的远场理论以及法国船级社最近发展出来的中场积分法。经过分析总结,这三种方法都有各自的优缺点,具体见表11.4.2。

**表11.4.2　二阶波浪力求解理论**

| 方法 | 提出者 | 理论方法 | 特点 |
|---|---|---|---|
| 近场公式 | Pinkster | 物体表面压力积分 | 能解释二阶力的机理、成因和组成;<br>计算较费时和复杂;<br>精度一般;<br>二阶势的求解问题尚未完全解决 |
| 中场公式 | 陈晓波 | 由近场公式利用 Stokes 定理的两个变形推导得来 | 保持了数值精度;<br>可以处理低频力的 QTF;<br>应用还不广泛,有待进一步研究 |
| 远场公式 | Newman | 流域动量和能量守恒 | 数值收敛性较好;<br>精度较高;<br>计算简捷;<br>只能求解二阶定常力 |

### 11.4.2　张力腿平台总体响应研究

张力腿平台的浮体、立管和系泊系统组成了一个综合的动力系统,以一种复杂的方式对风、波、流引起的环境载荷发生响应。在静态环境条件下,环境作用和系统响应可简单地分为时间独立分量和时间变化分量。因为张力腿顺应于水平环境力,所以在这些环境载荷的方向上,对平均环境作用的响应,如平台的平均纵荡和横荡是最明显的。除此之外,还会引起一个平均的艏摇角。相对刚性的张力腿会引起平台相应的下沉,作为一个二阶作用,在较大偏移(或较大艏摇角)下会变得十分明显。垂直平面内的平均环境载荷也会引起平台的升沉、横摇和纵摇运动,由于它们涉及张力腿的弹性应变,所以具有较小的数量级,并不明显。

随时间变化的环境载荷产生相应的随时间变化的平台运动,在水平面内的运动比较明显,如纵荡、横荡和艏摇,在垂直面内的运动较为不明显,如升沉、纵摇和横摇。水平面内的顺应性特点导致了纵荡、横荡和艏摇的固有低频。垂直面内的刚性特点导致了升沉、纵摇和横摇的固有高频。设计张力腿时,应使这些固有频率处于遭遇频带的两边,以避开波浪谱中能量较高的频带范围。因此,介于遭遇频率中的一阶波载荷不会激发平台刚体固有频率的运动。但是,风载荷和非线性低频波载荷作为慢漂力会引起顺应模式的水平面内的响应,而非线性高频波载荷会引起刚性模式的垂直面内的响应。因为浮体和上部组块构成了一个相对刚性的结构,结构自身的振动幅度相对平台整体较大的运动幅度而言,是微不足道的,所以平台结构的弹性动力通常是可以忽略的。进一步而言,平台的弹性变形相对较小,在分析张力腿系统其他部分,如张力腿时,可将其忽略。通常可将张力腿模拟为非弹性管柱,就可以对顺应式平台运动进行准确估算。这种模型,依赖于张力腿两端的挠性连接能够有效地起到减少弯曲的作用。张力腿和立管对顺应式平台运动的阻尼会有一些贡献,但相应的局部载荷作用可以忽略。在水深相对较浅的条件下,对三个垂直面内的刚体运动进行模拟计算时,有必要考虑张力腿的弹性。在深水条件下,虽然张力腿的弹性动力对张力腿浮体的张力作用可以忽略,但仍有必要在张力腿自身的结构分析中考虑弹性动力响应。在超深水(2 000 m 以上)中,张力腿无遮蔽的长度很长,使得张力腿上的局部水动力载荷对平台顺应式运动有显著作用,会对平台垂直面内的运动有一定的影响。

### 11.4.3　施工载荷

施工载荷是指平台建造以及海上吊装、安装过程中承受的载荷,这些载荷会使一些构件产生瞬时的高应力。因此尽管这些载荷不是结构设计的控制载荷,通常也需要校核这些载荷对平台结构所产生的影响。对于使用载荷和施工载荷的计算,有关的平台结构规范都有明确的规定,而且各国规范的规定也趋于一致。环境载荷是平台设计的控制载荷,而且受到环境条件的影响,因此计算比较复杂,下面主要介绍环境载荷的计算。

### 11.4.4　使用载荷

使用载荷是指平台在使用期间所受到的除环境载荷以外的其他载荷,它可以分为固定载荷和活载荷两种。固定载荷是指作用在平台上的不变载荷,当水位一定时,这些载荷为一定值,例如平台的结构自重、附属结构重量。固定不变的机械设备重量、管线重量和作用于平台水下部分的浮力等。活载荷则指与平台作用相关的载荷,按其时间变化与作用特点由可以分为可变载荷和动力载荷。可变载荷的数值或作用位置变化缓慢,可以作为静载荷处理,例如张力腿平台存放的套管以及器材重量、人员以及其生活必需品的重量等。动力载荷为对平台结构动力作用明显的载荷,如各种动力机械和设备运转时引起的周期性载荷、船舶停靠以及直升机降落引起的冲击载荷。对于动力载荷应该考虑其动力放大作用。

### 11.4.5　特殊载荷

TLP 特殊载荷主要指在运营过程中的偶然载荷,如物体的跌落、冲击载荷、破损载荷、机械振动等。

## 11.5　张力腿平台强度分析

### 11.5.1　张力腿平台局部强度分析

对于 TLP,局部强度与半潜式平台大体相似,但也有一些有差异的问题。对于 TLP 来说,80% ~85% 的主体钢结构受到局部载荷作用,当吃水增加的时候,需要更高的立柱,浮箱较低时,这种情况可能会更加严重。由于张力腿平台基本不需要压载,内部空间几乎是空的,因此大部分内部分舱不需要进行舱室作业设计,也就是说把水密舱室和水密舱壁设计成完全水密仅仅是一个基本要求。同样对于壳板结构来说,外压通常作为控制设计的压力。这一点与半潜式平台的液舱有较高的溢水口,从而导致内压为控制设计压力有所不同。

对于 TLP,波浪动力载荷会产生显著的影响。与半潜式平台不同,TLP 不能随着波面的升降实现压力的减小。事实上,张力腿平台产生了下沉现象。浮体的垂荡大幅度地转移了波峰来临时导致的动力载荷。对于半潜式平台上部立柱来说规范要求的最低 20 ft 的设计水头的就足够了,但是对于 TLP 的立柱而言,还需要考虑动力载荷。同时,水下部分也承受着较大的压力。图 11.5.1 显示了适用 TLP 立柱的外部压力图。

将静态设计水头曲线叠加是静态设计水头的动态容量,恒定的上部反映出最低静态设计水头有一个 26.7 ft 动态容量,同时显示了一个波峰来临时静态和动态波浪载荷的组合曲线。设计水线下 68 ft 到水线上 14 ft,合并后的动态和静态压力超过标准规定的值。值得注意的是,在低于 70 ft 时,波浪压力没有完全超过设计的静水压力值。虽然这里的说明针对TLP,这种情形同样适用于小垂荡构建(例如 Spar)。虽然对运输和安装有所考虑,并对相关的参数进行了调整,但是平台的稳性并不是设计时最重要的考虑因素。这与 TLP 内部舱室数量少,壳板设计不需要较高的破舱稳性有关。而内部舱室的设计往往是出于防止张力腿筋腱松弛的考虑。这是继破舱稳性后,需要进一步考虑的因素。

TLP 构架可能受到很大的压缩,如图 11.5.2 所示为两种典型的张力腿平台构架截面,同时显示了从内板和加强筋传递到构架上的静水载荷。对于 TLP 以及有较大吃水的半潜式平台,会产生特别高的压力。对于没有抵消的内部流体的压力的 TLP,这种现象尤为明显。对于水下浮箱而言,构架不仅发生挠曲,并且每个构架单元会受到巨大的压力。对于圆柱形的立柱而言,有无支撑的环形构件。这种框架主要产生屈曲变形而非挠曲,如果有了内部支撑,将会发生挠曲而非屈曲变形。

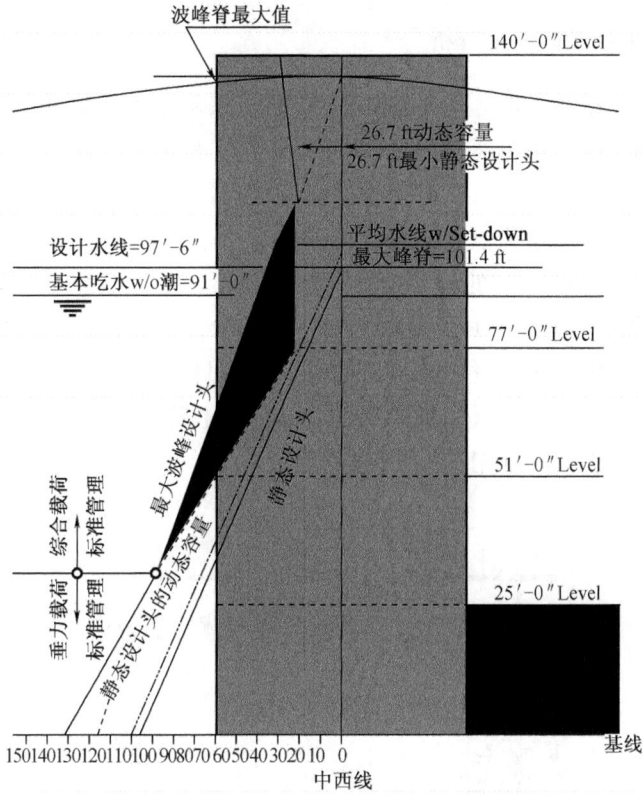

图 11.5.1 TLP 立柱外部压力示意图

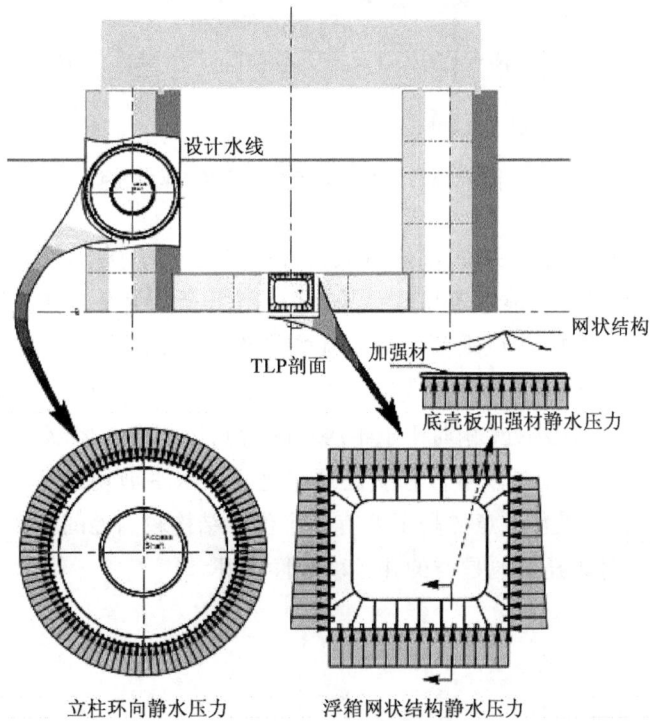

图 11.5.2 TLP 典型框架结构的静水力载荷

### 11.5.2 张力腿平台总体强度分析

所有的张力腿平台采用了非支撑的布置,上层建筑采用了桁架形式,其响应与立柱和浮箱类似,产生了挠曲现象。本章所涉及的 TLP 有 4 立柱和封闭的浮箱,甲板力矩耦合到立柱顶部。如图 11.5.3 所示为一个典型的 TLP 弹性框架剖面,主体载荷包含立柱重量、底部向上的压力、浮箱的浮力和重力以及筋腱产生的向下的张力。甲板载荷包括对钻井系统(立管和/或钻探设备)产生的相应的分布载荷和集中载荷。这种载荷系统如图 11.5.4 所示,图中显示了立柱、浮箱以及甲板所受到的力矩以及剪力,图 11.5.5 显示了扭曲类型。浮箱产生的中拱、甲板产生的中垂、立柱产生定常力矩非常明显。立柱上的剪力很小,并且立柱和浮箱中没有扭矩。由于平台主体对称的缘故,其他面上的情形类似。虽然可变载荷会发生变化,这一应力水平低于任何附加的环境载荷。

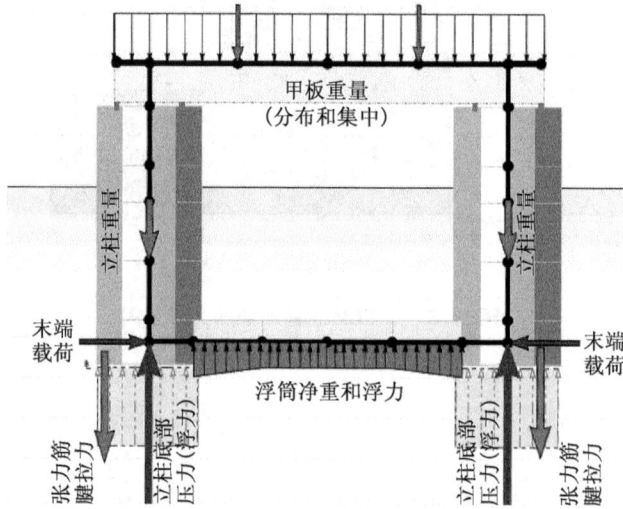

**图 11.5.3　整体载荷——重力/浮力载荷**

图 11.5.6 显示了载荷系统与环境载荷作用中心点有关,对于重力/浮力载荷,如图 11.5.7所示为节点处的波浪弯矩和剪力,如图 11.5.8 所示为平台在波浪节点处时的变形模型。可以看出,大部分的波浪垂荡力被甲板惯性作用力抵消。在极端情况下,横向甲板加速度可以超过 0.2$g$,框架变形显然是剪切力的作用。对于张力腿平台的尺寸比例,浮箱的载荷往往发生在面积较小处(相对于于半潜式平台),可能会很剧烈。这种载荷系统有时也被称为"水平剪切载荷",是以甲板和立柱顶端之间的水平剪切载荷为主,这当然是甲板的横向加速度产生的。值得注意的是 TLP 有一个位于结构较高处的质量中心。这是由于 TLP 平台比较高大,主体内压载舱是空的并且稳定性较好。

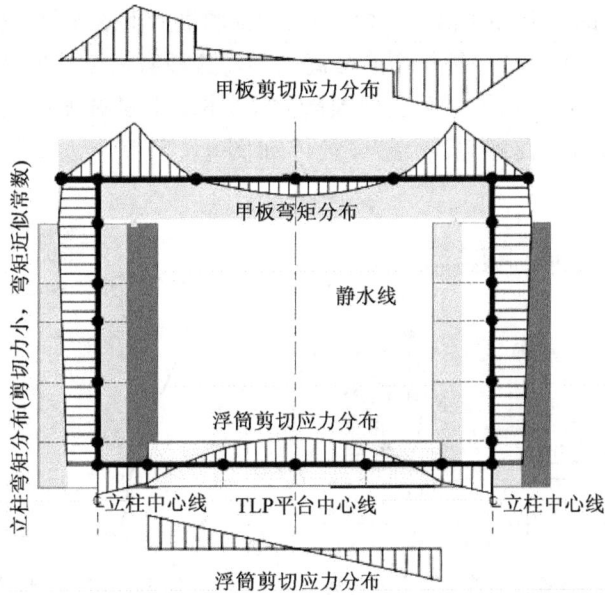

**图 11.5.4　整体载荷——重力/浮力/剪切力/力矩**

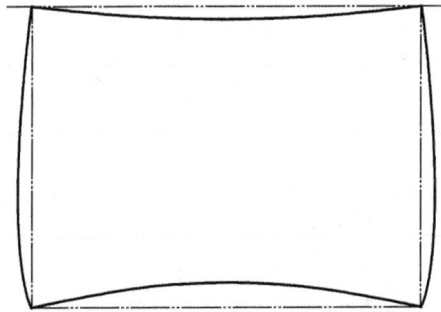

**图 11.5.5　整体载荷——重力/浮力载荷变形模型**

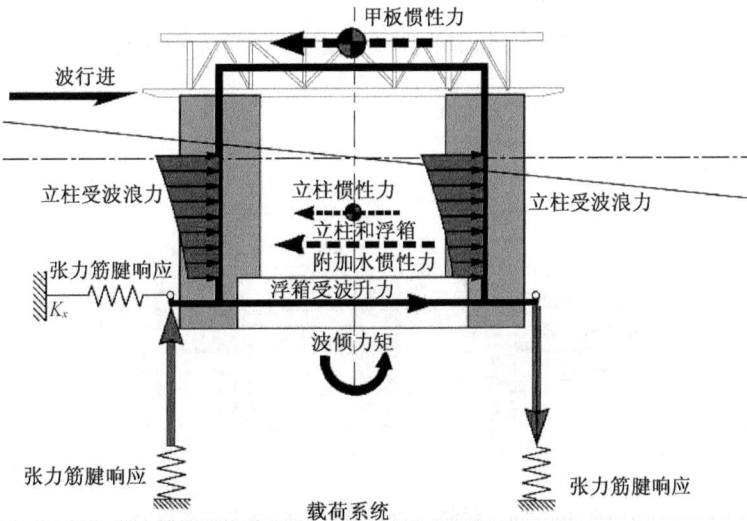

**图 11.5.6　TLP 平台位于波浪节点处整体载荷**

封闭浮箱结构的 TLP 和半潜式平台一样,受到的最严重的载荷是波峰(或波谷)位于中心的斜浪情况,这其实这是一种挤压或分离模型。这种载荷模型的特征在图 11.5.9 和图 11.5.10 中表示。前者显示了浮箱位于波峰之上,本质上是试图将波浪推向外面的角隅。图 11.5.9 显示出作用在浮箱上的力,具体如图 11.5.10 所示,相应的变形曲线如图 11.5.11 所示。

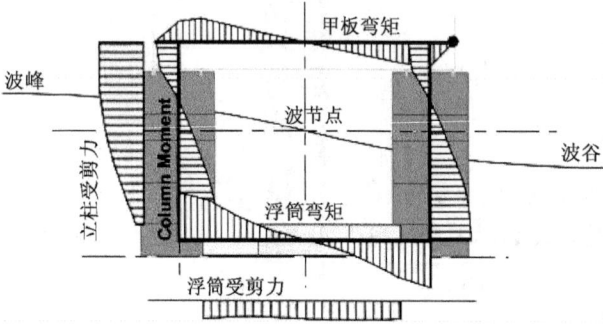

**图 11.5.7　节点处的波浪剪力和弯矩**

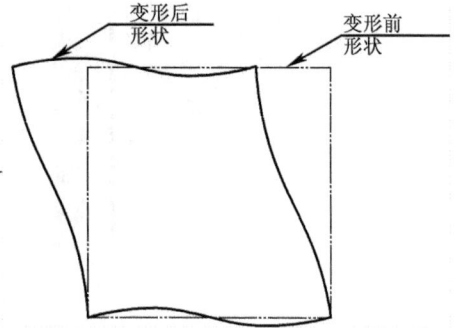

**图 11.5.8　平台在波浪节点处时的变形模型**

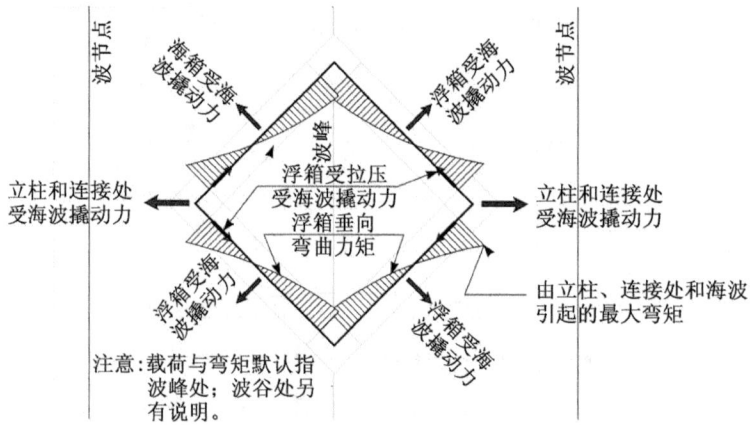

**图 11.5.9　倾斜浪向 TLP 整体载荷 - 挤压/分离时**

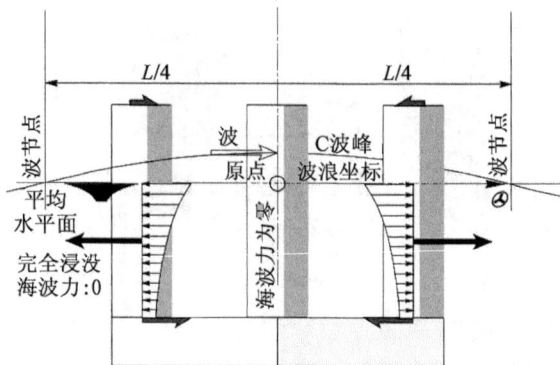

**图 11.5.10　倾斜浪向波峰中心处时立柱作用力**

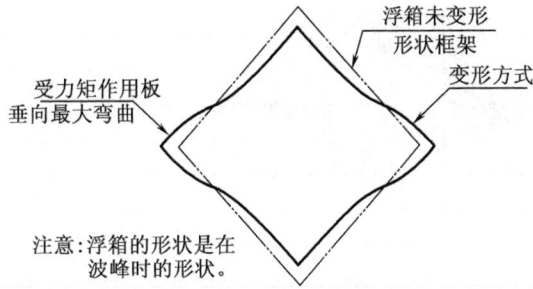

**图 11.5.11　斜浪时浮箱变形曲线**

如图 11.5.9 所示,平面水平力矩包括剪力和主轴向力。然而,这不是很简单的,垂直平面弯曲和剪切应考虑在内,而没有提及扭矩。垂直平面变形的原因之一是立柱底部的垂向力不平衡,图 11.5.11 总结了这一变形情况。正如所料,图 11.5.12 显示的立柱作用力在浮箱连接处产生一个末端弯矩,图 11.5.12 和图 11.5.13 总结了这一力矩作用效果。立柱末端弯矩在浮箱内产生反作用力矩和扭矩。以上较多的是定性分析,对强度分析和设计仅是予以指导。

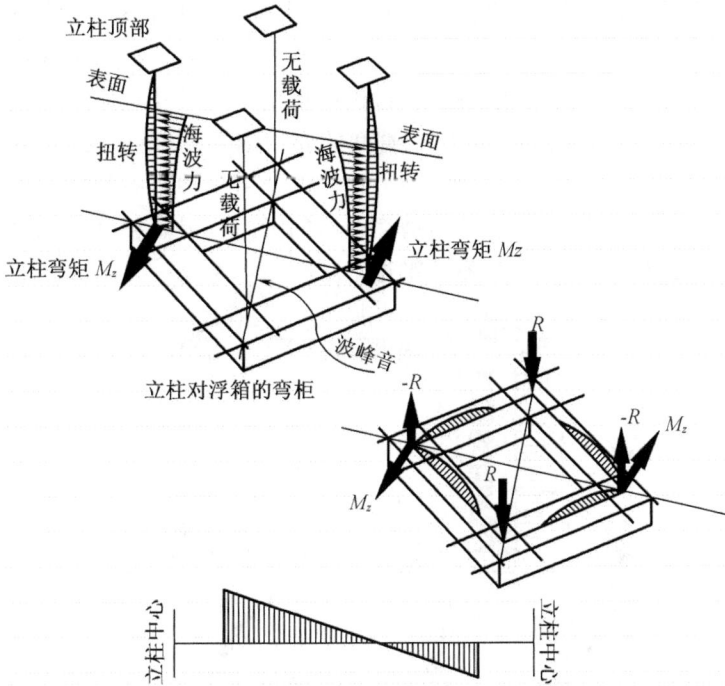

**图 11.5.12　浮箱垂向板的弯曲－浮箱构件**

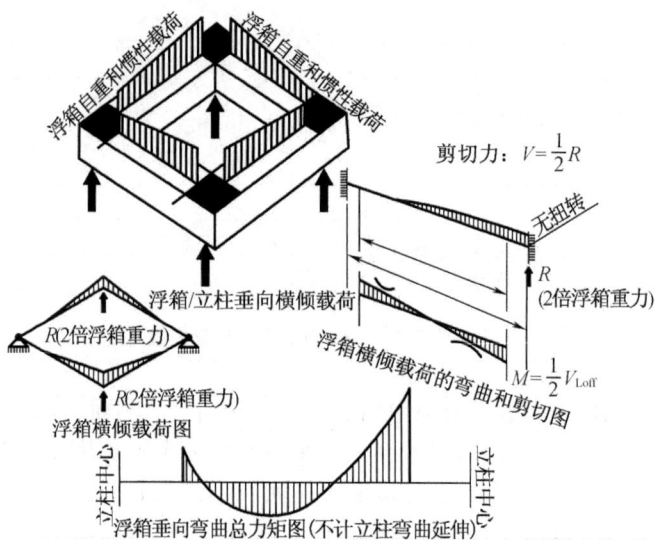

**图 11.5.13 浮箱垂向平面弯曲－立柱构件**

前面进行了大量的定性分析,并给出了强度设计与分析的框架。对于初步尺寸(之前已有分析),一些可变力的幅值大小和尺寸可以简单估计出来。然而最重要的是对控制工况和结果进行正确的分析。应当指出的是,讨论中作用在大尺寸主体单元上的力矩和剪力实际是作用于主体,见图 11.5.14。给定末端间的应力结果,以及末端之间的载荷分布,便能求出单元内的局部整体应力,扭矩产生的剪切流以及由二轴弯曲和轴向载荷产生的剪切力和轴向力。尽管船体梁理论,特别是对剪切迟滞的考虑将提高精度,有关剪切、弯曲和扭转一般工程理论已经足够了,除非舱室分割过密。

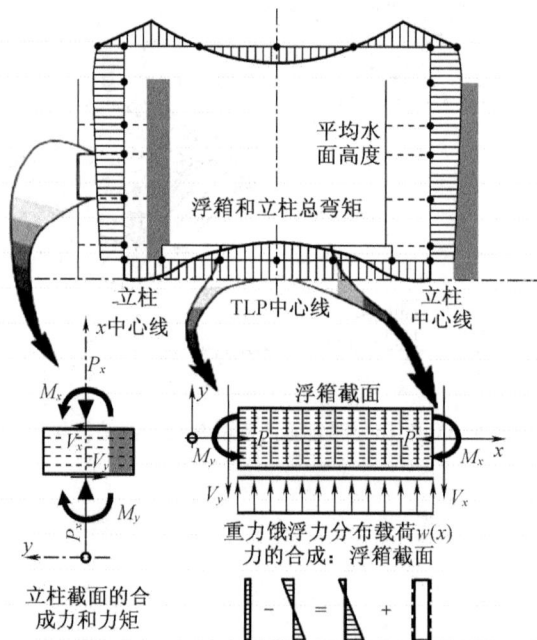

**图 11.5.14 张力腿平台船体的壳单元构件**

304

# 11.6　张力腿平台的运输

浮式生产和钻井系统通常远离海岸。发展前景日益看好的深海浮式系统更是在离海岸上百海里以外,甚至更远的海面。对深海工程项目,海上运输和安装作业是必不可少的环节,而且是十分重要的项目工程内容。鉴于运输和安装通常发生在工程的后期阶段,任何事故或工程上的失误,都会对工程项目造成重大的损失和影响,所以对海上操作的安全性通常要求很高。这对设计和工程操作都提出了严格要求和挑战。

海上作业要考虑风、浪、流的海洋环境,还要考虑具体设备在不同海洋环境下的可操作性。海上运输和安装要根据所在区域和时段,结合规范要求和工业界的实践,选择合适的海洋环境条件进行设计。通常情况下,运输和安装的设计条件不同于其他阶段的设计条件。这一方面在于处于运输和安装阶段的结构各部分,不具有整体结构的刚度和受力性能;另一方面处于过渡阶段的运输和安装,通常属于结构和设备的多体相互作用阶段。因此,这一阶段的设计和工程处理,有着其独特的性能和要求。

## 11.6.1　张力腿平台的运输形式

深海结构的运输是深海工程项目的一个重要环节。这不仅有技术上的因素,牵扯的领域广泛,同时在很大程度上也受合同形式的影响。深海结构的运输通常需要做很多前期准备工作,包括合同的分工,运输船和运输设备的选用,分析运输过程中可能出现的各种环境条件,做好对运输中各种可能出现的不利情况的相应对策,以及同海上操作保证检验部门(MWS)的前期协调等。

深海结构通常由几个主要的部分组成,包括上部结构、主体部分、锚固系统、桩基部分、水下系统、管线系统。各部分通常情况下会分别建造,然后再组装。一个厂家可以建造其中的一个主要部分,也可以同时建造几部分,视建造厂的能力和合同的分工情况执行。很少有厂家在同一个项目中承担超过两个主要部分的建造工作。

有的深海结构体积非常大,吨位又很重,有的由于部件保护要求很高,对操作有特殊的要求,所以在深海项目中,运输总是单列为专门一项来考虑。运输合同的形式有多种多样,比较常见的包括以下几种。

(1)运输由海上安装公司一同承包;

(2)运输由结构建造公司负责;

(3)运输由油公司或总承包商自己负责,作为单一合同。

各种形式均有要考虑优缺点,根据不同项目的具体情况,要做具体安排。经济因素是其中要考虑的一个关键因素,还要考虑运输船的获得和对整个工程周期影响的风险性。

总的来讲,深海结构的运输有两种主要形式:湿拖和干运。两种形式各有其优缺点,要根据具体需要和情况来决定采用哪种形式。湿拖的速度较慢,通常适应于建造场地离安装地点距离较近的深海结构,拖行距离在几天到几个周之内。湿拖通常由主动力拖船和辅助船一同完成,主动力船提供主要的牵引力,辅助船提供侧向控制力和护围作用。设计时要考虑可能发生的环境力影响,进行相应设计。稳定性是湿拖时必须考虑的设计条件,通常按规范还要考虑破舱时的稳定性。对于距离相对较远的运输,通常采用干运。干运的航行速度要快得多,但影响干运的因素也很多,包括运输船的检验、运输中的垂向受力及侧撑以及强度和疲劳的验算。运输时,要考虑运输路径上的最恶劣环境条件进行设计。

图 11.6.1　湿拖过程的张力腿平台

干运由运输船完成。运输船可以是自动力船,也可以是由其他动力船牵引的驳船。通常大型自动力船的数量有限,选择上受到一定的限制。但在大型结构的长距离运输时,大型的自动力船又是必不可少的,它一方面可以满足承载大型结构的要求,另一方面在遇到风浪时,又可控制航行方向来减少所承受的风浪力。一个承受 45°角风浪的运输船比承受正侧向风浪的运输船的受力要小很多。驳船在拖行时对承受风浪力的方向是没有选择的,所以做运输设计时必须考虑最坏的正侧向风浪的作用。

图 11.6.2　干运途中的张力腿平台

### 11.6.2　张力腿平台运输设计原则

运输的设计和准备工作是海上运输的一个重要组成部分,这与深海结构的特性及深海项目的特点密切相关。深海项目的建造通常是跨全球性的商业活动,大部分项目都不在所在油区附近建造,所以通常都需要干运。由于其技术的相对接近和劳动力成本的低廉,亚洲是现在较大型项目的首选之地,有很多项目都在韩国和中国建造。这些建造完的主体和上部结构,需要通过干运到墨西哥湾、西非或欧洲等地区。在海上运输设计和分析时,通常有以下的步骤和因素需要考虑。

(1)运输的总体安排和有关的细节;

(2)装载前的准备工作;

(3)运输货物的装载;

(4)运输前的准备工作;

(5)拖运中应注意的问题;

(6)紧急情况的应对措施;

(7)运输支撑的安排;

(8)货物和运输船的动力分析;

(9)深海结构的强度分析;

(10)运输船的强度分析;

(11)结构装运阶段的强度分析;

(12)运输中的疲劳分析和在整体设计时的考虑;

(13)竖向支撑和侧向支撑的设计;

(14)卸船时的分析。

通常深海结构的运输中可供选择的运输船不是很多,因此受运输船的市场影响较大。现在常用的运输船长度在 150～200 m 之间,宽度在 35 m 以上。大多数情况下,运输船需要具有自潜卸载能力。上部结构的运输使用的是较为简单的船舶,在安装时需要大型吊机的吊卸。主体部分的运输使用的是大型运输船,主体结构在装船和卸船时都要通过运输船的下潜来完成。在正式装载之前,有很多准备工作要做。首先是装载地点的确定和装载时间的计划。确定装载地点和时间时,要考虑水深、周围的通行环境、避风性、波浪力和风力的影响以及潮汐变化的情况,还要考虑到装载的程序、辅助船体的操作等情况。运输船的甲板通常要根据支撑梁的位置做一些准备处理工作,以满足结构承载的设计要求,这些措施可能包括船体结构的局部加固、甲板的平整、竖向支撑和侧向支撑的焊接、导向杆的焊接以及运输船浮箱的调整等。对个别的特重或特大结构,有可能需要对船体的整体做一些改造,这包括船体的加宽、浮箱的改造等。所有这些通常都要在装载前完成。对装载和卸载过程通常需要留有适当的操作空间,支撑需要和船体的受力系统一并考虑。

和干运一样,湿拖的设计和分析也需要考虑可能遇到的各种环境条件,包括风浪力、破碎波对结构的影响力等。湿拖情况下,拖运分析时还要考虑结构的破舱影响,以保证结构具有足够的安全性。通常需要几个拖船来完成湿拖的任务,分别承担动力拖运、备用和保护的职责,图 11.6.3 是典型的浮式结构主体湿拖示意图。相对于上部结构总是由驳船干运来说,主体或整体通常都需要短距离湿拖。在深海项目中,应尽量避免长距离的湿拖。通常情况下,湿拖的速度较慢,周期比较长。而且,由于越洋环境的不确定性,长距离湿拖的风险性较大。平台的湿拖通常分两种情况:主体部分湿拖和整体平台的湿拖。单筒式平台主体是典型的湿拖实例。由于主体部分较长,单筒式平台主体需要平拖到位,然后进行竖向扶正。平台湿拖到位后,下一步工作就是完成安装前的准备工作。对不同平台而言,需要的准备工作有很大程度的不同。

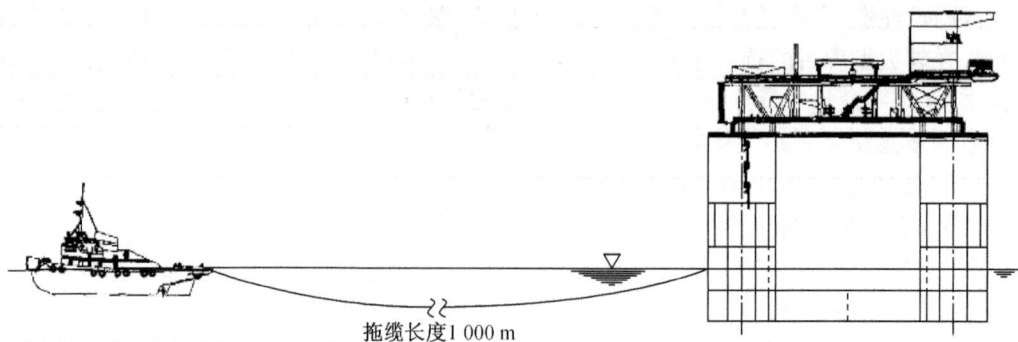

拖缆长度1 000 m

**图 11.6.3 张力腿平台湿拖示意图**

### 11.6.3 张力腿平台运输步骤

通常来说,一个完整的深海项目的运输工作包括以下的工作步骤。

(1)干运和湿拖方法的选择;

(2)运输船的选择;

(3)承包商的选择和合同的签署;

(4)海上操作保证检验部门的选取;

(5)运输路径计划和相关环境条件的认定;

(6)运输方案的制订和审批;

(7)天气预报;

(8)运输过程中的动力反应分析;

(9)竖向支撑设计;

(10)侧向支撑设计;

(11)结构装载就位;

(12)平台主体的运输;

(13)上部结构的运输;

(14)锚固系统的运输;

(15)基础的运输;

(16)平台的组装和湿拖;

(17)立管的运输;

(18)特殊结构的运输。

1. 平台主体的运输

平台主体通常体积比较大,吨位比较重,运动中的动力反应会比较强,因此对运输船的要求比较高。常用的运输船有 DOCKWISE 的 MIGHTY SERVANT 1、BLUE MARLIN、BLACK MARLIN,中远集团的 TAI AN KOU、CHANG SHENG KOU 等。

平台的装船有直接从岸边上船和平台下水后再装船两种形式。采用哪种形式,取决于多种因素,主要有运输船的大小、吃水的多少、岸基的高度、潮汐的情况等。如果条件允许的话,直接从岸边上船是最好的选择,这既可以减少操作的费用,又可以减少多次操作可能增加的风险。

到目前为止,大部分的干运都是从岸边直接装船,这包括所有的单筒式平台和海之星张力腿平台。直接装船有两种方式,即吊装和通过装船轨道。吊装只适用于重量比较小的平台。装船轨道选用双轨道和四轨道的较多,也有采用八轨道的,影响轨道选用多少的因素有结构的重量、结构承载主构件的安排、船体的大小和稳定性能、所在区域的潮汐特性等。

有些情况下,由于运输船能力的限制、岸边高度的要求或其他限制条件,需要主体经过中间船舶下水,再转换到运输船上。近期的 SHENZI 主体下水就是这样的一个例子。SEHNZI 主体的运输船是 DOCKWISE MIGHTY 1。结构先通过轨道装载于船体,半潜船再下潜使结构上浮,最后再就位装载于运输船。在 SHENZI 这个例子,中间过渡用的也是运输船。这样做的主要原因是由于岸基较高,运输船受吃水的限制,在轨道装载时,需要在船体上加较高的轨道来满足吃水的要求。而对运输来讲,较高的轨道则产生很大的副作用。首先是重心提高,整体反应加大,受力增加;其次,运输中的竖向支撑和侧向支撑的设计,都增加了要求,产生了新的问题。这样就需要对结构先卸船,待调整支撑后再装船,以达到减少运输中受力的要求。

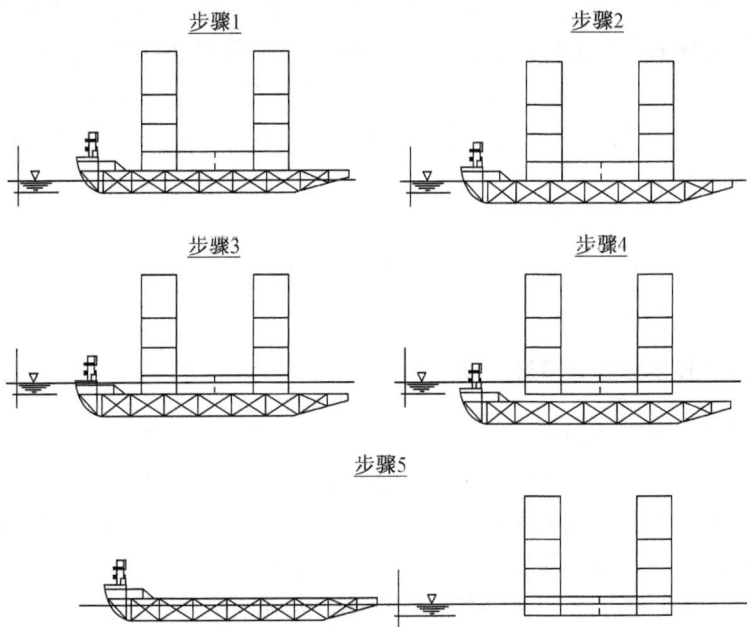

图 11.6.4　干运到位后张力腿平台下水步骤

2. 上部结构的运输

上部结构有很多设备,与主体结构分开运输时一定要采用干运。即使大型吊车也受到吊载能力的影响,因此根据重量的大小,上部结构有时可能要分成两次吊装。浮式系统的上部结构在受力上同导管架上部结构有很多相似的地方,都有承载力较强的节点。运输时的支撑可以利用这些节点做竖向和水平向的受力支点。上部结构的另一个特点是建造地点通常离所组装的地点或安装的区域距离较近。这一方面是因为上部结构的建造地点相对主体来讲要容易;另一方面,通常工程都有一定的当地占有量比例要求。平台上部结构的运输通常采用非动力的驳船,靠动力牵引船来拖拉。这样一来,不仅在船体的选择上有很大的余地,而且在费用上也会节省很多。

**图 11.6.5　置于驳船上的上部结构在运输中**

3. 锚固系统的运输

深海的锚固系统种类相对较多,有钢锚链、钢缆绳、复合缆绳、不同材料间的连接件、张力腿钢管、张力腿连接件、临时浮筒、桩基等。有一些锚固系统运输时支撑的要求较高,有些则较简单。钢缆绳和复合缆绳通常用绞车运输;桩基较简单地支撑于船体。张力腿的运输则需要设计特殊的支撑,以免涂于其上的防腐层遭到破坏。运输中张力腿的支撑通常采用分层卡箍的排放形式,这样既能满足运输中的支撑要求,又可以充分利用空间,做到最大的运输量。

# 11.7　张力腿平台的安装

## 11.7.1　张力腿平台安装设计原则

浮式结构的海上安装是深海工程中的重要一环,也是深海工程项目投入使用前的最后一项重大工程,对深海工程项目的成功完成起了很大的决定作用。深海结构受水深的影响,很多都是相对大型的结构,锚固和基础系统的安装作业又要在很深的水中进行,因此对安装有很多特殊的要求。这些要求主要体现在以下方面。

(1)海上安装周期时间长,可选择的操作环境受限制;

(2)安装对工程的影响很大,必须在工程的选型阶段就加以考虑;

(3)深海作业需要相对大型的海上作业工具,能够提供服务的公司不是很多,需要在工程的初始阶段考虑和预签合同;

(4)安装工程所需要的结构辅助设施通常受力较大,对结构设计影响很大,必须在工程设计过程中加以考虑;

(5)对需要海上吊装的结构,受海上复杂环境的影响,吊装受力和吊装安排相对都很复杂,设计时要考虑充分;

(6)海底桩基需要大型的打桩锤和作业船;

(7)张力腿的安装通常需要大型的安装船和特殊的安装设备;

(8)钢锚链或合成锚线的安装需要特殊的设备和专门的安装船;

(9)海底输油管线需要特殊的铺管机;

（10）主体结构和上部结构进行海上安装时,需要大型的吊装船和设备;

（11）平台和锚固系统的连接通常需要特殊的安装船和设备。

具体工程中,海上安装工作要考虑的因素不仅包括技术方面的,还要结合实际工程考虑安装的成本、特定安装方法的风险及可靠性和安装周期等。这些非技术的因素有时会对安装的选择和进行起决定性的作用。由于各种原因,安装中的工程事故时有发生,这些须引起工程人员的注意。近十年来比较大的事故包括 Petronius 顺应塔上部结构吊装时脱钩沉底、Devils Tower 单筒式平台锚链脱钩沉底等。与此相比,安装中的工期拖延现象更是时常发生。近几年由于各种原因造成工期拖后的几个重要的深海项目包括,Matterhorn 平台受海湾环流影响,安装拖后两个多月;Devils Tower 受海湾环流影响安装拖后,又遭遇台风,平台在失去控制的情况下,飘移 100 多海里;Marco Polo 平台由于冬季海浪,安装拖后一个多月。安装工期的拖延,不仅增加成本,而且很大程度上增大了风险。上面提到的 Devils Tower 平台就是一个例子,由于错过了计划的安装时段,拖到了飓风季节,几乎失掉整个平台。

### 11.7.2　张力腿平台安装步骤

从工程技术的角度,海上安装工作主要有以下的一些分类和工作范围需要考虑。这些工作对结构安装来说,通常都是必不可少的。设计和执行项目时,需要认真考虑以下方面。

（1）安装区海况和海流环境的资料;

（2）安装分析和安装环境极限的确定;

（3）安装前的准备工作;

（4）湿拖到位安装;

（5）吊装;

（6）基础安装;

（7）锚固系统安装;

（8）锚固系统附属设施安装;

（9）主体安装;

（10）上部结构安装;

（11）立管浮力筒安装;

（12）钢悬链管安装;

（13）生产立管安装;

（14）特殊结构的安装;

（15）整体系统的连接;

（16）整体系统的测试和认证。

有些基本的结构参数不仅是安装分析所必需,而且是在选择安装承包商时所必须提供的。这些基本数据主要包括以下方面。

（1）主体的重量、重心和主尺寸;

（2）上部结构的重量、重心和主尺寸;

（3）桩基种类、重量、重心和主尺寸;

（4）锚固系统的重量和主尺寸。

1. 基础的安装

深海桩基的型式有多种,目前常用的桩基有吸力桩和摩擦桩。张力腿平台通常采用摩擦桩,而半潜式平台和单筒式平台通常采用吸力桩。桩的长度由不同的项目要求和土质情况决定,摩擦桩的尺寸常为 $60 \sim 130$ m 之间。吸力桩相对较短,长度一般为二三十米,重量在一二百吨。桩基的位置通常需要参照设定的参照物或由全球定位系统确定。用于半潜式平台和单筒式平台的桩基对定位要求相对较低,而张力腿平台的定位要求很高,通常不超过半米。如图 11.7.1 是吸力桩和摩擦桩的示意图,正在安装过程中。摩擦桩的安装通常需要大型安装船和重力锤来进行。桩基沉于海地面,先由自重穿深,然后由打桩机夯打于所需深度,桩的直径在 2 m 以上。张力腿平台的桩基就位后,其上部通常高出海底平面一到二米,以保持上部不被沙土覆盖,便于张力腿的安装就位。

| (a) | (b) |

**图 11.7.1 用于单筒式平台中的吸力桩安装和用于张力腿平台的摩擦桩**

(a)吸力桩;(b)摩擦桩

2. 主体的安装

主体的海上安装通常是指单筒式平台的主体和一部分张力腿平台的主体。张力腿平台主体的安装在平台运到现场后,有时需要辅助设备协助安装。其中一种安装方式是需要大型吊装船协助吊装就位,然后同张力腿接合定位。如图 11.7.2 所示为张力腿平台主体使用这种方式的安装过程。

| (a) | (b) |

**图 11.7.2 张力腿平台主体在安装过程中**

(a)张力腿平台吊装;(b)单筒式平台吊装

3. 上部结构的安装

不同结构对上部安装的要求不同。半潜式平台和浮式生产储油轮的上部结构都是在造船厂安装;单筒式结构的上部结构在海上油区安装;而张力腿平台的安装有很多不同的形式,主要是根据结构的型式和可使用的吊装工具决定。具体来讲,张力腿平台有以下的几种安装方式。

(1)浮船协助浮式安装过程:主体先下沉,浮船装载上部结构定位于主体之上,主体减压载上升,待上部结构的重量全部传于主体后,浮船卸载完毕开出。

(2)上部结构和主体在船厂组装,拖到现场。

(3)上部结构采用模块式,总体受力由框架承担,在船厂组装,拖到现场。

(4)现场吊装式。

对于实行海上安装上部结构的平台,通常需要大型吊装船的现场操作,如图 11.7.5 所示。这种吊装船的数量有限,需要尽早签订合同安排。吊装的过程要进行分析和设计,设计安全系数通常取 2。吊装过程中,主体结构和上部结构的连接有两种不同的形式。第一种是先把主体减压载,让主体升高到一定的吃水,待上部结构开始传载于主体时,吃水加深,以此传递载荷。第二种是待上部结构和主体接触后,采用主体减压载的方式,逐渐传递载荷到主体上,这种方式适用于张力腿平台,通常需要的时间较长。在具体操作中,常常采用两种方式相结合的方法,以解决吊车高度受限和减载速度过慢的问题。

图 11.7.3　张力腿平台主体及上部结构船坞内下水

图 11.7.4　张力腿平台主体及上部结构的运输

图 11.7.5　张力腿平台上部结构的组装就位

4.筋腱系统的安装

根据结构的不同,锚固系统主要分为两大类:用于半潜式和单筒式平台的形式和用于张力腿平台的海底刚性连接形式。张力腿平台拖航至安装现场,将采用对船体压载水舱充水的方式,使船体吃水增加,完成与张力腿的连接,具体步骤如下。

(1)张力腿平台在张力腿附近水面,确保船体浮态及船体与张力腿间垂向安全距离后,定位在张力腿上方;

(2)导向钢丝绳通过船体上部的绞车下放连接到张力腿上;

(3)按充水程序对船体压载水舱实施压载,船体下降;

(4)张力腿由钢丝绳导向插入到张力腿抓紧器内;

(5)充水达到设计吃水时,停止充水;

(6)棘轮倒齿作用,抓紧器收紧固定张力腿;

(7)对压载水舱排水,使张力腿达到预张力。

张力腿平台的安装工艺相对多一些,对安装施工的要求也高。其安装过程包括以下的一些内容。

(1)每一个张力腿在现场的组装;

(2)张力腿支撑浮体的安装;

(3)插入和机械连接张力腿的底部和基础的连接部;

(4)张力腿支撑浮体减压载;

(5)主体和张力腿连接;

(6)张力腿支撑浮体压载和拆除。

张力腿通过安装架一根一根的连接,每连接好一根,吊车就降低其上部于安装台上,再进行下一根的组装。待最后一根连接完成后,进行支撑浮体和张力腿的连接。

# 船舶与海洋工程结构物强度习题

## 船舶强度部分

1. 依据"建造规范"与依据"强度规范"设计船体结构的方法有什么不同？它们各有何优缺点？

2. 为什么要将船体强度划分为"总强度"和"局部强度"？其中"局部强度"与"局部弯曲"的含义有何不同？

3. 如何获得实际船舶的重量分布曲线？

4. 说明计算船舶静水剪力、弯矩的原理及主要步骤。

5. "静置法"对计算波浪的波形、波长、波高以及与船舶的相对位置作了怎样的规定？

6. 按照"静置法"所确定的载荷来校核船体总纵强度，是否反映船体的真实强度，为什么？

7. 依据 $q-N-M$ 关系解释：在中拱和中垂波浪状态下，通常船体波浪弯矩总是舯剖面附近最大。

这一结论是否适用于静水弯矩？

8. 在初步设计阶段，如何应用"弯矩系数法"来决定船体的最大波浪弯矩和剪力？

9. 试设计依据"静置法"计算船舶波浪剪力、弯矩的计算机程序框图。

10. 区别下列名词的不同含义：静水弯矩；波浪弯矩；波浪附加弯矩；砰击振动弯矩。

11. 船体总纵强度的校核通常包括哪三项主要内容？

12. 举例说明船体结构中什么是纵向构件，什么是横向构件？它们对船体总纵强度的贡献有何不同？

13. 划分船体四类纵向构件的依据是什么？结合船体的舯剖面图指出第 1 至第 4 类纵向构件的实际应用。

14. 船体结构相当于一根"空心梁"，其总纵强度的计算方法与普通实心梁不同。其中必须考虑的两个特殊问题是什么？

15. 何谓"等值梁"？在计算船体总纵弯曲正应力 $\sigma_1$ 的过程中，之所以要逐步近似的主要原因是什么？

16. 船体总纵强度校核时，应如何选择计算剖面的数目及位置？

17. 船体总纵强度计算中，对船体纵构件（纵桁、纵骨及船体板）稳定性的一般要求是什么？

18. 计算船体不同部位纵骨的临界应力 $\sigma_{cr}$ 时，究竟采用"简单板架"还是"单跨压杆"的力学模型主要取决于什么因素？

19. 甲板横梁的"临界刚度"与"必需刚度"的含义有何不同？为了保证甲板纵骨的稳定性，横梁的设计一定要使之达到"临界刚度"吗？

20. 说明船体纵骨的欧拉应力计算公式：$\sigma_E = \dfrac{\pi^2 Ei}{l^2 A}$ 中各字母的含义；当按此公式计算出

的 $\sigma_E$ 值超过材料的比例极限时,应如何对所得结果进行非弹性修正?

21. 为什么船体板的临界应力可以简单地取为欧拉应力 $\sigma_E$,而不做非弹性修正? 在计算板的 $\sigma_E$ 时,为什么要区分纵式骨架和横式骨架?

22. 船体板的失稳不同于"孤立板",其主要特点表现在哪些方面?

23. 怎样计算纵式构架中不同部位船体板的减缩系数 $\varphi$?

24. 在船体底部板架弯曲的静力计算中,如何确定纵桁的"承载宽度"和"带板宽度"?

25. 说明船体局部弯曲正应力 $\sigma_2$、$\sigma_3$ 和 $\sigma_4$ 的含义,并比较它们的力学计算模型。

26. 在计算船体底部外板的局部弯曲正应力时,为什么要首先进行板的刚性判别? 是否船体板都属于刚性板(绝对刚性板)?

27. 在计算船底外板的局部弯曲正应力与稳定性时,对板的边界约束条件取法有何不同?

28. 四周刚固定的矩形板在均布载荷作用下,其最大弯曲正应力发生于何处? 为什么对纵式骨架的船底外板进行总合正应力计算时,只取板格的中心点与短边中点?

29. 试说明在船体的一个舱段范围之内,正应力 $\sigma_1$、$\sigma_2$、$\sigma_3$ 和 $\sigma_4$ 沿纵向和垂向分别如何变化?

30. 采用"薄壁梁"理论计算弯曲剪应力的基本原理是什么,包括哪些主要步骤?

31. 在船体横剖面内,最大的总纵弯曲正应力与剪应力分别发生在何处?

32. 为什么船体总纵强度校核内容需要包括极限弯矩? 船体舯剖面的极限弯矩主要与哪些因素有关?

33. 举例说明"负面积法"在船体总纵强度计算($\sigma_1$ 的高次近似或极限弯矩计算)中的应用。

34. 对于不同性质(不变、缓变和迅变)的载荷,怎样选取相应的 $\sigma_{危险}$? 目前造船界的做法如何?

35. 在船体结构的局部强度计算中,对于外部构件和内部构件,分别需要考虑哪些主要载荷?

36. 在船体结构的局部强度计算中,对于露天甲板、内底板,分别需要考虑哪些主要载荷?

37. 在纵骨架式的船体底部板架局部强度计算中,怎样选取主向梁和交叉构件? 如何才能相对准确地确定该板架的边界条件。

38. 描述弹性固定端的"柔性系数 $\alpha$"和"力偶固定系数 $\kappa$"的各自含义是什么? 一般情况下,二者之间是否存在着固定的转换关系?

39. 举例说明:在船体结构的局部强度计算中,如何应用"相对刚度分析"来合理地简化计算构件的边界条件?

40. 船体局部强度计算中,选择不同许用应力的主要依据是什么?

41. 何谓"纵式构架"与"横式构架"? 在船体结构设计中采用"纵式构架"的主要目的是什么?

42. 若船体总纵强度满足要求,能否保证其局部强度也自然满足? 为什么局部强度计算的应力不与总纵强度计算中的应力($\sigma_1$、$\sigma_2$、$\sigma_3$ 和 $\sigma_4$)相叠加?

43. 对于军船和海船而言,为什么其底部和上甲板骨架的设计通常采用纵式构架?

44. 横舱壁在船舶设计中起什么作用?

45. 在船体横舱壁上加设的支条通常取作垂向布置,其主要目的是什么?

46. 在上层建筑与主船体连接处相互作用的垂向力和水平剪力,它们对上层建筑的单独作用效果有何不同?

47. 上层建筑参与船体总纵弯曲的程度主要取决于哪些因素?

48. 简述关于上层建筑参与总纵弯曲计算的"组合杆"理论的基本原理。通常在什么情况下需要采用这一理论?

49. 何谓"剪切滞后"现象,为什么上层建筑参与总纵弯曲的计算应考虑"剪切滞后"的影响?

50. 何谓"强力上建"与"轻型上建",对于这两类上层建筑的结构设计,应分别注意什么问题?

51. 应力集中现象的主要特点是什么?结合船体结构举例说明实际中可采用哪些结构措施来降低应力集中。

52. 如果需要在船体甲板上开一个尺寸一定的矩形孔,那么可以考虑采取哪些措施来降低应力集中?

53. 说明上层建筑端部在其与主船体相连接处产生应力集中现象的原因。

54. 设某船船长为 $L$,船体部分的重量为 $W$,其重心位于船舯后 $x_g$ 处。若该船体重量分布可由图 54 所示梯形曲线表示,其中艏、舯和艉处三剖面的重量集度分别为 $cW/L$,$bW/L$ 和 $aW/L$。试证明:$a + 4b + c = 6$,$a - c = \dfrac{108}{7} x_g/L$

55. 试按静力等效原则,分别将图 55 所示的局部重量在相应的理论分段内均布。

(1)均布重量,其重量集度为 $q_0$,分布长度为 $b$,重心位置以距离 $a$ 表示。

(2)梯形分布重量,三剖面处的分布集度分别为 $a$、$b$ 和 $c$。

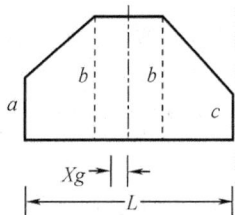

**54 题图**

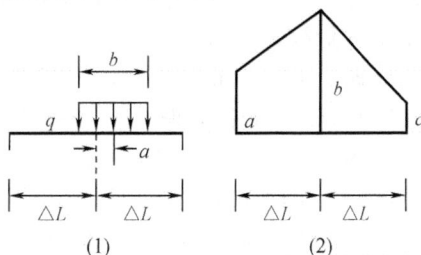

(1)          (2)

**55 题图**

56. 长方形浮码头,长 20 m,宽 5 m,深 3 m,空载时吃水为 1 m(淡水)。当其中部 8 m 范围内承受均布载荷时,吃水增加至 2 m。假定浮码头船体重量沿其长度方向均布。试绘出该载荷条件下的浮力曲线、载荷曲线、剪力曲线和弯矩曲线,并求出最大剪力和最大弯矩值。

57. 长方形货驳长 $L = 10$ m,均匀装载正浮于静水中。若假定货驳自重沿船长均匀分布,且在货驳中央处加一集中载荷 $P = 100$ kN,如图 57 所示。试绘出其载荷、剪力和弯矩曲线。

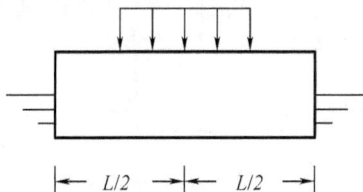

**56 题图**

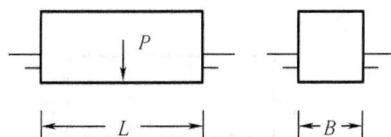

**57 题图**

58. 长方形驳船,长 $L=50$ m,宽 $B=10$ m,高 $H=6$ m,如图 58 所示正浮于静水中。已知自重沿船长均布,其集度为 $w=200$ kN/m,在甲板中部向首、尾各 $l=10$ m 的范围内堆放了 $q=500$ kN/m 的均布荷重。

(1)试绘出静水中的载荷、剪力和弯矩曲线,并求船舯处的弯矩值。

(2)若船体静置于一波高 $h=3$ m,波长 $\lambda=50$ m 的正弦波中,试计算当波峰位于船舯时的波浪附加弯矩和合成弯矩。水的比重取为 $\gamma=10$ kN/m³。

59. 某箱型船长 100 m,宽 18 m,在淡水中正浮时吃水为 5 m。假定船体重量沿船长均匀分布。兹将一质量为 150 t 的物体置于艉端处。

(1)求船体平衡时的平均吃水和纵倾角。

(2)计算船体的最大剪力和最大弯矩值。

60. 如图 60 所示,长度为 $L$ 的长方形货驳,其自身重量沿船长均匀分布。当船舯前方的 $L/2$ 范围内堆放单位长度重量为 $q$ 的货物时,为保持船体在水中的正浮状态,问在船艉处所加的集中载 $P=$?并绘出相应的剪力和弯矩图,标明最大剪力和弯矩的数值。

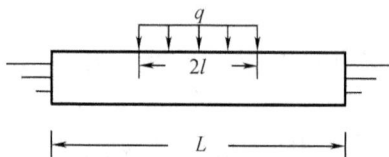 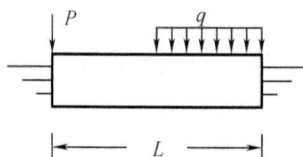

**58 题图**          **60 题图**

61. 长度为 $L=40$ m 的长方形货驳,其自身重量沿船长均匀分布。设船体中部的 $L/2$ 范围内堆放单位长度重量为 $q_0$ 的货物,如图 61 所示。若假想将上述货物全部集中于船舯处,则船舯静水弯矩(绝对值)会相应增大 250 kN·m。

(1)确定上述货载集度 $q_0=$?

(2)绘出该船原来在静水中的载荷、剪力和弯矩图,并标明最大剪力和弯矩的数值。

62. 长度为 $L=40$ m 的长方形驳船,其自重沿船长均布。在尾部 $L/4$ 范围内均匀堆放了重量为 $Q=50$ KN 的散货。欲使该船仍保持水中正浮状态,并且尾部 $L/4$ 范围内的船体剪力和弯矩皆为零,如图 62 所示。

(1)应该在舯前方何处加一个多大重量的压载(视压载为集中重量),即求图中集中力 $P=$?距离 $a=$?

(2)绘出该情况下的载荷、剪力和弯矩图,并求最大弯矩的数值和相应的剖面位置。

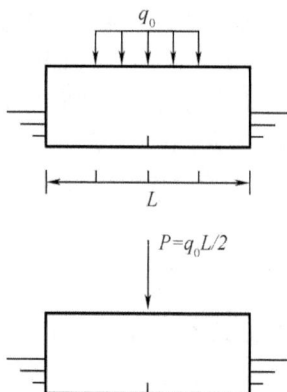 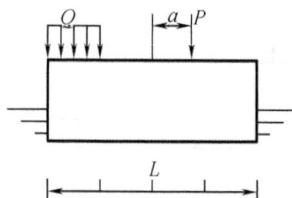

**61 题图**          **62 题图**

63. 船舯横剖面如图 63 所示，其内底高 $h$ 与型深 $H$ 之比 $h/H = 2/7$，最小剖面模数为 $W$。又已知 $b$ 点和 $c$ 点的总纵弯曲正应力（第一近似）之比为 $1:3$。若剖面弯矩为 $M$，求图中 $a$、$b$、$c$ 各点的总纵弯曲正应力。

64. 某船舯横剖面如图 64 所示，型深 $H = 5.6$ m。已知在总纵弯曲正应力 $\sigma_1$ 的第一近似计算中，剖面计算弯矩（波峰位于船舯）为 $M = 50\ 000$ KN·m，甲板和外底板的正应力分别为 $\sigma_{1a} = 80$ N/mm$^2$，$\sigma_{1b} = -60$ N/mm$^2$。求剖面的中和轴位置，全剖面的惯性矩 $I$ 和最小剖面模数 $W_{\min}$。

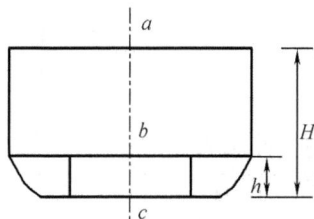

**63 题图**

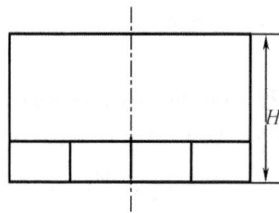

**64 题图**

65. 某船舯剖面设计如图 65 所示，其几何特性如下：全剖面面积 $A = 5\ 000$ cm$^2$，中和轴距基线高度 $e = 6$ m，剖面惯性矩 $I = 30\ 000$ cm$^2$·m$^2$，甲板剖面模数 $W_d = 6\ 000$ cm$^2$·m。因加工装配时发生差错，误将上下甲板的纵桁互相调换（即上甲板装配了 4 根截面积各为 $f_2 = 15$ cm$^2$ 的小纵桁，而下甲板装配了 4 根截面积各为 $f_1 = 25$ cm$^2$ 的大纵桁）。若已知型深 $H = 11$ m，两层甲板的间距 $d = 2.5$ m，试计算实际的甲板剖面模数 $W_d'$。

66. 某船舯半剖面如图 66 所示。其中上甲板①为异种材料，与基本材料的弹性模量之比 $E':E = 1:3$，其面积 $a' = 120$ cm$^2$（自身惯性矩可忽略不计）。型深 $H = 6$ m。在图示坐标系 $o-yz$ 下，除板①之外的半剖面要素如下：面积 $A = 1\ 960$ cm$^2$，对 $y$ 轴的静矩 $B = -1\ 120$ cm$^2$·m，二次矩 $C = 15\ 140$ cm$^2$·m$^2$。又已知该剖面的中拱弯矩 $M = 54\ 000$ kN·m，试计算板①的实际总弯曲正应力 $\sigma_1'$。

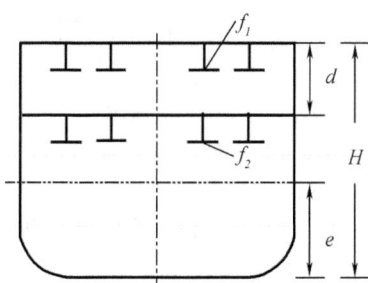

**65 题图**

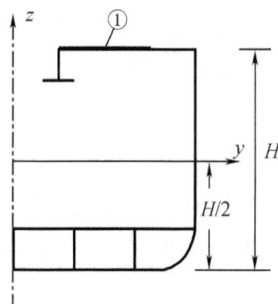

**66 题图**

67. 参考图 67，设两构件的形心分别为 $C_1$ 和 $C_2$，其距离为 $d$，已知各构件的面积分别为 $F_1$ 和 $F_2$，对各自形心轴（平行 $oy$）的惯性矩分别为 $J_1$ 和 $J_2$。证明该组合剖面对其形心轴的惯性矩 $J$ 为：$J = J_1 + J_2 + d^2/(F_1^{-1} + F_2^{-1})$

68. 计算图 68 所示的船舷纵骨的欧拉应力和临界应力。已知：板厚 $t = 0.6$ cm，纵骨为#10 球缘扁钢，纵骨间距 $b = 33$ cm，纵骨跨长 $a = 150$ cm。钢的弹性模量 $E = 20\ 000$ kN/cm$^2$，其屈服极限 $\sigma_s = 35$ kN/cm$^2$。

69. 计算图 69 所示的船舷纵桁的腹板和面板的欧拉应力。已知腹板宽 $b_1 = 25$ cm，厚 $t_1 = 0.5$ cm；面板宽 $b_2 = 6$ cm，厚 $t_2 = 0.8$ cm。横骨架间距 $a = 150$ cm。

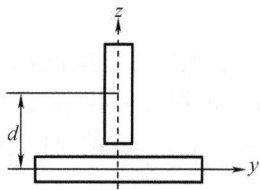

**67 题图**　　　　　　**68 题图**　　　　　　**69 题图**

70. 对图 70 所示的甲板板架，计算：

(1) 使纵骨的临界应力 $\sigma_{cr} = \sigma_s$ 时的横梁的必需惯性矩 $I$。

(2) 使横梁可作为纵骨刚性支座时的横梁的临界惯性矩 $I_{cr}$。

已知：船体舱段长度 $L = 7.5$ m，甲板板架宽 $B_1 = 3$ m，横梁间距 $a = 1.5$ m，纵骨间距 $b = 0.3$ m。设横梁两端的固定系数 $\kappa_1 = 0$ 及 $\kappa_2 = 0.35$。又给出包含附连翼板的纵骨横截面积为 $A = 35.15$ cm$^2$，惯性矩为 $i = 524$ cm$^4$。钢的弹性模量 $E = 20\,000$ kN/cm$^2$，其屈服极限 $\sigma_s = 35$ kN/cm$^2$。

71. 图 71 所示的纵式构架甲板，纵骨间距 $b = 600$ mm，板厚 $t = 6$ mm。已知在总纵强度第一近似计算中，甲板板①的 $\sigma_1 = -100$ N/mm$^2$，试计算：

(1) 板①的折减系数 $\varphi$。

(2) 板①应减缩掉的面积 $\Delta A$。

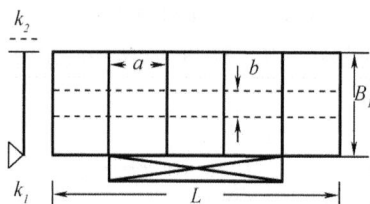
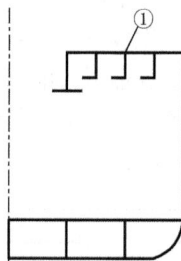

**70 题图**　　　　　　　　　　**71 题图**

72. 某船甲板为纵式构架，其舯剖面如图 72 所示。甲板板①和②的尺寸分别为 $6 \times 2100$ 和 $8 \times 900$（即：板厚×板宽，单位 mm）。型深 $H = 7$ m，内底高 $h = 2$ m，纵骨间距 $b = 60$ cm。

在总纵弯曲正应力 $\sigma_1$ 的第一近似计算中，已知中垂状态时的内底板和外底板的正应力分别为 $\sigma_{1b} = 25$ N/mm$^2$，$\sigma_{1c} = 75$ N/mm$^2$。求：

(1) 甲板板的总纵弯曲正应力 $\sigma_1$；

(2) 甲板板①和②的减缩系数 $\varphi_1$ 和 $\varphi_2$；

(3) 甲板板的被减缩掉面积，即非工作面积 $\Delta A$（按半剖面计算）。

73. 对某船舯舱段进行总强度校核，其剖面如图 73 所示，其中 $H = 6.3$ m，$h = 0.9$ m。已知 $\sigma_{1b} = -40$ N/mm$^2$，$\sigma_{1c} = -60$ N/mm$^2$。假定 $\sigma_2$ 可按两端刚固定的单跨梁进行简化计算，计算出舱壁处的 $\sigma_{2b} = -10$ N/mm$^2$，$\sigma_{2c} = 10$ N/mm$^2$。又给定许用应力 $[\sigma_1] =$

120 N/mm², $[\sigma_1 + \sigma_2] = 144$ N/mm²。试校核舱壁及跨中剖面处 $a$、$b$、$c$ 三点的总和正应力。

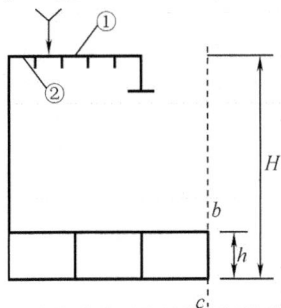

**72 题图**

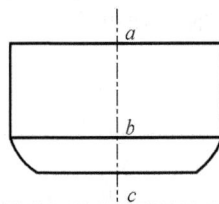

**73 题图**

74. 如图 74 所示对某船舯舱段进行总纵强度校核。设型深 $H = 6.3$ m,舱段长 $L = 7.5$ m,横骨架间距 $a = 1.5$ m,船底板架宽 $B = 9.6$ m,龙骨间距 $B_0 = 1.6$ m。纵骨间距 $b = 0.32$ m,纵骨为#12 球缘扁钢。内、外底板厚均为 $t = 0.8$ cm。中央龙骨腹板尺寸为 90 cm × 0.8 cm,其上面有 2 根均布的纵骨。舱内固定重物的重量为 $P = 700$ kN,水的比重 $\gamma = 10$ kN/m³。

(1)中拱状态。假定构件无一失稳。已求得内、外底板中面的总弯曲正应力 $\sigma_1$ 分别为 $-4$ kN/cm² 和 $-6$ kN/cm²,舱段内波面最大高度 $h = 5.34$ m。试计算上甲板、内底板中面和外底板中面的总合正应力。

(2)中垂状态。假定亦无构件失稳。舱段内波面最大高度 $h = 0.82$ m,且已知中垂与中拱状态的舯剖面波浪弯矩之比为 $-1.1:1$,问上述构件的总合正应力如何变化?

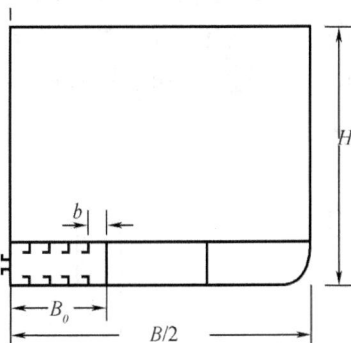

**74 题图**

75. 根据图 75 所示的船体结构和已知的部分正应力数据,按四类纵向构件的应力成分特性,完成下述中拱状态的构件应力合成表。

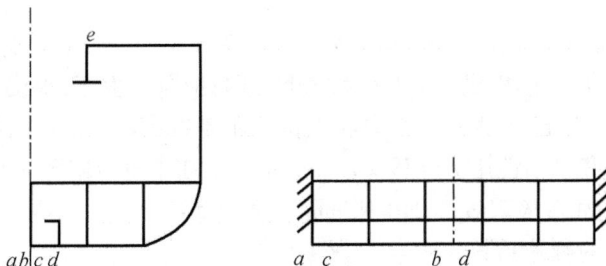

**75 题图**

| 计算点及其所在的剖面位置 | $\sigma_1$ | $\sigma_2$ | $\sigma_3$ | $\sigma_4$ | $\sigma_{总合}$ |
|---|---|---|---|---|---|
| a:舱壁处,中央龙骨下缘外板中面 | $-6$ | | | | |
| b:舱段跨中处,中央龙骨下缘外板中面 | | $-1.5$ | | | |
| c:舱壁处,中央龙骨的纵骨外板中面 | | | 2 | | |
| d:舱段跨中处,龙骨的纵骨外板外表面 | | | | $-1$ | |
| e:上甲板 | | | | | 8.5 |

注:(1)表中应力单位为 $kN/cm^2$;

(2)假定底部板架弯曲正应力 $\sigma_2$ 可按两端刚固定的单跨梁计算。

76. 某船舯剖面如图 76 所示。设型深为 $H$,全剖面面积为 $F$。则中和轴距基线高度为 $0.4H$,剖面对中和轴的惯性矩为 $0.11408FH^2$。若在中拱极限弯矩校核中,仅内底板失稳。设内底板距基线高度为 $0.2H$,其面积为 $0.05F$。已知内底板的欧拉应力 $\sigma_1 = 0.2\sigma_s$,其中 $\sigma_s$ 为钢材的屈服极限。试计算:

(1)内底板的减缩系数 $\varphi$。

(2)剖面的中拱极限弯矩 $M_j$ 与 $\sigma_s FH$ 之比是多少?

77. 某船舯横剖面如图 77 所示,型深 $H = 5.6$ m,全剖面面积 $F = 4\,000$ $cm^2$,甲板横梁间距 $a = 150$ cm,纵骨间距 $b = 40$ cm。已知在总纵弯曲正应力 $\sigma_1$ 的第一近似计算中,剖面计算弯矩(波峰位于船舯)为 $M = 50\,000$ KN·m,甲板和外底板的正应力分别为 $\sigma_{1a} = 80$ $N/mm^2$,$\sigma_{1b} = -60$ $N/mm^2$。

(1)求剖面的中和轴位置,全剖面的惯性矩 $I$ 和最小剖面模数 $W_{min}$。

(2)中垂极限弯矩校核中,仅①号甲板板失稳(该板尺寸为 6 mm × 2\,000 mm)。设船体钢材的屈服极限 $\sigma_s = 240$ $N/mm^2$。问:剖面中和轴将如何移动? 极限剖面模数 $W_S$ 是多少? 这里只要求做一次近似计算即可。

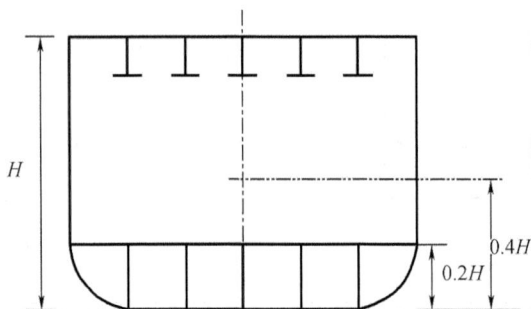

**76 题图**

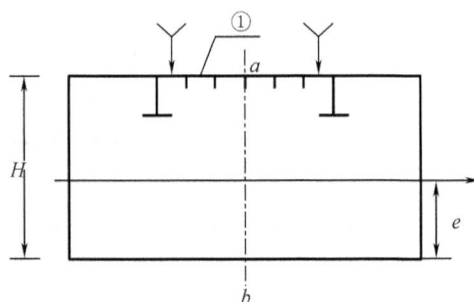

**77 题图**

78. 某船体舯剖面等值梁草图如图 78 所示。型深 $H = 5.2$ m,甲板横梁间距 $a = 150$ cm,纵骨间距 $b = 40$ cm,①号上甲板尺寸为 6 × 2\,000 (即:板厚×板宽,单位 mm × mm),图中焊缝距甲板纵桁 200 mm。已知第一近似中和轴位置距基线高 $e = 2.3$ m,等值梁全剖面面积 $F_1 = 4\,000$ $cm^2$,对中和轴惯性矩 $I_1 = 19\,200$ $cm^2 m^2$。设在中垂极限弯矩校核中,仅①号甲板板失稳。船体钢材的屈服极限 $\sigma_s = 240$ $N/mm^2$。试计算:

(1)①号甲板板的减缩系数 $\varphi_1$;

(2)①号甲板板的被减缩掉面积(即非工作面积)$\Delta A_1$;

（3）舯剖面的中垂极限剖面模数 $W_S$；

（4）舯剖面的中垂极限弯矩 $M_J$。

79.图 79 所示一个对称的三跨铰支连续梁,仅中跨承受均布载。已知每个边跨的长度为 $l_0$,截面惯性矩为 $I_0$；中跨的长度为 $l$,截面惯性矩为 $I$。

（1）若将两个边跨简化为中跨梁的弹性固定端,证明：力偶固定系数 $\kappa = \dfrac{1}{1 + \dfrac{2\alpha EI}{l}}$,其中

柔性系数 $\alpha = \dfrac{l_0}{3EI_0}$（$E$ 为弹性模量）

（2）根据上述结果说明,在什么情况下两个边跨可以视作中跨梁的刚性固定端。

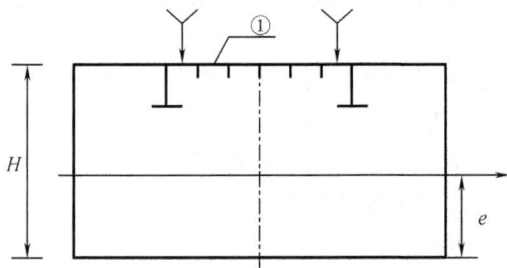

**78 题图**

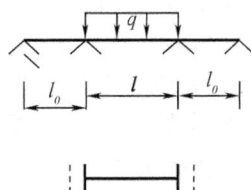

**79 题图**

【附】

10 号球缘扁钢截面特性数据：$h = 10$ cm,$y_o = 6.29$ cm,$f = 8.63$ cm$^2$,$i_x = 85.23$ cm$^4$

12 号球缘扁钢截面特性数据：$h = 12$ cm,$y_o = 7.55$ cm,$f = 11.15$ cm$^2$,$i_x = 158$ cm$^4$

# 海洋平台强度部分

1.海洋环境载荷主要包括哪些载荷？它们各有何特点？

2.在海洋平台的强度计算中,选用不同波浪理论的主要依据是什么？

3.根据什么原则将海洋工程结构物划分为大尺度构件和小尺度构件,它们所受的波浪载荷成分有何不同？

4.说明下列计及结构物运动的 Morison 公式中各字母的含义：

$$\vec{f} = \frac{1}{2}\rho C_D A |\vec{u}_r| \vec{u}_r + \rho V_N \vec{u}_n + \rho C_m V_R \vec{u}_r$$

又若结物为固定立柱,则该公式如何简化？

5.Morison 公式中的拖曳系数 $C_D$ 的物理意义是什么,其数值主要与哪些因素有关？

6.如何应用"F－K 法"计算作用于大尺度构件上的波浪力？

7.试依据功能关系导出流冰对直立桩柱撞击力的计算公式。

8.解释链端刚度系数 $k_{xx}$ 的含义。若已知锚链链态的任意两个独立参数（此外,锚链的 $w$ 为已知量）,能否确定出 $k_{xx}$ 的数值？

9.结合计算框图说明,如何应用牛顿迭代法来确定系泊平台在已知外力作用下的平衡位置。

10.在自升式平台的强度校核计算中,如何对环境载荷（风、浪、流）进行搜索？其主要

目的是什么？

11. 自升式平台的结构主要由哪几部分组成,该类平台结构的薄弱环节是什么？

12. 对于具有桁架式桩腿的自升式平台,在总体强度分析和桩腿局部强度分析中,桩腿的模型化有何不同？

13. 分析自升式钻井平台在正常作业和拖航等不同工况下,所受环境载荷的差异。

14. 对半潜式平台进行总体强度校核时,通常需考虑哪些主要工况？ 为什么要选择多种计算工况来进行强度校核？

15. 半潜式平台的结构可分为哪几部分,其中哪一部分是平台结构的薄弱环节。

16. 圆柱壳构件的整体稳定性与局部稳定性问题有何不同？

17. 海洋平台总体强度分析中通常采用"设计波法"或"设计谱法",二者的主要区别是什么？

18. 简要说明"设计谱法"中,如何对结构物的响应进行短期和长期统计预报。

19. 在导管架平台应力分析中,通常引入"等效桩"的概念。描述等效桩的主要参数有哪些？ 所谓"等效"是指等效桩与实际桩基在什么方面二者彼此相同。

20. 在导管架平台的运输和吊装过程中,高应力构件分别是什么？

21. 怎样理解节点在海洋平台强度中的重要地位？

22. 什么是简单管节点？ 由撑杆和弦杆连接形成的 T 型管节点,其应力分布有何特点？

23. "冲剪破坏"经历的 3 个不同阶段是什么？ 撑杆和弦杆最终是如何被破坏的？

24. 通常用于管节点静强度计算的两种主要方法是什么？

25. 说明"S-N 曲线"的含义。为什么选用该曲线的试验资料进行疲劳分析计算时要特别慎重？

26. 定常海流中的固定立柱如图 26 所示。已知水域深度为 $h$,水的密度为 $\rho$,挂长 $L > h$,直径 $D$,无因次的曳力系数为 $C_D$,惯性系数为 $C_M$,海流速度在水面处的值为 $u_o$,且沿深度线性递减至零。

(1)按 Morison 公式确定海流对立拄作用的合力大小及力线位置。

(2)立柱横断面内的最大剪力和弯矩是多少？

27. 应用"F-K 法"计算作用于图 27 所示水下长方形潜体的水平绕射力 $F_H$ 的大小和方向。

已知潜体长 $L$,宽 $B$,高 $h$;水域深度 $d$,入射波为 Airy 波,其波高为 $H$,频率 $\omega$,波数 $k$,入射方向与潜体棱长 $L$ 方向的夹角为 $\theta$;水平绕射系数为 $C_H$。

28. 图 28 所示水域深度为 $h$,位于水底的一个长方形潜体长为 $2a$,宽为 $a$,高为 $b$。入射波为 Airy 波,波高为 $H$,波长为 $\lambda$,频率为 $\omega$。当入射波沿 $x$ 轴正向或 $y$ 轴正向传播时,作用于潜体的水平波浪力的幅值分别记作 $F_{Ha}^{(1)}$ 和 $F_{Ha}^{(2)}$,并假定在本问题中水平绕射系数 $C_H$ 为一定值。

(1)求比值 $F_{Ha}^{(1)} : F_{Ha}^{(2)} = ?$

(2)当波长 $\lambda$ 为何值时,$F_{Ha}^{(1)} = F_{Ha}^{(2)}$？

(3)当波浪相对潜体怎样位置时,相应时刻作用于潜体上的水平波浪力恰好为零？

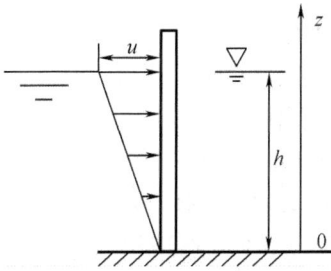

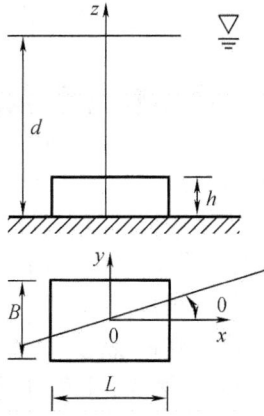

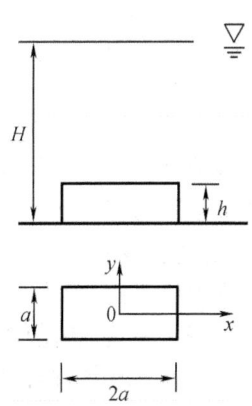

| 26 题图 | 27 题图 | 28 题图 |

29. 某锚链的断裂强度 $T_b = 3\,000$ kN,水中单位长度的锚链重量 $w = 1$ kN/m,工作水深 $h = 200$ m,若取链的安全系数 $K = 3$,求此锚链所能提供的最大回复力 $T_H = ?$ 相应的悬垂段长度 $l = ?$

30. 某锚链平台可以简化为如图 30 所示的 2 根左右对称的锚链系泊。已知 $w = 1$ kN/m,$h = 100$ m,初始状态下 2 根锚链的悬垂段长度皆为 $l = 300$ m。

(1)计算单根锚链的链端刚度 $k_{xx} = ?$

(2)当平台在悬垂平面内水平向右移动 $\delta = 1$ m 时,锚链对平台提供的回复力 $\Delta T_H$ 的数值大约是多少?

31. 矩形平台长 $L = 80$ m,宽 $B = 60$ m,由 4 根锚链系泊如图 31 所示,方向角 $\alpha = 60°$。工作水深 $h = 200$ m。设锚链在水中的单位长度重量 $w = 1$ kN/m,各锚链在图 32 所示状态下的预张力(上链端张力)皆为 $T = 1\,000$ kN。

(1)计算各锚链的链态参数:$a, l, s, T_H, T_V$ 以及链端刚度系数 $k_{xx}$。

(2)若平台运动的参考点取在其中心 $o$ 处,试确定锚泊系统的刚度矩阵 $K_C$。

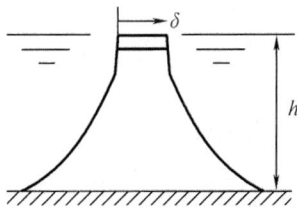

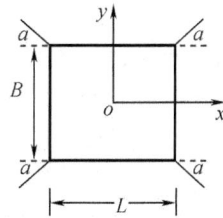

| 30 题图 | 31 题图 |

# 参 考 文 献

[1] 陈伯真,胡毓仁,薄壁结构力学[M].上海:上海交通大学出版社,1998.

[2] 杨永谦,大开口船舶结构计算力学[M].北京:人民交通出版社,1994.

[3] 王杰德,杨永谦.船体强度与结构设计[M].北京:国防工业出版社,1995.

[4] 中国船级社.钢质海船入籍与建造规范[S].北京:人民交通出版社,1989.

[5] 中华人民共和国船舶检验局.内河建造规范[S].北京:人民交通出版社,1991.

[6] 伊万斯.船舶结构设计概念[M].桑国光,等译.北京:国防工业出版社,1980.

[7] 徐芝纶.弹性力学[M].北京:人民教育出版社,1979.

[8] 斯曼斯基.船舶结构力学手册(1)[M].孙海涛,等译[S].上海:上海科学技术出版社,1980.

[9] 中国船级社.钢质海船入籍与建造规范修改通报[S].北京:人民交通出版社,1989.

[10] 杨代盛.船体强度与结构设计[M].北京:国防工业出版社,1981.

[11] 休斯.船舶结构设计[M].张祥孝,主译.广州:华南理工大学出版社,1988.

[12] 沐建飞,潘斌.海洋平台风载荷的分析与计算[J].中国海洋平台.1999,14(2):7-12.

[13] 李远林.近海结构水动力学[M].广州:华南理工大学出版社,1999.

[14] 朱航,马哲,翟钢军,等.HYSY-981半潜式平台风载荷数值模拟与风洞实验[J].船海工程,2009,38(5).

[15] FALTINSEN O M.船舶与海洋工程环境载荷[M].杨建民,肖龙飞,葛春花,译.上海:上海交通大学出版社,2008.

[16] OCIMF, Reduction of Wind and Current Loads on VLCC [S]. Second Edition ,Witherby &Co. Ltd ,England ,1994.

[17] 罗伯特 E 兰德尔.海洋工程基础[M].杨櫹,包从喜,译.上海:上海交通大学出版社,2002.

[18] 肖龙飞,杨建民,张承懿,等.Model Test Research of FPSO System in Wave Basin[J].船舶工程,2004(6):18-23.

[19] 曾一非.海洋工程环境[M].上海:上海交通大学出版社,2007.

[20] 李臻,杨启,宗贤骅,等.巨型船舶大风浪中系泊模型试验研究[J].船舶工程,2003(6):5-8.

[21] DNV, Rules for the Design Construction and Inspection of Offshore Structures[S]. 1982.

[22] 聂武,刘玉秋.海洋工程结构动力分析[M].哈尔滨:哈尔滨工程大学出版社,2002.

[23] 杨建民,肖龙飞,盛振邦.海洋工程水动力学试验研究[M].上海:上海交通大学出版社,2008.

[24] SAHIN I. A survey on semisubmersible wind loads [J]. Ocean Engineering, 1985, 12(3):253-261.

[25] GOMATHINA YA GAM S. Dynamic effects of wind loads on offshore deck structure -A critical evaluation of provisions and practices [J]. Journal of Wind Engineering and Industrial Aerodynamics, 2000, 84(3):345-367.

［26］DAVENPORT A G, HAMBL Y E C. Turbulent wind loading and dynamic response of jackup platform［C］. Off shore Technology Conference, Houston, Texas, 1984：Paper NO. OTC4824.

［27］王瑞金,张凯,王刚. Fluent 技术基础与应用实例［M］.北京:清华大学出版社,2007.

［28］中国船级社.海上移动平台入级与建造规范［M］.北京:人民交通出版社,2005.

［29］DNV. Environmental condition and environmental loads［S］. Classification notes No. 30. 5. 2004.

［30］A P I. Recommended Practice for Planning, Designing and Constructing Fixed of shore Platform（RP2A – WSD)［S］. American Petroleum Institude,2000.

［31］SUBRATA CHAKRABARTI , Handbook of Offshore Engineering［M］. Oxford:Elsevier, 2005.

［32］MOO – HYUN KIM. Spar Platforms［M］. Reston:American Society of Civil Engineers,2012.